CB062300

COZINHANDO PARA AMIGOS 2

★HELOISA BACELLAR★
ENTRE PANELAS

MUITAS HISTÓRIAS E MAIS DE 300 RECEITAS PARA AMIGOS GULOSOS

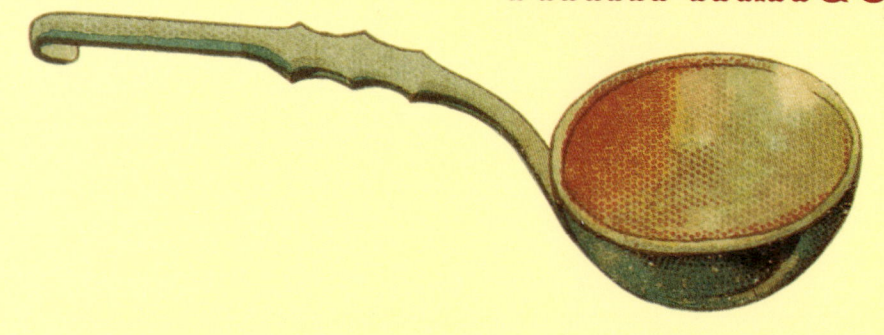

★ FOTOS ROMULO FIALDINI ★

E TIGELAS,
A AVENTURA CONTINUA

DBA

Editor
Alexandre Dórea Ribeiro

Editora executiva
Andrea M. dos Santos

Design
Victor Burton

Assistentes de Design
Ana Paula Brandão
Fernanda Garcia

Assistente editorial
Gustavo Veiga

Coordenação da produção culinária e fotográfica
Heloisa Bacellar

Produção fotográfica
Michele Moulatlet

Produção culinária
André Berti

Produção gráfica
Edgar Kendi Hayashida (Estúdio DBA)

Revisão de texto
Mário Vilela
Norma Marinheiro

Pré-impressão
Prata da Casa

Impressão
Prol Gráfica

1ª reimpressão - julho de 2012

Copyright 2008 by Heloisa Bacellar

Reservados todos os direitos desta obra. Proibida toda e qualquer reprodução desta edição por qualquer meio ou forma, seja eletrônica, mecânica, fotocópia, gravação ou qualquer meio de reprodução, sem permissão expressa do editor.

DBA Dórea Books and Art
Al. Franca, 1185 cj. 31/32
01422-001 — São Paulo — SP — Brasil
Tel.: (11) 3062 1643 — Fax: (11) 3088 3361
dba@dbaeditora.com.br
www.dbaeditora.com.br

AGRADECIMENTOS

Carlos, Bebel e Ana: *muito amor, carinho, paciência e comidinhas gostosas. Sabe o que é passar uma semana experimentando e comendo o mesmo bolo e palpitando sobre ele umas 20 vezes, ou provar rolinhos chineses e bala de coco por uns cinco dias, ou ter seis versões de uma mesma sopa para jantar? Vocês três sabem, e muito bem, que isso às vezes é divertido, às vezes é meio estranho, às vezes é uma delícia, às vezes nem tanto – mas estão sempre prontos para o que der e vier, achando tudo muito bom e natural.* **Minha família,** *ou melhor,* **les dix-huit**: *minha mãe e meu pai, Rubens e Heloisa; meus irmãos com as suas familinhas, Regina e Paulo, Felipe e Pedro, Rubinho e Maricota, Francisco e Vinícius, Ricardo e Paula, Leonardo e Rubinho; e nós quatro de casa – o que seria de mim sem vocês? Como é bom estar sempre juntos! Adoro vocês todos!* **Danilo, Denise, Euri, Hirata e Isídio**: *cada um de um jeito, vocês passaram a ser parte da minha vida de uma forma muito intensa, tornaram-se grandes amigos e cuidaram de mim com uma dedicação e um carinho incríveis.* **Paula**: *uma amiga querida.* **Berti**: *é tão bom trabalhar e contar com você! Boas idéias, muito carinho no dia-a-dia, dedicação incrível, persistência, seriedade e enorme paciência para me ajudar a conferir tudo, testando e retestando as receitas duas, três e, em alguns casos, umas 20 vezes!* **Alexandre**: *é maravilhoso ter um editor-amigo, que acredita e incentiva os meus mil planos e idéias!* **Andrea**: *é uma delícia ter uma editora tão querida e dedicada.* **Emanuel**: *que tanto fez para deixar o livro lindo assim.* **Romulo**: *é o máximo fazer um novo livro com você! Além de contar com a sua deliciosa companhia, é um privilégio ter a minha casa, os meus pratos e receitas, a minha vida clicados pelo seu olhar tão mágico e tão sábio.* **Victor**: *as suas superidéias mirabolantes deixaram o novo livro ainda mais emocionante.* **Michele**: *você é uma graça, e como me ajudou com os mil e um pratos, tigelas, talheres, copos e toalhas para deixar tudo mais bonito e apetitoso!* **Elita e Waldomiro**: *sempre rindo, lavaram, secaram e guardaram pilhas e pilhas de louça, panelas e panos.* **Patrick Terrien**: *mon chef du coeur, impossível cozinhar sem pensar em você. Aos* **meus amigos** *gulosos.*

Obrigada a todos!
Helô

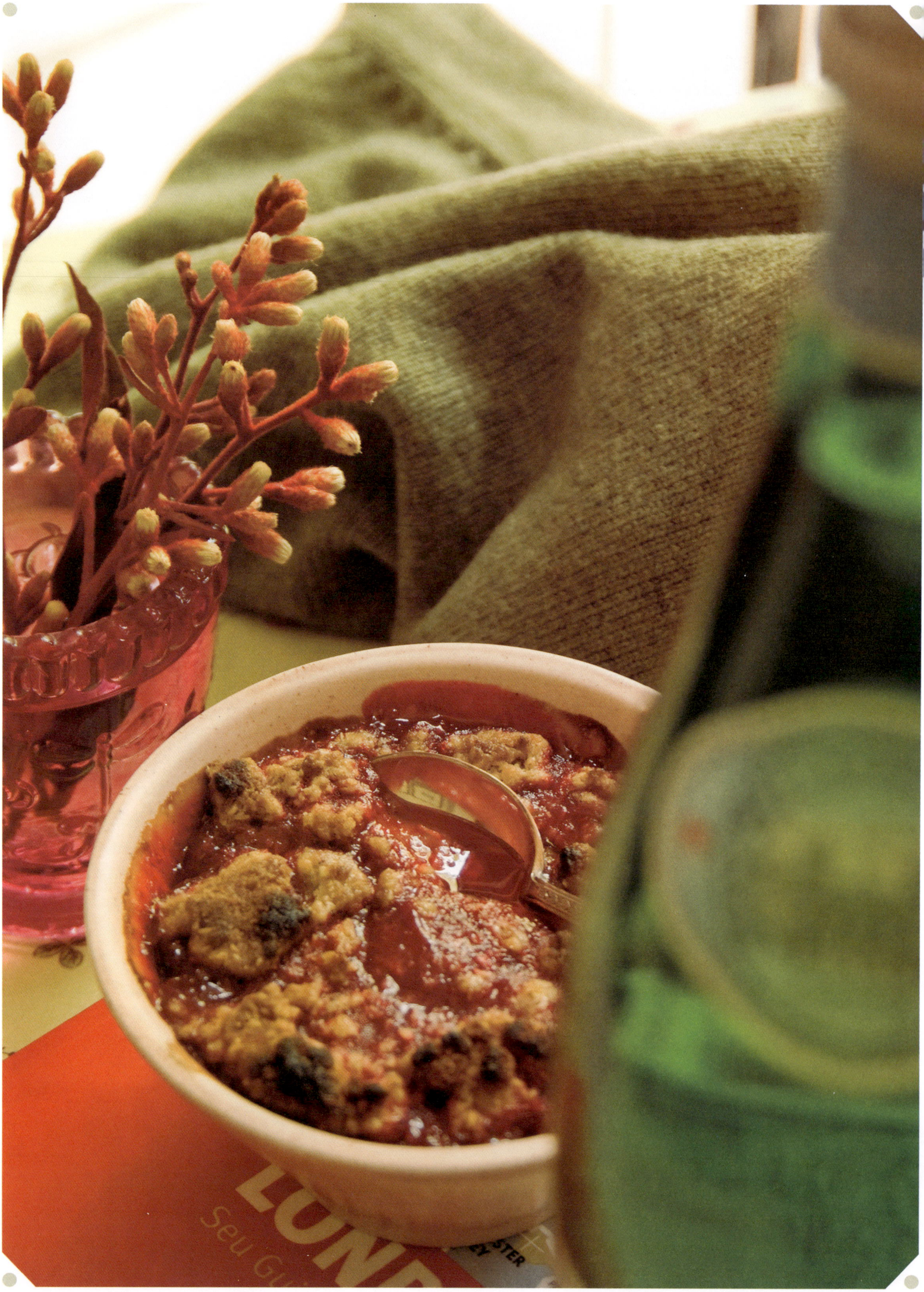

SUMÁRIO

Apresentação 8
Arnaldo Lourençato

Introdução 12
Heloisa Bacellar

Eu adoro maçã 16

Arraial chique 40

Um, dois, feijão com arroz; três, quatro, feijão no prato 62

Comida de praia - caiu na rede, é peixe, mas também pode ser lula, polvo, camarão, marisco, lagosta, cavaquinha, siri, caranguejo… 96

Bouquet garni – os raminhos das ervas e cheiros que fazem a diferença 128

Parabéns a você – uma festa de aniversário feita em casa 152

Guloseimas em Paris 176

Passeando pela Inglaterra 202

Ching Ling – made in China 220

Mandioca é bom demais 250

Tudo muito natural 276

Ovos, ovos e mais ovos…tem coisa mais linda? 306

Na Patagônia argentina 336

Picadinhos e ensopadinhos de tudo quanto é canto 358

Sopas para as noites mais frias (e para as mais fresquinhas também) 378

Duas geladeiras, uma bem chique e uma mais vazia e simplória 402

Lista de receitas 414

APRESENTAÇÃO

Conheci Heloisa Bacellar em 2001. Encontramo-nos num restaurante italiano que nem existe mais para apreciar as iguarias de um chef francês em visita a São Paulo. Dessa noite memorável, impressionou-me, mais do que a comida, o entusiasmo gastronômico de minha companheira de mesa. Ela acabara de voltar de uma viagem à Tailândia, absolutamente fascinada pela culinária simples, de perfumes intensos, que provara naquele país. A princípio, algo tímida, pôs-se a descrever temperos e pratos, falava da mescla de doce e salgado, da combinação do ácido e do picante. À medida que avançava nas explicações, multiplicava o entusiasmo e ficava mais à vontade. Sem perder a doçura que lhe é tão peculiar, reclamava do excesso de pimenta e outros condimentos ardidos usados de maneira tão trivial, coisa que, em alguns momentos, acabara cansando-lhe o paladar. Apresentava detalhes da viagem com a paixão e o apetite dos grandes *gourmets*, aqueles capazes de valorizar tanto a cozinha do dia-a-dia quanto as refeições em templos da alta gastronomia. Era tudo tão espontâneo, tão prazeroso, que seria possível ouvir horas a fio essa Sherazade de forno e fogão. Heloisa sabe cozinhar e tem o dom de narrar histórias apetitosas. Esses dois predicados, que ela já demonstrara em *Cozinhando para amigos*, se repetem neste *Entre panelas e tigelas, a aventura continua*. As receitas de Heloisa não se resumem a meras formulações culinárias. Sim, elas dão certo, são testadas — sou fã da salada de cuscuz marroquino com hortelã fresca, suco de laranja e raspas de limão, criada por ela e incluída no livro 70 chefs, um prato que de tempos em tempos repito na minha casa. Cada receita carrega uma história, imortaliza um momento vivido por sua autora. Heloisa junta em todas elas dois prazeres: o de ensinar passo a passo com clareza até as preparações mais difíceis e o de partilhar uma experiência para os sentidos. Para Helô, cozinhar é afagar paladares, uma afeição plena de aromas e sabores. À sua maneira, leva a extremos

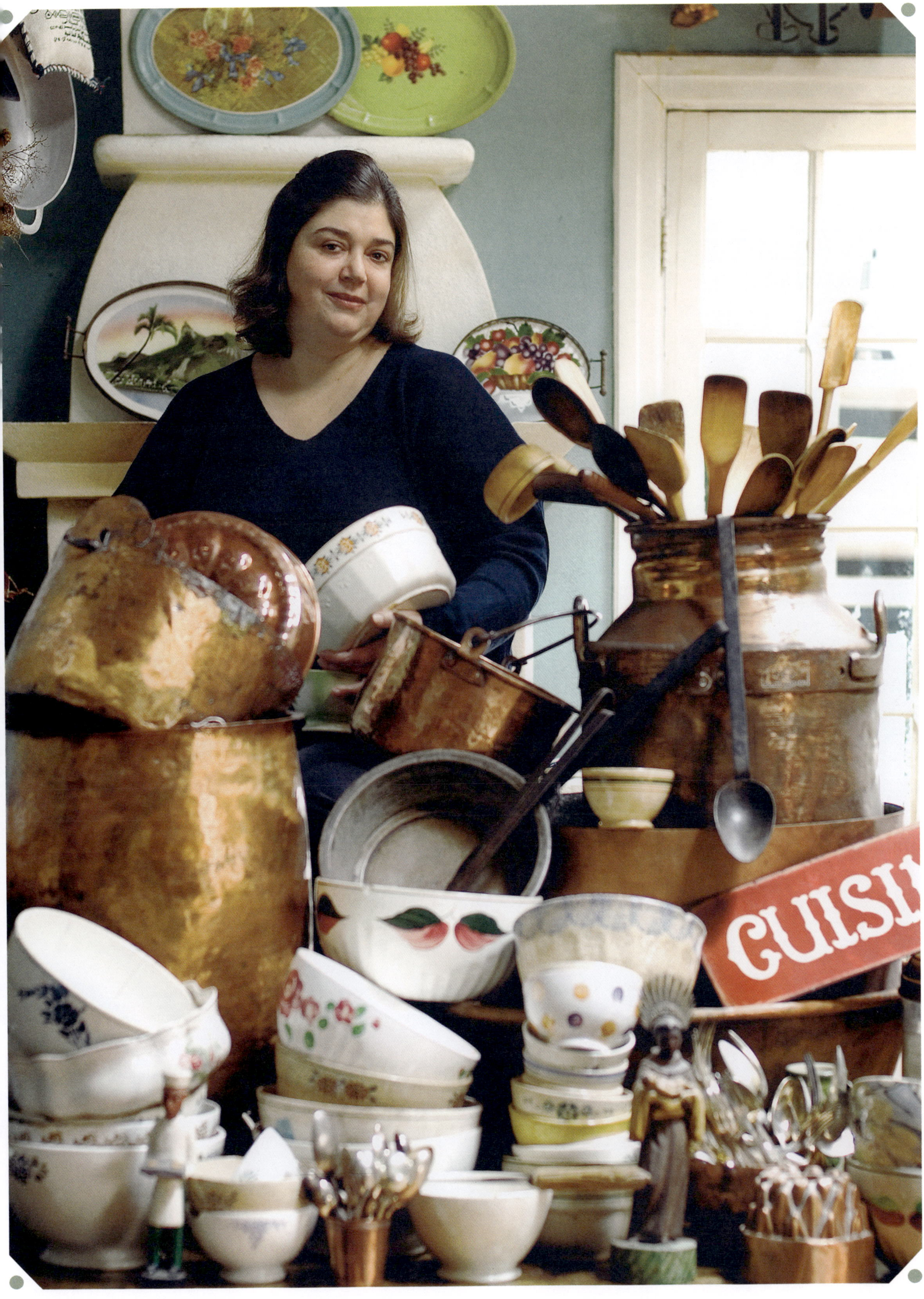
GUISI

uma versão moderna da máxima cunhada pelo francês Brillat-Savarin (1755-1826): "Você é o que você come", ou, originariamente, "Diz-me o que comes e te direi o que és". Ela transforma o aforismo em "Você é o que partilha à mesa com familiares e amigos". Um bom repasto nunca deve ser uma experiência egoísta; merece ser repartido. Qualquer hedonismo se dissipa à mesa. Pelo menos à mesa da Helô.

Além de explicar como fazer uma infinidade de pratos, ela sugere maneiras de servi-los. Para cada um deles, há um contexto especial. Mas nada a ver com o ótimo *Cozinhando para amigos*, em que propunha 40 cardápios diferentes, propícios para distintas ocasiões. Não se reproduzem as propostas anteriores — como os menus para dias quentes, com refeições ao ar livre na varanda, ou menus para a temporada fria, com jantares aquecidos pela chama da lareira. Também ficaram de lado datas comemorativas, entre elas Dia das Mães, Natal e Réveillon. Dessa vez, Heloisa elegeu dezesseis temas sem nenhuma relação direta entre si e os transformou num capítulo. O livro pode até ser lido fora de ordem, com o mesmo deleite com que se pode degustar suas páginas na seqüência em que estão organizadas. Encontram-se ali lembranças de viagem, paixões culinárias, festas e ingredientes.

Em "Eu adoro maçã", Heloisa coloca em primeiro plano a devoção pela fruta, que, para ela, não tem nada de proibida. De maneira divertida, fica-se sabendo de variedades, texturas, teores de doçura e acidez da maçã, além dos usos culinários mais adequados. Não há como não se deixar seduzir pelos escalopes de vitelo à la normande ou pela tarte Tatin dourada e brilhante de caramelo. Também é envolvente a festa junina de "Arraial chique", montada por ela em sua fazenda de São Luiz do Paraitinga. Para chegar à versão ideal do bolo de fubá incluído nesse capítulo, ela fez não uma, mas 20 receitas numa mesma tarde, até escolher a melhor. Isso mesmo — 20 variações sobre o mesmo tema minuciosamente preparadas. Só depois de tantos experimentos ela se permitiu acrescentá-la ao livro. Concluiu que a melhor ainda era aquela com gostinho de infância, derivada de uma receita da avó materna, Betty, uma de suas maiores musas culinárias. Em "Parabéns a você", resgatam-se as antigas festas de aniversário para crianças planejadas em casa. Heloisa propõe que se esqueçam os bufês tão na moda hoje em dia. Nada dessas comemorações impessoais, com hora marcada para começar e terminar. Nada de doces, salgadinhos ou bolo de confeitaria. Dos enfeites ao bolo de coco com baba-de-moça, tudo pode ser feito em casa. E com muita alegria. Afinal, cozinhar não deve ser um tormento, nunca.

Heloisa também se põe a falar de temas tão singelos como o arroz-e-feijão de todo dia. Discorre sobre o virado à paulista, o baião-de-dois, o arroz de tropeiro, o arroz de hauçá, o arroz com pequi. Aliás, conta também como o arroz e o feijão integram outras culinárias. Não ficaram de fora as versões importadas, caso do risotto com grãos arborio ou carnaroli, bem italiano e já tão presente no cardápio brasileiro em ocasiões especiais. Tem gostinho de quero mais a salada de feijão-azuki e feijão-bolinha verde ao molho de gengibre, shoyu e brotos de alfafa, de inspiração japonesa.

Dos cadernos de viagem de Heloisa brotam tantas outras histórias. Sempre com o pé na estrada, ela aproveita para contar o que viu na Patagônia argentina, em Londres e em Paris, cidade onde morou e que conhece tão bem. A China, com suas tradições milenares e receitas surpreendentes, também se transformou em tema de um dos capítulos. É curioso saber que talheres, louças, copos, toalhas — enfim, as peças e os acessórios usados para produzir as fotos que se estampam a seguir — saíram do acervo pessoal de Heloisa. Assim como ela coleciona memórias, aromas e gostos, também adora garfos de faqueiros desencontrados, sacolas de viagem, guardanapos. Conserva-os à mão e espera o melhor momento para utilizá-los. O registro das imagens mais uma vez coube a Romulo Fialdini, o sensível fotógrafo de seu livro anterior, hábil em captar através de suas lentes a beleza das situações propostas por ela.

Leitora voraz, Heloisa tem uma biblioteca gastronômica formidável. Começou a montá-la em meados dos anos 1980 e já ultrapassou os 2500 volumes. Alinham-se nas prateleiras tanto as edições centenárias quanto os mais recentes lançamentos. Também parece interminável sua coleção de revistas dedicadas ao tema, meticulosamente organizadas em fichários verticais. Desse arsenal de páginas e mais páginas de receitas e histórias culinárias, Heloisa tira parte de sua inspiração. Nessas obras preciosas, ela pesquisa, por exemplo, as informações e dicas sobre ingredientes. Seu apego pelo mundo de tachos e panelas é tão fervoroso que ela gosta de dizer que lê os livros de receitas como se fossem romances. Encontra personagens em medidas de farinhas, ramos de ervas, mesclas de especiarias. Para Helô, a comida, além de nutrir, tem função poética: colore e enriquece o cotidiano.

Arnaldo Lorençato, editor de gastronomia da revista Veja São Paulo *e professor de jornalismo da Universidade Mackenzie*

INTRODUÇÃO

Já deve ter gente pensando: "Ai, ai, ai, ai, ai - lá vem a Helô com mais uma enxurrada de idéias e de receitas..." E é verdade: quem me conhece sabe que eu me empolgo com as coisas que faço e sou mesmo um pouquinho exagerada. Afinal de contas, acontece tanta coisa nessa vida, há tanto assunto interessante e receita gostosa que fica difícil escolher e deixar de lado uma ou outra coisa boa. Foi o que aconteceu com este livro. Eu pensava num tema, ia atrás de tudo quanto era informação sobre o assunto, estudava, escolhia receitas, pesquisava, testava, retestava, testava de novo e colocava tudo no papel. De repente, percebi que já tinha escrito bastante e que era o momento de juntar tudo num livro, mas aí eu me dei conta da variedade de assuntos e confesso que bateu uma dúvida daquelas! Será que não seria um pouco esquisito botar tanta coisa diferente num saco só? Pensei mais um pouco, fui me acostumando com a idéia e passei a achar que, desde que houvesse alguma lógica e uniformidade na maneira de tratar os assuntos, o livro poderia ficar bem divertido e gostoso. Decidi, então, que ele teria 16 temas diferentes, cada qual com um texto cheio de histórias, lembranças, informações, técnicas e dicas sobre o assunto e, como não poderia deixar de ser, um bom tanto de receitas. Em **Eu adoro maçã, Bouquet garni — os raminhos das ervas e cheiros que fazem a diferença, Ovos, ovos e mais ovos... tem coisa mais linda?, Um, dois, feijão com arroz; três, quatro, feijão no prato** e **Mandioca é bom demais**, que tratam de ingredientes específicos, eu discorro um pouco sobre cada um deles, tento mostrar as características dos tipos mais comuns e interessantes e proponho receitas que exploram esses produtos de um jeito bem amplo. Nos três capítulos que têm a ver com determinado lugar, eu falo de viagens, relembro comilanças e experiências gostosas que se referem à mesa e à cozinha, dou algumas dicas do tipo para-quando-você-for e termino com as receitas das coisas boas que

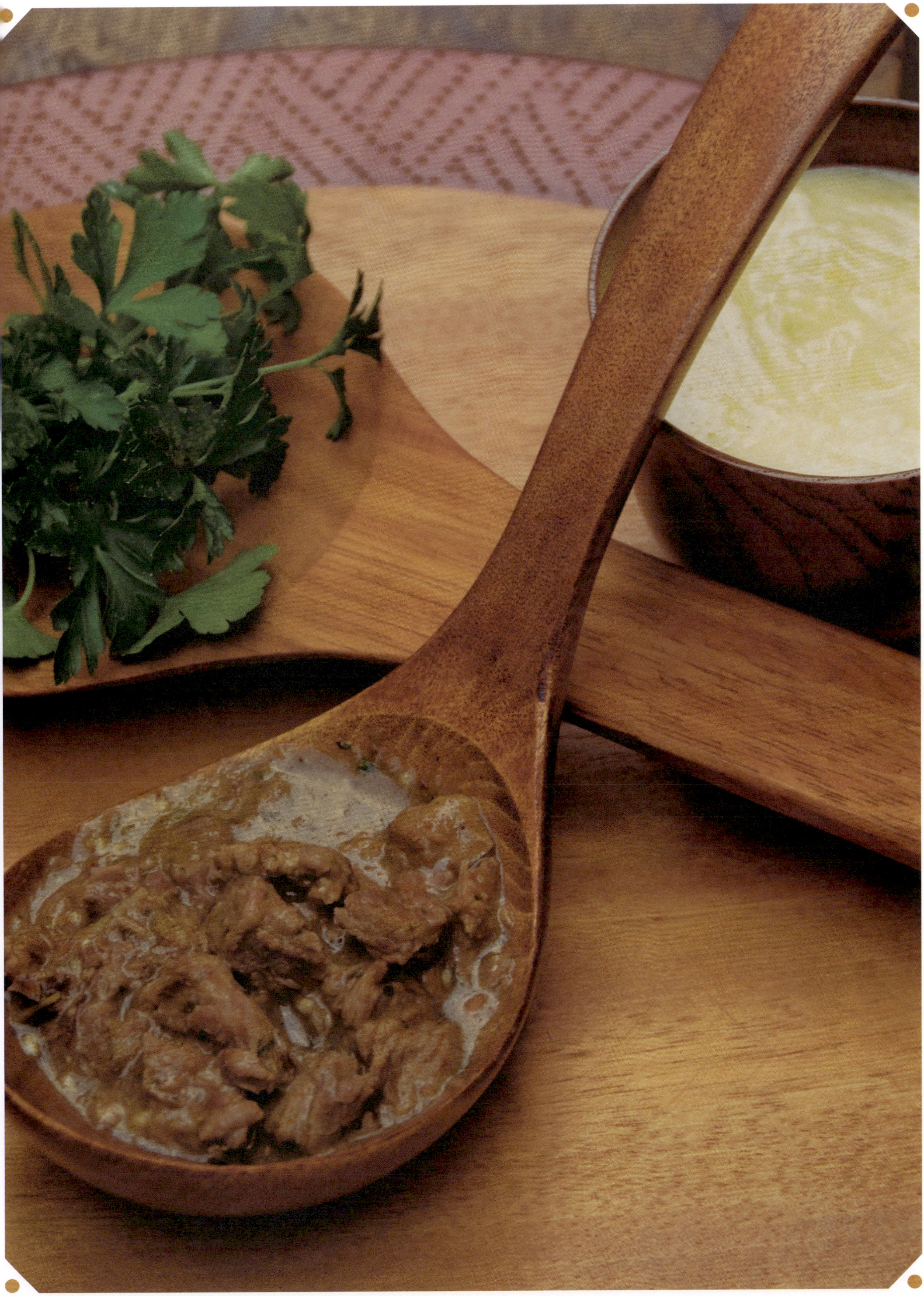

comi por lá. É assim **Na Patagônia argentina**, com direito ao friozinho gostoso com ponchos e cachecóis de lã de carneiro, muito macios e coloridos; aos passeios de barco pelos lagos gelados cheios de icebergs; e, no fim da tarde, às cavalgadas pelos campos. É assim também em **Passeando pela Inglaterra**, entre as boas coisas de Londres, castelos maravilhosos, muitas cidadezinhas lindas, *pubs* aconchegantes e comida bem gostosa. E me entreguei de corpo e alma às **Guloseimas em Paris**, que são mesmo tudo de bom e mais um pouco.

Quando o assunto são festas, procuro falar um pouco da importância delas na vida das pessoas, dar idéias de como montá-las e, como sempre, chegar às receitas que têm tudo a ver com elas. O capítulo **Arraial chique** é essa coisa bem caipirinha, com flores miúdas e coloridinhas; **Parabéns a você – uma festa de aniversário feita em casa** tem todo aquele jeito de antigamente e atiça lembranças, tanto que fiz questão de montar a mesa com a toalha que a minha mãe bordou e pintou para o meu aniversário de um ano; e, em **Ching Ling – made in China**, além de falar bastante dos métodos e ingredientes da cozinha chinesa (que eu adoro), monto um festival de *dim sum*, uma refeição inesquecível, com muitos bolinhos e outras coisinhas.

São quatro os capítulos com temas mais amplos: **Sopas para as noites mais frias – e para as mais fresquinhas também**, com muitas idéias e receitas quentinhas; **Comida de praia – caiu na rede é peixe, mas também pode ser lula, polvo, camarão, marisco, cavaquinha, siri, caranguejo...**, em que falo um pouco de todas essas coisas que vêm do mar, pensando em receitas com cara de férias na praia; **Tudo muito natural**, com a busca por uma vida melhor, pelo que é bom e mais saudável para o corpo, a alma, a natureza e o produtor; e **Picadinhos e ensopadinhos de tudo o quanto é canto**, trazendo dicas e receitas de pratos gostosos que, com um arroz, uma massa, uma batata ou mesmo um pedaço de pão, já fazem uma refeição.

Terminei com um capítulo que, na verdade, é quase uma brincadeira: **Duas geladeiras – uma bem chique e uma mais vazia e simplória**. Escolhi duas geladeiras totalmente diferentes entre si, uma requintada e variadíssima, a outra bem menos abastecida (como muitas vezes acontece na casa de todo o mundo uns dias antes da ida ao supermercado ou à feira) e de cada uma delas sai uma refeição.

Mergulhei fundo em todos esses assuntos, com um envolvimento tão grande que, quando falava de um bolo de chocolate, parecia que estava conseguindo passar para o papel não só a receita, mas todas as sensações que aquele bolo podia provocar, aguçando os sentidos de um jeito tal que daria para sentir o gosto sem morder um só pedacinho e para sentir o aroma maravilhoso da baunilha e do chocolate sem ter nada disso por perto.

É tudo parte da minha vida de um jeito tão intenso que fico mesmo a maior parte do tempo pensando, escrevendo e mexendo com essas coisas tão boas e gostosas, que deixam todos com água na boca. Adoro cozinhar, montar uma mesa apetitosa e linda e experimentar um pouco de tudo. Leio os meus livros de receitas como se fossem romances. Vivo sonhando com panelas, caldeirões e receitas; vira e mexe eu acordo no meio da noite e, para não correr o risco de ver algo de bom se perder, rabisco num caderninho que fica no criado-mudo as idéias que surgiram nesses sonhos. Eu gosto mesmo é de uma receitinha envolvida numa história gostosa e interessante. Adoro viajar, passear, conhecer lugares dos quatro cantos deste mundo, com comidas, rituais e culturas diferentes. Meus olhos brilham quando entro numa feira, num mercado, numa quitanda, até mesmo num supermercado. Num estalar de dedos, eu me apaixono tanto por um bolinho de rapadura do sertão da Paraíba quanto por uma torta de nozes do sudoeste da França, e acho lindo receber tanto uma cocada divina numa cumbuquinha antiga e meio lascadinha na borda quanto um pedaço deslumbrante de Roquefort com uvas e pão quentinho num prato de Limoges. Eu me delicio com um abacaxi hiperdoce de banquinha de rua de São Paulo, um rambutão de vilarejo da Tailândia, uma pitanga do meu quintal, uma pitomba na beira da praia de João Pessoa ou um figo carnudo e bem roxo do sul da França ou da Califórnia. Quase me derreto por uma bola de sorvete da Berthillon de Paris, e adoro tanto um biscoito de polvilho de verdade, daqueles que a gente vai dando uma mordidinha aqui, outra ali, e, quando vê, já comeu o pote inteiro, e um cookie de chocolate crocante nas bordas e macio no centro, ou um *sablé breton*. Acho o máximo os peixes que entram numa sopa da Amazônia, do Japão ou da Noruega e quero saber tudo sobre eles. Entre muitas outras coisas mais, eu simplesmente não resisto ao pastel da barraca do Zé da feira do Pacaembu; ao acarajé e à cocada da Cira, de Itapuã, em Salvador; à baguette do Poujauran, de Paris, com uma manteiga bem saborosa; a uma fatia de requeijão de prato de São Luiz do Paraitinga; às delícias e invencionices dos meus superqueridos Alex Atala, Alain Passard e Guy Savoy; ao quibe michui e ao trigo com lentilha da Leila Kuczysnki; aos gnocchi mineirinhos da Filó Chiarella; às massas da Ana Soares e a um almoço delicioso no Carlota, no Chef Rouge ou no Gero.

Eu sou mesmo assim, gosto do que é bom; não interessa se é daqui pertinho ou é de bem longe, se é muito simples ou chique demais. Por isso tudo, eu me diverti muito com este livro; adorei falar com a maior naturalidade de assuntos tão variados e, teoricamente, tão disparatados; mexer com tantas receitas; cuidar da produção das fotos; e ainda pensar numa infinidade de pratinhos, tigelinhas, talheres, copos, toalhas, panos.

Ao longo do livro, perdi a conta das vezes em que digo que a receita é gostosa, deliciosa, apetitosa, de dar água na boca; é que acaba dando nisso a minha eterna busca pela melhor versão de cada coisa. Muitas receitas são bem fáceis e simples, seja para quando não se quer nada de muito complicado ou demorado, seja para quando não se tem muita prática. Outras podem até dar a impressão de ser mais difíceis, mas, na verdade, são só um pouco mais trabalhosas (e tudo vem tão explicadinho, tão tim-tim-por-tim-tim, que, respirando fundo, lendo a receita com cuidado e seguindo-a com muita atenção, até quem está começando a vida na cozinha vai chegar lá). Com boa vontade e bom senso, todo o mundo consegue cozinhar alguma coisa gostosa, mesmo que às vezes ela saia quebradinha num canto, queimadinha na borda, meio achatada ou meio desmontada. O que vale mais é a sensação tão boa de ter feito um prato delicioso para você mesmo e para aquele de quem você gosta.

Quando se começa a cozinhar e a entender como se faz, o medo de dar errado passa a não incomodar tanto (ele sempre fica rondando, mas, com a prática, a gente aprende a espantar esse bicho-papão); o instinto começa a guiar os passos na cozinha e, de repente, percebe-se que dá para fazer muito com poucos ingredientes e sem tomar tempo demais. O que importa é cozinhar com calma, paz e muito carinho, pois tudo isso vai para o prato e quem come percebe.

Heloisa Bacellar

EU ADORO MAÇÃ

Eu simplesmente adoro maçã, fruto da *Malus sp.*, da família das rosáceas, e prima da pêra, da nêspera e do marmelo. Ela é o máximo e acompanha o homem há milênios, sempre doce na primeira mordida, para seduzir, e mais azedinha no final, quando se mostra tentadora e lembra o pecado. Ainda hoje, em florestas européias, existem algumas macieiras nativas muito, mas muito antigas mesmo. Como rainha das frutas, a maçã inspirou gregos, celtas e romanos, os quais passaram adiante diversas lendas que falam do tal "fruto proibido", que também simboliza o amor e a fertilidade. As maçãs são lindas, perfumadas, saborosas, suculentas, azedinhas, doces, crocantes, refrescantes, confortantes e muito saudáveis, e muita gente acha que comer uma por dia é certeza de boa saúde. Não é para menos: a maçã tem água, vitaminas, sais minerais, fibras, nada de gordura, pouquíssimas calorias e é boa fonte de energia. E, como é uma fruta que aparece o ano inteiro (apesar de algumas espécies serem mais de uma estação ou outra), não há motivo para deixar de comprá-la e comê-la a qualquer tempo e hora. Hoje em dia nem sempre é assim, mas, até não muito tempo atrás, as maçãs vinham enroladinhas naquele papel de seda azul-arroxeado, tão lindo que o Caetano falou dele na canção "Trem das cores". Até a palavra *maçã* é tão doce e carinhosa que, se a gente não diz "M de *mamãe*", ou "M de *Maria*", diz "M de *maçã*". Na verdade, acho que pecado mesmo é deixar de comer. Uma maçã sempre deixa a refeição mais apetitosa e vai bem nos pratos salgados, doces e adocicados, na entradinha, na salada, no prato principal, no acompanhamento perfeito para carnes mais fortes e gordurosas, na sobremesa. Nesta, se eu tiver de escolher entre um doce com fruta e um com chocolate, vou ficar com a fruta; e, se houver alguma coisa com maçã, vai ser com ela que eu vou, sem pensar duas vezes. Até uma simples maçã cozida pode ficar chiquérrima. Há uns nove anos, a Paula Moraes Rizkallah (do Atelier Gourmand), a Marcela Maragliano

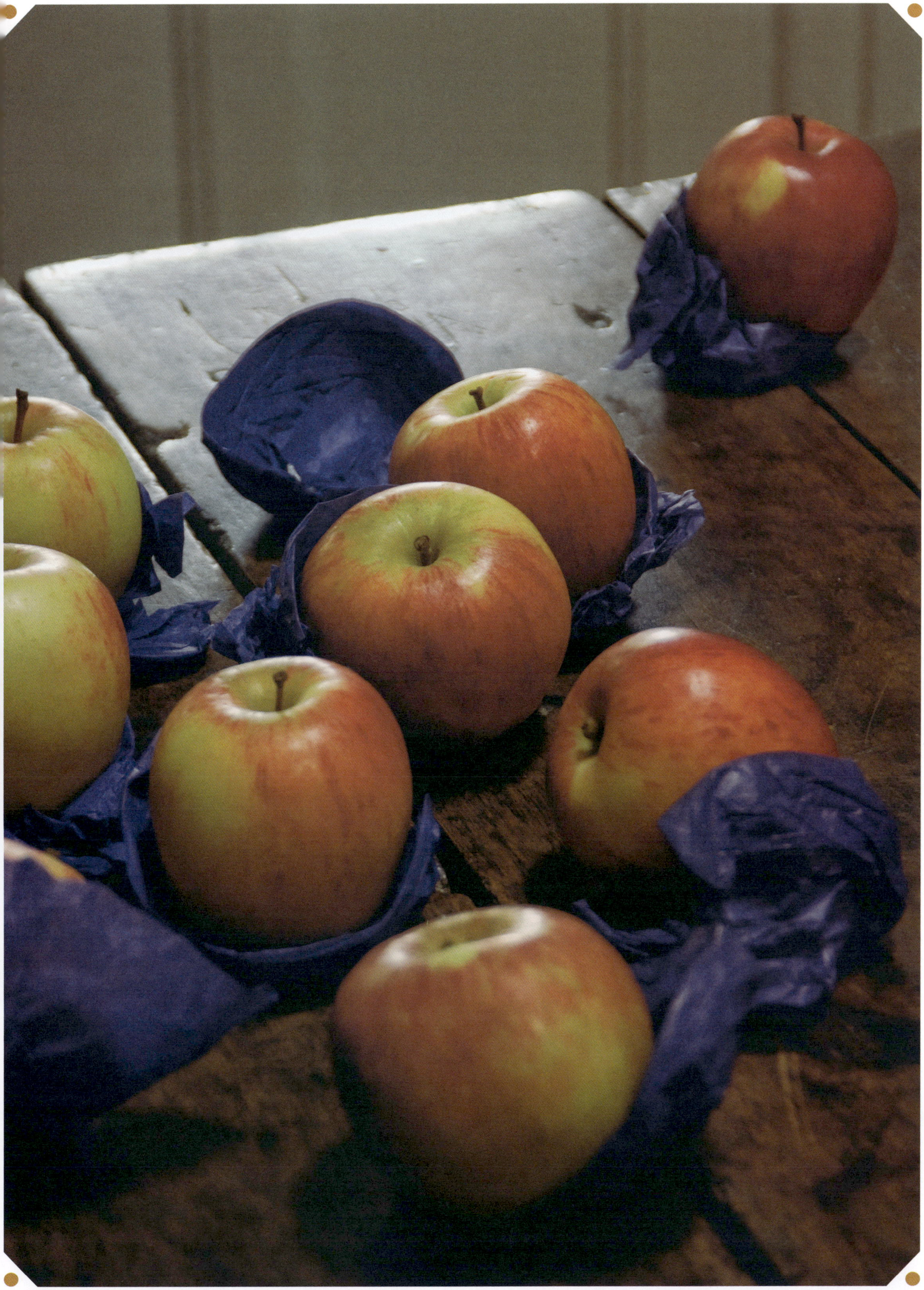

e eu preparamos alguns pratos para um almoço para a rainha e as princesas da Suécia. Durante o almoço, uma das princesas disse que, como estava adoentada, gostaria muito de comer maçã. Então, bem rapidinho, cozinhamos uma no microondas, colocamos num prato lindo, enfeitamos com umas florzinhas, e pronto. A moça gostou tanto que pediu mais uma. Foi bárbaro poder satisfazer, com uma simples maçã, o desejo de uma princesa de verdade!

A maçã é polpuda e suculenta, protegida por uma casca fina que é um luxo só. Bem no meio, tem um talinho firme, de onde saem cinco bolsas no formato de grão de arroz, que são como uma estrela de cinco pontas e guardam as sementes (já que acho essa estrela muito linda, eu, vira e mexe, corto a maçã em rodelas, na horizontal). As cascas podem ser brilhantes ou foscas, nos mais variados tons de vermelho, rosa, verde, amarelo, laranja e dourado, e são, além de tudo, gostosas, pois muito do sabor da maçã está ali. Algumas maçãs têm listras sobre fundo vermelho, amarelado, dourado ou esverdeado; outras têm pintinhas; outras ainda são manchadas – e todas são bonitas demais. Umas são mais redondinhas, como as que aparecem nas mesas das professoras; outras são mais ovaladas, achatadas, alongadas ou até meio estreladas. Umas são bem miúdas; outras, bem grandes. A cor da polpa também muda bastante, da bem clarinha e amarelada à mais esverdeada e mesmo rosada. Na textura, há das bem crocantes e firmes às mais macias (que se desmancham na panela e na boca) e até esfarelentas.

Algumas são perfeitas para consumir *in natura*, ou, como dizem os franceses, para *croquer*: simplesmente lavar a maçã e comê-la com casca e tudo, dando mordidinhas, até sobrar só o cabinho com o miolo central e as sementes; ou, então, para cortar os pedacinhos com uma faca e comer bem devagar. As de polpa bem macia, fácil de raspar com colher de chá, costumam ser o lanchinho preferido de milhares de bebês (acho que toda mãe já cortou uma maçã ao meio, raspou a polpa de um lado e depois do outro, até sobrar só a casca, como um barquinho; eu adorava fazer isso para as minhas filhas). Certas maçãs não ficam tão boas quando submetidas a algum tipo de cozimento, porque a polpa esfarela ou murcha demais; outras viram purês magníficos; outras ainda mantêm a forma, douram e caramelizam com perfeição, ficando maravilhosas cozidas ou assadas, muitíssimo saborosas e perfumadas. As de polpa doce, ácida e suculenta costumam ser boas para comer ou entrar numa salada ou sobremesa mais fresca. As mais ácidas, que às vezes são um pouco menos doces, mostram-se normalmente ser as mais indicadas para cozinhar, assar, saltear e usar no recheio de tortas. Já as que amolecem mais facilmente com o cozimento são boas para purês, molhos, chutneys, geléias e compotas.

Na Europa e nos Estados Unidos, quem vende maçã costuma dizer que a sua, por ter estas ou aquelas características, costuma ser melhor ou para comer crua (uma *eating apple*) ou para cozinhar (uma *cooking apple*) e se comporta de um jeito ou de outro com o cozimento. Por aqui, as coisas nem sempre acontecem assim: tem vendedor que diz que é uma maçã e ponto; ele mal sabe dizer se é Fuji, Gala, Red Delicious, Golden Delicious ou Granny Smith, que são as variedades mais comuns nas nossas feiras, quitandas e supermercados. Como sou curiosa, eu, quando vejo uma maçã diferente, costumo comprar e comer um teco da fruta crua; depois, corto um pedacinho, aqueço na frigideira só com um pouco de manteiga, deixo dourar, experimento e anoto.

A Fuji, que veio do Japão no início dos anos 1980, tem casca vermelhinha e alaranjada. Não é grande, é deliciosa para comer crua, tem polpa firme e é docinha, com um azedinho na medida certa e um gostinho de mel lá no fundo (na realidade, ela só perde em acidez para a Granny Smith). Descascada e cortada em pedaços, a Fuji começa a escurecer após uns 30 minutos e, lambuzada com limão, agüenta mais ou menos uma hora. Apesar de manter a textura, perde muito em sabor e em acidez quando cozida, salteada ou assada.

O vermelho da casca da Gala é bem vivo, com umas listras suaves que mesclam tons de rosa, amarelo, laranja e vermelho. É uma maçã pequena, bem saborosa quando consumida crua. Tem polpa firme, doce, crocante, ligeiramente ácida e muito perfumada, ficando gostosa se assada ou cozida e ótima se salteada. Já que ela se conserva clarinha por até duas horas quando regada com limão, é perfeita para saladas. Para mim, é a melhor de todas para levar à panela.

A Golden Delicious tem a casca e a polpa amareladas, é doce e bem suculenta, mas não é ácida. O ideal é consumi-la ainda crua, pois ela perde um pouco de sabor se cozida ou assada, embora conserve a forma e dê bons purês, geléias e compotas. A vantagem é que, mesmo sem a ajuda do limão, ela quase não escurece depois de descascada; por isso, é a preferida para as saladas e pratos frios.

No Brasil, quase todo o mundo conhece a Granny Smith por "maçã verde", de casca verde-clara e muito brilhante. Essa maçã é bem azedinha e saborosa, tem a polpa crocante e suculenta e é deliciosa crua, cozida, salteada ou recheando torta. Descascada, começa a escurecer em meia hora; mas, regada com suco de limão, permanece clara por bastante tempo e, assim, vai bem nas saladas.

A Red Delicious é aquela maçã bem maçã — vermelhíssima, grande e brilhante, com formato de coração. Em geral, é bem doce e não muito ácida, com polpa crocante e saborosa. É boa para saltear e e melhor para assar. Descascada, começa a escurecer em pouquíssimo tempo, mas agüenta um pouco mais se regada com limão, (ainda que aí perca um tanto em sabor). É a maçã mais cultivada no mundo e dura bastante na gaveta de baixo da geladeira.

Quando morei em Paris, com o Carlos, meu marido, e a Bebel, nossa filha mais velha (que tinha uns quatro anos), nós costumávamos alugar um carro no fim de semana para passear pelo interior. Numa dessas viagens, fomos visitar uns vilarejos da Normandia que vivem de maçãs, tendo macieiras para tudo quanto é lado. Era o auge da colheita, e havia feira das maçãs *(le marché aux pommes)* em quase todas as cidadezinhas, com tortas, compotas, bolos, sucos gelados e bem refrescantes, sidra (tanto a mais doce, como a *brut*, mais seca), e muitas *gouttes de calva*, ou seja, goles de Calvados, a famosa aguardente de maçã. Eu me lembro de ter parado na beira daquelas estradinhas muito estreitas e bucólicas e comprado dos camponeses uns baldes cheios de maçãs, para ir comendo aos pouquinhos durante a viagem, entre fatias de pão e de Camembert, Livarot e Pont-l'Évêque, esses maravilhosos queijos normandos. Além das maçãs mais conhecidas por aqui, havia a Reine des Reinettes, que tem casca dourada com listras vermelhas e alaranjadas e serve tanto para cozinhar quanto para fazer suco e sidra; a Benedictine, de casca riscada de marrom, laranja e vermelho, que vai bem fresca ou cozida e aparece em muitas tortas; *a* Belle de Boskoop, muito rústica, firme, ácida, perfumada e imprescindível nas compotas, geléias e tortas; a Cox, de casca vermelha alaranjada, que é bem perfumada, saborosa e suculenta, mostra-se boa para cozinhar, sobretudo sobremesas, e mantém a forma; e a Apis, com formatos bem diferentes, sendo umas esverdeadas e outras bem escuras, quase roxas. Acho que foram as melhores maçãs que comi na vida.

Eu adoro maçã

Em outra viagem, dessa vez pela Bretanha antes da colheita, com as macieiras forradas de florzinhas brancas de borda rosada, comemos crêpes com muita sidra em pequenas tigelas supergraciosas e visitamos uns dois museus que mostravam toda a preparação desse suco fermentado da maçã, inclusive os antigos *pressoirs*, rodas com que se espremiam as frutas (as quais ficavam numa espécie de canaleta redonda).

E quem visita Paris e gosta mesmo de maçã não deve deixar de ir ao Pomze (109, boulevard Haussmann, 9ème), um restaurante charmosíssimo que é maçã, maçã e maçã até não mais poder. Ali, a fruta aparece no cardápio inteiro, tanto para o lanche ou chá da tarde como para o almoço ou jantar, nos salgados, nos doces e tortas, nas geléias e compotas, nos chás, sucos, sidras e Calvados, na decoração e nos livros e apetrechos que eles têm para vender.

Na Inglaterra e nos Estados Unidos, também adoram a maçã (para contar a história dela, existe um National Apple Museum na Pensilvânia). Por lá, é imensa a variedade de maçãs. Umas são mais comerciais e fáceis de achar nos supermercados e feiras comuns; outras são produzidas só por pequenos agricultores e aparecem apenas nos *farmer's markets*. Algumas têm formatos, cores e sabores bem diferentes, umas com gostinho de mel, outras com saborzinho de nozes ou até frutas vermelhas. Todas, porém, são deliciosas. Das que não costumamos achar no Brasil, as mais populares são a Blenheim Orange, que na França é a Benedictine; a Bramley's, a mais usada para cozinhar na Inglaterra, com casca manchada de vermelho e verde, muito suculenta, ácida e saborosa, sendo boa para purês e recheios de tortas; a Cox; a Melrose, que é uma graça, com casca brilhante que mescla tons de vermelho e rosa, bem doce, suculenta e perfumada; a Gravenstein, vermelha com manchas amarelo-esverdeadas, muito doce, suculenta e refrescante; a McIntosh, com casca vermelha de manchas quase arroxeadas, mais polpa bem clarinha, doce e suculenta; e a Jonagold, bem dourada com manchas vermelhas, saborosíssima, muito doce, ácida e crocante. E, quando estive recentemente nos Estados Unidos, eu comi muitas maçãs e me apaixonei pela Pink Lady, que é tudo — mas tudo mesmo — de bom: azedinha, muito doce, suculenta e crocante, com casca de um vermelho-rosado, sendo bem versátil na cozinha e ainda demorando para escurecer. No *farmer's market* de Santa Monica (Califórnia), a barraca de um dos fazendeiros que produzia exclusivamente Pink Lady orgânica era tentadora, com pilhas e mais pilhas só dessa maçã.

Na hora de comprar maçã, confira se a casca está lisa, brilhante, sem machucados. Na gaveta de frutas e verduras da geladeira, uma maçã continua perfeita por umas duas semanas. Depois disso, começa a perder o brilho e a murchar, e talvez já não fique tão gostosa para simplesmente lavar e comer dando mordidas, como faz a Magali. Ainda assim, poderá entrar num recheio de torta ou virar geléia ou purê.

Como a polpa das maçãs escurece rápido, o ideal é descascar o mais perto possível da hora de usar. Mas, se precisar descascar com antecedência, lambuze os pedaços de maçã com um pouco de limão ou regue com um pouco de suco de maçã. Tem gente que prefere deixar os pedaços de molho numa tigela de água com limão ou um pouco de sal, mas eu não gosto muito disso, pois acho que a maçã fica um pouco aguada.

Outra coisa: se a receita pedir para descascar e retirar os cabinhos e as sementes das maçãs, não jogue nada fora. Lave as cascas, coloque num saco plástico com os cabinhos e as sementes e congele. Quando juntar umas 4 xícaras, coloque numa panela com água o suficiente para cobrir e leve ao fogo por uma meia hora, ou até amolecer. Depois, passe para uma peneira, espremendo bem; volte com a polpa obtida para a panela; adoce com mais ou menos 1 xícara de açúcar; junte um pedacinho de canela em pau; e cozinhe por mais uns 15 minutos, até a geléia encorpar e brilhar. Então, deixe esfriar e guarde num pote fechado na geladeira por 1 mês. Além de gostosa para passar no pão, essa geléia é ótima para pincelar a superfície das tortas de fruta, que ficarão bem brilhantes e ainda mais saborosas.

Pensando em alguns sucos deliciosos de maçã que eu tinha tomado na França, na Alemanha e nos Estados Unidos, decidi ir atrás de uma receita que fosse mesmo especial. Não foi muito fácil, mas acabei achando uma muito antiga, de uma *grand-mère* bretã que mandava cozinhar umas 10 maçãs com casca e tudo nuns 2 litros de água, 1 cravo, 1 pedaço de canela e 1 pedacinho de gengibre, até as maçãs ficarem bem molinhas; depois, passar por uma peneira, adoçar com mais ou menos 1/2 xícara de mel e juntar 1/2 xícara de rum. Testei e gostei — um bom suco para servir em festas.

RECEITAS

Sinceramente, não consegui resistir aos encantos da maçã e acabei escolhendo 19 receitas de uma vez. Primeiro vem o refresco de maçã verde, que fica lindo numa jarra de vidro, é perfumado e saboroso e, geladinho, vai bem tanto no café-da-manhã ou lanche quanto no almoço ou jantar. Em seguida, há as oito receitas salgadas: o minicrocante de queijo de cabra com geléia de maçã e tomilho, superchiquezinho e perfeito para servir como aperitivo ou num coquetel, combinando o salgadinho do queijo com o delicado adocicado da maçã perfumada com tomilho; a salada de maçã, Camembert e trevo (que eu adoro e, vira e mexe é o meu almoço), fácil e rápida; a saladinha fresca de camarão, maçã e outras coisinhas mais, que, além de atraente (pois camarões sempre fazem vista), tem o colorido, o crocante, o adocicado e o azedinho da maçã com o pepino, a cenoura, o rabanete, o pimentão, o repolho, o broto de bambu, a cebolinha, a hortelã e o gergelim; a salada de haddock, maçã, mel, curry, iogurte e folhas roxinhas, perfeita para o jantar num dia mais frio; a crostata de gorgonzola e maçã, que é uma torta rústica preparada com massa crocante e recheio delicioso, tendo o docinho da maçã e o salgadinho do bacon e do queijo; e duas receitas da Normandia, o creme normando de alho-poró e maçã, que é saboroso, foge bem do comum e aquece nos tempos mais frios, e os escalopes de vitelo à la normande, que são bons demais e impressionam em qualquer jantar mais requintado; e o purê de castanha e maçã, que tem ar sofisticado e vai muito bem com carnes mais fortes. Depois vêm as receitas que podem entrar num café-da-manhã, num brunch ou num lanche da tarde: o gâteau pommes noix, um bolo divino para celebrar o mais que perfeito casamento da maçã com as nozes; o bolo *integral de maçã*, muito gostoso, que tem a massa mais escurinha pela farinha integral, pela aveia, pela canela e pelos pedaços bem miúdos de maçã, que se espalham no bolo inteiro; as *panquecas de aveia e maçã*, que são saborosas e têm jeitinho campestre; e as *beignets aux pommes*, rodelas de maçã envoltas numa massa leve de cerveja, em seguida fritas até ficarem bem douradas e depois polvilhadas com açúcar e canela, que sempre combina com maçã. Chegam então duas tortas clássicas, que dão água na boca, fazem muita gente sonhar e aparecem em muitos e muitos livros de culinária: a francesa *tarte Tatin*, com o dourado brilhante e o sabor maravilhoso das maçãs caramelizadas, e a *american apple pie*, aquela com jeito de torta da vovó Donalda, exageradamente arredondada e deliciosa, que os americanos adoram. Apesar de serem tortas bem diferentes, o pulo do gato para a *Tatin* e a *apple pie* é um só: para conseguir uma massa bem crocante e um recheio saboroso e úmido na medida certa, sem deixar que o caldinho natural das maçãs encharque a massa, o fundamental é rechear as tortas com maçãs já cozidas e sequinhas, o que, embora torne a preparação mais demorada, compensa. Ainda quanto às tortas, há versões que usam massa folhada e massa mais crocante, de que eu gosto ainda mais e, por isso, incluo aqui (a massa francesa é mais docinha e amanteigada, ao passo que a americana tradicional quase não leva açúcar e é preparada com gordura hidrogenada, ou com uma mistura de gordura hidrogenada e manteiga), mas, se você preferir ou quiser facilitar, prepare qualquer uma delas com massa folhada laminada. Mais uma coisinha, que faz a diferença na *apple pie*: para o recheio, use uns três tipos de maçã com características diferentes, quer dizer, uma que seja mais doce; outra que se desmanche, ligue tudo e forme um caldo mais suculento; e outra que se mantenha firme após o cozimento (acho que a mistura de Gala, Granny Smith e Red Delicious funciona bem). Também pensando na hora da sobremesa, sugeri a *maçã ao forno com frutas secas, especiarias e vinho do Porto*, que é linda e cai muito bem nos dias frios; e o *granité de maçã verde*, que é o máximo nos tempos de muito calor. Achei que não dava para falar de maçã e deixar de lado a suculenta, linda e romântica *maçã do amor* dos portugueses e brasileiros, que lembra crianças com bochechas meladas e tardes de domingo num parque de diversões; na França, ela é a *pomme d'amour* mesmo, mas, na Inglaterra e nos Estados Unidos, é conhecida por *candied lady apple*. Pesquisando um pouco sobre o assunto, encontrei algumas receitas antigas em livros americanos, umas bem simples, só com aquela camadinha fina de caramelo avermelhado cobrindo as maçãs, e outras mais requintadas, com coberturas mais saborosas, que são feitas de açúcar mascavo, manteiga e baunilha e ficam da cor do caramelo, como a que eu escolhi (se preferir a receita mais simples, deixe ferver por uns 5 minutos uma calda preparada com 1 1/2 xícara de açúcar, 1/4 de xícara de água e gotas de corante vermelho e mergulhe nela umas 8 maçãs). Para encerrar e servir com um cafezinho, vêm dois docinhos bem de antigamente: a *balinha de maçã*, que parece uma compota bem firme, como a antiga **pommé**; e as *fatias cristalizadas de maçã com canela*, que são divinas.

REFRESCO DE MAÇÃ VERDE

MINICROCANTE DE QUEIJO DE CABRA
COM GELÉIA DE MAÇÃ E TOMILHO

🍎 REFRESCO DE MAÇÃ VERDE

(8 PESSOAS; 15 MINUTOS, MAIS 2 HORAS PARA GELAR)

8 xícaras de água
1 xícara de açúcar ou a gosto
1 pedaço de canela em pau
1 fita larga de casca de limão sem a parte branca
4 maçãs Granny Smith

↣ Com pelo menos 2 horas e 30 minutos de antecedência, aqueça a água com o açúcar e a canela. Deixe ferver por 2 minutos, junte a casca de limão, deixe esfriar e leve para gelar por no mínimo 2 horas e no máximo 2 dias.
↣ Descasque as maçãs, descarte os cabinhos e as sementes e corte em cubos. Descarte a canela e a casca de limão, bata um pouco da calda com a maçã no liquidificador até obter um suco homogêneo (se quiser um refresco menos pastoso, passe por uma peneira, espremendo bem). Transfira para uma jarra e misture a calda restante.

MINICROCANTE DE QUEIJO DE CABRA COM GELÉIA DE MAÇÃ E TOMILHO

(60 UNIDADES; 1 HORA E 30 MINUTOS)

PARA A GELÉIA
1 kg de maçã ácida
suco de 1 limão
1/4 de xícara de água
1 colher (sopa) de folhinhas de tomilho

PARA OS CROCANTES
50 g de manteiga em temperatura ambiente
150 g de queijo de cabra cremoso
1 xícara de farinha de trigo (aproximadamente)

↦ **Geléia** Descasque a maçã, corte em cubos miúdos, coloque numa panela média com o suco do limão e aqueça. Quando a maçã começar a soltar um caldinho, acrescente a água e o tomilho e cozinhe em fogo baixo por uns 20 minutos, até que os cubinhos estejam muito macios, desmanchando-se, e formem um purê consistente e brilhante, mas ainda com pedacinhos de maçã. Deixe amornar e, se quiser, guarde por até 1 semana na geladeira, aquecendo ligeiramente no fogo na hora de servir.

↦ **Crocantes** Numa tigela média, misture a manteiga e o queijo de cabra até obter um creme. Junte a farinha e trabalhe até obter uma massa macia que se solte das mãos (junte um pouquinho mais de farinha se estiver pegajosa, ou de água se estiver seca demais). Molde um cilindro de massa de mais ou menos 1 cm de diâmetro, embrulhe em filme plástico e leve à geladeira por no mínimo 30 minutos ou até 2 dias. Com uma faca afiada, corte o cilindro em rodelinhas de 0,5 cm de espessura, coloque cada rodela no fundo de uma forminha bem pequena de empadinha, espalhe na assadeira e leve à geladeira por uns 10 minutos, enquanto o forno aquece a 180°C (médio). Asse os crocantes por uns 15 minutos, até que estejam bem dourados. Retire do forno, deixe amornar por 5 minutos, solte das forminhas, espere esfriar e guarde num pote bem fechado por até 2 dias.

↦ **Antes de servir**, coloque 1 colher (chá) da geléia em cada crocante e espalhe num prato.

SALADA DE MAÇÃ, CAMEMBERT E TREVO

SALADA DE MAÇÃ, CAMEMBERT E TREVO

(4 PESSOAS; 15 MINUTOS)

1/4 de xícara de vinagre balsâmico
1/2 xícara de azeite de oliva
2 maçãs vermelhas ácidas com casca
1 queijo Camembert
2 xícaras de trevinhos ou minirrúcula e miniagrião
sal

↦ Numa tigela média, misture o vinagre e um pouco de sal. Junte o azeite e mexa com batedor de arame até conseguir um molhinho encorpado.

↦ Corte as maçãs em fatias finas e o Camembert em cubinhos, coloque na tigela do molhinho e misture. Espalhe os trevinhos numa travessa, coloque a saladinha de maçã por cima e sirva.

SALADINHA FRESCA DE CAMARÃO, MAÇÃ E OUTRAS COISINHAS MAIS

SALADINHA FRESCA DE CAMARÃO, MAÇÃ E OUTRAS COISINHAS MAIS

(6 PESSOAS; 1 HORA, MAIS 1 HORA PARA GELAR)

2 colheres (sopa) de óleo de gergelim
24 camarões médios bem limpos e sem casca
2 maçãs ácidas com casca, lavadas
suco de 1 limão
1 pepino japonês com casca, lavado
1 cenoura média
8 rabanetes com casca, lavados
1 xícara de repolho-roxo em tirinhas finas
1/2 pimentão vermelho
1 xícara de broto de feijão
1 pimenta-dedo-de-moça, sem sementes, em rodelinhas finas ou a gosto
1/4 de xícara de cebolinha picadinha
1/4 de xícara de folhinhas de hortelã
4 colheres (sopa) de shoyu
1 colher (sopa) de vinagre de arroz
2 colheres (sopa) de saquê mirin (licoroso)
1 colher (chá) de gengibre ralado
1/3 de xícara de maionese
1 colher (sopa) de gergelim torrado
óleo vegetal
sal

↔ Com pelo menos 1 hora de antecedência, aqueça o óleo de gergelim mais um fio de outro óleo vegetal numa frigideira grande. Junte metade dos camarões, doure bem de um lado e depois do outro, polvilhe com sal e transfira para uma tigela. Faça o mesmo com os demais, depois leve para gelar por no mínimo 30 minutos e no máximo 24 horas.

↔ Enquanto isso, divida as maçãs ao meio, descarte os cabinhos e as sementes, rale num ralador grosso, coloque numa tigela grande e regue com o limão. Rale o pepino, a cenoura e o rabanete e coloque na mesma tigela. Corte o pimentão em tirinhas finas e coloque também na tigela. Junte a isso o repolho, o broto de feijão, a pimenta, a cebolinha e a hortelã.

↔ Numa tigelinha à parte, misture o shoyu, o vinagre de arroz, o saquê, o gengibre, a maionese e o gergelim. Coloque os camarões e o molhinho na tigela dos legumes, misture bem e leve à geladeira por no mínimo 30 minutos, ou até 12 horas (depois disso, a salada começa a perder o crocante).

SALADA DE HADDOCK, MAÇÃ, MEL, CURRY, IOGURTE E FOLHAS ROXINHAS

(6 PESSOAS; 30 MINUTOS, MAIS 1 HORA PARA REPOUSO DO PEIXE)

500 g de filé de haddock bem limpo, sem pele e sem espinhas
1 xícara de leite
3 xícaras de alface-roxa
1/2 xícara de folhas de manjericão roxo
50 g de manteiga
1 colher (sopa) de mel
1 colher (chá) de curry
2 maçãs ácidas, sem casca, em fatias grossas
1/4 de xícara de cebolinha-francesa bem picadinha
1/2 xícara de iogurte natural
suco de 1 limão
sal e pimenta-do-reino

↔ Corte o peixe em cubos de uns 2 cm. Numa panela média, aqueça o leite, espere ferver e junte o haddock. Abaixe o fogo e cozinhe por 10 minutos, até que esteja bem macio. Descarte o leite e separe o peixe em lascas e reserve.

↔ Numa saladeira, coloque as folhas de alface e manjericão, polvilhe com sal e pimenta e reserve.

↔ Numa panelinha, aqueça a manteiga e junte o mel, o curry e a maçã. Deixe no fogo até que as fatias estejam macias e ligeiramente douradas, mexendo com cuidado para evitar que elas se quebrem demais. Junte a cebolinha, o iogurte, o limão e o haddock, ajuste o sal e a pimenta, passe para a saladeira e sirva.

CROSTATA DE GORGONZOLA E MAÇÃ

(8 PESSOAS; 2 HORAS)

PARA A MASSA

2 1/4 xícaras de farinha de trigo
200 g de manteiga em temperatura ambiente
1/2 colher (chá) de sal
1/4 de xícara de água gelada (aproximadamente)
1 gema para pincelar

PARA O RECHEIO

200 g de bacon em cubinhos
6 maçãs ácidas (de preferência Gala, Red Delicious ou Granny Smith)
25 g de manteiga
1 colher (chá) de açúcar
1/2 xícara de nozes grosseiramente picadas
1/2 xícara de cebolinha-francesa
1 colher (chá) de folhinhas de tomilho
1 xícara de creme de leite fresco
200 g de queijo gorgonzola esmigalhado
1 ovo
sal e pimenta-do-reino

↣ **Massa** Numa tigela, misture a farinha, a manteiga e o sal. Vá juntando a água aos pouquinhos e trabalhando até obter uma massa macia que se solte das mãos. Envolva a massa em filme plástico e leve à geladeira por 30 minutos (ou no máximo por uns 2 dias).

↣ **Recheio** Enquanto isso, numa frigideira seca, doure o bacon na própria gordura, escorra em papel absorvente e reserve. Descasque as maçãs, descarte os cabinhos e as sementes e corte em fatias não muito grossas.

↣ **Numa frigideira grande,** aqueça a manteiga, junte a maçã, o açúcar e uma pitada de sal e deixe no fogo até amaciar e dourar. Acrescente as nozes, a cebolinha, o tomilho, o creme de leite e o bacon. Ajuste o sal e a pimenta e retire do fogo. Quando amornar, misture o ovo.

↣ **Com um rolo,** abra a massa sobre uma superfície polvilhada com farinha num retângulo de uns 30 x 50 cm e transfira para uma assadeira (não é preciso untar). Para montar a torta no formato de um travesseiro, espalhe o recheio de maçãs sobre uma metade do retângulo, sem se esquecer de deixar uma borda livre em toda a volta. Coloque o gorgonzola esmigalhado por cima e feche, cobrindo com a outra metade da massa. Pressione as bordas para colar e dobre um pouquinho para dentro para fechar bem. (Ou forre o fundo e as laterais de uma fôrma de fundo removível com 2/3 da massa, preencha a cavidade com o recheio e cubra com a massa restante). Pincele a superfície com gema já diluída em cerca de 2 colheres (sopa) de água e leve à geladeira por 15 minutos, enquanto o forno aquece a 180°C (médio). Asse a crostata por uns 40 minutos, até que a massa esteja bem crocante e dourada, tanto em cima quanto nas laterais.

SALADA DE HADDOCK, MAÇÃ, MEL, CURRY, JOGURTE E FOLHAS ROXINHAS

CROSTATA DE GORGONZOLA E MAÇÃ

CREME NORMANDO DE ALHO-PORÓ E MAÇÃ

CREME NORMANDO DE ALHO-PORÓ E MAÇÃ

(6 PESSOAS; 1 HORA)

PARA O CREME

3 maçãs ácidas
4 talos grandes de alho-poró (só a parte branca)
1 fava de baunilha
25 g de manteiga
3 xícaras de caldo de galinha (de preferência, caseiro)
1 xícara de creme de leite fresco
1 Camembert em cubos miúdos
sal e noz-moscada

PARA A FINALIZAÇÃO

1 maçã ácida
50 g de manteiga derretida
1 colher (sopa) de açúcar mascavo
4 fatias de pão integral em cubos miúdos
1/4 colher (chá) de canela em pó
1 colher (sopa) de salsinha picadinha
sal e pimenta-do-reino

↔ **Creme** Descasque e corte as maçãs e o alho-poró em fatias finas. Divida a fava de baunilha ao meio no sentido do comprimento, raspe as sementes e reserve para a finalização.

↔ **Numa panela grande,** aqueça a manteiga. Junte a maçã, o alho-poró, sal e noz-moscada e espere murchar em fogo baixo. Acrescente o caldo e a fava e cozinhe por uns 10 minutos, até amaciar. Junte o creme de leite e deixe encorpar por uns 2 minutos. Adicione o queijo, ajuste o sal, descarte a fava e reserve.

↔ **Finalização** Corte as maçãs em cubinhos de 1 cm e doure numa frigideira grande em metade da manteiga. Depois, junte as raspas da baunilha e retire do fogo. Aqueça o forno a 180ºC (médio) e espalhe os cubinhos de pão numa assadeira grande. Junte o restante da manteiga com o açúcar, a canela, sal e pimenta, misture bem e leve ao forno para dourar por uns 5 minutos. Deixe esfriar na própria assadeira, misturando de vez em quando para não grudar. Guarde num pote fechado por até 24 horas.

↔ **Na hora de servir,** coloque em cada prato uma parte da sopa bem quente, um pouco de salsinha e uns cubinhos de maçã e de pão.

ESCALOPES DE VITELO À LA NORMANDE

(4 PESSOAS; 30 MINUTOS)

100 g de manteiga
400 g de cogumelos-de-paris em fatias finas
4 maçãs ácidas
4 escalopes de vitelo de 80 g cada um
1 cebola em cubos bem miúdos
1/4 de xícara de Calvados (aguardente de maçã) ou vinho branco
1/2 xícara de suco de maçã
1/4 xícara de creme de leite espesso (em lata ou caixinha)
2 colheres (sopa) de cebolinha-francesa picadinha
sal e pimenta-do-reino

↔ **Numa frigideira grande,** aqueça 1/3 da manteiga, junte os cogumelos e uma pitada de sal e mantenha no fogo até que estejam macios e dourados. Ajuste o sal e a pimenta e transfira para um prato.

↔ **Descasque as maçãs,** descarte os miolos e corte em anéis de 0,5 cm.

↔ **Na mesma frigideira,** derreta mais 1/3 da manteiga. Junte as maçãs e uma pitada de sal, deixe no fogo até que estejam macias e bem douradas e transfira para um prato.

↔ **Na mesma frigideira,** aqueça bem o restante da manteiga e nela doure os escalopes por uns 3 minutos de cada lado. Polvilhe com sal e pimenta e transfira para um prato. Coloque a cebola na frigideira, espere começar a dourar, acrescente o Calvados e deixe ferver por um minuto. Adicione o suco de maçã e deixe reduzir até conseguir um molho espesso. Junte o creme de leite e misture. Volte os escalopes e os cogumelos para a frigideira e ajuste o sal e a pimenta. Acrescente a maçã e a cebolinha, mexa com delicadeza para não quebrar, espere aquecer e sirva.

PURÊ DE CASTANHA E MAÇÃ

PURÊ DE CASTANHA E MAÇÃ

(6 PESSOAS; 3 HORAS)

500 g de castanha portuguesa sem casca
(mais ou menos 1 kg com casca)
4 xícaras de caldo de galinha (ou 1 cubinho
dissolvido na mesma quantidade de água)
1 cebola pequena em cubos bem miúdos
2 maçãs ácidas
50 g de manteiga
1 colher (sopa) de açúcar
1/2 xícara de sidra
1 xícara de creme de leite fresco
1/4 de xícara de cebolinha-francesa picadinha
sal e pimenta-do-reino

↬ Numa panela média, coloque as castanhas e o caldo e aqueça. Cozinhe por mais ou menos 30 minutos, até que estejam bem macias. Aos poucos (pois as castanhas endurecem quando esfriam), retire pequenas porções de castanhas do caldo e faça um purê com o espremedor de batata (ou, então, bata no processador, o que é muito mais fácil e prático). Descasque e corte as maçãs em cubinhos.

↬ Numa panela grande, aqueça a manteiga e doure ligeiramente a cebola. Junte a maçã e o açúcar, misture e cozinhe até que os cubinhos estejam macios e dourados. Acrescente a sidra e deixe ferver por uns 5 minutos, até quase evaporar. Adicione o purê de castanha, o creme de leite, sal e pimenta e deixe no fogo até ferver. Junte a cebolinha e sirva em seguida, ou guarde por até 24 horas na geladeira. Nesse caso, aqueça na hora de servir, ajustando a consistência com um pouquinho de leite.

↬ Para descascar as castanhas: com uma faca pequena e bem afiada, corte a pontinha da casca, leve umas 10 castanhas ao microondas por uns 2 minutos e solte as cascas; ou cozinhe as castanhas na água por uns 30 minutos, e, aos poucos, enquanto ainda estiverem quentes, descasque com uma faca.

GÂTEAU POMMES NOIX
(BOLO DE MAÇÃ E NOZES)

(8 PESSOAS; 1 HORA)

6 maçãs ácidas
50 g de manteiga
1 1/4 de xícara de açúcar
4 xícaras de nozes grosseiramente picadas
1/2 xícara de farinha de trigo
2 colheres (chá) de fermento em pó
3 ovos
1 xícara de creme de leite fresco
sal

↬ Aqueça o forno a 200°C (médio-alto) e unte uma assadeira média com manteiga.

↬ Descasque as maçãs, divida cada uma delas em 4 pedaços e descarte os cabinhos e as sementes.

↬ Numa frigideira grande, aqueça a manteiga, junte 1/4 de xícara de açúcar, doure bem os pedaços de maçã e espalhe-os no fundo da assadeira.

↬ Numa tigela grande, misture o açúcar restante, as nozes, a farinha, o fermento e uma pitada de sal. Acrescente os ovos e o creme de leite e misture mais um pouco. Despeje a massa na assadeira e asse o bolo por uns 30 minutos, até que esteja crescido e bem dourado (ao enfiar um palito no centro, ele deverá sair limpo). Sirva o gâteau morno ou frio; se quiser, com creme inglês, sorvete ou creme de leite batido em chantilly.

GÂTEAU POMMES NOIX

Eu adoro maçã

🍎 BOLO INTEGRAL DE MAÇÃ

(8 PESSOAS; 1 HORA E 30 MINUTOS)

3 xícaras de farinha de trigo integral
1/2 xícara de aveia em flocos
1 colher (sopa) de canela em pó
1 colher (chá) de bicarbonato de sódio
1 colher (chá) de fermento em pó
1 colher (chá) de sal
1 colher (chá) de gengibre em pó
1 1/2 xícara de açúcar mascavo peneirado
4 maçãs ácidas com casca, lavadas
1 xícara de uva-passa clara
1 xícara de nozes
3/4 de xícara de iogurte natural
4 ovos
3/4 de xícara de óleo vegetal
1 colher (sopa) de essência de baunilha
manteiga para untar
farinha de trigo para polvilhar

↦ **Aqueça o forno** a 180°C (médio), unte com manteiga e polvilhe com farinha uma assadeira média.
↦ **Numa tigela grande**, misture a farinha, a aveia, a canela, o bicarbonato, o fermento, o sal, o gengibre e o açúcar.
↦ **Rale as maçãs** com casca em tirinhas grossas e adicione à tigela da farinha. Junte a uva-passa e as nozes e misture bem. Acrescente o iogurte, os ovos, o óleo e a baunilha e misture mais um pouco. Despeje a massa na assadeira e asse o bolo por uns 45 minutos, até que esteja crescido, dourado e firme (ao enfiar um palito no centro, ele deverá sair limpo). Retire do forno, espere esfriar, desenforme e corte em quadradinhos.

🍎 PANQUECA DE AVEIA E MAÇÃ

(6 PESSOAS; 1 HORA, MAIS 30 MINUTOS PARA REPOUSO DA MASSA)

100 g de manteiga
1 xícara de aveia em flocos
1 xícara de água fervente
2 maçãs ácidas
1 ovo
2/3 de xícara de farinha de trigo
1/4 de xícara de açúcar
2/3 de xícara de leite
1/2 xícara de nozes grosseiramente picadas
1/4 de xícara de uva-passa clara
sal

BOLO INTEGRAL DE MAÇÃ

↦ Derreta metade da manteiga no fogo ou no micro-ondas e espere amornar.
↦ Numa tigela média, coloque a aveia e a água e deixe repousar por 5 minutos.
↦ Enquanto isso, descasque as maçãs, descarte os cabinhos e as sementes e rale num ralador grosso.
↦ Na tigela da aveia, coloque a manteiga derretida, a maçã, o ovo, a farinha, uma pitada de sal, o açúcar, o leite, as nozes e a passa e misture.
↦ Numa frigideira grande, aqueça 1/4 da manteiga restante e nela coloque 3 porções de 1/4 de xícara de massa, mantendo um espaço livre entre elas (a massa é suficiente para umas 12 panquecas). Quando surgirem bolhinhas na superfície e as bordas estiverem douradas, vire com uma espátula para dourar do outro lado. Transfira as panquecas prontas para um prato e deixe no forno preaquecido a 180°C (médio) enquanto prepara as demais (de vez em quando, limpe a frigideira com papel absorvente e junte mais manteiga). Sirva com mel, xarope de maple, manteiga ou requeijão.

BEIGNET AUX POMMES
(BOLINHO FRITO DE MAÇÃ)

(6 PESSOAS; 1 HORA)

6 maçãs ácidas
1/4 de xícara de Calvados (aguardente de maçã)
1 ovo
1 xícara de cerveja clara
1/3 de xícara de água
1 1/4 de xícara de farinha de trigo
1 litro de óleo para fritar
açúcar e canela em pó para polvilhar

↦ Descasque as maçãs, descarte os miolos e os cabinhos, corte em discos de 0,5 cm de espessura, coloque numa tigela com o Calvados e deixe repousar por 30 minutos.
↦ Enquanto isso, numa tigela média, com um batedor de arame, misture o ovo, a cerveja e a água. Junte a farinha e mexa até conseguir uma massa lisa (se quiser, faça na véspera e guarde na geladeira).
↦ Numa frigideira grande, aqueça o óleo. Com um garfo, mergulhe os discos de maçã na massa, deixe escorrer o excesso de massa e mergulhe no óleo. Banhando com uma escumadeira, frite até que os discos estejam bem dourados e fofos. Escorra sobre papel absorvente, polvilhe com açúcar e canela e sirva.

BEIGNET AUX POMMES

PANQUECA DE AVEIA E MAÇÃ

TARTE TATIN
(TORTA FRANCESA DE MAÇÃ)

(8 PESSOAS; 4 HORAS)

PARA AS MAÇÃS
1 1/2 xícara de açúcar
200 g de manteiga gelada em cubinhos
16 maçãs ácidas

PARA A MASSA
1 2/3 de xícara de farinha de trigo
1 colher (sopa) de açúcar
100 g de manteiga gelada em cubinhos
1 ovo
sal
farinha de trigo para polvilhar

↦ Maçãs Com umas 3 horas de antecedência, aqueça o forno a 160°C (médio-baixo), separe uma assadeira redonda de uns 25 cm (de preferência, sem revestimento antiaderente) e espalhe no fundo metade do açúcar e da manteiga. Descasque as maçãs, corte ao meio e descarte as sementes. Com cuidado, acomode as metades de maçã de pé na assadeira, uma ao lado da outra, bem juntinhas, e sem deixar espaços livres (aperte bem mesmo e encaixe pedacinhos em todos os vãos, pois elas murcham demais com o cozimento). Espalhe por cima o restante do açúcar e da manteiga, cubra com papel-alumínio e leve ao forno por mais ou menos 1 hora e 30 minutos, até que os pedaços estejam bem macios. Retire do forno e, se ainda houver líquido na assadeira, coloque-a diretamente sobre a chama do fogão e deixe ferver por alguns minutos, até secar bem. Espere amornar.
↦ Massa Enquanto isso, numa tigela, misture a farinha, o açúcar e uma pitada de sal. Junte a manteiga e esfarele com a ponta dos dedos até obter uma farofa. Acrescente o ovo e trabalhe até conseguir uma massa bem macia que descole das mãos.
↦ Embrulhe em filme plástico e leve à geladeira por no mínimo 30 minutos ou por até 2 dias.
↦ Sobre uma superfície polvilhada com farinha, abra a massa com um rolo até obter um disco de uns 28 cm, que seja ligeiramente maior que a fôrma e tenha uns 3 mm de espessura, como uma casca de banana (guarde a massa restante para outra receita). Cubra as maçãs com o disco de massa, enfie a borda para dentro da fôrma e

leve à geladeira por uns 10 minutos, enquanto o forno aquece a 200ºC (médio-alto). Asse a torta por uns 30 minutos, até que a massa esteja bem dourada e crocante. Retire do forno, aguarde uns 10 minutos e desenforme sobre um prato grande (não se aflija se pedaços de maçã ficarem colados na assadeira: é só soltar com uma espátula e voltar com cada um para o seu lugar). Sirva a torta ainda quente, com sorvete (se quiser, prepare na véspera e aqueça no forno na hora de servir).

AMERICAN APPLE PIE
(TORTA AMERICANA DE MAÇÃ)
(6 PESSOAS; 2 HORAS E 30 MINUTOS)

PARA O RECHEIO
12 maçãs ácidas de tipos diferentes, por exemplo, 4 Gala, 4 Red Delicious, 4 Granny Smith
suco de 1 limão
1/2 xícara de açúcar comum
1/2 xícara de açúcar mascavo
1 colher (chá) de canela em pó
1/2 colher (chá) de noz-moscada
1 colher (chá) de essência de baunilha
2 colheres (sopa) de maisena
50 g de manteiga gelada em cubinhos
sal

PARA A MASSA
3 xícaras de farinha de trigo (aproximadamente)
100 g de manteiga gelada em cubinhos
100 g de gordura hidrogenada gelada em cubinhos
5 colheres (sopa) de água gelada (aproximadamente)
sal
leite para pincelar
açúcar para polvilhar

↬ **Recheio** Descasque e corte as maçãs em fatias bem finas, coloque numa panela com o suco do limão, o açúcar comum e o mascavo e aqueça. Cozinhe as maçãs em fogo alto por uns 20 minutos, até que estejam macias e o caldinho tenha secado. Junte a canela, a noz-moscada, a baunilha, uma pitada de sal e a maisena, misture bem, retire do fogo e coloque sobre uma tigela de água com gelo para esfriar mais rápido.
↬ **Massa** Enquanto isso, numa tigela, misture a farinha, duas pitadas de sal, a manteiga e a gordura hidrogenada e esfarele com a ponta dos dedos até obter uma farofa. Junte a água aos poucos e vá trabalhando até conseguir uma massa macia que se solte das mãos (junte um pouquinho mais de farinha se estiver pegajosa). Divida a massa em duas partes iguais, envolva em filme plástico e leve à geladeira por 30 minutos.
↬ **Separe um refratário** ou uma fôrma redonda de fundo removível com 22 cm de diâmentro. Sobre uma superfície polvilhada com um pouco de farinha, abra as duas partes de massa até conseguir 2 discos de uns 30 cm. Forre a base e as laterais do refratário com um disco de massa, espalhe as maçãs na cavidade fazendo um monte bem alto (pode parecer exagerado, mas não é, pois a maçã sempre se reduz mais um pouquinho tanto no forno quanto depois de a torta esfriar). Tendo o cuidado de não deixar espaços vazios entre a massa e o recheio, espalhe por cima os cubinhos de manteiga e cubra com o outro disco de massa. Pressione as bordas com os dedos para colar e, com a ponta de uma faca afiada, faça alguns cortes na cobertura de massa para saída do vapor. Pincele a superfície com um pouco de leite, polvilhe um pouquinho de açúcar e leve a torta à geladeira por uns 10 minutos, enquanto o forno aquece a 200ºC (médio-alto). Asse a torta por mais ou menos 1 hora, até que o perfume das maçãs invada a cozinha e a massa esteja bem dourada e crocante (se, na metade do tempo, você perceber que a massa está dourando rápido demais, cubra com papel-alumínio e termine de assá-la coberta). Retire a torta do forno, deixe descansar por umas 3 horas e sirva com sorvete (com esse descanso, a torta ficará não só mais saborosa, como também mais fácil de cortar; se quiser, prepare com até 2 dias de antecedência, guarde na geladeira e aqueça no forno na hora de servir).

MAÇÃ AO FORNO COM FRUTAS SECAS, ESPECIARIAS E VINHO DO PORTO

MAÇÃ AO FORNO COM FRUTAS SECAS, ESPECIARIAS E VINHO DO PORTO
(6 PESSOAS; 1 HORA E 30 MINUTOS)

6 maçãs ácidas com casca, bem lavadas
suco e raspas de 1/2 limão
1/2 xícara de açúcar mascavo
1/2 colher (chá) de canela em pó
1/2 xícara de nozes grosseiramente picadas
1/4 xícara de uva-passa miúda
1 colher (chá) de essência de baunilha
1/2 xícara de suco de laranja
1/2 xícara de vinho do Porto
2 colheres (sopa) de açúcar
1 cravo-da-índia
1 pedaço pequeno de canela em pau
noz-moscada
cardamomo em pó
manteiga para untar e pincelar as maçãs

↬ **Aqueça o forno a 160°C** (médio-baixo), para que as maçãs assem bem devagar, fiquem macias e suculentas e consigam absorver os perfumes e o sabor dos outros ingredientes. Unte com manteiga uma assadeira grande.

↬ **Com um descaroçador de maçã**, com a ponta de uma faca de lâmina estreita ou ainda com um descascador de legumes, escave o centro de cada maçã para descartar o cabinho e o miolo com as sementes e conseguir uma cavidade para abrigar o recheio, se possível sem perfurar a casca na base. Para acertar e evitar rachaduras, corte na parte de cima da maçã uma argola não muito grossa de casca com mais ou menos 1 cm de largura. Regue com o suco de limão para não escurecer, coloque na assadeira e pincele por fora com manteiga derretida.

↬ **Numa tigela média**, misture o açúcar mascavo, a canela, uma pitada de noz-moscada, uma pitada de cardamomo, as nozes, a passa, a baunilha e 1 colher (chá) de raspas de limão. Preencha a cavidade das maçãs com a mistura, pressionando bem, e espalhe o restante por cima de tudo.

↬ **Em outra tigela**, misture o suco de laranja, o vinho do Porto, o açúcar, o cravo e a canela em pau. Regue as maçãs com essa mistura e cubra com papel-alumínio.

↬ **Deixe as maçãs no forno por 30 minutos**, regando de vez em quando com o caldinho que se formar na assadeira. Passado esse tempo, descarte o papel-alumínio e deixe assar por mais 30 minutos, regando de 10 em 10 minutos, até que elas estejam bem douradas e macias (espete com a lâmina de uma faca para testar). Retire do forno e, com uma espátula, transfira as maçãs para um prato de bordas altas, para não escorrer. Leve a assadeira com a calda diretamente ao fogo para reduzir até encorpar e cobrir o dorso de uma colher. Regue as maçãs e sirva com sorvete (se quiser, prepare 3 dias antes, guarde na geladeira e aqueça na hora de servir).

GRANITÉ DE MAÇÃ VERDE
(6 PESSOAS; 30 MINUTOS, MAIS 3 HORAS PARA GELAR)

1 3/4 de xícara de água
1/2 xícara de açúcar
2 maçãs Granny Smith com casca, lavadas
suco de 1 limão

↬ **Numa panelinha**, aqueça a água e o açúcar. Deixe ferver por 1 minuto, retire do fogo, espere amornar e leve à geladeira.

↬ **Rale as maçãs**, junte à calda já bem gelada e adicione o suco de limão. Coloque num refratário grande o suficiente para abrigar tudo numa camada de uns 2 cm e leve ao freezer por 30 minutos. Ao final desse tempo, ou quando a mistura começar a congelar nas bordas, mexa com uma colher para quebrar o gelo em pedaços, leve de volta ao congelador e repita a operação até firmar totalmente, mas mantendo a aparência de vidro moído. Transfira o granité do congelador para a geladeira 15 minutos antes de servir, para amolecer um pouquinho. Depois, raspe com um garfo para conseguir a textura de gelo quebrado.

MAÇÃ DO AMOR

(6 PESSOAS; 45 MINUTOS)

6 maçãs ácidas miúdas com casca em temperatura ambiente
6 palitos de madeira para picolé
1 xícara de açúcar mascavo
100 g de manteiga
1/2 xícara de leite condensado
1/2 xícara de glicose de milho (Karo)
1 colher (sopa) de essência de baunilha
1/2 colher (chá) de suco de limão
sal
óleo vegetal para untar

↔ Lave as maçãs com água morna e seque com um pano limpo (só assim vai sair a camadinha de cera que não deixa o caramelo grudar-se à casca). Espete um palito em cada maçã, tomando cuidado para não atravessá-la, e reserve. Separe um tapete de silicone ou forre uma assadeira média com papel-manteiga ligeiramente untado com óleo vegetal.

↔ Numa panela média, coloque o açúcar mascavo, a manteiga, o leite condensado, a glicose, a baunilha, uma pitada de sal e o suco de limão. Leve ao fogo e misture com uma colher de pau só até derreter. Limpe as bordas da panela com um pincel molhado com água, para evitar que a calda cristalize, e deixe ferver por uns 15 minutos, até chegar ao ponto de bala dura (para experimentar, coloque um pouquinho da calda numa xícara com água fria, aperte com as pontas dos dedos para formar uma bolinha e sinta se está dura e quebradiça; volte ao fogo por mais alguns minutos se a bolinha ainda estiver macia). Imediatamente (pois mesmo fora do fogo a calda continua a endurecer), com cuidado (pois ela é quente demais), segure cada maçã pelo palito e passe pela calda, girando bem devagar para cobrir toda a casca. Deixe escorrer o excesso e coloque sobre o tapete de silicone. Espere a calda esfriar e endurecer (o que leva uns 15 minutos) e sirva. Ou, então, guarde as maçãs embrulhadas em papel celofane por uns 2 dias (depois disso, o caramelo começa a melar; e, se o tempo estiver muito úmido, o caramelo amolecerá ainda mais rápido).

GRANITÉ DE MAÇÃ VERDE

MAÇÃ DO AMOR

BALINHA DE MAÇÃ

(40 UNIDADES; 2 HORAS, MAIS 1 HORA PARA ESFRIAR E FIRMAR)

1 kg de maçã ácida
suco de 1 limão
1/4 de xícara de água
1/2 xícara de açúcar
1 colher (sopa) de glicose de milho (Karo)
1 colher (chá) de canela em pó
óleo vegetal para untar

↔ **Descasque e corte a maçã** em cubinhos miúdos.
↔ **Numa panela média,** aqueça a maçã e o suco de limão. Quando a maçã começar a soltar um caldinho, acrescente a água, o açúcar, a glicose e a canela e cozinhe em fogo baixo, mexendo constantemente (principalmente depois de começar a escurecer, para não grudar no fundo da panela nem ficar amargo) por mais ou menos 1 hora e 30 minutos, até conseguir um doce marrom-escuro e bem brilhante que vire uma bola e descole do fundo da panela.
↔ **Unte uma assadeira média** com um pouco de óleo e espalhe o doce de maçã, apertando com o dorso de uma colher para fazer uma camada lisa e uniforme. Deixe esfriar por 1 hora e, com uma faca afiada, divida em 40 quadradinhos de uns 2 cm. Embrulhe as balinhas em papel celofane e guarde por até 3 dias.

FATIAS CRISTALIZADAS DE MAÇÃ COM CANELA

(30 MINUTOS, MAIS UNS 2 DIAS PARA SECAR)

2 1/2 xícaras de açúcar
3/4 de xícara de água
2 pedaços de canela em pau
3 maçãs ácidas médias
açúcar e canela em pó para polvilhar

↔ **Três dias antes de servir,** forre uma assadeira grande com papel-manteiga.
↔ **Numa panela média,** aqueça o açúcar e a água e mexa até dissolver. Junte a canela em pau e deixe ferver por 5 minutos.
↔ **Enquanto isso,** descasque as maçãs, corte primeiro em quatro, remova os miolos e divida cada parte em 3 fatias. Mergulhe as fatias na calda e deixe em fogo baixo até ficarem transparentes. Retire as fatias da calda, escorra bem e espalhe na assadeira sem encostar uma na outra. Cubra com um pano limpo e deixe repousar por 24 horas num lugar fresco (pode ser dentro do forno desligado). Passado esse tempo, role as fatias de maçã numa mistura de açúcar e canela, troque o papel-manteiga da assadeira, espalhe novamente as fatias e deixe secar por mais 24 horas. Passe mais uma vez as fatias de maçã na mistura de açúcar e canela e guarde num pote fechado por até 3 dias.

BALINHA DE MAÇÃ

FATIAS CRISTALIZADAS DE MAÇÃ COM CANELA

ARRAIAL CHIQUE

Sou de outubro, um mês lindo, mas confesso que sempre tive uma pontinha de inveja de quem nasce em junho e pode comemorar o aniversário com uma bela festa junina. Quando soube que a Ana, a minha filha mais nova, nasceria em junho, eu fiquei tão feliz que não resisti e levei umas bandeirinhas, pés-de-moleque e paçoquinhas para a maternidade... Por isso, achei que seria bem interessante falar de festa junina, evento que, há milênios acontece na época do solstício de verão europeu, quando se comemorava o início das colheitas. Para os romanos, eram as junônias, festas que homenageavam a deusa Juno, esposa de Júpiter e representação do amor, casamento, fidelidade, fertilidade e maternidade. Os cristãos mantiveram as tradições pagãs e o clima da festa, com a fogueira e os fogos de artifício para afastar os maus espíritos, mais as danças e o casamento. Eles incluíram ainda o culto aos santos, e foi isso o que os portugueses trouxeram para o Brasil. Transformar a sua casa num arraial pode até ser um pouquinho trabalhoso, mas a festa fica tão linda que compensa. Acho o máximo um quintal enfeitado com bandeirinhas, lanternas coloridas e balões de mentira; dá para comprar tudo pronto, mas também não é nem um pouco complicado (e é até divertido) cortar bandeirinhas de papel de seda e colar nos pedaços de barbante. Servem de toalha retalhos de chita (que até entrou na moda) e de tecidos alegres com estampas miudinhas. Para abençoar a festa, bandeiras de s. Antônio, o santo que, além de casamenteiro, sempre dá uma forcinha para acharmos objetos perdidos; de s. João, que é o preferido na hora de tentar descobrir quem gosta de quem e que adora fogos de artifício bem coloridos, desses que enfeitam a noite e mantêm bem distantes os tais espíritos rebeldes (qual a criança que não gosta dos estalinhos? E quem não se encanta com uma chuva de estrelas de ouro ou prata ou com as luzinhas verdes, azuis e vermelhas dos fósforos coloridos?); e de s. Pedro, que guarda as chaves do Céu e controla o tempo.

ENTRE PANELAS E TIGELAS | **41** | *Arraial chique*

Quem tem espaço pode fazer uma fogueira, que passa a ser o centro da festa, aproximando todo o mundo. Para animar a festança, vale a pena chamar um sanfoneiro, que comandará a quadrilha, com cumprimentos, túnel, caminho da roça, a chegada da cobra e uma grande roda e deixará o casamento ainda mais divertido e emocionante. Para completar, vêm o pau de sebo, o correio elegante e as barraquinhas de brincadeiras, com prendas e mais prendas, como nas quermesses de antigamente.

ENTRE PANELAS E TIGELAS 43 *Arraial chique*

Child Prodigy

Arraial chique

45

ENTRE PANELAS E TIGELAS

RECEITAS

Como se diz há muito tempo, arraiá tem que ter fogueira arta, sanfona, moça bonita e mesa farta. Esta, além de farta, tem que ser bem variada, com muita pipoca, salgados e doces servidos em cestas, peneiras, saquinhos de papel ou cartuchos coloridos, espetinhos, potinhos e pratos de barro. Como imaginei servir porções não muito grandes (para todo o mundo poder experimentar um pouco de tudo), eu dimensiono as receitas para umas 12 pessoas (numa refeição comum, elas servem quatro ou seis pessoas). Procurei escolher receitas gostosas, que tivessem ares bem caseiros e levassem alguns dos ingredientes que sempre aparecem nas festas juninas paulistas, como milho, pinhão, mandioca, batata-doce e amendoim. Para começar, um copo de quentão bem perfumado, com aquele toque picante do gengibre e da canela. Para espalhar pela casa, de repente até dentro de chapéus de palha forrados com um paninho colorido, incluo o amendoim torrado da minha avó, uma receita que é muito fácil e deixa os amendoins bem saborosos, com uma camada ligeiramente crocante de sal, sendo muito melhores que os dos pacotinhos dos supermercados. Já que bolinhos sempre fazem sucesso, trago duas receitas: o bolinho de milho, que é uma delícia, colorido com os pedacinhos de salsinha e pimentão; e bolinho junino de carne e mandioca, crocante por fora e meio puxa-puxa por dentro, que eu, quando era criança, comia em saquinhos de papel nas festas juninas de Caçapava e São Luiz do Paraitinga. Para aquecer e servir ao pé do fogo, escolho o creme aveludado de cará, bem aconchegante e delicado; o tutuzinho no potinho, versão bem contemporânea do clássico tutu de feijão (num potinho, vão miniporções do feijão e da couve, algumas lascas de lombo e um ovo de codorna); e o arroz com pinhão, bacon e salsinha, muito saboroso.

Completando os salgados, vem o cuscuz paulista, que sempre agrada e pode ser feito com frango ou camarão. Começa então a doçaria: como todo o mundo pergunta se existe doce mais doce que o doce de batata-doce roxa, ele não poderia faltar e, com o ligeiro crocante do açúcar cristal e um gostinho de leite de coco no fundo, ainda enfeita a mesa, pois é lindo cortado em losangos (faça com batata comum se não encontrar a roxa). A laranjinha em calda é charmosa e fica graciosa em copinhos de cachaça. Para servir em tigelinhas, escolho um curau bem amarelinho e cremoso, que pode ser preparado com milho verde fresco, congelado ou até em conserva; e um delicioso arroz-doce polvilhado com canela, também receita da minha avó. Gosto muito do bolinho de pinhão, que é macio e fica interessante quando assado numa fôrma pequena, de empadinha ou barquete. Muita gente diz que gosta de bolo de fubá, embora reclame que muitos deles acabam secos e esfarelentos, mas a receita que vai aqui — o bolo de fubá e goiabada — é a que a minha avó preparou a vida toda; ultramacio e delicioso, esse bolo começa com um angu na panela e termina no forno; vale mesmo a pena experimentar (estou sugerindo incluir os cubinhos de goiabada, que, entretanto, podem ser de bananada, ou de queijo-de-minas meia-cura, ou ainda rodelinhas de banana-nanica polvilhadas com açúcar e canela). Para terminar, vêm a queijadinha, bem rapidinha e simples de fazer; e o supercrocante e irresistível pé-de-moleque, com um caramelo bem saboroso envolvendo o amendoim.

ENTRE PANELAS E TIGELAS   *Arraial chique*   **48**

QUENTÃO

(12 PESSOAS; 1 HORA)

6 fitas largas de casca de laranja sem a parte branca
2 xícaras de água
2 xícaras de açúcar
4 pedaços grandes de canela em pau
12 cravos-da-índia
2 folhas de louro
5 cm de gengibre em fatias grossas
1 litro de cachaça

↔ Numa panelinha, coloque a casca de laranja, cubra com água e leve para aquecer. Quando ferver, descarte a água quente, cubra novamente com água limpa e deixe a casca ferver mais uma vez. Escorra e reserve as cascas.

↔ Numa panela grande, aqueça as 2 xícaras de água, o açúcar, a canela, o cravo, o louro e o gengibre e mexa até dissolver. Quando ferver, junte a cachaça e mantenha em fogo baixo por 30 minutos. Então, adicione as cascas de laranja, deixe ferver por mais 5 minutos e sirva. (Se quiser, prepare com até 12 horas de antecedência; depois disso, o quentão pode amargar).

AMENDOIM TORRADO

(12 PESSOAS; 30 MINUTOS)

1 kg de amendoim cru com pele
3 colheres (sopa) de sal
4 colheres (sopa) de água

↔ Aqueça o forno a 200°C (médio-alto). Espalhe uma camada de amendoim numa assadeira grande e leve ao forno. Enquanto isso, numa tigelinha, misture o sal e a água. Retire a assadeira do forno quando os amendoins estiverem dourados e bem perfumados, com as cascas rachadas. Misture imediatamente à salmoura (com o calor, a água evapora, e o sal forma uma casquinha em volta dos grãos). Deixe esfriar e guarde num pote bem fechado por até 1 semana.

BOLINHO DE MILHO

(12 PESSOAS; 30 MINUTOS)

2 ovos
2 xícaras de milho verde em conserva
(se fresco, afervente em água salgada por 5 minutos)
1 pimentão vermelho em cubos miúdos
1/2 xícara de salsinha e cebolinha picadinhas
2/3 de xícara de farinha de trigo
1/4 de xícara de leite
1 colher (sopa) de açúcar
2 colheres (chá) de sal
1 litro de óleo para fritar
molho de pimenta-vermelha para servir

↬ **Quebre os ovos** e separe gemas e claras em duas tigelas médias. Bata as claras em neve até que estejam bem firmes e reserve.

↬ **Na tigela das gemas,** coloque o milho, o pimentão, a salsinha e a cebolinha, a farinha, o leite, o açúcar e o sal e misture bem. Em seguida, com uma espátula, incorpore delicadamente as claras em neve.

↬ **Numa frigideira grande,** aqueça o óleo, pegue porções de massa com uma colher (sopa), coloque no óleo quente e deixe firmar e dourar de um lado. Depois, vire com uma escumadeira para dourar do outro lado. Frite 4 bolinhos de cada vez, escorra e seque sobre papel absorvente. Sirva em seguida com molho de pimenta.

BOLINHO JUNINO DE CARNE E MANDIOCA

(12 PESSOAS; 1 HORA)

2 colheres (sopa) de óleo vegetal
1 cebola grande em cubos miúdos
500 g de carne moída, patinho ou coxão mole
1 folha de louro
2 colheres (sopa) de molho pronto de tomate
4 xícaras de caldo de carne fervente
(ou 2 cubinhos dissolvidos em 4 xícaras de água fervente)
2 xícaras de farinha de mandioca crua
1/2 xícara de salsinha e cebolinha picadinhas
1 litro de óleo para fritar
sal
molho de pimenta-vermelha para servir

↬ **Numa panela média,** aqueça um fio de óleo e doure ligeiramente a cebola. Junte a carne e misture com uma colher de pau até separar os grumos e mudar totalmente de cor. Adicione o louro, o molho de tomate e sal, abaixe o fogo e cozinhe por uns 20 minutos, até que a carne esteja macia e ligeiramente dourada. Junte o caldo quente e aumente a chama. Quando ferver, despeje aos pouquinhos a farinha de mandioca, sempre mexendo com uma colher de pau para não formar grumos, e mantenha no fogo até obter um pirão bem encorpado que se solte da panela. Retire do fogo, ajuste o sal, acrescente a salsinha e a cebolinha e espere amornar. (Se quiser, prepare a massa na véspera e guarde na geladeira.)

↬ **Numa panela média,** aqueça o óleo. Com uma colher de chá, pegue porções de massa, molde bolinhas e frite no óleo quente até que estejam bem douradas e crocantes, depois escorra sobre papel absorvente (ou espalhe as bolinhas numa assadeira untada com óleo e asse por uns 30 minutos no forno a 180°C, médio). Sirva os bolinhos bem quentes em saquinhos de papel, acompanhados de molho de pimenta.

BOLINHO JUNINO DE CARNE E MANDIOCA

TUTUZINHO NO POTINHO

(12 PESSOAS; 3 HORAS)

PARA O LOMBO

1 kg de lombo de porco
1 dente de alho esmagado
suco de 2 limões
1 folha de louro
óleo vegetal
sal e pimenta-do-reino

PARA O TUTUZINHO

500 g de feijão-rosinha ou mulatinho lavado e escorrido
1 folha de louro
250 g de bacon em cubinhos
1 cebola grande em cubinhos
2 dentes de alho bem picadinhos
1 xícara de farinha de mandioca crua
1/4 de xícara de cachaça
sal e pimenta-do-reino

PARA A COUVE

1 maço de couve em tirinhas muito finas
1 dente de alho bem picadinho
50 g de manteiga
sal

PARA OS OVOS

12 ovos de codorna
óleo vegetal
sal

CREME AVELUDADO DE CARÁ

(12 PESSOAS; 1 HORA)

1 kg de cará
100 g de manteiga
2 xícaras de creme de leite fresco
1 xícara de queijo-de-minas meia-cura ou parmesão ralado grosso
sal

↬ **Descasque e corte o cará** em cubos, coloque numa panela média com água até cobrir e aqueça. Cozinhe em fogo baixo até que o cará esteja macio. Depois, escorra e passe pelo espremedor. Volte com o cará espremido para a panela, junte a manteiga e um pouco de sal e, mexendo com colher de pau, vá incorporando o creme de leite aos pouquinhos, até conseguir um creme homogêneo. Acrescente o queijo, ajuste o sal e sirva (se quiser, mantenha o creme pronto em banho-maria por até 1 hora).

↬ **Lombo** Tempere o lombo com o alho, o suco do limão, sal e pimenta e deixe repousar por pelo menos 1 ou por até 12 horas na geladeira.

↬ **Numa panela média,** coloque uma camada de 1 cm de óleo, junte o lombo e o louro, cubra com água fria o bastante para que fique até uns 2 cm acima da carne e aqueça. Quando ferver, abaixe o fogo e cozinhe por umas 2 horas, até que a água seque e a carne esteja muito macia, soltando-se em lascas (se preciso, junte um pouquinho mais de água quente).

↬ **Com garfo ou colher de pau,** role o lombo na gordura para dourar de todos os lados, retire do fogo, espere amornar e separe em lascas.

↬ **Tutu** Numa panela grande, coloque o feijão, uns 2 litros de água e o louro e aqueça. Quando ferver, abaixe o fogo e cozinhe até que os grãos estejam bem macios. Descarte o louro e bata o feijão com o caldo do cozimento no liquidificador até obter um creme liso.

↬ **Numa panela média,** aqueça o bacon e deixe dourar. Escorra com uma escumadeira e seque sobre papel absorvente.

↬ **Descarte** parte da gordura do bacon, deixando apenas umas 3 colheres (sopa). Leve a panela de volta ao fogo e doure ligeiramente a cebola. Acrescente o alho e espere perfumar. Adicione o feijão, sal e pimenta e deixe ferver por 5 minutos. Aos pouquinhos, junte a farinha de mandioca, mexendo sempre, e mantenha no fogo até ferver e engrossar. Junte a cachaça, espere 1 minuto, ajuste o sal e a pimenta, acrescente o bacon e reserve.

↔ Couve Aqueça a manteiga numa panela média, junte o alho, espere perfumar, junte a couve, misture bem, tampe para abafar e deixe no fogo por uns 5 minutos, apenas até murchar, ficando bem macia e brilhante.

↔ Quebre um ovo de codorna e transfira para um potinho. Aqueça um fiozinho de óleo numa frigideira, junte o ovo, polvilhe com uma pitadinha de sal e deixe no fogo até que a clara esteja branca, com a borda ligeiramente crocante, e a gema comece a firmar. Transfira para um prato e frite os demais ovos (se quiser, prepare 4 ovinhos por vez numa frigideira grande, ou use ovinhos cozidos divididos ao meio).

↔ Separe 12 potinhos e, em cada um deles, coloque um pouco de tutu, de couve e de lombo e, por cima, 1 ovinho.

ARROZ COM PINHÃO, BACON E CHEIRO-VERDE

(12 pessoas; 1 hora e 30 minutos)

4 xícaras de pinhão (uns 60)
2 xícaras de arroz branco lavado e escorrido
1 cebola grande em cubos miúdos
1 folha de louro
4 xícaras de água fervente
200 g de bacon em cubinhos
2 dentes de alho bem picadinhos
1 1/2 xícara de salsinha picadinha
óleo vegetal
sal e pimenta-do-reino

↔ Com uma faca afiada, descarte uma pontinha da casca de cada pinhão, deixando aparecer um pedacinho da polpa esbranquiçada. Coloque os pinhões numa panela média, cubra com água e cozinhe por uns 45 minutos, até que estejam bem macios. Aos poucos, escorra os pinhões da água, corte cada um deles ao meio (de comprido) com uma faca afiada, separe a polpa das cascas e reserve (se a água esfriar e os pinhões começarem a ficar difíceis de descascar, aqueça de novo).

↔ Aqueça um fio de óleo numa panela média, junte a cebola, deixe dourar um pouquinho e misture o arroz. Quando os grãos estiverem brilhantes, junte a água fervente, o louro e o sal (prove a água e veja se está salgadinha). Deixe a panela no fogo, semitampada, até que a água seque e os grãos estejam cozidos, mas soltinhos. Tampe a panela e deixe descansar por 5 minutos.

↔ Enquanto isso, coloque o bacon numa frigideira grande, aqueça e deixe no fogo até que os cubinhos estejam dourados e crocantes. Depois, escorra com uma escumadeira e seque sobre papel absorvente. Deixe só umas 2 colheres (sopa) de gordura na panela, descarte o restante, volte ao fogo e junte o alho. Quando perfumar, adicione o pinhão, o bacon e a salsinha, misture ao arroz e sirva.

CUSCUZ PAULISTA

CUSCUZ PAULISTA

(12 PESSOAS; 1 HORA E 30 MINUTOS)

1 xícara de azeite de oliva (aproximadamente)
6 xícaras de farinha de milho
1/2 xícara de farinha de mandioca crua
1 cebola grande em cubos miúdos
2 dentes de alho bem picadinhos
1 xícara de salsinha e cebolinha picadinhas
600 g de molho pronto de tomate
1 lata de ervilha
1 vidro grande de palmito picadinho
250 g de camarão pequeno limpo, ou de frango cozido já separado em lascas
1/2 xícara de azeitona verde em lascas
para decorar: tomate, ovo cozido, azeitona em lascas, banana e sardinha em conserva
molho de pimenta-vermelha
sal e pimenta-do-reino

↬ Aqueça bem o azeite numa panelinha. Enquanto isso, coloque as farinhas de milho e de mandioca e 1 colher (sopa) de sal numa tigela grande, misture bem e esfarele com a ponta dos dedos até conseguir um pó fino. Faça uma cavidade no centro da mistura de farinhas e nela coloque metade da cebola, do alho e da salsinha e cebolinha. Quando o azeite estiver quase fervendo, retire do fogo, despeje sobre os temperos e misture até deixar toda a farinha bem umedecida.

↬ Regue o fundo de uma panela média com um fio de azeite e nele doure a cebola. Junte o alho, espere perfumar e adicione o camarão (ou o frango). Misture bem, espere o camarão mudar de cor e junte o molho de tomates, a ervilha e o palmito. Deixe ferver por 5 minutos, acrescente as azeitonas e ajuste o sal e a pimenta. Reserve 1 1/2 xícara do molho para servir ao lado do cuscuz e, aos poucos, vá juntando o restante do molho à mistura de farinhas, mexendo com colher de pau até obter uma massa macia e alaranjada, nem esfarelenta nem encharcada.

↬ Coloque água até meia altura de uma panela média (ou da base de um cuscuzeiro) e aqueça. Para montar o cuscuz, decore o fundo e as laterais de um cuscuzeiro (ou de um escorredor de massa) com rodelas de tomate e de ovo cozido, tiras de banana, lascas de azeitona e, se quiser, com filés de sardinha. Preencha a cavidade com a massa do cuscuz, pressionando delicadamente com as mãos para firmar, sem desmanchar a decoração e sem socar demais. Coloque o cuscuzeiro sobre a panela com água fervente (tendo cuidado para não deixar a água tocar a base do cuscuz), cubra o cuscuz com um pano limpo ou com folhas de couve, tampe e deixe no fogo por mais ou menos 1 hora, até que o pano ou as folhas estejam bem úmidos. Retire o cuscuz do fogo, aguarde 5 minutos, desenforme sobre um prato grande e sirva com o molho.

DOCE DE BATATA-DOCE ROXA

DOCE DE BATATA-DOCE ROXA

(12 PESSOAS; 2 HORAS)

500 g de batata-doce roxa
3 1/3 de xícara de açúcar
3/4 de xícara de leite de coco
2 cravos-da-índia
1 envelope de gelatina em pó incolor sem sabor (12 g)
1 xícara de água
1 xícara de açúcar cristal

↬ Coloque a batata-doce numa panela, cubra com água e aqueça. Abaixe o fogo quando ferver e cozinhe até que a batata esteja bem macia (espete com um garfo para testar). Escorra, descasque a batata e passe pelo espremedor. Coloque a batata espremida, o açúcar comum, o leite de coco e o cravo numa panela média, misture e aqueça. Mexendo de vez em quando com colher de pau, cozinhe por mais ou menos 1 hora, até que o doce esteja bem brilhante e comece a se soltar do fundo da panela. Reserve.

↬ Coloque a gelatina numa tigelinha, cubra com metade da água e deixe descansar por 5 minutos. Enquanto isso, ferva o restante da água, depois despeje sobre a gelatina e mexa até dissolver. Junte a gelatina ao doce, misture bem, despeje numa assadeira e alise com uma espátula para acertar. Espere amornar e leve à geladeira para firmar por umas 2 horas, ou por uns 2 dias. Corte o doce em quadrados ou em losangos e role no açúcar cristal um pouco antes de servir.

LARANJINHA EM CALDA

(12 pessoas; 1 hora)

4 xícaras de água
5 1/3 de xícara de açúcar
1 pedaço grande de canela em pau
4 cravos-da-índia
1 estrela de anis
1 kg de laranjinhas Kinkan inteiras e bem lavadas (se quiser, use-as com os cabinhos e algumas folhas)

↬ Numa panela média, aqueça a água, o açúcar, a canela, o cravo e o anis, mexa só até dissolver e deixe ferver por 5 minutos, até virar uma calda rala. Enquanto isso, com um palito ou com um garfo, perfure cada laranjinha em alguns pontos para a calda conseguir penetrar e ela não estourar. Coloque as laranjinhas na panela da calda e cozinhe em fogo baixo por uns 40 minutos, até que elas estejam macias. Retire do fogo, espere amornar, passe para uma compoteira bem limpa e seca e guarde na geladeira por até 1 semana.

CURAU

(12 PESSOAS; 1 HORA, MAIS DE 2 HORAS PARA FIRMAR)

*600 g de milho verde fresco (de 4 a 6 espigas) congelado
ou em conserva (normalmente umas 3 latas)
1 litro de leite
1 1/2 xícara de açúcar ou a gosto
canela em pó*

↔ **Bata o milho e metade do leite** no liquidificador até obter um creme liso. Passe por uma peneira espremendo bem para extrair o máximo possível de polpa e descarte o bagaço. Transfira o creme de milho para uma panela, junte o restante do leite, adoce com o açúcar e aqueça. Sem parar de mexer, cozinhe em fogo médio por uns 40 minutos, até engrossar e cobrir o dorso da colher (o curau se firma bastante quando esfria). Transfira o curau para um refratário (se quiser servir em quadradinhos, losangos ou mesmo em colheradas) ou coloque em 12 potinhos. Deixe firmar em temperatura ambiente por umas 2 horas e leve à geladeira. Polvilhe com a canela na hora de servir.

CURAU

ARROZ-DOCE

(12 PESSOAS; 1 HORA)

*5 xícaras de água
4 fitas largas de casca de laranja sem a parte branca
4 fitas largas de casca de limão sem a parte branca
2 pedaços grandes de canela em pau
2 xícaras de arroz branco bem lavado e escorrido
2 litros de leite
4 xícaras de açúcar
canela em pó*

↔ **Numa panela média,** aqueça a água, as cascas de laranja e de limão e a canela em pau. Conte 1 minuto a partir da fervura, junte o arroz e cozinhe com a panela semitampada por uns 15 minutos, até que os grãos estejam macios. Abaixe o fogo, junte o leite e o açúcar e cozinhe por mais 15 minutos, até formar um creme ralo e ligeiramente brilhante (não deixe encorpar muito para não firmar demais quando esfriar). Passe para uma tigela, polvilhe com canela e sirva morno ou gelado (guarde na geladeira por uns 2 dias).

ARROZ-DOCE E
CREME AVELUDADO DE CARÁ

BOLINHO DE PINHÃO

(12 PESSOAS; 1 HORA)

2 1/2 xícaras de pinhão (aproximadamente umas 40 unidades)
200 g de manteiga
1 lata de leite condensado
4 ovos
1 xícara de leite
1 xícara de farinha de trigo
1 colher (sopa) de fermento em pó
manteiga para untar e farinha de trigo para polvilhar

↔ Com uma faca afiada, descarte uma pontinha da casca de cada pinhão, deixando aparecer um pedacinho da polpa esbranquiçada. Coloque os pinhões numa panela média, cubra com água e cozinhe por uns 45 minutos, até que eles estejam bem macios. Aos poucos, escorra os pinhões da água, corte cada um deles ao meio (de comprido) com uma faca afiada e separe a polpa das cascas (se a água esfriar e os pinhões começarem a ficar difíceis de descascar, aqueça de novo). Triture a polpa no processador e reserve.

↔ Aqueça o forno a 180°C (médio), unte com manteiga e polvilhe com farinha umas 30 fôrmas médias para empadinhas ou barquetes e espalhe numa assadeira (ou faça um único bolo grande para servir em fatias).

↔ Com a batedeira, bata a manteiga, o leite condensado e as gemas até obter um creme fofo. Adicione o leite, o pinhão, a farinha e o fermento e continue batendo até conseguir uma massa homogênea. Também com a batedeira, bata as claras em neve até que estejam bem firmes. Em seguida, com uma espátula e muita delicadeza, incorpore as claras à massa. Coloque nas forminhas, chegando a 2/3 da altura. Asse os bolinhos por uns 20 minutos, até que estejam crescidos e dourados (ao enfiar um palito no centro, ele deverá sair limpo). Espere amornar, desenforme e sirva, ou guarde num pote fechado por até 2 dias.

QUEIJADINHA

(12 PESSOAS; 1 HORA, MAIS UMAS 2 HORAS PARA ESFRIAR)

1 xícara de água
3 xícaras de açúcar
100 g de manteiga
8 ovos
3 xícaras de coco fresco ralado
2/3 de xícara de farinha de trigo
1 xícara de queijo-de-minas meia-cura ou parmesão ralado grosso
48 forminhas descartáveis de 2 cm

↔ Aqueça a água e o açúcar numa panela média, mexa só até dissolver e deixe ferver por uns 5 minutos, até conseguir uma calda que caia em fio quando se levanta a colher. Retire do fogo, junte a manteiga e deixe esfriar. Passe os ovos por uma peneira (assim, fica para trás a película que dá o gosto forte de ovo), junte à calda e acrescente também o coco, a farinha e o queijo.

↔ Aqueça o forno a 180°C (médio), ferva 1 litro de água para o banho-maria, separe 1 assadeira grande e forre com umas 2 folhas de papel absorvente para a água não borbulhar. Disponha as forminhas de papel dentro de forminhas de alumínio para empadinhas e espalhe na assadeira. Despeje a massa nas forminhas, coloque a água fervente no fundo da assadeira (ela deverá chegar, no máximo, até a metade da altura das forminhas) e asse as queijadinhas por uns 30 minutos, até que estejam douradas e firmes. Retire do forno, aguarde 5 minutos e, com cuidado, solte as queijadinhas das forminhas de alumínio e passe para um prato. Deixe esfriar e sirva (ou guarde num pote fechado por até 2 dias, ou congele por até 2 meses).

PÉ-DE-MOLEQUE

(12 PESSOAS; 30 MINUTOS)

500 g de amendoim torrado e sem pele
3 1/3 de xícaras de açúcar
manteiga para untar

↔ **Unte um pedaço de mármore** de uns 40 x 40 cm, ou separe um tapetinho de silicone. Aqueça o açúcar numa panela média e, mexendo de vez em quando, deixe no fogo até soltar uma fumacinha esbranquiçada e chegar a um caramelo bem dourado, nem muito claro (para não ficar doce) nem muito escuro (para não amargar). Retire o caramelo imediatamente do fogo, misture o amendoim e, com cuidado para não se queimar, despeje sobre o mármore untado e deixe firmar por uns 20 minutos. Com uma espátula, solte a placa de pé-de-moleque do mármore, quebre em pedaços não muito grandes e guarde num pote bem fechado por até 1 semana.

BOLO DE FUBÁ E GOIABADA

(12 PESSOAS; 1 HORA E 30 MINUTOS, MAIS PELO MENOS 1 HORA PARA ESFRIAR)

2 xícaras de fubá
2 xícaras de leite
2 xícaras de açúcar
1/2 xícara de óleo vegetal
50 g de manteiga
1 colher (chá) de sal
4 ovos
1 colher (sopa) de fermento em pó
1 1/2 xícara de cubinhos de 1 cm de goiabada
manteiga para untar e fubá para polvilhar

↔ **Coloque o fubá**, o leite, o açúcar, o óleo, a manteiga e o sal numa panela média, aqueça e, sempre mexendo, deixe no fogo por uns 10 minutos, até a massa ferver e engrossar e o fundo da panela aparecer. Retire do fogo e deixe amornar por uns 15 minutos.

↔ **Aqueça o forno a 200°C** (médio-alto). Unte com manteiga e polvilhe com fubá uma assadeira grande, ou uma fôrma grande para pudim. Quebre os ovos, coloque as gemas numa tigelinha e as claras na tigela da batedeira. Bata as claras em neve até conseguir picos firmes. Quando a massa amornar, junte as gemas e o fermento e, em seguida, com uma espátula e muita delicadeza, incorpore as claras. Despeje metade da massa na fôrma, espalhe por cima metade da goiabada, cubra com o restante da massa e termine com a goiabada. Asse o bolo por uns 40 minutos, até que esteja crescido, bem dourado e firme (ao enfiar um palito no centro, ele deverá sair limpo). Deixe o bolo esfriar, desenforme sobre um prato raso e sirva em fatias.

ENTRE PANELAS E TIGELAS | *Arraial chique*

UM, DOIS, FEIJÃO COM ARROZ; TRÊS, QUATRO, FEIJÃO NO PRATO

Arroz e feijão, feijão com arroz, arroz com feijão: quase todo o mundo faz, quase todo o mundo come, e quase todo o mundo gosta. É o arroz e é o feijão de todo dia, e esse último, dependendo da casa e da região do Brasil, pode ser vermelho, amarelado, marronzinho, branco ou preto, com grão miudinho ou grande. É tão simples e tão bom! Acho que a minha lembrança mais antiga de vida na cozinha é a da mesa com um monte de feijão para que a gente separasse os grãos bonitos dos feiosos, das palhas, da terra e das pedrinhas. 🫘 É difícil encontrar uma casa brasileira sem panela de feijão no fogo. Pode ser um caldeirão bem velho e amassado de alumínio no fogo a lenha, uma panela de pressão, uma panela francesa chiquérrima. Nas marmitas, matulas e farnéis, dos mais incrementados aos mais simplórios, não faltam mesmo o arroz e o feijão. E ainda tem aquela coisa de sempre dar para juntar mais um pouquinho de água no feijão porque chegou mais um, ou de fazer uma panelinha de arroz bem rapidinho, gastando pouquíssimo e deixando todo o mundo satisfeito. 🫘 Muita, mas muita, gente neste mundo vive quase só de arroz. Por aqui, comemos arroz no almoço e no jantar, mas há lugares no Oriente em que uma tigela de arroz vai bem até no café-da-manhã (Quando estive na Tailândia com o meu marido e as minhas meninas, a Ana tinha uns quatro anos e achou o máximo comer arroz logo cedo. Por um bom tempo, já de volta ao Brasil, ela pedia arroz no café-da-manhã e recebia uma tigelinha de arroz branco simplesmente cozido na água.) 🫘 Há uns 5 mil anos, os arrozes asiáticos, da espécie *Oryza sativa*, são cultivados na China, na Tailândia, na Índia e no Irã e dali se espalharam pelo mundo. O mesmo aconteceu com os arrozes africanos, da espécie *Oriza glaberrima*. A planta é anual e bem versátil, já que há plantações no alto e no baixo; no frio e no calor tropical; no seco, na montanha e no alagado (que é o arroz-de-brejo, na várzea dos rios, como no vale do Paraíba); e quase no mundo inteiro, na Ásia (como achei lindo os terraços de arroz no Sudeste Asiático!),

Um, dois, feijão com arroz;

na Europa, nas Américas, na Oceania e na África. Aqui no Brasil, começaram a plantar arroz na metade do século 17, no vale da Ribeira (SP), e de lá o cultivo foi para o norte e o sul.

Pode ser arroz branco agulhinha, de grão bem fino, longo e bem polido, que é o do nosso dia-a-dia e costuma ficar firme e soltinho. Pode ser o jasmim, tailandês, ou basmati, indiano, perfumadíssimo (o jasmim é muito branco, e o basmati aparece tanto branco quanto integral). Pode ainda ser um arroz branco de grão arredondado médio ou curto, que normalmente fica mais macio e grudento, como o japonês, outro tipo de tailandês e os italianos, todos polidos e alvíssimos, pois se retirou o gérmen e a camada externa das fibras, sobrando quase só amido. Pode também ser um arroz amarelado, amarronzado, negro ou avermelhado, tanto asiático como italiano, francês da Camargue, ou nordestino do sertão. Mas pode ser um arroz integral, com o grão não-polido, tendo ainda o gérmen e estando envolto pelas fibras externas, com baixo teor de gordura, sendo rico em carboidratos, vitaminas, minerais, aminoácidos e conservando todos os óleos naturais (por isso, vai ficando rançoso com o tempo; dura no máximo uns seis meses). Na hora de cozinhar, cada xícara de arroz integral precisa de mais ou menos 2 1/2 xícaras de água, e esse arroz leva uns 45 minutos no fogo até ficar macio (como ele tem muito amido e fica mesmo meio grudento, tem gente que, para deixar os grãos mais soltinhos, rega com água fervente o arroz integral já cozido e escorre). Sinceramente, acho que vale a pena experimentar esses tipos tão diferentes, com sabores, aromas e texturas que conseguem transformar um simples prato de arroz em algo bem especial.

No norte da Itália, faz uns 400 anos que plantam grãos curtos e médios, com base arredondada e biquinho na outra ponta (como um dente quebrado) e uma textura bem interessante, pois ficam macios por fora e firmes por dentro. Dos três tipos mais conhecidos, há o arborio, que tem um grão com a parte central bem firme e a camada exterior com uma quantidade não tão grande de amilose, dando um risotto que absorve bem os sabores e cozinhando nuns 16 minutos. O arborio tem uns 7 mm de comprimento e uns 4 mm de largura, só um pouquinho mais largo que o carnaroli, que é saboroso e, rico em amilose, dá um risotto bem cremoso nuns 18 minutos.

Mas o arborio é mesmo o mais comum, e só não é o preferido na região do Vêneto, onde ganha o vialone nano, com um grão mais curto e grosso; este faz um risotto muito cremoso, que na panela se movimenta como uma onda.

Todo grão de arroz é rico em amido, um carboidrato. É pobre em gorduras, mas tem proteínas, vitaminas e minerais. Quanto mais branco o grão, mais amido contém e mais grudento é; e, quanto mais translúcido, menos amido.

Arroz dura bastante quando bem guardado em um pote fechado: aí, continua com os grãos brilhantes, inteiros, sem soltar pó. Muitas vezes, grãos mais velhos são até melhores, tanto que há arrozes indianos que ficam anos amadurecendo, a ponto de endurecerem tanto que precisam ficar de molho antes de cozinhar. É sempre melhor cozinhar grãos inteiros, que ficam mais soltos; mas, se tiver que usar grãos quebrados, é só não exagerar no líquido e controlar o fogo para não empapar, pois eles cozinham mais rápido, de maneira não-uniforme, porque têm tamanhos diferentes.

Quando se diz que o arroz é parbolizado, é porque ele passou por um processo de aquecimento e resfriamento que leva os nutrientes para o centro dos grãos e transforma o amido numa espécie de gelatina que se firma e depois amolece, deixando os grãos pré-cozidos (por isso, eles costumam entrar nos saquinhos de cozimento instantâneo, que ficam prontos bem depressa, bastando mergulhar na água fervente). Prontos, os grãos parbolizados ganham tom meio perolado e ficam bem brilhantes e bem soltinhos. Dão a impressão de coisa ultramoderna, mas é uma técnica indiana muito antiga, de uns 2 mil anos; eles achavam que assim aumentavam o valor nutritivo do arroz.

Se há uma coisa que eu não consigo entender, é alguém servir arroz velho, seco, sem graça. É tão fácil e tão rápido fazer uma panelinha – e aquele arroz branco soltinho que acabou de ficar pronto é tão bom! Acho uma delícia colocar umas três colheradas de arroz numa xícara e comer na beira do fogão. Não se gasta mais do que 30 minutos entre lavar os grãos até a água sair bem limpa e clarinha (levando embora o excedente do amido); escorrer por uns 5 minutos para secar; picar uma cebola ou dente de alho e dar uma ligeira dourada num pouco de óleo, azeite ou manteiga; fritar o arroz até ficar brilhante e soltinho; regar com água, juntar um pouco de sal, uma folha de louro ou um amarradinho de salsinha e cebolinha; cozinhar, sem mexer para não empapar, até ficar macio, mas bem soltinho; e, depois de desligar o fogo, deixar o arroz descansar por 5 minutos com a panela tampada e aí afofar com um garfo (tem gente que coloca 1 colher (sopa) de vinagre branco ou suco de limão na água do cozimento e jura que, assim, o arroz fica mais solto e firme). Há também quem goste de arroz mais molhadinho, ligeiramente empapado.

Essa forma de cozinhar arroz numa quantidade certa de líquido (que é totalmente absorvido pelos grãos) talvez seja a mais utilizada. Só não funciona bem em quantidades grandes, pois, se a panela não for larga, ficará uma camada muito alta de arroz: os grãos de baixo cozinham demais e amolecem, e os de cima ficam duros. No geral, 1 xícara de arroz branco longo e comum pede 2 xícaras de água para cozinhar e dobra ou triplica de volume com o cozimento; alguns rendem um pouco menos, e outros, um pouco mais; assim, 1 xícara de arroz cru costuma render umas 3 xícaras quando cozido. No Oriente, muita gente cozinha arroz no vapor e, em outros cantos do mundo, preferem mergulhar os grãos em água fervente, esperando amaciar e depois escorrendo (eu, porém, fico sempre com a sensação de estar jogando fora os nutrientes todos).

Não é que nunca se possa aquecer um arroz da refeição anterior – isso é perfeitamente possível, basta colocar o arroz e um pouquinho de água numa panela e levar ao fogo, ou aquecer no vapor até ele voltar a ficar macio e úmido. Mas fazer arroz é uma coisa tão simples que não se justifica mesmo pensar em fazer grandes quantidades e requentar por 2 ou 3 dias. E quando sobra um pouco de arroz pronto, os bolinhos são uma saída bem gostosa. Também dá para aquecer o arroz com pedacinhos de legumes, ovo e até camarão para virar um arroz chinês; ou acrescentar frutas secas e especiarias para transformá-lo em pilaf; ou, ainda, juntar ovos batidos, queijo parmesão ralado, ervilhas e presunto picadinho e levar ao forno.

Arroz amarelinho é uma coisa que também aparece em muita panela brasileira: de Minas para baixo, o arroz é refogado no óleo ou na banha com alho e sal, regado com água e cúrcuma (o açafrão-da-terra) e cozido até ficar macio, soltinho e bem amarelo. No Centro-Oeste, o arroz siricado é quase a mesma coisa, só que ainda leva um pouco de carne-seca cozida e desfiada.

Os tropeiros e carreteiros, que passavam semanas trançando pelas estradas do Brasil, preparavam a comida do dia numa panela só, que ia direto para o braseiro ou ficava pendurada numa trempe, um suporte de ferro colocado sobre o fogo. Daí nasceram algumas receitas saborosas, como o arroz de tropeiro ou de carreteiro: aqueça um pouco de óleo numa panela grande e nele doure um bom tanto de carne-de-sol ou de carne-seca cozida e desfiada, com cebola, alho e bacon; depois, junte rodelas de lingüiça e paio, acrescente arroz branco lavado e escorrido, regue com água, adicione um pouquinho de sal e cozinhe por uns 20 minutos, até que os grãos estejam macios, mas bem soltos; junte salsinha, cebolinha, coentro e pimenta-vermelha bem picadinhos e sirva. O arroz com lingüiça é bem parecido, só que um pouco mais simples, pois não entram a carne-de-sol e o paio.

O arroz de hauçá nordestino é refogado com carne-de-sol e alho, mas fica bem empapado, já que o arroz é batido com uma colher até virar um pirão; aí, enforma-se o arroz numa fôrma para pudim, e quem gosta ainda coloca no centro uma porção de camarão seco moído e refogado com cebola e pimenta no dendê.

Para o arroz caipira, ou arroz de galinha, doure no óleo um frango em pedaços, muito bem temperado com limão, sal, alho e pimenta; junte cebola e tomate picadinhos, mais o arroz; regue com água ou caldo de galinha; deixe no fogo até que os grãos estejam cozidos, mas soltinhos e no final acrescente salsinha e cebolinha bem picadas.

O arroz de forno caipira, ou arroz de saudade, é parte do almoço do domingo de muita gente; tem uma variaçãozinha aqui, outra ali, mas, na maior parte das vezes, é preparado com frango cozido desfiado e misturado com arroz branco, tirinhas de presunto, ervilha, milho verde e cebola dourados na manteiga; depois, é regado com uma mistura de ovos batidos com leite, polvilhado com farinha de rosca e queijo ralado e levado ao forno para dourar (numa versão mais de praia, entram também rodelinhas fritas de banana-da-terra ou banana-nanica e leite de coco no lugar do leite).

Lá no cerrado, nasce o piqui (ou pequi, pois em cada lugar se fala e se escreve de um jeito; parece, entretanto, que *piqui* seria mais próximo do original tupi), um fruto bem amarelo com polpa firme, envolvendo um caroço coberto de espinhos. Em Goiás, Mato Grosso, Tocantins e partes de Minas, o piqui sempre aparece na panela do arroz. Como tem um gosto bem forte, é daquelas coisas que a gente ou ama, ou odeia. Para o arroz com piqui, lave uns 6 piquis frescos inteiros (ou use lascas da polpa em conserva); refogue no óleo com cebola, alho, pimenta e sal; cubra com água e espere amarelar; junte umas 2 xícaras de arroz e cozinhe até que os grãos estejam macios, mas ainda soltinhos.

Com tanta rusticidade, pode até parecer estranho pensar num risotto, que tem jeito de coisa mais chique — mas qual o problema? Afinal de contas, um risotinho sempre vai bem e traz uma boa dose de aconchego quando chega à mesa, cremoso e quentinho, num prato fundo. É muito versátil, pois quase tudo pode servir para dar sabor e perfume ao risotto: carnes vermelhas ou brancas; embutidos, frios e defumados; peixes e frutos do mar; ervas, frutas, verduras e legumes frescos, secos e desidratados; queijos; especiarias. Além de já ser quase uma refeição, é um prato muito rápido: desde o momento em que se começa a picar a cebola até chegar à mesa, não vão mais que uns 30 minutos (isso, claro, vale para o risotto que leva ingredientes já preparados ou que cozinham no tempo do arroz; se a receita pedir carne de pato cozida e desfiada, por exemplo, será preciso cozinhar o pato antes, o que vai tomar mais tempo).

Estritamente falando, para ser risotto de verdade, há que se usar um arroz italiano apropriado e seguir direitinho algumas regras bem tradicionais, que são quase uma cerimônia. A primeira coisa é jamais lavar o arroz, pois a água estimula a liberação do amido, iniciando antes da hora o processo de amolecimento do grão. Depois de separar os ingredientes que entrarão na receita, pegue uma panela larga e pesada, em que os grãos possam ficar perto da base e que transmita o calor de modo uniforme; nela aqueça a gordura, que pode ser manteiga, azeite ou toucinho; e doure ligeiramente os legumes aromatizantes — cebola, alho, alho-poró ou salsão. Passe então à *tostatura*, que é o ato de fritar o arroz por mais ou menos um minuto para envolver os grãos com uma camadinha de gordura para evitar que absorvam líquido rápido demais e ajudar a manter os grãos separadinhos, embora unidos por um creme (há quem evite a *tostatura*, dizendo que ela inibe o amolecimento da camada de amido). O passo seguinte é o batismo com vinho, que perfuma, realça sabores e dá um toque de acidez ao prato (calcula-se de 1/4 a 1/2 xícara de vinho por xícara de arroz, nor-

Um, dois, feijão com arroz;

malmente um vinho branco seco, mas também pode ser tinto, o que deixa o arroz arroxeado e bem saboroso, ou um Porto ou alguma outra bebida); é só regar o arroz com o vinho e, mantendo o fogo forte, esperar evaporar. Para não baixar a temperatura do arroz na panela, mantenha aquecido o caldo que será usado para regar o risotto, que poderá ser de galinha, vitelo, carne, peixe, crustáceos ou legumes (tenha cuidado com os industrializados, que costumam ser fortes e salgados; 1 xícara de arroz costuma absorver umas 3 de líquido e renderá umas 2 1/2 xícaras de arroz cozido, o bastante para 2 pessoas). Aí vem a *brasatura*: colocando em fogo médio e mexendo sempre com colher de pau (para ajudar a dissolver a camada de amido dos grãos e evitar que o arroz grude no fundo da panela), coloque 1 concha do caldo na panela, espere o arroz absorver quase todo o líquido, junte mais 1 concha e siga nesse processo até que o arroz esteja *al dente*, cozido mas ligeiramente resistente à mordida e envolto num creme saboroso e delicado, nem duro, nem pesado, nem empapado (esse é o *xis* da questão; é questão de prática mesmo). É hora de finalizar com a *mantecatura*, que deixa o risotto cremoso, aveludado e leve: junte manteiga, queijo ou creme, um fio de azeite, sal, pimenta-do-reino e ervas; desligue o fogo, tampe a panela, deixe descansar por 1 minuto e sirva em seguidíssima, pois o risotto não pode esperar. O momento de agregar o que você tiver escolhido para dar sabor ao risoto depende de o ingrediente estar cru, simplesmente branqueado ou já cozido; depende também da intensidade do sabor e, com certeza, da diferença de tempo de cozimento em relação ao do arroz.

Se quiser adiantar um pouquinho o preparo do risoto, execute as primeiras etapas até na véspera; pare quando faltarem umas 2 xícaras de líquido; passe para uma assadeira; espalhe bem; deixe esfriar; cubra com filme plástico e guarde na geladeira. Na hora de servir, volte com o risotto para a panela e finalize normalmente. Como risotto requentado não é grande coisa (fica pesado mesmo), use as sobras para fazer bolinhos (chamados arancini em algumas regiões da Itália) ou doure na frigideira como uma fritada, que denominam riso al salto. Para os bolinhos, junte 1 a 2 ovos e parmesão ao risotto até conseguir moldar bolinhas (se quiser, coloque um cubinho de queijo no centro); empane passando pelo ovo batido e farinha de rosca; frite em óleo quente até dourar; e escorra sobre papel absorvente. Para a fritada, junte também 1 ou 2 ovos às sobras do risotto; acerte o sal e a pimenta; aqueça um pouco de manteiga e de azeite numa frigideira; espalhe por cima o arroz; deixe dourar bem de um lado; vire com a ajuda de um prato para dourar do outro lado; e sirva em fatias.

Quando a gente olha um monte de grãos com feijões e favas, parece que é tudo da mesma família. Mas não são, não: favas e feijão-de-corda são bem diferentes e até dão em trepadeiras, que, de tão lindas, inspiraram contos de fada. Acho que toda criança, quando coloca grão de feijão em algodão molhadinho num copo para brotar, fica imaginando que ele vai crescer, ficar imenso e chegar às nuvens, para que se possa subir e subir como o João ao ir atrás da galinha dos ovos de ouro do gigante.

O feijão comum é o *Phaseolus vulgaris*, uma leguminosa de grãos, e pode ser consumido ou verde e fresco, ou maduro e seco. Tem feijão de tudo quanto é jeito, de tudo quanto é canto do mundo e para todos os gostos e usos. Numa feira orgânica de San Francisco, encontrei a barraca de feijão mais linda que já vi; era muito, mas muito, feijão, com grãos diferentíssimos, de todos os tipos, cores, tamanhos, sabores, aromas e texturas. Dava tanta vontade de pegar e olhar que o vendedor (o próprio fazendeiro produtor) colocava um pouco de cada um dos tipos numa tigelona, com uma plaquinha dizendo para tocar os grãos e brincar com eles (é claro que eu não resisti!).

Brasileiro de verdade gosta de feijão, que pode ser o preto, que é o diário para muitos e o da feijoada para outros; o roxinho, o mulatinho e o rosinha, que são bem populares e saborosos; o branco, que entra em ensopados e saladas; o bolinha ou canarinho, cor de caramelo, bem arredondado e também conhecido por feijão-manteiga; o jalo bem graúdo, que tem umbigo arroxeado e é bom de caldo; o vermelho, maior e mais avermelhado, não tão roxo quanto o roxinho; o rajado, bom de caldo, maior e mais avermelhado que o carioca, com listras pretas em fundo rosado; o carioca, com um grão menorzinho e riscadinho de preto, meio em ondas, que lembram o calçadão de Copacabana; o fradinho, ou branco-de-olho-preto, que tem o umbigo pretinho num grão bege, é muito versátil e aparece num sem-número de receitas; o palhacinho, que é lindo, mesclado de preto e branco; o feijão-verde, que pode ser fresco ou seco; o japonês azuki, marronzinho com uma bordinha branca; e o também japonês bolinha-verde, os dois bem gostosos.

Cresci comendo feijão da fazenda e achando lindas as folhas em formato de coração. Gostava de acompanhar o pessoal na colheita, arrancando os pés de feijão maduro; pendurando-os nos andaimes de bambu para secar; depois esperando um dia quente, sem chuva, para espalhar tudo no chão e bater com umas varas fininhas para quebrar as vagens e soltar os grãos; e, por fim, varrendo e peneirando para separar os grãos de todo o resto. Na refeição seguinte, todo o mundo podia cozinhar e saborear um feijão muito novo e macio, refogado ou guisado com cebola, alho, louro e sal até ficar com um caldinho grosso, bom até de comer sem nenhum acompanhamento, ou só com um pouco de farinha, arroz e pimenta. Por falar nisso, minha mãe sempre comeu feijão com tanto charme e gosto que, só de olhar, já dá vontade de fazer a mesma coisa: ela coloca uma concha bem caprichada de feijão no prato, pica bem miudinho uma pimenta-vermelha em conserva e espalha por cima dele com um pouquinho do caldinho, dá uma amassadinha de leve com o garfo e já tem um banquete.

Todo o mundo sabe que feijão é comida de resistência, que nos deixa fortes e combate anemia, pois tem ferro, potássio, zinco, cálcio, vitaminas, sais minerais, proteína vegetal e fibras. Por isso, seria bom comer pelo menos meia xícara três ou quatro vezes por semana.

Para manter os grãos inteiros, bonitos e sem caruncho, o ideal é guardar o feijão num pote bem fechado e, como o mais novo é sempre mais gostoso e macio, comprar aos poucos. Na hora de preparar, o primeiro passo é escolher o feijão, ou seja, verificar o monte todo para descartar pedrinhas, galhinhos, palhas e grãos murchos, enrugados e furados de caruncho, mantendo apenas os lisos, brilhantes e pesadinhos. Em seguida, lavar bem o feijão, passar para uma tigela, cobrir com água, aguardar uns 5 minutos, descartar os grãos que flutuarem, trocar a água e deixar repousar por no mínimo umas 2 e até umas 8 horas (pois o feijão hidratado fica mais macio e o tempo na panela pode diminuir nuns 30%).

Descartar ou não a água do molho? Boa pergunta, pois nessa água ficam vários nutrientes e sais minerais, mas também entram nela os gases e impurezas que complicam a digestão. Retirando a espuminha que surge na superfície, já se descarta uma parte das impurezas, mas, quando a dificuldade de digestão pesa mais, o melhor mesmo é jogar toda a água fora. Agora, para reduzir o problema de digestão nuns 80%, a melhor solução é colocar o feijão na panela; cobrir com água; deixar ferver por uns 2 minutos; desligar o fogo; deixar descansar por umas 3 horas; escorrer e descartar essa água; cobrir com água nova; e, só aí, começar mesmo a cozinhar.

Coloque então o feijão na panela; cubra com água até ultrapassar os grãos nuns 5 cm (normalmente, umas 6 xícaras de água para cada xícara de feijão); e junte 1 folha de louro, para dar sabor e facilitar a digestão, e, se quiser, mais algumas ervas e um dente de alho. Mas nada de sal, que deixa o feijão mais firme e mais demorado para cozinhar (se a água secar durante o cozimento, bastará completar com um pouco de água quente).

Se há uma coisa difícil de precisar, é o tempo de cozimento de um feijão. Tudo depende de ele ser mais novo, e aí cozinha rapidinho, ou mais velho, esticando bem o tempo; de ter ou não ter ficado de molho; da intensidade do fogo, que deve ser baixo, para que os grãos cozinhem bem devagar e continuem inteiros; e da panela, já que cada material transmite calor de maneira diferente.

Numa panela comum, 1 xícara de feijão cru (que costuma pesar entre 220 e 250 g), bem lavado e deixado de molho por umas 2 horas, pode tomar de uns 30 minutos a umas 3 horas para cozinhar. Os feijões mais molinhos (que costumam ser o fradinho, o azuki, o bolinha-verde, o rajado fresco ou borlotti), levam de 30 minutos a mais ou menos 1 hora (no máximo, 1 hora e 15 minutos). O mulatinho, o preto, o carioquinha, o bolinha, o rosinha, o jalo, o branco e o de corda seco costumam ficar cozidos e macios, mas com os grãos ainda inteiros, em mais ou menos 1 hora e 30 minutos. Por incrível que pareça, o cozimento do feijão-verde pode levar de 1 hora e 30 minutos a umas 2 horas, às vezes até um pouquinho mais (para manter a cor verde, cozinhe com a panela destampada e resfrie em água com gelo). Já o feijão-andu leva umas 2 horas e 30 minutos.

Não dá para negar que uma panela de pressão quebra bons galhos na hora de cozinhar o feijão. Só para fazermos uma idéia, eu peguei 1 kg de um mesmo pacote, coloquei metade numa panela comum e a outra metade na de pressão, cobri com água fria e levei ao fogo; na pressão, houve uma economia de 40% de tempo (o da panela comum ficou um pouquinho mais saboroso, mas a diferença é bem sutil). O ponto do cozimento varia de acordo com a receita; mais cebola; alguns, mais alho; outros, as duas coisas, e, às vezes, um pouco de salsão, cenoura e tomate, uma folha de louro, sal e até uma pimenta. Para deixar o caldo bem grossinho, eu sempre esmago um pouco alguns grãos com a própria concha e deixo ferver por no mínimo uns 5 minutos, para encorpar. E, para deixar o feijão ainda mais saboroso, há quem coloque na panela uma lingüiça defumada ou um pedaço de bacon, um tablete de caldo de carne e, dependendo do feijão, um pouco de extrato de tomate ou mesmo 1 colher (sopa) de ketchup, para dar cor (o fato é que, com um pedaço de carne ou lingüiça, esse feijão do dia-a-dia já passa a ter jeito de festa). Muita gente deixa os grãos inteiros no caldo, mas, em alguns lugares de Minas (por exemplo), é comum esmagar os grãos até virarem uma pasta, com o liquidificador ou com um apetrecho que chamam de estrela. Assim como, vira e mexe, os grãos são escorridos do caldo, que é descartado, e depois refogados para entrar num mexido com ovos, farinha, bacon, salsinha e cebolinha.

Para ganhar tempo, facilitar a vida e viabilizar receitas de última hora (já que a finalização costuma ser rapidinha, mas o cozimento dos grãos sempre leva mais tempo), a saída é cozinhar o pacote todo de feijão, dividir em porções e guardar por uns 4 ou 5 dias na geladeira, ou congelar por até 6 meses e, pouco antes da refeição, descongelar, temperar como quiser e chamar todo mundo gritando: "Tá na mesa!" Por isso, aproveite os momentos em que pretende ficar perto da cozinha e cozinhe vários feijões diferentes, pois sempre vale a pena ganhar um pouco de tempo, experimentar novos tipos e ir trocando as receitas.

Tenho sangue arretado forte, porque o meu avô paterno era paraibano. Cresci ouvindo vovô me contar os "causos" e histórias de Lampião, Maria Bonita, Corisco e Sete Dedos, que eu achava o máximo e tinha na ponta da língua. Meu bisavô, o seu Nô, era fazendeiro de algodão em Araruna, na divisa da Paraíba com o Rio Grande do Norte, e tinha a casa da cidade na praia de Tambaú, em João Pessoa. Como passei muitas férias por lá, e o meu pai fazia questão de viajar de carro e trilhar sempre uma estrada diferente, deu para conhecer muita coisa, tanto do litoral como do sertão. O fato é que Juazeiro, os sertões do Cariri, do Seridó e do Quixadá, o Crato do meu Padim Pádi Ciço e as salinas de Mossoró passaram a ser parte da minha vida desde muito cedo; era o cacto, o mandacaru, o carcará, a vida

firme para uma salada, farofa ou mexido; um pouco mais macio, mas com os grãos ainda bem inteiros, para o feijão refogado de todo dia; e muito macio para purês, sopas, pastas e virados. Além do aroma do feijão cozido, que é diferente do cru, o melhor jeito de testar o cozimento é pegar um grão e esmagar com o polegar e o indicador, se estiver farinhento e parecer ter areia é porque ainda não está cozido pois, quando cozido, o feijão se desmancha como uma pasta bem macia.

O rendimento também varia muito, mas feijão sempre rende bastante – um pouco já enche uma panela e alimenta um monte de gente. Depois de cozidos, alguns grãos dobram de volume, outros triplicam, e uns poucos até quadruplicam.

Chega a hora de temperar os grãos para uma salada, ou de refogar com ou sem o caldo do cozimento (que é sempre muito rico e saboroso, mas fica de fora em algumas receitas). Uns refogam o feijão no óleo; outros no azeite de oliva ou dendê, na manteiga, na banha ou com um pouco de bacon. Uns usam mais dura e seca, o feijão-de-corda, o feijão-andu, a macaxeira (que mais para o sul, chamamos mandioca) cozida ou frita, a farinha finíssima e muito branca, o queijo de coalho grelhado, o requeijão do sertão (ou de manteiga) derretidinho e bem dourado na frigideira, a carne-de-sol (ou carne-de-vento, carne-do-sertão, carne-do-ceará ou jabá, que no sul é o charque) grelhada e regada com manteiga de garrafa, a rapadura, o quibebe de jerimum, a pitomba, o cajá e a mangaba (que, para mim, dá o melhor refresco de todos). Talvez por isso tudo eu tenha gostado tanto de *Vidas secas*, *Morte e vida severina*, *Auto da compadecida*, *Abril despedaçado* e *Eu tu eles!*... Falando em carne-seca: na hora de preparar, é sempre melhor dessalgar de véspera, deixando de molho na água e trocando-a no mínimo umas 4 ou 5 vezes (para a carne-de-sol, bastam 12 horas de molho). Mas, quando a necessidade ou a vontade aparecem de repente e é preciso dar uma solução, a saída é demolhar por no mínimo umas 3 horas, trocando a água umas 3 vezes; depois aferventar, escorrer, raspar a carne com a faca para retirar o excedente de sal, lavar, cortar em pedaços pequenos, aquecer com bastante água, esperar ferver de novo, descartar essa água, cobrir a carne com mais água limpa e fervente e cozinhar até amaciar (pode ser que mesmo assim ela ainda fique meio salgadinha, mas, misturando com outros ingredientes e eliminando o sal da receita, dá para enganar até que bem). E, se quiser preparar em casa uma carne-de-sol rapidinha, interessante e saborosa (embora não tenha nada de sol, e sim de frio de geladeira…), bastará colocar numa assadeira pequena um pedaço de mais ou menos 1 kg de carne bovina bem limpa de nervos e gorduras (que pode ser lagarto ou maminha), cobrir com 1 kg de sal, levar à geladeira e deixar repousar por umas 24 horas; depois descartar a água com sal, colocar numa panela, cobrir com água fria e cozinhar por umas 2 horas, até ficar muito macia; e então escorrer, deixar esfriar e usar como quiser (em fatias muito finas, para entrar num sanduíche ou carpaccio, ou desfiada e dourada na frigideira com manteiga, azeite ou óleo, fatias finas de cebola e salsinha picadinha. Experimentei também uma versão de carne-seca aromatizada com ervas, que ficou deliciosa: troquei o sal comum por um sal muito verde, quer dizer, batido no processador com um bom tanto de alecrim, salsinha e tomilho).

Pensei nisso tudo quando estava ouvindo Luiz Gonzaga e Dominguinhos tocarem "Asabranca" e "Assum preto", e Chico cantar "A violeira", que é linda demais. Fui então aos mercadinhos nordestinos do Brás, em São Paulo, onde se acha de tudo para preparar esse tanto de coisas gostosas, muitas delas misturando arroz e feijão, algumas ainda com uns nomes bem interessantes. Na panela do baião-de-dois (que tem muita "sustância" e, na Paraíba e no Rio Grande do Norte, às vezes chamam também de rubacão), entram feijão-verde (ou feijão-de-corda, ou até feijão-rosinha, roxinho ou branco) cozido e refogado com toucinho fresco, cebola, alho, arroz branco, cominho e coentro e, de vez em quando, um pimentão, queijo de coalho e leite de coco; é um prato danado de bom para acompanhar uma carne-de-sol assada, frita ou grelhada (e, quando a carne entra na panela com o feijão e o arroz, nasce o baião-de-três). Para um arroz de moça pobre, refogue cubinhos de carne fresca ou de carne-de-sol no óleo com cebola e alho, junte água e cozinhe até amaciar; depois, acrescente feijão-roxinho já cozido e arroz branco, cubra com água, deixe no fogo até que o arroz esteja cozido e sirva com pimenta.

O arroz à mineira é quase igual ao de moça pobre, só que normalmente vem refogado na banha e, na hora de servir, leva um pouco de cominho e coentro picadinho. Quem tem umas 2 xícaras de feijão já refogado e umas 2 xícaras de arroz que sobraram do almoço ou do jantar da véspera pode preparar um viradinho de arroz e feijão: doure uns 200 g de bacon em cubinhos numa panela, junte 1 cebola picadinha, espere murchar, acrescente o feijão com um pouquinho só de caldo e o arroz, misture e aqueça; depois, adicione uns 4 ovos ligeiramente batidos, 1 xícara de queijo-de-minas meia-cura ralado grosso, sal e salsinha e cebolinha picadinhas; deixe firmar por uns 2 minutinhos e sirva.

Um virado de feijão paulista começa com a cebola dourando no óleo, na manteiga ou na banha; aí chega o alho socadinho com sal; e, passado um minuto, entra o feijão-mulatinho ou rosinha já cozido com o caldo. Depois de o feijão ferver por uns 5 minutos, a couve em tirinhas vai para a panela; quando ela murchar, será a hora de despejar a farinha de milho ou de mandioca em chuva (não muita farinha, para o virado continuar macio, já que ele firma bastante depois de pronto), misturar bem para não encaroçar, esperar ferver e engrossar; depois, ajustar o sal, acrescentar cheiro-verde e pimenta-vermelha bem picadinhos, passar para uma travessa, espalhar por cima uns torresminhos bem sequinhos e servir. Na casa da minha mãe, o virado de forno sempre foi parte do dia-a-dia: num refratário bem grande, ela montava camadas de virado de feijão, couve bem fininha refogada com alho na manteiga, rodelas de ovo cozido e de lingüiça frita, arroz e queijo ralado e levava ao forno para gratinar. Bem parecido é o feijão de forno mineiro: feijão-manteiga refogado com pouco caldo com cebola e alho, num pirex com cubinhos de queijo bem curado, pedaços de ovo cozido e torresmo, indo ao forno para aquecer. E um feijão tropeiro mineiro é sempre bom demais; normalmente, leva feijão-roxinho ou mulatinho cozido e escorrido, sem o caldo, refogado com bacon, cebola, alho, pimentão e lingüiça; depois, recebe couve em tirinhas bem finas, ovos batidos e farinha de mandioca, terminando como uma farofa bem substanciosa, para servir com muito torresminho bem sequinho e crocante (o tropeiro goiano também é gostoso e leva feijão mais verde, ou catado).

No Centro-Oeste, comida de todo dia é o feijão pagão, nada mais do que feijão-roxinho refogado com cebola, alho e bacon e servido com farinha de mandioca, ovo frito e arroz. Lá também preparam o feijão com tranqueira (achei o nome o máximo!), que é feijão-rosinha cozido e refogado com cebola, alho, louro, repolho, pedaços já cozidos de lombo salgado e lingüiça seca, sendo bem fervido até ficar com um caldo grosso e saboroso.

De perto do mar, eu gostei de duas receitas interessantes para comer com arroz branco: o feijão-preto com peixe frito (refogue feijão-preto cozido com cebola, alho, coentro, salsinha e cebolinha; deixe ferver até conseguir um caldo encorpado; junte sal, pimenta, coentro picadinho e postas de peixe fritas e bem sequinhas, temperadas com limão, sal e alho e empanadas na farinha); e o feijão-fradinho com camarão seco (refogado no dendê com cebola, alho, um pouco de camarão seco socado no pilão, sal e pimenta e fervido até ficar com um caldinho grosso).

Tem gente que acha que essa mistura de arroz com feijão é coisa só de Brasil, mas não é, não. Existem muitas receitas com esses dois ingredientes espalhadas pelo mundo; entretanto, não importa de onde sejam, todas têm aquele jeito caseiro de comida do dia-a-dia; são rústicas, descontraídas, sem frescura, mas tão saborosas que, com um pouquinho de criatividade e de charme na apresentação, podem tranqüilamente entrar numa refeição mais arrumada. Um prato de arroz e feijão pode virar banquete (há quem, mesmo tendo mais coisas para colocar no prato, não troque essa dupla por nada; e há quem seja feliz só tendo mesmo arroz e feijão no fogão ou na marmita — come arroz e feijão como se fosse príncipe, conforme diz Chico em "Construção").

Em Portugal, para o arroz de feijão, eles refogam cebola e alho no azeite; juntam tomate em cubinhos e tiras de pimentão; acrescentam arroz branco; deixam fritar um pouco; adicionam feijão-vermelho já cozido com o caldo do cozimento, uma folha de louro, sal e pimenta; e deixam no fogo por uns 20 minutos, até o arroz ficar macio. Também em Portugal, costumam cozinhar o feijão com um osso de presunto (o que dá bastante sabor), além de pedaços de nabo, cenoura, cebola e batata; depois, batem para fazer uma pasta grossa e juntam couve em tirinhas finas. Assim como refogam o feijão com cebola, alho e lingüiça no azeite e servem sobre torradas com ovos fritos ou escalfados no próprio caldo fervente do feijão.

Eu me lembro muito bem de um prato delicioso de rice and beans que, há uns 17 anos, comi no French market de New Orleans, entre pilhas de melancia colocadas no chão e réstias de alho penduradas nas vigas do telhado. Era um prato não muito diferente do Hoppin' John, que é feito com feijão-fradinho e dizem dar sorte no ano-novo. Também sempre me lembro de uma tigela de Boston baked beans num restaurantezinho de cidade pequena em Massachusetts, receita que achei interessante e muito boa, com o gostinho do açúcar mascavo e um caldinho grosso, apurando no cozimento bem lento que acontece no forno (e se já surpreende saber de um feijão americano adocicado, causa mais espanto uma receita do sertão nordestino que é parecidíssima; apenas leva outro tipo de feijão, e o doce vem da rapadura!). Em Cuba, para um prato que chamam de mouros-e-cristãos, eles refogam feijão-preto com azeite, cebola, alho, pimentão vermelho, tomate, cominho, louro, pitadas de açúcar, sal, pimenta-de-caiena e gotas de vinagre, deixam ferver para conseguir um caldo grosso, regam com um fio de azeite no final e servem sobre arroz (este vai moldado num prato grande como um vulcão e representa os cristãos; o feijão vai na cavidade e faz o papel dos mouros). Em Costa Rica, é quase a mesma coisa, só que moldam o arroz numa fôrma para pudim e despejam o feijão no buraco, às vezes ensopado num caldo grosso, às vezes em pasta, como um tutu; por cima, ainda colocam fatias de pimentão, ovo cozido esmigalhado e salsinha picadinha. Os croquetes cubanos de fubá e feijão também são bem interessantes: prepare 1/2 xícara de polenta pré-cozida com 1 1/2 xícara de água e sal; junte 1/2 xícara de feijão preto cozido e amassado já refogado com alho, cebola e pimenta no azeite; molde os croquetinhos; e passe no ovo e na farinha de rosca e frite até dourar.

Quem também adora feijão são os italianos, sobretudo os toscanos, que têm o apelido de *mangia-fagioli*, ou comedores de feijão. Eu me recordo do delicioso ensopado de feijão que, quase 20 anos atrás, comi num restaurantezinho em San Gimignano, com feijão canellini, pancetta, sálvia, alho e azeite, servido na própria *fagioletera*, o refratário vitrificado onde o feijão foi preparado direto no forno; o método é muito simples: coloque num refratário umas 2 xícaras de feijão canellini (ou algum outro feijão-branco, ou borlotti, aquele branco arredondado e rajado de vermelho que fica bege por fora e amarelado por dentro depois de cozido), umas 8 xícaras de água, cubinhos de pancetta, folhas de sálvia, dentes de alho e um fio de azeite; cubra com alumínio e leve ao forno a uns 180ºC (médio) por umas 2 horas; depois, junte sal e pimenta, regue com mais azeite e sirva com fatias de um pão rústico douradas com azeite.

Não dá para falar em feijão e deixar de lado a feijoada. De norte a sul do Brasil, a gente encontra de tudo quanto é jeito, com os mais variados tipos de feijão e combinações de carnes e temperos: umas com carne de porco, carne-seca e embutidos; outras também com frango; algumas com legumes. Há de tudo mesmo e por isso a receita é sempre um problema — cada um tem a sua, capricha no que pode ou no que mais gosta e deixa de lado o que não há ou o que não lhe parece ter tanta graça. O que importa é que a feijoada é adorada, idolatrada mesmo. Não dá para negar que tem toda cara de Brasil aquela cumbuca fumegante que traz a feijoada carioca, com feijão-preto, caldo grosso e saboroso, lombo salgado, pé, orelha, rabinho, paio, lingüiça fresca e calabresa defumada, bacon, costela e língua defumadas e carne-seca, refogados com cebola, louro e alho, indo bem com farofa de ovo, torresmo, couve, arroz, laranja e caldinho de feijão (para cada concha de caldo, um pouco de pimenta e meia concha de cachaça). Há também a feijoada paulista, bem parecida com a carioca; a nordestina, da Bahia ao Maranhão, com feijão-mulatinho ou roxinho, carne-de-sol, miúdos e cubos frescos de carne de porco, costeleta de porco defumada, lingüiça, abóbora, repolho, maxixe, quiabo, mandioca, batata-doce e pimentão; a sertaneja, que leva feijão-mulatinho, rabinho, pé, orelha, lingüiça, charque, carne bovina, banha, alho e cebola; ou a goiana, com feijão-roxinho, pés, orelha, focinho e rabinho refogados com alho, cebola e pimenta.

Um, dois, feijão com arroz;

RECEITAS

A maior parte das receitas é simples, bem fácil de fazer, e pode substituir o arroz e o feijão comuns de todo dia. Para começar, uma *salada de feijão-fradinho, tomate e leite de coco* que é deliciosa, com a maior cara de praia do Nordeste. Em seguida, como tira-gosto, um *caldinho de feijão*, bem botequim carioca, para servir num copinho ou tigelinha com cerveja ou cachaça, mais mandioca frita; e o *bolinho de arroz verde e amarelo*, com o amarelinho da gema (que dá liga ao arroz) e o verdinho do cheiro-verde. Aí chegam o *arroz de carreteiro*, numa versão que, além do arroz, do alho e da carne, tem uns tomates e ervas para deixar o prato mais saboroso; e o *arroz de coco verde*, que é uma delicadeza, feito com água de coco e a polpa de coco fresquinha, e vai muito bem com as coisas do mar. Depois vêm o *feijão-preto no coco*, que é divino e instigante, com o gostinho tanto do leite de coco quanto do coco ralado, das ervas e da pimenta; e o *feijão de leite*, que é de dar água na boca, com um caldinho grosso, bem temperadinho, e os grãos muito macios. Lá do sertão paraibano, há o *baião-de-dois*, uma mistura deliciosa de arroz e feijão na mesma panela, com cubinhos de toucinho defumado e de queijo. Também do sertão, o *arroz com feijão-verde, abóbora e queijo de coalho*, além de muito saboroso, fica lindo numa marmita; o *PF do sertão*, montado com uma mistura de arroz com carne-de-sol, feijão taboca (feito com rapadura), mandioca e queijo de coalho, fica um charme só e é bem apetitoso; e a *farofa de feijão-andu e banana para Maria Bonita e Lampião*, mais rústica impossível, é bem melhor que farinha seca: um feijão meio fava, do sertão nordestino, refogado na manteiga de garrafa com cebola e alho, mais rodelas de banana e farinha de mandioca bem fininha e branquinha. Pensando em Minas e em Tiradentes (que sempre vale uma visitinha), escolho um dos mexidos que todo o mundo gosta de preparar por lá e que, embora tenha surgido para aproveitar as sobras, fez tanto sucesso que passou a ser normal cozinhar um pouco de cada coisa já pensando no tal mexido: a receita leva arroz, couve, feijão, ovo, filé-mignon de porco assado em fatias e lingüiça e é conhecida por *Mané com jaleco* (esse mesmo nome também serve para uma sopa engrossada com fubá). E, se quiser preparar um feijão tropeiro, será só acrescentar umas 2 xícaras de farinha de mandioca. Pensei muito na escolha da feijoada, que não pode faltar, e acabei me decidindo pela versão que eu gosto de preparar; é bem saborosa e, afinal de contas, é a *feijoada da minha casa*; reconheço que ela é mesmo um pouquinho mais refinada, pois deixo de fora pezinhos e rabinhos e capricho nas carnes mais substanciosas e não tão engorduradas; mas é claro que cada um pode eliminar ou acrescentar o que quiser, principalmente uns 2 ou 3 rabinhos, orelhas e 1 língua defumada (mergulhe a língua numa panela grande com água fervente; aguarde uns 10 minutos; escorra; deixe amornar e, com uma faca, tire a pele grossa e o que mais houver na parte de baixo da língua; depois, volte com ela para a panela, cubra com água fria e cozinhe por mais ou menos 1 hora e 30 minutos, até ficar bem macia; aí, corte em pedaços médios e coloque na panela do feijão). Na verdade, fazer feijoada não é nada de muito complicado; apenas toma um pouco de tempo, pois as carnes e o feijão precisam ficar de molho, devem cozinhar em panelas diferentes (cada coisa tem um tempo diferente) e, no final, tudo ainda precisa ferver junto por um bom tempo (para apurar), mas vale o esforço. Sirva a feijoada com caipirinha, farinha de mandioca crua, gomos de laranja, arroz branco e couve em tirinhas, refogada na manteiga com um pouquinho de alho. Das receitas de fora, a primeira é a *saladinha jap de feijão-azuki e feijão-bolinha-verde com molhinho de gengibre, shoyu e brotos de alfafa*, toda modernosa, temperada com gengibre e shoyu e servida com brotos de alfafa e rodelinhas de pepino adocicado. Misturando arroz e feijão, chegam o italianíssimo *riso e fagioli*, com o ar toscano que vem do presunto cru, do azeite, da sálvia e, é claro, dos feijões; o japonês *azuki com arroz e gergelim*, diferente não só porque o feijão é japonês, mas também porque é preparado no forno; o *feijão-fradinho com arroz lá da Índia*, tendo o gostinho daquelas especiarias todas que fazem sonhar com palácios e pedras preciosas; e o americano *New Orleans rice and beans*, um gostoso arroz com feijão que vai muito bem com quiabos dourandinhos no óleo com um tiquinho de alho. Depois, só com arroz ou só com feijão, vêm o *arroz com frango e lingüiça*, receita de prato único que aparece tanto na Espanha quanto em quase todos os países da América hispânica (aqui, vai numa versão de Porto Rico); e o *Boston baked beans*, com o feijão assado bem devagar, ligeiramente adocicado, tendo caldo grosso, num prato que fica bom demais. Para terminar, o *escondidinho de feijão-branco, bacalhau e erva-doce no azeite*, uma combinação bem interessante e saborosa, que mescla o cremoso do feijão com o salgadinho do bacalhau e o adocicado da erva-doce e fica divina depois de cozida bem devagar no azeite, até estar muito macia e caramelizada (vale a pena tentar! Já vi muita gente que não passava nem perto de erva-doce dizer que, no azeite, ela é mesmo deliciosa; mas, se quiser, troque a erva-doce por cebola ou alho-poró).

SALADA DE FEIJÃO-FRADINHO, TOMATE E LEITE DE COCO

CALDINHO DE FEIJÃO

🫘 SALADA DE FEIJÃO-FRADINHO, TOMATE E LEITE DE COCO

(6 PESSOAS; 1 HORA E 30 MINUTOS, MAIS UMAS 3 HORAS PARA DEMOLHAR O FEIJÃO E GELAR)

2 xícaras de feijão-fradinho demolhado por 1 hora
1 amarrado de ervas, preparado com 1 folha de louro e vários ramos de salsinha, coentro e manjericão
2 cebolas (1 cortada em 4 e 1 cortada em cubos miúdos)
suco de 1 limão
3/4 de xícara de leite de coco
1/4 de xícara de azeite de oliva (aproximadamente)
1/2 xícara de folhas de coentro, hortelã, salsinha e cebolinha picadinhas
4 tomates bem vermelhos, sem sementes, em cubinhos
sal e pimenta-do-reino

↣ **Coloque o feijão** numa panela com o amarrado de ervas e a cebola cortada em 4. Cubra com água fria até ultrapassar uns 5 cm e aqueça. Quando ferver, retire a espuma que subir, abaixe o fogo e cozinhe por mais ou menos 1 hora, até que os grãos estejam macios, mas ainda firmes e inteiros.

↣ **Enquanto isso,** numa tigela média, misture os cubinhos de cebola, o limão, o leite de coco, sal e pimenta e depois acrescente o azeite. Escorra o feijão ainda quente, descarte a água do cozimento e coloque os grãos na tigela do molho. Deixe esfriar, junte as ervas e o tomate, acerte o sal e a pimenta e leve à geladeira por no mínimo 2 e por até 24 horas (na hora de servir, ajuste de novo o sal e, se preciso, regue com mais um pouco de azeite).

🫘 CALDINHO DE FEIJÃO

(8 PESSOAS; 2 HORAS E 30 MINUTOS, MAIS UMAS 24 HORAS PARA DESSALGAR A CARNE-SECA E DEMOLHAR O FEIJÃO)

2 xícaras de feijão-carioquinha demolhado por umas 2 horas
200 g de carne-seca em cubos médios, bem limpa de nervos e gorduras, já dessalgada por 24 horas
1 cebola grande em cubos miúdos
2 dentes de alho picadinhos
1/3 de xícara de coentro picadinho
1 tomate maduro, sem sementes, em cubinhos
1/2 xícara de pimentão vermelho em cubos miúdos
molho de pimenta-vermelha para servir
óleo vegetal
sal e pimenta-do-reino

↣ **Coloque o feijão e a carne** numa panela, cubra com água fria até ultrapassar uns 5 cm e aqueça. Quando ferver, retire a espuma que subir, abaixe o fogo e cozinhe por mais ou menos 1 hora e 30 minutos, até que o feijão e a carne estejam bem macios. Em seguida, aqueça um fio de óleo numa panela grande e doure ligeiramente a cebola, o tomate, o pimentão, o alho e metade do coentro. Acrescente o feijão com a carne e o líquido do cozimento, sal e pimenta e deixe ferver por uns 15 minutos, até o caldo encorpar. Retire do fogo, bata tudo no liquidificador e, se quiser um creme mais liso, passe por peneira grossa. Ajuste o sal e a pimenta e sirva em potinhos com o restante do coentro picadinho e molho de pimenta.

BOLINHO DE ARROZ VERDE E AMARELO
(30 UNIDADES; 30 MINUTOS)

1/2 xícara de leite
2 ovos
25 g de manteiga em temperatura ambiente
4 xícaras de arroz branco cozido
1 colher (sopa) de farinha de trigo
3/4 de xícara de queijo parmesão ralado
1/2 xícara de salsinha e cebolinha picadinhas
1 litro de óleo para fritar
sal e pimenta-do-reino

↔ Coloque o leite, o ovo, a manteiga, o arroz, a farinha, o queijo, sal e pimenta no liquidificador e bata até obter uma pasta não muito lisa. Passe para uma tigela e junte a salsinha e a cebolinha. Pouco antes de servir, aqueça o óleo numa frigideira grande, pegue porções de massa com uma colher de sopa e deixe cair no óleo. Frite os bolinhos até que estejam dourados e escorra sobre papel absorvente. (Quando ainda era criança, aprendi com a minha avó Betty a moldar os bolinhos usando 2 colheres de sopa: pegava uma porção de massa com uma colher; passava a massa para a outra colher, raspando bem a borda de uma colher na outra para formar um canto; então passava de volta para a primeira colher para formar o segundo canto; e depois passava de novo para a outra colher para formar o terceiro canto, ficando o bolinho com 3 cantos bem marcados; aí, deixava cair na frigideira com o óleo quente para fritar.)

Um, dois, feijão com arroz;

ARROZ DE COCO VERDE

ARROZ DE CARRETEIRO

🫘 ARROZ DE CARRETEIRO
(6 PESSOAS; 2 HORAS E 30 MINUTOS, MAIS UMAS 24 HORAS PARA DESSALGAR A CARNE)

1 kg de carne-seca bem limpa, em cubos de uns 2 cm, já dessalgada por 24 horas
2 cebolas grandes (1 cortada ao meio e 1 em cubinhos)
2 xícaras de arroz branco lavado e escorrido
2 dentes de alho bem picadinhos
4 tomates, sem sementes, em cubos miúdos
1 folha de louro
1 xícara de salsinha e cebolinha picadinhas
óleo vegetal
sal

↣ **Numa panela média,** coloque a carne-seca, a cebola cortada ao meio e uns 2 litros de água e cozinhe por mais ou menos 1 hora e 30 minutos, até que esteja bem macia. Reserve 5 xícaras do caldo do cozimento para cozinhar o arroz, transfira a carne para um prato, deixe amornar e separe em lascas.

↣ **Regue o fundo de uma panela grande** com um pouco de óleo, aqueça e doure ligeiramente a cebola. Então junte o alho, espere perfumar, acrescente o tomate e a carne, misture bem e deixe fritar por uns 5 minutos. Acrescente o arroz, o louro, a água e um pouquinho de sal (não muito, pois a carne já é meio salgadinha). Cozinhe com a panela semitampada por uns 20 minutos, até que o arroz esteja bem macio e úmido, mas não empapado. Acerte o sal, junte a salsinha e a cebolinha e sirva.

🫘 ARROZ DE COCO VERDE
(6 PESSOAS; 30 MINUTOS)

50 g de manteiga
1 cebola média em cubos miúdos
1 dente de alho bem picadinho
2 xícaras de arroz branco lavado e escorrido
4 xícaras de água de coco
2 xícaras da polpa do coco fresco
(normalmente uns 3 cocos verdes grandes)
1/4 de xícara de salsinha bem picadinha
sal

↣ **Numa panela média,** aqueça a manteiga e doure ligeiramente a cebola. Junte o alho e espere perfumar. Acrescente o arroz e mexa até que os grãos estejam brilhantes e soltinhos. Acrescente a água e a polpa do coco e um pouco de sal e cozinhe com a panela semitampada por uns 15 minutos, até que os grãos estejam macios, mas bem soltinhos. Desligue o fogo, tampe a panela, espere 5 minutos, solte os grãos com um garfo, junte a salsinha e sirva.

🫘 FEIJÃO-PRETO NO COCO

(6 PESSOAS; 2 HORAS, MAIS UMAS 2 HORAS PARA DEMOLHAR O FEIJÃO)

2 xícaras de feijão-preto demolhado por umas 2 horas
100 g de bacon em cubinhos
1 cebola média em cubos miúdos
1 dente de alho bem picadinho
3/4 de xícara de leite de coco
1/2 xícara de coco fresco ralado
1 colher (chá) de açúcar
1/3 de xícara de coentro picadinho
1 pimenta-dedo-de-moça em rodelinhas finas ou a gosto
óleo vegetal
sal

↳ Numa panela, coloque o feijão, cubra com água fria até ultrapassar uns 5 cm e aqueça. Quando ferver, retire a espuma que se formar na superfície, abaixe o fogo e cozinhe por mais ou menos 1 hora e 30 minutos, até que os grãos estejam bem macios, mas inteiros. Reserve 1/2 xícara do caldo do cozimento e os grãos.

↳ Regue o fundo de uma panela média com um fio de óleo e junte o bacon. Quando os cubinhos estiverem dourados, acrescente a cebola e o alho e espere dourar e perfumar. Adicione o feijão com o caldinho reservado, o leite de coco, o coco ralado, o açúcar e sal e deixe ferver por 15 minutos, até encorpar. Acerte o sal, acrescente o coentro e a pimenta e sirva.

🫘 FEIJÃO DE LEITE

(6 PESSOAS; 2 HORAS E 30 MINUTOS, MAIS UMAS 2 HORAS PARA DEMOLHAR O FEIJÃO)

2 xícaras de feijão-mulatinho demolhado por umas 2 horas
1 1/2 xícara de leite de coco
1 dente de alho bem picadinho
1 cebola grande em cubos miúdos
1 colher (sopa) de açúcar
1 pimenta-dedo-de-moça em rodelinhas finas ou a gosto
óleo vegetal
sal

↳ Numa panela média, coloque o feijão, cubra com água fria até ultrapassar uns 5 cm e aqueça. Quando ferver, retire a espuma que se formar na superfície, abaixe o fogo e cozinhe por mais ou menos 1 hora e 30 minutos, até que os grãos estejam bem macios, mas inteiros. Escorra os grãos, descarte o caldo e reserve.

↳ Regue o fundo de uma panela média com um fio de óleo, acrescente a cebola e o alho e espere dourar e perfumar. Adicione o feijão, o leite de coco, o açúcar e sal e deixe ferver por 15 minutos, até encorpar. Acerte o sal, junte a pimenta e sirva.

FEIJÃO DE LEITE

Um, dois, feijão com arroz;

81

ENTRE PANELAS E TIGELAS

BAIÃO-DE-DOIS

🫘 BAIÃO-DE-DOIS

(6 PESSOAS; 2 HORAS E 30 MINUTOS, MAIS UMAS 2 HORAS PARA DEMOLHAR O FEIJÃO)

4 xícaras de feijão-de-corda (ou feijão-mulatinho, ou feijão-carioca) seco demolhado por umas 2 horas
2 1/2 xícaras de arroz branco lavado e escorrido
500 g de bacon em cubinhos
1 cebola grande em cubos miúdos
2 dentes de alho picadinhos
1/4 de colher (chá) de cominho
1 xícara de folhas de coentro, salsinha e cebolinha picadinhas
óleo vegetal
sal

↬ **Numa panela grande**, coloque o feijão, cubra com água até ultrapassar uns 5 cm e aqueça. Quando ferver, retire a espuma que se formar na superfície, abaixe o fogo e cozinhe por mais ou menos 1 hora e 30 minutos, até que os grãos estejam bem macios, mas inteiros. Reserve (se começar a secar, junte mais um pouco de água quente).

↬ **Regue o fundo de uma panela média** com um pouco de óleo, junte o bacon e misture. Quando os cubinhos estiverem dourados, acrescente a cebola, deixe dourar um pouco e adicione o alho. Assim que perfumar, junte o feijão com umas 5 xícaras do caldo do cozimento (se necessário, complete com um pouco de água). Deixe ferver por uns 5 minutos para encorpar, acrescente o cominho e o arroz, abaixe o fogo e cozinhe por mais uns 20 minutos, mexendo de vez em quando com colher de pau, até que o arroz esteja macio. Acerte o sal, junte o coentro, a salsinha e a cebolinha e sirva. (Se quiser, adicione também um pouco de queijo de coalho, ou de queijo-de-minas meia-cura, ralado grosso.)

🫘 ARROZ COM FEIJÃO-VERDE, ABÓBORA E QUEIJO DE COALHO

(8 PESSOAS; 45 MINUTOS, MAIS 2 HORAS PARA DEMOLHAR O FEIJÃO)

2 xícaras de feijão-verde demolhado por 2 horas
6 colheres (sopa) de manteiga de garrafa
1 cebola grande em cubos miúdos
2 dentes de alho bem picadinhos
2 xícaras de abóbora em cubinhos de 1 cm
2 xícaras de arroz branco lavado e escorrido
4 xícaras de água
1 xícara de queijo de coalho ralado grosso
1 xícara de cebolinha picadinha
sal

↬ **Numa panela**, coloque o feijão, cubra com água fria até ultrapassar uns 5 cm e aqueça. Quando ferver, retire a espuma que se formar na superfície, abaixe o fogo e cozinhe por mais ou menos 2 horas, até que os grãos estejam bem macios, mas inteiros.

↬ **Numa panela grande**, aqueça metade da manteiga e doure metade da cebola. Junte o alho e espere perfumar. Acrescente o feijão e sal, misture bem e deixe no fogo por uns 5 minutos, até conseguir um caldinho saboroso e encorpado, reserve.

↬ **Em outra panela**, aqueça a manteiga restante e doure ligeiramente a outra metade da cebola. Acrescente a abóbora e o arroz e misture até que os grãos estejam brilhantes e soltinhos. Junte a água e sal e cozinhe com a panela semitampada por uns 20 minutos, até que o arroz e a abóbora estejam macios, mas firmes. Misture o feijão, o queijo e a cebolinha e sirva.

ENTRE PANELAS E TIGELAS 83 *Um, dois, feijão com arroz;*

🫘 PF DO SERTÃO: ARROZ COM CARNE-DE-SOL, FEIJÃO TABOCA, MANDIOCA E QUEIJO DE COALHO

(6 PESSOAS; 3 HORAS, MAIS 24 HORAS PARA DESSALGAR A CARNE E DEMOLHAR O FEIJÃO)

PARA O FEIJÃO
4 xícaras de feijão-de-corda seco demolhado por umas 2 horas
100 g de bacon em cubinhos
1 cebola grande em cubos miúdos
2 dentes de alho bem picadinhos
1/4 de colher (chá) de cominho
1 xícara de folhas de coentro ou de salsinha picadinhas
1/2 xícara de rapadura ralada ou 1/3 de xícara de melado
óleo vegetal
sal

PARA A CARNE
1 kg de carne-de-sol ou carne-seca bem limpa em cubos de uns 2 cm, já dessalgada por 24 horas
1 cebola grande em fatias finas
4 colheres (sopa) de manteiga de garrafa

PARA O ARROZ
1 dente de alho bem picadinho
1 1/2 xícara de arroz branco comum ou vermelho do sertão
3 xícaras de água fervente (aproximadamente)
1 folha de louro
óleo vegetal
sal

PARA A MANDIOCA E O QUEIJO
500 g de mandioca sem casca em rodelas grossas, de uns 2 cm
12 fatias grossas ou 6 palitos de queijo de coalho
1 colher (sopa) de folhas de coentro ou de salsinha picadinhas
pimenta em conserva e manteiga de garrafa para servir

↠ **Numa panela grande,** coloque o feijão, cubra com água fria ultrapassando uns 5 cm e aqueça. Quando ferver, retire a espuma que se formar na superfície, abaixe o fogo e cozinhe por mais ou menos 1 hora e 30 minutos, até que os grãos estejam bem macios, mas inteiros. Escorra e reserve os grãos e 1 xícara do caldo do cozimento.
↠ **Numa panela média,** aqueça um fio de óleo e doure o bacon. Junte a cebola e o alho e aguarde murchar e perfumar. Adicione o feijão com o caldinho e deixe ferver por uns 5 minutos, até começar a encorpar. Acrescente o cominho, o coentro, a rapadura e sal e deixe ferver por mais 1 minuto. Ajuste o sal (o feijão fica adocicado, mas não é sobremesa) e reserve.
↠ **Numa panela média,** coloque a carne, cubra com água e cozinhe por mais ou menos 1 hora e 30 minutos, até que esteja muito macia, desmanchando-se. Escorra, deixe amornar e separe em lascas, descartando nervos e gorduras.
↠ **Na mesma panela,** aqueça a manteiga de garrafa e doure ligeiramente as fatias de cebola. Junte a carne, deixe fritar por uns 2 minutos e reserve.
↠ **Numa panela média,** aqueça um fio de óleo, junte o alho e espere perfumar. Acrescente o arroz e misture. Quando os grãos estiverem brilhantes e soltinhos, adicione a água, o louro e um pouco de sal e mantenha a panela no fogo semitampada por uns 15 minutos, até que os grãos estejam cozidos, mas firmes. Tampe completamente a panela e espere 5 minutos, depois solte os grãos com um garfo, misture a carne e reserve.
↠ **Enquanto isso,** numa panela, coloque a mandioca, cubra com água fria, junte sal o bastante para deixar a água salgadinha e cozinhe por uns 30 minutos, até que esteja macia, mas não se desmanchando.
↠ **Uns 5 minutos antes de servir,** numa frigideira grande, doure as fatias de queijo dos dois lados. Em cada prato, coloque uma rodela de mandioca cozida, uma parte do feijão, um pouco do arroz com a carne e 2 fatias de queijo, regue com um pouquinho de manteiga de garrafa, espalhe por cima o coentro picadinho e sirva com pimenta.

🫘 FAROFA DE FEIJÃO-ANDU E BANANA PARA MARIA BONITA E LAMPIÃO

(4 PESSOAS; 6 HORAS, MAIS 2 HORAS PARA DEMOLHAR O FEIJÃO)

1 xícara de feijão-andu demolhado por umas 2 horas
4 colheres (sopa) de manteiga de garrafa, ou 50 g de manteiga comum
1 cebola grande em fatias bem finas
1 dente de alho bem picadinho
2 bananas-nanicas em rodelas de 1 cm
1 xícara de farinha de mandioca crua
1/2 xícara de salsinha e cebolinha picadinhas
sal

↔ **Numa panela média**, coloque o feijão, cubra com água fria ultrapassando uns 5 cm e aqueça. Quando ferver, retire a espuma que se formar na superfície, abaixe o fogo e cozinhe por mais ou menos 2 horas e 30 minutos, até que os grãos estejam bem macios, mas inteiros. Escorra os grãos e descarte o caldinho do cozimento, que pega na língua como caju fresco.

↔ **Numa frigideira grande**, aqueça a manteiga e doure ligeiramente a cebola. Junte o alho e espere perfumar. Acrescente o feijão, aguarde uns 2 minutos, até que os grãos estejam bem quentes, e adicione a banana. Quando a banana estiver bem macia, junte a farinha, a salsinha, a cebolinha e um pouco de sal e deixe no fogo por mais ou menos 1 minuto, mexendo sempre, até que a farinha esteja bem úmida. Acerte o sal, retire do fogo e sirva. (Se quiser, junte também ovos cozidos cortados em pedaços grandes e carne-seca desfiada.)

MANÉ COM JALECO

↬ **Tempere o filé-mignon** com o suco do limão, a cachaça, sal e pimenta, coloque numa assadeira pequena e deixe descansar por uns 15 minutos.
↬ **Regue o fundo de uma frigideira grande** com um pouco de óleo, aqueça, junte o filé-mignon, doure de todos os lados e deixe no fogo por uns 10 minutos, até firmar (cuide para não deixar fritar demais, pois a carne seca endurece). Corte em fatias finas e reserve.
↬ **Numa frigideira grande,** aqueça um fio de óleo, junte a lingüiça e, mexendo de vez em quando, deixe no fogo até que as rodelas estejam bem douradas e sequinhas.
↬ **Em outra panela,** aqueça mais um fio de óleo, junte o bacon restante e deixe dourar. Adicione a cebola, o alho e o pimentão, espere murchar e perfumar. Acrescente o feijão com o caldinho, sal e pimenta. Deixe ferver por uns 5 minutos, até que o feijão esteja bem quente e quase todo o líquido tenha secado. Junte a couve e mais um pouquinho de sal, espere murchar e adicione os ovos e metade da salsinha e da cebolinha. Misture bem, deixe no fogo só por mais uns 2 minutos, até que os ovos comecem a firmar, acerte o sal e a pimenta e passe para uma travessa. Espalhe por cima as fatias de lombo e as rodelas de lingüiça e, ao redor, coloque o arroz aquecido com a uva-passa e o restante da salsinha e da cebolinha.

🫘 MANÉ COM JALECO

(6 PESSOAS; 2 HORAS E 30 MINUTOS, MAIS UMAS 2 HORAS PARA DEMOLHAR O FEIJÃO)

200 g de bacon em cubinhos
2 xícaras de feijão-roxinho, rosinha ou carioquinha demolhado por umas 2 horas
1 folha de louro
1 kg de filé-mignon de porco, ou um lombo fininho
suco de 1 limão
1/4 de xícara de cachaça
1 kg de lingüiça em rodelas de uns 2 cm
1 cebola grande em cubos miúdos
2 dentes de alho bem picadinhos
1 pimentão verde em cubos miúdos
1 maço de couve em tirinhas muito finas
3 ovos ligeiramente batidos
3 xícaras de arroz branco cozido
1/3 de xícara de uva-passa escura
1 xícara de salsinha e cebolinha picadinhas
óleo vegetal
sal e pimenta-do-reino

↬ **Numa panela média,** aqueça um fio de azeite e metade do bacon. Quando os cubinhos começarem a dourar, junte o feijão e o louro e cubra com água fria ultrapassando uns 5 cm. Quando ferver, retire a espuma que se formar na superfície, abaixe o fogo e cozinhe por mais ou menos 1 hora e 30 minutos, até que os grãos estejam bem macios, mas inteiros. Escorra os grãos e reserve 1/2 xícara do caldo do cozimento.

🫘 FEIJOADA DA MINHA CASA

(20 PESSOAS; 4 HORAS, MAIS UMAS 24 HORAS PARA DESSALGAR AS CARNES E DEMOLHAR O FEIJÃO)

3 kg de feijão-preto demolhado por umas 3 horas
2 folhas de louro
1,5 kg de carne-seca bem limpa em cubos de uns 3 cm, já dessalgada por 24 horas
1 kg de costeleta salgada em tiras largas, que peguem 2 ossinhos cada uma, já dessalgada por umas 12 horas
1 kg de lombo salgado em cubos de uns 3 cm, já dessalgado por umas 12 horas
2 gomos de lingüiça portuguesa em rodelas de uns 2 cm
2 gomos de paio em rodelas de uns 2 cm
1 kg de costeleta defumada em tiras largas, que peguem uns 2 ossinhos cada uma
1 kg de lombo defumado em cubos de uns 3 cm
500 g de bacon em cubinhos
3 cebolas grandes em cubos miúdos
6 dentes de alho bem picadinhos
1/4 de xícara de cachaça
suco de 1 limão
1/2 xícara de salsinha e cebolinha picadinhas
2 pimentas-dedo-de-moça, sem sementes, em rodelinhas finas ou a gosto

↬ **Coloque o feijão e o louro** num caldeirão grande, cubra com água fria ultrapassando uns 5 cm e aqueça. Quando ferver, retire a espuma que se formar na superfície, abaixe o fogo e cozinhe por mais ou menos 1 hora e 30 minutos, até que os grãos estejam bem macios, mas inteiros.

↳ **Numa panela grande,** coloque a carne-seca, cubra com água e cozinhe por mais ou menos 1 hora e 30 minutos, até que esteja bem macia (se quiser que a carne-seca fique mais leve, quase sem sal, deixe ferver por 5 minutos, descarte essa primeira água, cubra a carne com água limpa fervente e continue a cozinhar), escorra e coloque no caldeirão do feijão.
↳ **Em outra panela,** coloque a costeleta e o lombo salgados, cubra com água e cozinhe por mais ou menos 1 hora, até que estejam bem macios. Escorra e junte ao feijão.
↳ **Em outra panela,** coloque a lingüiça, o paio, a costeleta e o lombo defumados, cubra com água e deixe ferver por uns 15 minutos. Escorra e passe para o caldeirão do feijão.
↳ **Numa panela média,** aqueça um fio de óleo, junte o bacon e deixe dourar, mexendo de vez em quando. Acrescente a cebola, um pouquinho de sal e, quando ela começar a dourar, junte o alho. Quando perfumar, junte umas 2 conchas de feijão com um pouco de caldo e deixe ferver por uns 5 minutos. Para que o caldo da feijoada fique mais grossinho e saboroso, esmague os grãos do feijão com a própria concha. Passe esse feijão refogado para o caldeirão e, mantendo o fogo baixo, deixe a feijoada ferver por mais ou menos 1 hora e acerte o sal (se a feijoada estiver com pouco caldo, junte mais um pouco de água fervente e deixe ferver para encorpar).
↳ **Para o molhinho,** coloque umas 2 conchas do caldo do feijão numa panelinha, junte a cachaça e o limão e deixe ferver por 1 minuto. Acrescente a salsinha, a cebolinha e a pimenta e retire do fogo. Sirva a feijoada bem quente com arroz branco, farinha de mandioca crua, couve refogadinha e gomos de laranja.

Um, dois, feijão com arroz;

SALADINHA JAP DE FEIJÃO-AZUKI E FEIJÃO-BOLINHA VERDE COM MOLHINHO DE GENGIBRE, SHOYU E BROTOS DE ALFAFA

(6 PESSOAS; 2 HORAS, MAIS 1 HORA PARA DEMOLHAR O FEIJÃO E 2 HORAS PARA GELAR)

PARA O PEPINO

1 pepino japonês com casca, bem lavado
1 colher (chá) de sal
1/3 de xícara de vinagre branco
1 colher (sopa) de açúcar
6 grãos de pimenta-do-reino
2 cravos-da-índia
1 pedacinho de canela em pau

PARA A SALADA

1 1/2 xícara de feijão-azuki
1 1/2 xícara de feijão-bolinha verde japonês lavado e escorrido
2 colheres (sopa) de óleo de gergelim
1/4 de xícara de shoyu
1 cebola-roxa em cubos miúdos
1 colher (sopa) de gengibre bem picadinho
suco de 1 limão
1/2 xícara de cebolinha em rodelinhas bem finas
2 xícaras de brotos de alfafa já bem soltinhos

↠ **Pepino** Na véspera (ou com até uns 15 dias de antecedência), descarte as pontas dos pepinos, corte em rodelinhas bem finas, coloque numa tigela com o sal, cubra com água e leve à geladeira por no mínimo 3 horas, ou por até uma noite. Escorra o pepino numa peneira, escalde com 1 litro de água fervente, escorra novamente, seque com um pano e coloque num pote com tampa.

↠ **Numa panelinha**, misture o vinagre, o açúcar, a pimenta, o cravo e a canela e leve para ferver. Despeje sobre o pepino, deixe esfriar, tampe e guarde na geladeira.

↠ **Salada** Coloque o feijão-azuki numa panela média e o feijão-bolinha verde em outra, cubra com água e deixe repousar por 1 hora. Descarte a água do molho, cubra com água limpa ultrapassando os feijões em uns 5 cm e aqueça. Quando ferver, retire com uma concha toda a espuma que se formar na superfície, abaixe o fogo e cozinhe por uns 40 minutos, até que os grãos estejam macios, mas firmes. Escorra e coloque os grãos ainda quentes numa tigela grande com o óleo de gergelim, o shoyu, a cebola, o gengibre e o limão. Quando esfriar, junte a cebolinha e o pepino (bem escorrido do líquido da conserva) e leve à geladeira por no mínimo 2 ou por até 48 horas. Junte os brotos de alfafa na hora de servir.

RISO E FAGIOLI

(6 PESSOAS; 2 HORAS)

1 1/2 xícara de feijão-rajado fresco ainda cru, já sem as favas (ou 1 lata de 240 g de feijão borlotti ou canellini em conserva)
2 dentes de alho (1 inteiro e 1 bem picadinho)
1 folha de louro
12 folhas de sálvia
75 g de manteiga
1 cebola grande em cubos miúdos
6 tomates vermelhos, sem pele e sem sementes, em cubinhos
2 xícaras de arroz italiano para risotto
1 xícara de vinho tinto
6 xícaras de caldo de legumes fervente (aproximadamente)
100 g de presunto cru em tirinhas
200 g de parmesão ralado
azeite de oliva
sal e pimenta-do-reino

↠ **Numa panela média**, coloque o feijão, o dente de alho inteiro, a folha de louro, 2 folhas de sálvia e um fio de azeite, cubra com água e aqueça. Quando ferver, abaixe o fogo e cozinhe por mais ou menos 1 hora, até que os grãos estejam macios, mas inteiros. (Se quiser, cozinhe na véspera e guarde na geladeira.)

↠ **Numa panela grande e larga**, aqueça metade da manteiga e um fio de azeite e doure ligeiramente a cebola. Junte o alho picadinho, espere perfumar, adicione o tomate, o feijão já escorrido do caldo do cozimento, sal e pimenta e deixe em fogo alto por 5 minutos, até formar um molhinho. Então, misture o arroz, aguarde 1 minuto e regue com o vinho. Deixe secar, acrescente 1 colher (chá) de sal e 1 concha de caldo e espere absorver. Vá juntando mais 1 concha de caldo à medida que for secando, mexendo de vez em quando, e mantenha no fogo por uns 15 minutos, até que o arroz esteja cozido, mas firme, al dente.

↠ **Enquanto isso**, numa frigideira média, aqueça mais um fio de azeite e doure as tirinhas de presunto, que no início ficam rosadas e depois escurecem. Junte as folhas de sálvia, espere perfumar e passe tudo para a panela do arroz e do feijão. Desligue o fogo, acrescente o restante da manteiga, o parmesão, ajuste o sal e a pimenta, aguarde 1 minuto e sirva.

AZUKI COM ARROZ E GERGELIM

(4 PESSOAS; 3 HORAS, MAIS 2 HORAS PARA DEMOLHAR O FEIJÃO)

1 xícara de feijão-azuki
1 xícara de arroz japonês para sushi
5 xícaras de água fervente
1/3 de xícara de gergelim torrado
sal

↬ Deixe o feijão de molho numa tigela com água por umas 2 horas.
↬ Em outra tigela, coloque o arroz e cubra com 3 xícaras de água quente por uns 15 minutos.
↬ Coloque o feijão numa panela média com água fervente e cozinhe por mais ou menos 1 hora, até que os grãos estejam começando a amaciar. Adicione o arroz e sal o bastante para deixar a água salgadinha e cozinhe por mais uns 20 minutos, até que tanto o arroz quanto o feijão estejam macios, mas com os grãos ainda inteiros (junte um pouco mais de água se começar a secar demais). Desligue o fogo e mantenha a panela tampada por mais 5 minutos. Depois, solte os grãos com um garfo, misture o gergelim e sirva com shoyu.

FEIJÃO-FRADINHO COM ARROZ LÁ DA ÍNDIA

(6 PESSOAS; 2 HORAS, MAIS 1 HORA PARA DEMOLHAR O FEIJÃO)

50 g de manteiga
2 dentes de alho bem picadinhos
1 colher (chá) de canela em pó
1/2 colher (chá) de cravo-da-índia em pó
1 colher (sopa) de curry
2 xícaras de feijão-fradinho demolhado por 1 hora
6 xícaras de água
2 xícaras de arroz basmati ou jasmim lavado e escorrido
2 cebolas grandes em rodelas finas
1/2 xícara de maisena (aproximadamente)
1 litro de óleo para fritar
1 1/2 xícara de iogurte natural
sal

↬ Numa panela média, aqueça a manteiga e junte o alho, a canela, o cravo e o curry. Quando perfumar, misture o feijão. Regue com a água e, quando ferver, abaixe o fogo e cozinhe com a panela semitampada por mais ou menos 1 hora, até que os grãos estejam quase cozidos. Junte o arroz e sal o bastante para deixar a água salgadinha e mantenha no fogo por mais uns 20 minutos, até que tanto o arroz quanto o feijão fiquem macios, mas tenham os grãos ainda inteiros (se secar demais, junte um pouco mais de água). Desligue o fogo e mantenha a panela tampada por mais 5 minutos. Depois, solte os grãos com um garfo e passe para uma travessa.

↬ Enquanto isso, lave as rodelas de cebola em água fria, escorra e seque bem com papel absorvente. Aqueça o óleo para a fritura. Polvilhe ligeiramente metade das rodelas com maisena, chacoalhe para retirar o excedente, mergulhe no óleo quente, mexa com uma escumadeira, frite até que estejam douradas e crocantes (para não amargar, não deixe escurecer demais), escorra e seque sobre papel absorvente. Frite a cebola restante e depois polvilhe com sal, espalhe sobre o feijão com arroz, regue com o iogurte e sirva.

NEW ORLEANS RICE AND BEANS

🫘 NEW ORLEANS RICE AND BEANS

(6 PESSOAS; 3 HORAS, MAIS UMAS 12 HORAS PARA DESSALGAR A CARNE E DEMOLHAR O FEIJÃO)

500 g de lombo de porco salgado em cubos de uns 2 cm, já dessalgado por 12 horas
500 g de lingüiça fresca em rodelas de uns 2 cm
2 cebolas grandes em cubos miúdos
2 talos de salsão em cubos miúdos
1 pimentão verde em cubos miúdos
2 dentes de alho bem picadinhos
3 xícaras de feijão-vermelho miúdo demolhado por umas 2 horas
350 ml de cerveja clara
4 xícaras de caldo de galinha (ou 1 tablete dissolvido na mesma quantidade de água)
1 colher (sopa) de açúcar
6 ramos de tomilho
1 colher (chá) de orégano
1 folha de louro
1/2 xícara de salsinha e cebolinha picadinhas
2 xícaras de arroz branco comum
4 xícaras de água fervente
óleo vegetal
sal e pimenta-de-caiena
molho de pimenta-vermelha para acompanhar (de preferência, Tabasco)

↔ **Regue o fundo de uma panela grande** com um fio de óleo, aqueça e doure ligeiramente os pedaços de lombo e de lingüiça. Junte a cebola, o salsão, o pimentão, o alho e um pouquinho de sal e espere murchar e perfumar. Acrescente o feijão, a cerveja, o caldo, o açúcar, o tomilho, o orégano e o louro. Quando ferver, abaixe o fogo e cozinhe por umas 2 horas, até que o feijão esteja bem macio. Ajuste o sal, adicione a pimenta-de-caiena, a salsinha e a cebolinha e retire do fogo.

↔ **Enquanto isso**, numa panela média, aqueça um fio de óleo, junte o arroz e misture. Quando os grãos estiverem brilhantes e soltinhos, acrescente a água e um pouco de sal e cozinhe com a panela semitampada por uns 15 minutos, até que os grãos estejam macios, mas ainda firmes. Desligue o fogo, tampe a panela, espere 5 minutos e solte os grãos com um garfo. Em cada prato, coloque uma porção de arroz e, por cima, uma de feijão e sirva com molho de pimenta-vermelha.

🫘 ARROZ COM FRANGO E LINGÜIÇA

(6 PESSOAS; 1 HORA E 30 MINUTOS)

2 peitos de frango inteiros
6 xícaras de água
1 folha de louro
1 cebola grande em cubinhos
1 dente de alho bem picadinho
2 xícaras de arroz branco lavado e escorrido
1 envelope de açafrão
1 pimentão vermelho, sem pele, em cubinhos
6 tomates maduros, sem pele e sem sementes, em cubinhos
1 xícara de ervilha fresca ou congelada
1 gomo de lingüiça defumada (aproximadamente 200 g) em rodelas finas
1 colher (chá) de orégano
1/2 xícara de queijo parmesão ralado
1/3 de xícara de azeitona verde em lascas
1/2 xícara de salsinha e cebolinha picadinhas
azeite de oliva
sal e pimenta-de-caiena

↔ **Cozinhe o frango** na água com o louro e sal por uns 45 minutos, até que esteja bem macio. Separe o frango em lascas do tamanho de uma mordida e reserve 4 xícaras do caldo.

↔ **Regue o fundo de uma panela média** com azeite e doure ligeiramente a cebola. Junte o alho, espere perfumar, acrescente o arroz e misture. Quando os grãos estiverem soltinhos e brilhantes, adicione o caldo reservado, um pouco de sal e o açafrão. Passados 5 minutos, junte o pimentão, o tomate, a ervilha, a lingüiça, o frango, o orégano e uma pitada de pimenta-de-caiena e mantenha no fogo por mais uns 10 minutos, até que o arroz esteja cozido, mas soltinho. Acrescente o queijo, a azeitona, a salsinha e a cebolinha, regue com mais um fio de azeite e sirva.

🫘 BOSTON BAKED BEANS

(8 PESSOAS; 8 HORAS, MAIS UMAS 4 HORAS PARA DEMOLHAR O FEIJÃO)

3 xícaras de feijão-vermelho graúdo ou feijão-jalo demolhado por umas 4 horas
6 xícaras de água
250 g bacon em cubinhos
2 cebolas grandes em cubinhos
1/2 xícara de açúcar mascavo
2 colheres (sopa) de mostarda de Dijon ancienne
1 colher (chá) de gengibre bem picadinho
4 folhinhas de sálvia
sal

↪ Aqueça o forno a 160ºC (médio-baixo).

↪ Numa panela esmaltada grande que possa ir ao forno, coloque o feijão, a água, o bacon, a cebola, o açúcar, a mostarda, o gengibre, a sálvia e um pouquinho de sal e aqueça. Quando ferver, tampe a panela e leve ao forno. Mantenha no forno por mais ou menos 6 horas, mexendo de vez em quando e completando com um pouco de água fervente se o líquido começar a secar, até que os grãos estejam bem macios e o caldo engrosse. Ajuste o sal (o caldo deve ter um ligeiro adocicado, mas não é sobremesa) e sirva.

🫘 ESCONDIDINHO DE FEIJÃO-BRANCO, BACALHAU E ERVA-DOCE NO AZEITE

(6 PESSOAS; 3 HORAS, MAIS UMAS 48 HORAS PARA DESSALGAR O BACALHAU E DEMOLHAR O FEIJÃO)

PARA O BACALHAU
1 kg de lombo de bacalhau limpo, sem pele
4 dentes de alho inteiros com casca
1 folha de louro
10 ramos de tomilho
10 ramos de salsinha
2 ramos de alecrim
1 xícara de azeite de oliva
1/2 xícara de salsinha picadinha
sal e pimenta-do-reino

PARA O FEIJÃO
2 xícaras de feijão-branco demolhado por 2 horas
1 folha de louro
1/3 de xícara de salsinha picadinha
sal e pimenta-do-reino branca

PARA A ERVA-DOCE
4 bulbos grandes de erva-doce
1/2 de xícara de vinho branco adocicado
1 colher (chá) de folhinhas de tomilho
azeite de oliva
sal e pimenta-do-reino branca

↪ Com uns 2 dias de antecedência, coloque o bacalhau numa tigela, cubra com água, leve à geladeira e troque a água de 2 em 2 horas para dessalgar. Depois escorra, seque, passe o bacalhau para uma assadeira pequena, polvilhe com pimenta, espalhe por cima os dentes de alho, as ervas e o azeite e deixe repousar por no mínimo 2 e até 12 horas na geladeira. Aqueça o forno a 180ºC (médio) e asse o bacalhau por cerca de 1 hora, até que esteja bem macio. Retire do forno, reserve os dentes de alho, descarte as ervas, ajuste o sal, espere amornar e separe em lascas grandes.

↪ Numa panela média, coloque o feijão e o louro, cubra com água e aqueça. Quando ferver, abaixe o fogo e cozinhe por mais ou menos 1 hora e 30 minutos, até que os grãos estejam bem macios (se quiser, cozinhe na véspera e guarde na geladeira). Bata os grãos do feijão e 1 1/2 xícara do caldo do cozimento no liquidificador até obter um creme bem grosso. Descarte a casca do alho assado, coloque numa panela média com um fio de azeite e aqueça. Quando perfumar, junte o feijão, sal e pimenta e deixe ferver por uns 5 minutos, até ficar bem saboroso e encorpado. Acerte o sal e a pimenta e junte a salsinha.

↪ Enquanto o feijão cozinha, descarte a camada externa da erva-doce e fatie fininho. Coloque numa frigideira grande com um fio de azeite e uma pitada de sal, aqueça e deixe murchar. Junte o vinho e mantenha em fogo baixo até caramelizar. Acerte o sal e a pimenta e acrescente o tomilho.

↪ Em cada prato, coloque uma parte do bacalhau e da erva-doce e cubra com o creme de feijão.

ESCONDIDINHO DE FEIJÃO-BRANCO, BACALHAU E ERVA-DOCE NO AZEITE

COMIDA DE PRAIA

Caiu na rede, é peixe, mas também pode ser lula, polvo, camarão, marisco, lagosta, cavaquinha, siri, caranguejo... Aquelas ondinhas que vão, vêm e batem na praia, o cheirinho de maresia, um mar maravilhoso, um sol de rachar, tudo pura energia. Mas praia é também um bom tanto de sombra e água fresca, é jogar as Havaianas de lado, deitar na rede com uma roupa gostosa para ler um livro emocionante, é tomar água de coco, é bater um papo mole – e é comer uma comidinha gostosa, descontraída, colorida, com jeito de férias e, claro, de mar. Na cozinha, nada pode ser trabalhoso nem exigir muito esforço; as receitas precisam ser práticas, rápidas e charmosas, pois a palavra de ordem é *descanso*. Há que se aprender a usar a noite ou o tempo da ida à praia para deixar alguma coisa marinando ou gelando e aproveitar os momentos de mais disposição (ou quando já se está com as mãos na massa) para adiantar o que for possível da refeição seguinte. Por falar em refeição seguinte, eu, sinceramente, não caio mais naquela história de que, se todo o mundo volta da praia tarde e almoça por volta das quatro ou cinco horas, não é preciso pensar em jantar. A verdade é que, lá pelas nove ou dez da noite, uns começam a dizer que bateu uma fomezinha e, vem o abre-e-fecha da geladeira, com uns querendo esquentar alguma coisa e outros olhando a despensa atrás de algo interessante. O fato é que cada um acaba se virando como pode, sem muita lógica e, às vezes, com muita confusão. Para resolver o problema de todo o mundo, percebi que, além do café-da-manhã e do almoço, é preciso haver uma refeição noturna, e a melhor saída é propor logo algo mais leve, normalmente uma salada ou outro prato único também refrescante – pães, queijos, pastas, frios e frutas. As receitas que escolhi têm toda a cara de verão, mas acabam servindo para o ano inteiro, pois nesta terra, em que o sol quase não desaparece, mesmo no inverno, quando a água está mais fria, aquele solzinho mais baixo continua aquecendo e deixando a praia deliciosa. Elas têm ares de Brasil, Caribe e Sudeste Asiático, usando e

ENTRE PANELAS E TIGELAS   *Comida de praia*   97

abusando de ervas frescas, coco, laranja, limão, pepino, tomate, iogurte, peixe, camarão, lula e polvo.

Falando sobre os ingredientes, dizer que o importante é começar com peixes e afins de boa qualidade pode parecer chover no molhado, mas, quando se trata de tudo o que vem do mar, o frescor é mais que essencial. É indispensável ter um bom fornecedor, que tenha comprado os seus peixes e frutos do mar de uma empresa de pesca que, ainda no próprio barco, tenha tido os cuidados básicos de limpar e resfriar ou congelar tudo direitinho (na prática, um peixe bem congelado é muito melhor e mais fresco que um recém-pescado que foi guardado de qualquer jeito).

Claro que é melhor consumir um *peixe* pescado no mesmo dia, ultrafresco, mas isso, infelizmente, é cada vez mais difícil. O máximo mesmo é pescar por conta própria ou esperar o barco do pescador sair da água e parar na areia, para olhar a rede, escolher o peixe ainda vivo e levar para casa (em Toque-Toque Pequeno, São Sebastião, onde fica a minha casa, isso ainda é possível às vezes). Se você tiver essa sorte, mas o pescador não lhe entregar o peixe limpo, você precisará encarar algumas etapas, que, embora não sejam difíceis, fazem um pouco de sujeira e demandam alguns cuidados. Se for o caso, retire as escamas, raspando no sentido contrário ao crescimento delas com o lado sem fio da faca ou com um descamador (apetrecho próprio para isso); depois, abra a barriga de ponta a ponta e retire as vísceras; levante as abas que ficam próximas da cabeça e, com cuidado para não se machucar, puxe e descarte as guelras (que dão um gosto amargo ao peixe cozido ou assado inteiro); para descartar a cabeça, corte na linha diagonal à abertura das guelras; se quiser retirar os filés, use uma faca para filetar (de lâmina muito fina e flexível) bem afiada e, a partir da cabeça, siga cortando o mais perto possível da coluna e das espinhas grandes, até chegar à ponta do rabo; aí, solte o filé de um lado e depois do outro (se o filé for grosso, poderá ser dividido em porções individuais, com tiras largas de 120 a 200 g); se for um peixe grande e roliço, ele poderá ser cortado em postas (que são aquelas rodelas grossas, abertas na altura da barriga, e que têm o osso da coluna no centro); se quiser descartar a pele (lembre-se de que ela sempre protege a carne durante o cozimento), faça um cortezinho perto do rabo, levante essa pontinha com uma das mãos e, com a outra, siga soltando a pele com a faca de filetar, procurando trazer com ela a menor quantidade possível de carne. Com uma pinça e um pouco de paciência, retire as espinhas, que costumam ficar alinhadas, ou faça como em muitos restaurantes: com delicadeza para não desperdiçar carne demais, faça dois cortes em V, um de cada lado da linha das espinhas, com a lâmina da faca na diagonal para que os cortes se encontrem logo abaixo da base das espinhas e seja possível retirar a fileira toda de uma vez. Guarde a carcaça e a cabeça para um caldo, que é sempre útil e saboroso (se quiser deixar essa tarefa para outro dia, é só congelar a carcaça depois de lavá-la bem). Lave e seque bem o peixe antes de usar.

Tem gente que acha difícil preparar um peixe, ou não faz idéia de como escolher e comprar um, ou alega que não há um bom peixeiro por perto, ou tem pavor de espinhas, ou até compra um peixinho de vez em quando, mas sempre o mesmo. O fato é que o nosso litoral é imenso e, com tanto peixe bom, é bobagem pensar em peixe só na sexta-feira (e olhe lá!), quando o ideal é comer um peixinho pelo menos duas ou três vezes por semana. Enfim, não há motivo para ficar só nos filezinhos de pescada ou merluza e nas postas de cação. Dá para variar, e muito, é só querer experimentar.

Existem peixes de carne muito branca, macia, leve e suave, que quase se desmancha de tão cremosa; há outros de carne amarelada, acinzentada ou avermelhada; alguns são mais oleosos e de sabor pronunciado; outros são muito firmes e não se desmancham com facilidade, por isso são perfeitos para ensopados ou para grelhar na churrasqueira; uns são bem achatados e fininhos (como o linguado); outros são roliços (como o robalo). Para mim, o robalo é o rei dos peixes, é delicioso, tem carne alvíssima e macia e poucas espinhas e vai bem com tudo – fica perfeito assado, cozido, grelhado ou frito; o linguado, de filés finos e largos, carne muito branca e delicada, fica divino quando dourado na frigideira; a pescada, a pescada-branca, a pescada-amarela e a pescada-cambucu são sempre boas opções, tanto pelo sabor quanto pelo preço; o badejo é bem branco e firme; o namorado dá ótimos filés e postas que ficam bons de qualquer jeito; a corvina, de carne clarinha e muito macia, dá filés bons para fritar ou para cozinhar no vapor; o cação, um tipo de tubarão, bem popular, dá postas brancas que ficam gostosas quando fritas ou ensopadas (só não cozinhe demais, pois ficam borrachentas); o cherne tem poucas espinhas e dá filés altos de carne bem alva; a garoupa dá postas ideais para assar ou grelhar (é só tirar as espinhas); o pargo, de pele e carne rosadas, dá filés não muito grandes, mas bons para fritar ou assar; o vermelho, que é avermelhado por fora mas tem a carne bem branca e firme, tem espinhas fáceis de remover e vai bem frito ou ensopado; a trilha, bem vermelhinha, dá uns filezinhos bem saborosos; o atum, com aquele lombo maravilhoso, dá filés altos (que ficam deliciosos se deixados por 30 minutos numa marinada oriental e depois dourados bem rapidinho na frigideira ou na grelha, só por uns 2 ou 3 minutos de cada lado, para continuar bem rosado por dentro); o bonito também é saboroso e seu sabor e textura lembram os do atum; o congro fica bom se preparado em filés; o mero, em filés ou inteiro; o dourado, em postas ou filés; o peixe-espada, inteiro ou em postas; a tainha, se recheada e assada, enfeita qualquer mesa, mas também pode ser cozida; a anchova, aparece em muitas receitas mediterrâneas e orientais (grelhada com shoyu ou em conserva adocicada); a cavala e a cavalinha têm poucas espinhas e carne um pouco acinzentada e bem saborosa; a sardinha, que é baratíssima, fica bem gostosa frita ou em conserva; a manjuba é para fritar inteira, com cabeça e tudo, e servir como petisco; a arraia tem duas camadas de carne ao lado da cartilagem das asas que se desmancha em fios grossos, muito brancos e saborosos (cozinhe no caldo ou no vapor por uns 10 ou 15 minutos, ou no forno, depois regue com azeite ou manteiga ou use numa salada).

Para comprar o seu peixe numa peixaria, na feira ou no supermercado, basta ficar atento a alguns critérios. O cheiro diz quase tudo sobre um peixe, se ele não é bom, o gosto também não deve ser (se o cheiro é forte, desagradável ou lembra amoníaco, o peixe deve ir para o lixo). O bom peixe deve ter o cheiro suave e fresco de brisa do mar. Os olhos devem estar bem abertos e vivos, embora algumas espécies fiquem com os olhos ligeiramente embaçados quando morrem. As escamas devem ser firmes e brilhantes, nem um pouco molengas. A carne deve ser firme, nunca flácida ou borrachenta, ter um brilho leve, jamais estar opaca, seca, quebradiça ou com reflexos furta-cor. A carne, ao ser pressionada com a ponta do dedo, deve afundar um pouquinho e voltar a posição original. As guelras devem ser vermelhas, nunca esverdeadas ou amarronzadas (mas há malandros que dão uma tingidinha para tentar tapear).

Para certificar-se com mais facilidade e segurança de que o peixe está bom, escolha-o e compre-o inteiro e só depois peça ao peixeiro para limpar e cortar como você quiser. Só se arrisque a comprar filezinhos prontos se estiverem bem firmes e brilhantes e a peixaria for de muita confiança. Os filezinhos são sempre muito práticos, permitem que se prepare uma refeição em poucos minutos (desde que estejam bem sequinhos, eles douram rapidamente na frigideira ou no forno quente – se estiverem com a pele, comece por esse lado, para que não encolham e fiquem curvos).

O ideal é comprar e consumir tudo o que vem do mar o mais rápido possível. Ao chegar em casa, leve o peixe à geladeira (se o dia estiver muito quente, mantenha-o sobre uma camada de gelo mesmo na geladeira, mas não cubra com gelo, para que o frio não queime a carne, que é muito delicada). Só congele em casa peixes muito frescos (confira com o seu fornecedor se o peixe que você comprou pode ser congelado) e embale muito bem (tanto para evitar que o cheiro de peixe se espalhe pelo freezer como para que o frio não queime a carne). Se a sua peixaria for realmente boa e você tiver planos de passar uma temporada na praia, calcule quanto pretende consumir, compre tudo, congele e vá descongelando e usando como e quando quiser. Para descongelar, sempre com umas 12 horas de antecedência, passe o peixe do freezer para a geladeira (não deixe descongelar em temperatura ambiente, principalmente se o clima estiver muito quente, e evite mergulhar o peixe numa bacia com água para agilizar o processo, a não ser que esteja muito bem embalado).

Não dá para bobear com as coisas do mar, ainda mais com o calor que faz por aqui. Por isso, para evitar problemas, guarde sempre tudo na geladeira, tanto o que você estiver preparando com antecedência e esperando a hora de levar para a mesa ou para a panela como as sobras de uma refeição (tire da mesa, transfira para um recipiente com tampa e guarde na geladeira em seguida).

Os peixes são muito versáteis e se adaptam a mil e uma receitas. Pode ser só o filezinho simples ou passado na farinha com sal (se quiser, coloque pimenta, especiarias, ervas desidratadas, um pouco de parmesão) e dourado na frigideira com azeite ou manteiga (nada como uma frigideira antiaderente, mas o ideal é ter duas, uma pequena e uma grande, e, para que a pele não grude, aqueça bem a gordura, coloque o peixe na frigideira primeiro do lado da pele e depois abaixe o fogo para que ele tenha tempo de cozinhar por dentro sem queimar por fora). Filezinhos e peixes miúdos inteiros e limpos, como sardinha e manjuba, ficam ótimos empanados com uma massinha leve e fritos em bastante óleo até dourar. Filés um pouco maiores e peixes inteiros não muito grandes ficam macios e saborosos quando preparados no vapor, a opção mais saudável. Postas, tiras mais largas ou cubos de peixe mais firmes vão muito bem nos ensopados (para que o peixe não passe do ponto e vire borracha, é só ter cuidado para o caldo do cozimento não ferver plenamente, deixando surgir apenas bolhinhas leves).

Peixes inteiros e filés mais grossos são perfeitos para assar, num tempo bem curto eles ficam ligeiramente dourados por fora, macios e úmidos por dentro (asse num forno forte, faça cortes diagonais na superfície do peixe, regue com limão e azeite, polvilhe com sal, coloque umas ervas na cavidade e pronto).

Tanto um peixe inteiro, como um filé bem carnudo e mais firme, camarões, polvos e lulas ficam o máximo se preparados na grelha. Todas essas coisas do mar são opções muito saudáveis, leves e gostosas para o churrasco de sempre. Para que tudo corra bem, o primeiro passo é escolher um peixe de carne firme, como o badejo, o atum, o salmão ou mesmo um robalo ou namorado (nem pense em linguado, que certamente se despedaçará em mil lasquinhas). Pense em manter a pele do peixe, importante tanto para evitar que a carne resseque como para ajudar a manter tudo unido, sem se despedaçar. Como mesmo os peixes mais firmes são frágeis e podem se quebrar na hora de virar ou tirar da grelha, a melhor coisa a fazer é providenciar uma grelha própria. O peixe fica fechado numa espécie de gaiola, feita de duas grades ligeiramente arredondadas, assim, mesmo que dê uma quebradinha, nada irá se perder ou cair na churrasqueira, e recolher os pedaços fica muito simples. Um pouco de azeite ou uma marinada com um pouco de óleo – mas nada forte demais, para não mascarar o sabor natural do peixe –, além de incrementar o sabor, ajuda a manter a carne úmida. Numa grelha já bem quente, um filé de uns 2 ou 3 cm de espessura leva de 5 a 10 minutos para dourar de cada lado (depois disso, ele começa a ressecar e perde a graça). Na verdade, esses 10 minutos para cada 2 cm de espessura de filé, também valem para o peixe cozido na panela, no vapor e no forno.

Camarão é camarão, sempre faz sucesso e dá ar de festa e de praia a qualquer mesa. Mas é preciso cuidado, porque, além de estar fresco, o camarão precisa ser bem acondicionado sobre gelo, ter textura bem firme, casca durinha e aparência crocante, nunca molenga, como se fosse de plástico ou papel. Como congela muito bem e dura pouco tempo na geladeira, sempre prefiro comprar camarões de diversos tamanhos numa peixaria que já os tenha bem resfriados e congelar várias bandejas de uns 500 g cada (deixo descongelar durante a noite na geladeira e, assim, não corro grande risco) para usar quando quiser. Por falar em tamanho, a classificação comum tem por base o número médio de camarões por quilo, ou seja, 1 kg do miudinho (o sete-barbas, ideal para recheios, para misturar num arroz ou numa salada, ou para fritar com casca e tudo e servir com uma cerveja) costuma ter umas 70 unidades; 1 kg de camarão médio (branco, cinza ou rosa) contém umas 30 unidades; 1 kg do grande, entre 20 e 25 unidades; do bem grande, entre 11 e 15; e o do pistola, que é aquele enorme, uns 10. E qual é o melhor camarão? A escolha é difícil, uns gostam mais do rosa, outros do branco ou cinza (que é o tipo exportação, criado nas fazendas de Santa Catarina e do Ceará), outros preferem os mais avermelhados ou os tigrados, com riscas escuras. Descascar ou não o camarão vai depender da receita escolhida e do grau de informalidade da refeição, já que nem todos gostam da trabalheira ou têm habilidade para descascar na mesa, entretanto, a casca é importante para proteger a carne na hora de grelhar, embora o processo leve no máximo 10 minutos. Principalmente para as receitas que pedem camarões grandes para servir com um molhinho, uma boa saída é deixar casca só na pontinha da cauda, o que dá um visual mais atraente e deixa o camarão mais firme para segurar. Tirar as tripas escuras é coisa que faço mesmo, apesar de ter gente famosa que diz que não se importa, que não há nada de mais em comer tudo (com a pontinha de uma faca bem afiada, faça um corte bem superficial seguindo a linha escura da tripa, puxe para soltar, lave e seque). Camarões vão bem nas receitas mais variadas e ficam deliciosos num tempo muito curto; aliás, se cozinharem demais, eles também ficam borrachentos (normalmente, quando ficam opacos e mudam de cor, já estão cozidos e prontos, com a carne suculenta e macia; se quiser dar uma douradinha, mantenha o fogo forte para que tudo aconteça bem rapidinho). Para entrar nas saladas, especialmente, use e abuse dos camarões cozidos no vapor, com umas ervas e um pouquinho de vinho branco (ficam bem melhores do que simplesmente cozidos em água com sal). Se estiver com muita pressa e a despensa estiver vazia, aqueça um pouco de azeite numa frigideira grande, junte os camarões e deixe dourar um pouco em fogo alto, depois acrescente alho e salsinha bem picadinhos, junte sal e pimenta, misture bem e sirva com arroz.

Eu adoro vieiras, acho uma delícia aquela carne branquinha, branquinha e bem tenra. Existem vieiras de vários tamanhos, desde as pequenas (umas 40 por quilo) até as chilenas imensas (umas

15 por quilo). Dependendo da receita, sirva-as na própria concha, que é linda, com ou sem o coral, que tem sabor bem pronunciado, mas tem seus admiradores. As vieiras são muito delicadas e cozinham muito rápido; se passarem do ponto, endurecem e perdem toda a graça. Por isso, para que dourem ligeiramente por fora, fiquem macias por dentro e não acumulem água (pois aí começam a cozinhar no líquido em vez de dourar), o importante é esquentar bem a frigideira, depois juntar o azeite ou a manteiga, esperar aquecer também e só então acrescentar as vieiras e deixar dourar por no máximo 2 minutos de cada lado.

Quem tem a sorte de encontrar mariscos bem frescos pode fazer uma refeição apetitosa. Para isso, lave muito bem uns 3 kg de marisco (dependendo do espírito da refeição, calcule de 500 g a 1 kg por pessoa – pode parecer exagero, mas não é, pois as conchas pesam muito e a carne mesmo é bem pouca), esfregue as conchas com uma escovinha para retirar cracas, puxe as barbas com uma faca pequena e lave em água corrente (consuma em no máximo 24 horas, pois nunca se sabe há quanto tempo eles estão rodando por aí; como são bichinhos vivos, devem ser mantidos na parte mais baixa da geladeira acondicionados numa tigela sem água coberta com pano, jamais em sacos plásticos, pois morreriam sufocados – é normal abrirem e fecharem a concha quando tocados ainda que bem de leve). Numa panela bem grande, doure na manteiga ou no azeite 1 cebola, 2 dentes de alho e 2 talos de salsão; junte 2 xícaras de vinho branco ou cerveja e um amarradinho de ervas e espere ferver; adicione os mariscos, tampe a panela e aguarde de 3 a 5 minutos, apenas o bastante para as conchas se abrirem; descarte os mariscos que permanecerem fechados, passe o caldo por uma peneira para descartar grãozinhos de areia, volte ao fogo para reduzir um pouco e, se quiser, engrosse com um tiquinho de creme de leite fresco (não precisa adicionar sal, pois o caldinho já fica naturalmente salgado). Faça como os belgas e franceses, use a concha do primeiro marisco como pinça para retirar os demais das suas conchas e sirva com uma bela porção de batata frita.

Depois vêm as lulas e polvos, com o ar misterioso dos monstros marinhos, que há milênios fazem parte de lendas e mais lendas. Muita gente pensa que as lulas são pequenas e os polvos gigantescos, como aparecem em filmes, mas, na realidade, os polvos são menores, e as lulas, elas sim, podem ser bem miúdas ou gigantescas e com tentáculos imensos. Se tiver de limpar uma lula, não se aflija, pois a tarefa é simples: segure o corpo com uma das mãos e, com a outra, puxe a cabeça com os tentáculos, que se soltarão junto com o saquinho de tinta; aperte a cabeça com a ponta dos dedos para fazê-la expelir uma bolinha bem dura, que deve ser descartada (se for preciso, use a ponta de uma faca para ajudar a soltá-la); para esvaziar o corpo, puxe as entranhas com a mão, elas sairão com facilidade (virão junto a pena interna, que parece uma carga de caneta feita de plástico duro, e umas melequinhas bem inofensivas — algumas receitas mediterrâneas pedem que se deixe umas 2 ou 3 lulas com esse caldinho amarelado para dar liga e sabor ao molho); puxe e descarte a pele arroxeada (não se preocupe se não sair tudo, é apenas uma questão de estética); corte as abas laterais e pique para usar num ensopado; dependendo da receita, deixe o cone do corpo inteiro ou corte em anéis e guarde os tentáculos inteiros para enfeitar o prato. A carne da lula é branquíssima, firme, saborosa e muito saudável, mas preservar essas qualidades requer alguns cuidados no cozimento: a lula deve ser cozida ou por pouquíssimos minutos ou por mais ou menos 1 hora. Jogada numa frigideira bem quente ou numa grelha, com fogo bem forte, ela doura rapidinho, primeiro de um lado, depois do outro, e perde o gosto de cru (não fica molinha, se desmanchando, mas fica macia e deliciosa). O mesmo acontece se ela for simplesmente mergulhada num caldo fervente por uns 2 minutos, só até mudar de cor e de textura, depois escorrida e resfriada (fica perfeita para ser usada numa salada). Passados esses primeiros minutos, a lula enrijece totalmente, então é preciso acrescentar um líquido e cozinhar por mais ou menos 1 hora em fogo baixo, até amaciar de vez (aí sim, ela fica bem molinha; mas não deve também cozinhar demais, pois começa a secar e perder o sabor).

Uma lula recheada com um refogado feito dos próprios tentáculos picadinhos com alho, cebola, ervas e pão e cozida em azeite e vinho branco fica boa demais. O importante é ter o cuidado de prencher só uns 3/4 do corpo da lula com o recheio, pois ela encolhe com o cozimento e, se estiver muito estufada, vai estourar. Também fica apetitosa a lula dourada no azeite com cebola, alho e tomate, depois regada com um pouco de vinho branco e água o bastante para cobrir, adicionada de um amarrado de ervas e cozida em fogo baixo, com a panela tampada, por mais ou menos 1 hora (se quiser, junte arroz cru, que cozinha no caldo da lula e fica muito saboroso), com um pouco de salsinha e azeitona no final.

Uma porção de lula frita, bem sequinha costuma ser irresistível, é difícil quem não goste, até as crianças costumam adorar. Há quem polvilhe a lula com sal e pimenta e quem regue com suco de limão ou cachaça para amaciar, mas, independentemente da sua escolha, o fundamental é escorrer e secar bem os anéis e tentáculos antes de passá-los pela farinha temperada com sal e pimenta (chacoalhe bem para descartar o excedente de farinha) ou pelo fubá (que deixa uma casquinha mais rústica) ou pelo ovo batido e depois pela farinha (que forma uma massinha mais macia), ou mergulhá-los numa massa leve (misturando 1/2 xícara de farinha, 1/3 de xícara de maisena, 1 gema, 3/4 de xícara de água, 1 colher (sopa) de óleo e 1 colher (chá) de fermento em pó). Em seguida, é só fritar em óleo quente e abundante por uns 2 ou 3 minutos, até que os anéis estejam bem sequinhos, crocantes e dourados, escorrer sobre papel absorvente e servir com limão, molho tártaro ou outro que você ache interessante, uma cerveja ou uma caipirinha. Ah, normalmente, numa refeição, uma porção individual de lula tem uns 250 g; como petisco, 1 kg de lula limpa costuma dar para umas 6 pessoas.

O polvo é bicho interessante. Muita gente gosta, mas tem medo de não saber comprar e cozinhar; alguns dizem que não gostam — mas, como acontece com criança, muitas vezes não tiveram coragem de experimentar —, no entanto, quando provam, se surpreendem e adoram (ou continuam não gostando, mas pelo menos provaram); outros têm a maior curiosidade, mas nem ousam passar por perto. Ele é meio molenga, tem uma cabeça (que é mesmo um pouco feiosinha, mas que, sem a pele e fatiada, vai muito bem numa salada, num molho ou no arroz) e oito tentáculos cheios de ventosas, com uma aparência bem interessante, tudo coberto com uma pele lisa, brilhante e arroxeada (se a pele estiver amarronzada e sem brilho, nem pense em comprar). Nas peixarias, normalmente se acha o polvo comum, que pesa entre 2 kg e 3 kg (um polvo de uns 2 kg cru fica com uns 500 g depois de cozido), e o baby, com cerca de 400 g (calcule 1 por pessoa, pois cozido ele fica com uns 150 g), ambos são macios e cozinham rapidinho. Se tiver que encarar um polvo inteiro, retire o "bico" e vire a cabeça pelo avesso, como uma meia, descarte o saco de tinta e os outros órgãos que ficam lá dentro e depois lave bem (não é difícil, mas é mais prático comprá-lo já limpo).

Como eu queria achar um método de cozimento simples e eficaz, que resultasse num polvo bem macio e saboroso, parti para os meus mil testes e confesso que me diverti com o assunto. Dizem que, para deixar a carne macia, os pescadores gregos costumavam bater o polvo contra uma pedra 90 vezes; por aqui, é comum bater umas dez vezes com a tábua de carne; os japoneses amassam os tentáculos numa tigela com nabo ralado, como se estivessem sovando um pão. Testei um método grego que recomenda cozinhar o polvo só com um pouco de vinho, louro e sal numa panela tampada (assim se faz também na Córsega e em outras regiões do Mediterrâneo, às vezes acrescentando açafrão, erva-doce, pimenta, tomate, orégano, manjericão, azeite, cebola e alho, e, se for o caso, juntando um pouco de água e arroz cru nos últimos 20 minutos). Experimentei também dois métodos japoneses; um dizia para cozinhar o polvo em chá verde bem concentrado; outro mandava cobrir o polvo inteiro com sal, deixar repousar por 1 hora e, então, cozinhar por 10 minutos em 3 litros de água fervente e 1 xícara de vinagre de arroz. Um espanhol sugeria mergulhar e retirar o polvo, espetado num garfo, na água fervente salgada por 5 vezes, depois mergulhar de vez na água e simplesmente cozinhá-lo em fogo baixo em água (se for água do mar, nem será preciso salgar) e vinho branco, com legumes aromatizantes e ervas, retirando sempre a espuma que se formar na superfície. Tirando o japonês que falava para deixar o polvo na panela por 10 minutos, todos diziam que, dependendo do tamanho, um polvo leva mais ou menos 1 hora e 30 minutos para ficar bem macio e, que, para testar o ponto de cozimento, o mais simples é espetá-lo com um garfo. Depois de cozido, é só descartar o excesso de pele mole, principalmente da cabeça, e usar o polvo como quiser, deixando inteiro para grelhar na churrasqueira ou dourar no azeite em frigideira ou cortando em pedacinhos do tamanho de uma mordida para usar numa salada ou num molho (se quiser, cozinhe o polvo na véspera e guarde na geladeira; use o caldo do cozimento para preparar um pouco de arroz bem saboroso).

Eu gostei bastante do método grego, pois o polvo fica com sabor acentuado de vinho; do japonês com chá verde, que resulta numa cor e textura interessantes; e do espanhol, que deixa a carne muito macia e gostosa. Qualquer um desses vale a pena. Sinceramente, não achei que os aromatizantes do método mais tradicional tenham acrescentado sabor ao polvo; o método japonês que usa sal e vinagre também não resultou num polvo muito macio.

Quem gosta das coisas do mar e quer algo especial, pensa em lagosta, e não é para menos. No Brasil, as mais comuns são a lagosta-vermelha e a lagosta-cabo-verde, as melhores vivem nas águas do Ceará e do Rio Grande do Norte, mas elas aparecem até o Espírito Santo. Como uma lagosta leva muito tempo para crescer, seu preço é mesmo salgado. Mas, se estiver realmente com vontade de impressionar, procure uma lagosta ainda viva numa peixaria com tanque, onde ela possa ficar até chegar a hora de mudar de endereço (como uma pinçada de lagosta dói muito, as pinças normalmente vêm presas com elásticos; se, ao ser tocada, a lagosta não curvar a cauda nem mexer as pinças, é sinal que ela está mais para lá do que para cá, então deixe-a de lado e escolha outra). Outra saída é comprar as caudas congeladas, mas não é a mesma coisa. O problema de comprar a lagosta viva é ter de matá-la, pois nem todo o mundo consegue enfrentar esse momento doloroso e cruel. Mas, se você tiver coragem, mergulhe-a na água fervente ou enfie a lâmina de uma faca bem no meio da cruz que ela tem na cabeça. Quando cortada ao meio, crua ou cozida, aparecem várias coisinhas que muita gente nem gosta de ver, mas não é nada de tão terrível assim: um saquinho localizado na cabeça, ao lado de onde saem as antenas, e os intestinos, não alteram em nada o sabor, mas saem com uma puxadinha; já o coral escuro, que aparece só nas fêmeas, é perfeitamente comestível e deixa os molhos e sopas maravilhosos. Deve-se calcular uma lagosta de mais ou menos 1 kg por pessoa, já que a carcaça pesa muito. Mergulhada na água fervente, leva mais ou menos 15 minutos para cozinhar (nesse tempo, a carcaça fica de um vermelho bem vivo; e a carne, firme e branca, mas nada borrachenta). Depois de cozida, deixe escorrer o excesso de água por uns 5 minutos, abra cortando-a ao meio e use um quebra-nozes ou um martelo para quebrar as pinças grandes, que são bem carnudas. Para comer, ainda acho que nada como apenas regar com um pouco de limão ou acompanhar de uma manteiguinha. Se estiver viajando pela Bretanha francesa ou pela Nova Inglaterra, nos Estados Unidos, aproveite para comer lagostas realmente incríveis.

Já a cavaquinha, que em alguns lugares também é conhecida como sapateira ou lagosta-da-pedra, costuma aparecer nas águas mais do sul do Brasil, é um pouco menor do que a lagosta e não tão saborosa, mas vale a pena experimentar (a cauda é bem carnuda, e as patas e antenas são mais curtas).

Siris e caranguejos são muito gostosos, vão bem em saladas, moquecas, sopas, fritadas e, como não poderia deixar de ser, numa casquinha temperada e saborosa. Nos mercados das cidades litorâneas brasileiras e nas estradinhas à beira-mar é comum encontrar gente vendendo montes de siris e caranguejos, uns amarrados aos outros, sempre vivos e mexendo sem parar aquele monte de patinhas. Os siris são menorzinhos e, por terem as últimas patas de cada lado no formato de remo, nadam muito bem. Como a quantidade de carne é pequena, é preciso ter bastante cuidado e paciência na hora de separá-la da carapaça (experimente as várias marcas de carne de siri congelada e escolha a que tiver carne mais limpa, algumas são realmente péssimas, mal dá para comer de tanta coisa dura que vem no meio).

Os caranguejos são bem maiores, aparecem em quase toda a costa do Brasil, não nadam e adoram os manguezais, as últimas patas são na verdade duas pinças bem grandes. Alguns são menores, mas há caranguejos graúdos e carnudos, como o guaiamum e o auçá, de pinças bem grandes, daquelas que, quando a gente quebra com um martelinho, soltam um pedaço de carne branca, delicadíssima e muito gostosa. Para cozinhar os caranguejos, apenas mergulhe-os na água fervente e cozinhe por uns 10 a 15 minutos, até que fiquem bem vermelhos e as patas girem e se soltem com facilidade.

RECEITAS

Pensando em aperitivos e entradas, mas que podem perfeitamente compor uma refeição, vão aí quatro receitas: o ceviche de robalo *— como se faz no México, Peru, Chile e em outros países da América Latina que dão para o Pacífico — sempre gostoso e refrescante, com o azedinho do limão e da laranja que "cozinham" o peixe naturalmente, servido sobre pedaços de papaia dourados num pouco de azeite (o fundamental é usar peixe muuuuiiiiito fresco); o* atum fresco em conserva de azeite de oliva e ervas *é superinteressante, gostoso e versátil, para comer com pão ou entrar numa salada ou numa massa; a* terrine de camarão, iogurte e endro com saladinha de tomate, *além de gostosa, enfeita qualquer mesa; e aquela* casquinha de siri, *de que quase todo mundo gosta, além de muito fácil de fazer, fica pronta em menos de uma hora (se puder preparar com caranguejo, que tem patas mais carnudas, fica ainda melhor, mas com siri já fica uma delícia, é só prestar atenção e retirar os pedacinhos de casca que normalmente vêm no meio da carne).*

Como praia e verão têm tudo a ver com saladas mais substanciosas, que cumprem o papel de prato único, escolhi cinco receitas. As duas primeiras são verdadeiros clássicos do Sudeste Asiático: a salada asiática de frango, legumes, lamen e molho de amendoim, supersaborosa e cheia de contraste entre o salgado e o doce (sugeri assar o peito de frango porque acho que fica bem melhor do que cozido, mas nada impede que se aproveite sobras ou outros pedaços do frango, filés de peito dourados na frigideira ou mesmo camarões cozidos); a thai beef salad — com as tirinhas de filé-mignon marinadas no limão, alho, gengibre, capim-limão, coentro e hortelã e misturadas aos tomatinhos, pedaços de pepino e harusame, aquela massa fininha e transparente — sempre arranca suspiros. Depois vêm duas saladas com grãos que gosto de preparar para o lanche da noite, a salada de cevadinha, tomate, mussarela de búfala e manjericão, combinação que é sucesso na certa, e a salada de frango, arroz selvagem, damasco e ervas, muito apetitosa e interessante pela textura do arroz, o doce do damasco e o sabor do salsão e das ervas (se gostar, use mesmo o coentro, pois ele faz a diferença). A quinta é uma salada grega de polvo, que é muito boa e, diferentemente do que muita gente pensa, não é nenhum bicho-de-sete-cabeças, já que, respeitadas as técnicas de cozimento, o polvo fica supermacio, saboroso e nada borrachento. Para uma refeição alternativa, descontraída, colorida e refrescante, imaginei a tigela mexicana: a salsa de tomate, o frango, as tortillas e os acompanhamentos todos ficam espalhados na mesa e cada um monta a sua tigela como quiser (as tortillas feitas em casa são deliciosas, mas nada impede que se compre um pacotinho no supermercado se a pressa ou a preguiça falarem mais alto).

Dentre os pratos de peixe (sugeri robalo, linguado, pescadinha, badejo, mas dá para substituir pelo peixe de sua preferência), o primeiro é robalo assado com missô, simples e fácil até onde pode ser e bem gostoso — se acompanhado de arroz oriental, resolve um almoço bem rapidinho. Depois vem o papillote thai de linguado e legumes, prático e delicioso, pois todos os ingredientes — tirinhas de peixe, legumes e massa oriental, temperados com gengibre, alho, limão, capim-limão, molho de peixe e pimenta — vão juntos para o forno dentro de um pacotinho, que só será aberto na mesa, espalhando um aroma delicioso. O filé de pescada à siciliana sempre agrada, com ingredientes bem saborosos, perfumados e coloridos, como eu adoro, pode ser servido quente, mas frio fica até melhor, e pode ser guardado por umas 24 horas na geladeira (embora muita gente torça o nariz, a receita também pode ser feita com filezinhos de sardinha, já bem limpos e sem espinhas, que levam de 5 a 10 minutos no forno; aliás, sardinhas também ficam divinas apenas douradas no azeite com alho e ervas numa frigideira, misturadas a cubinhos de tomate e alcaparra e deixadas na geladeira para marinar por pelo menos 8 horas para servir com um pão bem rústico ou entrar num molho para massa). A caçarola da praia com couscous marroquino é um prato único que tem tudo a ver com mar; o gosto e o perfume da laranja deixam o ensopado de peixe e lula realmente especial (o caldo e o ensopado podem ficar prontinhos na geladeira, faltando só aquecer e hidratar o couscous na hora de servir). O crumble de vieira sempre impressiona e é uma boa saída para quando se tem um convidado especial (se quiser, troque a vieira por peixe ou camarão).

A dobradinha coco e camarão aparece mais de uma vez em versões diferentes e tentadoras: o pacotinho jamaicano de camarão, banana e coco, além de lindo e delicioso, é surpreendente (a falta de folha de bananeira não serve de desculpa, pois dá para fazer a mesma coisa com papel-alumínio ou papel-manteiga); o curry thai de camarão e abacaxi, rapidíssimo e muito saboroso, só pede como acompanhamento um arroz branco, de preferência, de jasmim ou basmati; e a moqueca de camarão com pirão e arroz de coco é superbrasileira, apetitosa e nada complicada de fazer — já que uma boa moqueca pede que tudo vá para a panela de uma só vez, o pirão fica pronto em no máximo 45 minutos e o arroz é sempre rapidinho.

Normalmente se pensa em praia no calor, mas às vezes bate um friozinho perto do mar, e, quando isso acontece, não há motivo para deixar de preparar alguma coisa quente para o jantar, daí a cumbuca cremosa de caranguejo e milho verde, inspirada no chowder, uma sopa muito antiga de peixe, marisco, crustáceos e vegetais cozidos com leite, às vezes enriquecida com um pedaço de carne suína salgada ou defumada, que combina mar e terra (o nome vem do francês chaudière, "caldeira"). Se quiser, troque o caranguejo por siri, camarão ou um peixe de carne firme em pedaços não muito pequenos, que podem até amolecer um pouco durante o cozimento, mas não desaparecem. Se quiser deixar a cumbuca ainda mais apetitosa, compre pães italianos pequenos, retire de cada um deles uma tampa bem gordinha de miolo (besunte-a com manteiga aromatizada com alho e salsinha, doure na frigideira ou no forno até ficar crocante e sirva no prato ao lado do pão), depois escave retirando o miolo e fazendo um buraco que possa receber uma boa porção de sopa (corte o miolo em cubinhos, doure no forno com azeite, sal e pimenta e use numa salada).

Para que não digam que só pensei em ingredientes do mar, preparei um almoço na churrasqueira com um trio de espetinhos: kebab de cordeiro com especiarias e molhinho de iogurte e hortelã; berinjela, queijo e tomatinho; e batatinha e alecrim.

Para a hora da sobremesa, sugeri o refrescante gelado de frutas vermelhas, que pode ser feito com qualquer fruta que estiver dando sopa na cozinha; e a goiaba com farofa crocante de castanha-do-pará, demais de boa — é feita num piscar de olhos e deve ser servida com uma bola de sorvete de creme ou de iogurte.

CEVICHE DE ROBALO

CEVICHE DE ROBALO

(6 PESSOAS; 30 MINUTOS, MAIS 3 HORAS PARA MARINAR)

500 g de filé de robalo, muito fresco e limpo, em tiras finas ou em cubinhos
suco de 4 limões, ou o quanto baste para cobrir os pedaços de peixe
1 cebola em cubos bem miúdos
2 papaias maduros mas firmes
1/2 xícara de suco de laranja
1/3 de xícara de folhas de coentro picadinhas
1/4 de xícara de folhas de hortelã
1 pimenta-dedo-de-moça bem picadinha ou a gosto
2 tomates maduros, sem sementes, em cubos miúdos
azeite de oliva
sal

↬ 4 horas antes de servir, coloque o peixe numa tigela de vidro ou inox, regue com limão o bastante para cobrir e junte a cebola. Cubra com filme plástico e leve à geladeira por umas 3 horas, até o peixe mudar de cor externa e internamente. Em seguida, para que o sabor não fique muito forte, coloque o peixe numa peneira e descarte todo o líquido. (Se quiser, prepare até aqui na véspera e guarde na geladeira num saquinho bem fechado apoiado numa tigela com gelo.)

↬ Descasque os papaias, corte em discos de mais ou menos 1,5 cm de espessura e polvilhe com sal e pimenta dos 2 lados. Regue um fio de azeite numa frigideira grande e doure as rodelas de papaia de um lado e depois do outro. Numa tigelinha, misture o suco de laranja, o coentro, a hortelã, a pimenta, umas 2 colheres (sopa) de azeite e mais ou menos 1 colher (chá) de sal. Coloque as rodelas de papaia no centro de uma travessa, espalhe por cima o peixe e o tomate, regue com o molhinho e sirva.

ATUM FRESCO EM CONSERVA DE AZEITE DE OLIVA E ERVAS

(6 PESSOAS; 2 HORAS, MAIS 6 HORAS PARA MARINAR E 2 DIAS PARA REPOUSAR)

4 limões-sicilianos
2 kg de filé de atum fresco, bem limpo e sem pele
1 cebola grande em cubos bem miúdos
4 talos de salsão em cubos bem miúdos
4 dentes de alho inteiros
2 xícaras de vinho branco seco
4 xícaras de água
2 folhas de louro
8 ramos de tomilho
1 xícara de folhas de manjericão
1 xícara de folhas de salsinha
1 ramo de alecrim
1 colher (chá) de pimenta-do-reino em grão
1 colher (chá) de pimenta-vermelha seca ou a gosto
500 ml de azeite de oliva (aproximadamente)
sal

ATUM FRESCO EM CONSERVA DE AZEITE DE OLIVA E ERVAS

↬ Corte 2 limões em rodelas de 0,5 cm, coloque metade das rodelas numa tigela média e reserve. Corte o filé de atum em cubos médios, de uns 2 cm, esfregue com um pouco de sal, coloque na tigela dos limões, espalhe por cima as rodelas restantes, cubra com filme plástico e deixe marinar por 6 horas na geladeira. Em seguida, aqueça um fio de azeite numa panela média e doure ligeiramente a cebola e o salsão. Junte os dentes de alho, espere perfumar e adicione o vinho branco. Deixe ferver por 1 minuto, junte a água, 1 folha de louro, metade do tomilho e 1 colher (chá) de sal e mantenha em fogo baixo por 1 hora.

↬ Passe os pedaços de atum por água fria para remover o excesso do sal, mergulhe no caldo, conte 1 minuto a partir da fervura, desligue o fogo e cubra a panela. Quando esfriar, escorra bem o peixe com uma escumadeira, separe o alho e descarte o caldo. Num pote grande, bem limpo e seco, alternando camadas, coloque o atum, o alho, os outros limões em rodelas, a outra folha de louro, o restante do tomilho, o manjericão, a salsinha, o alecrim e as pimentas e regue com azeite o bastante para cobrir. Tampe bem o pote e leve à geladeira por pelo menos 2 dias, ou por até 1 semana. Sirva o atum com pão, uma salada ou uma massa (use o próprio azeite da conserva para regar a massa, junte cubinhos de tomate e ervas frescas).

TERRINE DE CAMARÃO, IOGURTE E ENDRO
COM SALADINHA DE TOMATE

TERRINE DE CAMARÃO, IOGURTE E ENDRO COM SALADINHA DE TOMATE

(6 PESSOAS; 1 HORA, MAIS PELO MENOS 2 HORAS PARA GELAR)

PARA A TERRINE

500 g de camarão médio bem limpo e sem casca
1 xícara de vinho branco seco
1 amarrado de ervas preparado com 1 folha de louro, vários ramos de salsinha, manjericão, tomilho, folhas e talinhos de salsão
600 g de cream cheese
raspas de 1 limão
1/3 de xícara de folhinhas de endro (dill) picadinhas
3/4 de xícara de iogurte natural
1 colher (sopa) de ketchup
gotas de molho de pimenta-vermelha
azeite de oliva extravirgem
sal

SALADINHA DE TOMATE

8 tomates maduros bem vermelhos, sem sementes, em cubinhos
1/4 xícara de vinagre de vinho tinto
1/2 xícara de azeite de oliva extravirgem
sal e pimenta-do-reino

↔ **Terrine** Lave e seque o camarão, coloque numa tigela com um pouquinho de sal e pimenta, regue com um fio de azeite e espalhe numa peneira de inox ou cesta para cozinhar no vapor. Coloque o vinho e o amarrado de ervas numa panela que ampare a peneira, complete com água para obter uma camada de uns 4 cm de líquido e aqueça. Quando ferver, abaixe o fogo, apóie a peneira na panela (descarte um pouco do líquido se este estiver tocando o camarão). Tampe para abafar e deixe no fogo por uns 5 minutos ou até os camarões mudarem de cor, depois passe para um prato e deixe esfriar. Pique o camarão em pedaços médios, coloque numa tigela com o cream cheese, as raspas do limão, o endro, o iogurte, o ketchup, o molho de pimenta, um fio de azeite, misture bem e ajuste o sal. Coloque a pasta numa fôrma de bolo inglês média forrada com filme plástico e leve à geladeira por pelo menos 2 e no máximo 24 horas.

↔ **Saladinha** Numa tigela média, misture o tomate, sal, pimenta, o vinagre e o azeite e sirva ao lado da terrine.

AQUELA CASQUINHA DE SIRI

(12 UNIDADES; 45 MINUTOS)

25 g de manteiga
1 cebola grande em cubinhos
1 dente de alho bem picadinho
1 pimentão verde em cubos bem miúdos
2 tomates grandes, bem vermelhos, sem sementes, em cubos miúdos
400 g de carne de siri bem limpa
4 fatias de pão de fôrma sem casca esmigalhado
1 1/2 xícara de leite de coco
1 xícara de folhas de coentro, salsinha e cebolinha picadinhas
1 xícara de farinha de rosca
azeite de oliva
molho de pimenta-vermelha
sal e pimenta-do-reino
manteiga para untar

↔ Numa panela média, aqueça a manteiga e um fio de azeite e doure ligeiramente a cebola. Acrescente o alho, espere perfumar e adicione o pimentão, o tomate e uma pitada de sal. Quando tudo murchar, junte o siri, sal e pimenta, misture bem. Aguarde uns 5 minutos, até mudar de cor. Acrescente o pão, o leite de coco e deixe no fogo por mais uns 10 minutos, até ferver e engrossar. Ajuste o sal e a pimenta, adicione as ervas e retire do fogo. Aqueça o forno a 220°C (alto), unte com manteiga 12 conchas grandes ou potinhos refratários pequenos. Divida o refogado entre as conchas, polvilhe com a farinha de rosca e leve ao forno por uns 15 minutos para gratinar.

AQUELA CASQUINHA DE SIRI

SALADA ASIÁTICA DE FRANGO, LEGUMES, LAMEN E MOLHO DE AMENDOIM

(6 PESSOAS; 1 HORA E 30 MINUTOS)

PARA O FRANGO

2 peitos de frango inteiros com pele
6 ramos de tomilho
suco de 1 limão
2 dentes de alho inteiros com casca
azeite de oliva
sal e pimenta-do-reino

PARA A SALADA

3 pacotes de massa instantânea tipo lamen (255 g)
1 rodelinha de 1 cm de gengibre fresco
2 dentes de alho sem casca
1 pimenta-dedo-de-moça sem sementes ou a gosto
1/2 xícara de pasta adocicada de amendoim
1/3 de xícara de shoyu
2 colheres (sopa) de óleo de gergelim
1/3 de xícara de saquê mirin (adocicado)
1/4 de xícara de água
1 xícara de uma mistura de folhas de salsinha, cebolinha, coentro e hortelã picadinhas
1 cenoura grande ralada
1 pimentão vermelho em tirinhas
1 pepino com casca ralado
2 xícaras de tomate-cereja cortado ao meio
1 xícara de miniespigas de milho em rodelinhas
1 colher (sopa) de gergelim torrado
óleo vegetal
sal

↔ **Frango** Aqueça o forno a 200°C (médio-alto). Unte uma assadeira com azeite e nela disponha os peitos polvilhados com o orégano, sal e pimenta, inclusive sob a pele. Coloque 1 dente de alho embaixo de cada peito, regue com o suco de limão e um fio de azeite e asse por uns 40 minutos, até que estejam macios e bem dourados. Deixe amornar, descarte a pele e os ossos, separe a carne em lascas do tamanho de uma mordida e guarde na geladeira por até 2 dias.

↔ **Salada** Cozinhe a massa bem *al dente* em água fervente e salgada, escorra, passe sob água corrente para esfriar, coloque numa tigela grande, regue com um fio de óleo para não grudar, misture e reserve.

↔ **Bata no liquidificador** o gengibre, o alho, a pimenta, a pasta de amendoim, o shoyu, o óleo de gergelim, o saquê e a água até obter um creme liso. Ajuste o sal (o molhinho é adocicado, mas não é sobremesa), despeje na tigela da massa, junte as ervas, o frango, a cenoura, o pimentão, o pepino, o tomate, o milho e o gergelim e leve à geladeira por pelo menos 1 ou por até 24 horas. Sirva gelada.

THAI BEEF SALAD

(6 PESSOAS; 1 HORA)

100 g de harusame (massa fininha de broto de feijão verde, que mais parece um novelo de fio de náilon)
4 xícaras de água fervente
500 g de filé-mignon muito limpo, em tirinhas bem finas
2 colheres (sopa) de nam pla (molho de peixe)
1 colher (chá) de gengibre picadinho
1/2 xícara de shoyu
2 dentes de alho picadinhos
1 colher (chá) de arroz branco cru
1 talo de capim-limão
1 colher (sopa) de açúcar mascavo
1/3 de xícara de suco de limão
2 colheres (sopa) de óleo vegetal
2 pimentas-dedo-de-moça, sem sementes, em rodelinhas finas ou a gosto
1 cebola-roxa em fatias bem finas
1/2 xícara de folhas de coentro picadinhas
1/2 xícara de folhas de hortelã picadinhas
1/2 de xícara de cebolinha picadinha
4 pepinos japoneses pequenos e com casca em tirinhas finas
24 tomates-cereja bem vermelhos cortados ao meio
2 colheres (sopa) de óleo de gergelim

↪ Descarte os barbantes do novelo de harusame, puxe os fios com as mãos para soltar, coloque numa tigela, cubra com a água fervente e deixe repousar por uns 15 minutos, até a massa amolecer, e escorra.
↪ Em outra tigela, misture a carne, o nam pla, o gengibre e metade do shoyu e do alho e deixe marinar por uns 15 minutos.
↪ Numa frigideira seca, doure ligeiramente os grãos de arroz, até que comecem a pular como pipoquinha e soltem perfume. Soque num pilão até virar pó (esse pozinho torna a salada ainda mais especial).
↪ Para o molho, descarte a base e as folhas externas e mais duras do talo de capim-limão, corte o miolo em rodelinhas fininhas, coloque numa tigela grande e misture o açúcar mascavo, o limão, o óleo, a pimenta, a cebola, as ervas, o pepino, os tomates, o harusame e o restante do shoyu e do alho. Aqueça o óleo de gergelim numa frigideira grande, junte a carne bem escorrida da marinada e, sem parar de mexer, deixe no fogo até apenas mudar de cor. Passe a carne para a tigela, junte o pó de arroz, misture bem e sirva, se quiser, sobre folhas de alface.

SALADA DE CEVADINHA, TOMATE, MUSSARELA DE BÚFALA E MANJERICÃO
(6 PESSOAS; 1 HORA, MAIS 2 HORAS PARA GELAR)

1 cebola grande em cubos miúdos
1 dente de alho picadinho
1 1/2 xícara de cevadinha lavada e escorrida
3 xícaras de água fervente, ou caldo de legumes
1 folha de louro
2 colheres (sopa) de vinagre balsâmico
1/4 de xícara de azeite de oliva extravirgem (aproximadamente)
1/4 de xícara de folhas de manjericão
1/4 de xícara de salsinha picadinha
18 tomates-cereja bem vermelhos e maduros cortados ao meio
6 bolas de mussarela de búfala cortadas em 4
sal e pimenta-do-reino

↔ Numa panela média, aqueça um fio de azeite e doure ligeiramente a cebola. Junte o alho, espere perfumar e acrescente a cevadinha, a água, o louro e 1 colher (chá) de sal. Quando ferver, abaixe o fogo e cozinhe por uns 30 minutos, até que os grãos estejam cozidos, mas firmes, e o líquido tenha secado (junte mais água quente se for preciso). Coloque o vinagre, o sal e a pimenta numa tigela média, misture até dissolver, depois incorpore o azeite e a pimenta, deixe amornar, cubra com filme plástico e leve à geladeira por pelo menos 2 ou por até 24 horas. Pouco antes de servir, acrescente o manjericão, a salsinha, os tomates e a mussarela e acerte o sal e a pimenta.

SALADA DE FRANGO, ARROZ SELVAGEM, DAMASCO E ERVAS
(6 PESSOAS; 1 HORA)

PARA O FRANGO
2 peitos de frango inteiros com pele
6 ramos de tomilho
suco de 1 limão
2 dentes de alho inteiros com casca
azeite de oliva
sal e pimenta-do-reino

PARA A SALADA
1 3/4 de xícara de arroz selvagem (250 g)
5 xícaras de caldo de galinha ou 1 tablete dissolvido na mesma medida de água
1 cebola média em cubos miúdos
1 colher (chá) de curry
1/2 xícara de damascos em cubinhos
2 talos de salsão em cubos bem miúdos
1/4 de xícara de vinagre balsâmico
1/3 de xícara de azeite de oliva
1 xícara de uma mistura de folhas de salsinha, cebolinha, coentro e hortelã picadinhas
sal e pimenta-do-reino

↔ Frango Aqueça o forno a 200°C (médio-alto). Unte uma assadeira com azeite e disponha os peitos polvilhados com o orégano, sal e pimenta, inclusive sob a pele. Coloque 1 dente de alho embaixo de cada peito, regue com o limão e um fio de azeite e asse por uns 40 minutos, até que estejam macios e bem dourados. Deixe amornar, descarte a pele e os ossos, separe a carne em lascas do tamanho de uma mordida e guarde na geladeira por até 2 dias.

↔ Salada Coloque o arroz selvagem e o caldo numa panela média e aqueça. Quando ferver, abaixe o fogo e cozinhe por uns 35 minutos, até que os grãos estejam cozidos, mas ainda firmes. Descarte o excesso de líquido e transfira o arroz para uma tigela grande. Junte a cebola, o curry, o frango, o damasco, o salsão, o vinagre, o azeite e as ervas e misture. Acerte o sal e a pimenta e leve à geladeira por pelo menos 2 ou por até 24 horas.

SALADA GREGA DE POLVO
(6 PESSOAS; 1 HORA E 30 MINUTOS, MAIS PELO MENOS 2 HORAS PARA GELAR)

PARA O POLVO
1 polvo inteiro, já limpo, de uns 2 kg, ou 6 polvos baby
1 1/2 xícara de vinho tinto
1 folha de louro
sal

PARA O MOLHINHO E A FINALIZAÇÃO
1 cebola em fatias finas
6 tomates maduros em cubos médios
1/2 xícara de azeitona preta em lascas
2 dentes de alho bem picadinhos
1/2 xícara de folhinhas frescas de orégano
1/4 de xícara de suco de limão
1/2 xícara de azeite de oliva
sal

↔ Polvo Numa panela média, coloque o polvo, o vinho, o louro e um pouquinho de sal, tampe e deixe em fogo alto por 10 minutos, mexendo umas 2 vezes, até que ele fique rosado e comece a enrolar. Abaixe o fogo e cozinhe o polvo na própria água por mais ou menos 1 hora, até que esteja bem macio (se secar demais, junte um pouquinho de água e espete os tentáculos com um garfo para testar). Deixe amornar, descarte a pele excedente, principalmente a que envolve a cabeça, corte em pedaços do tamanho de uma mordida e coloque numa tigela média.

↔ Molhinho Na tigela do polvo, junte a cebola, o tomate, a azeitona, o alho, o orégano, o limão e o azeite e acerte o sal (atenção, pois a azeitona já é salgadinha). Leve à geladeira por pelo menos 2 ou por até 24 horas, mas tire uns 30 minutos antes de servir.

SALADA DE FRANGO, ARROZ SELVAGEM, DAMASCO E ERVAS

SALADA DE CEVADINHA, TOMATE, MUSSARELA DE BÚFALA E MANJERICÃO

SALADA GREGA DE POLVO

Comida de praia

ENTRE PANELAS E TIGELAS

115

TIGELA MEXICANA

Comida de praia

116

ENTRE PANELAS E TIGELAS

TIGELA MEXICANA

(6 PESSOAS; 2 HORAS, MAIS UMAS 2 HORAS PARA GELAR)

PARA O FRANGO
1 kg de peito de frango sem pele e sem osso
1 folha de louro
1 colher (sopa) de orégano
4 xícaras de água
sal

PARA AS TORTILLAS
6 xícaras de farinha de trigo
1 colher (sopa) de sal
150 g de banha ou gordura hidrogenada
1 1/2 xícara de água morna (aproximadamente)

PARA A SALSA DE TOMATES
1 litro de suco de tomate temperado
1/3 de xícara de ketchup
suco de 2 limões
1 xícara de suco de laranja
1 1/2 xícara de iogurte natural
2 colheres (chá) de Tabasco ou a gosto
2 colheres (sopa) de molho inglês
1/4 de xícara de azeite
1/3 de xícara de coentro picadinho
10 folhas de hortelã picadinhas
1/3 de xícara de salsinha picadinha
sal

PARA A CREMA MEXICANA
2 xícaras de creme de leite, de preferência, fresco
suco de 1 limão e sal

PARA ACOMPANHAR
1 xícara de azeitona verde em lascas
3 xícaras de queijo Cheddar ralado grosso, ou queijo-de-minas meia-cura
1 pé de alface-lisa em tirinhas
1 abacate grande e maduro, mas firme, em cubinhos
1 pepino grande e com casca em cubinhos
4 tomates maduros, sem sementes, em cubinhos
molho de pimenta-vermelha

↭ Frango Coloque o peito de frango, o louro, o orégano, a água e um pouco de sal numa panela e aqueça. Quando ferver, abaixe o fogo e cozinhe por uns 30 minutos, até que a carne esteja bem macia. Escorra, separe em lascas e leve à geladeira por até 2 dias.

↭ Tortillas Numa tigela, misture a farinha, o sal e a banha e esfarele com a ponta dos dedos até obter uma farofa. Aos poucos, junte a água e trabalhe até conseguir uma massa lisa, macia e que se solte das mãos. Divida em 30 partes, faça bolinhas como as de pingue-pongue, cubra com um pano úmido, deixe repousar por 30 minutos, depois abra com um rolo formando discos de uns 18 cm. Aqueça bem uma frigideira vazia, coloque um disco no centro e deixe 30 segundos de um lado, 30 do outro e mais 30 de cada lado, até a massa cozinhar e dourar. Envolva as tortillas prontas num pano limpo e aqueça no vapor ou no microondas na hora de servir.

↭ Salsa Numa tigela, misture o suco de tomate, o ketchup, os sucos de limão e de laranja, o iogurte, o Tabasco, o molho inglês e o azeite. Ajuste o sal, adicione o coentro, a hortelã e a salsinha e leve à geladeira por pelo menos 2 ou por até 24 horas.

↭ Crema Bata o creme de leite fresco na batedeira até encorpar e cobrir o dorso da colher, junte o limão e uma pitada de sal. Passe para uma tigela, cubra com filme plástico e deixe na geladeira por até 3 horas. (Se estiver usando creme de leite espesso, de lata ou caixinha, simplesmente misture o limão e o sal e leve à geladeira.)

↭ Na hora de servir, espalhe na mesa travessinhas com o frango, a salsa, a crema, a azeitona, o queijo, as tirinhas de alface, o abacate, o pepino, o tomate, as tortillas (inteiras ou em tirinhas) e o molho de pimenta para que cada um monte a sua tigela como quiser.

ROBALO ASSADO COM MISSÔ

(6 PESSOAS; 45 MINUTOS, MAIS PELO MENOS 3 HORAS PARA MARINAR)

1/2 xícara de missô (pasta de soja)
1/3 de xícara de saquê mirin (licoroso)
1 colher (sopa) de gengibre ralado
1 dente de alho bem picadinho
1/3 de xícara de shoyu
1/3 de xícara de cebolinha picadinha
1,5 kg de filé de robalo, sem pele, num só pedaço

↭ Num refratário que acomode o peixe, misture o missô, o saquê, o gengibre, o alho, o shoyu e a cebolinha. Junte o peixe, besunte dos dois lados com a marinada e leve à geladeira por umas 3 horas, ou por até 1 noite, virando na metade do tempo. Aqueça o forno a 220°C (alto) por uns 15 minutos. Asse o peixe por uns 20 minutos, até que esteja macio, se separando em lascas e com a superfície ligeiramente dourada.

ARROZ ORIENTAL

ARROZ ORIENTAL
(6 PESSOAS; 30 MINUTOS)

4 ovos
2 colheres (sopa) de gengibre ralado
2 xícaras de cebolinha picadinha
2 xícaras de camarão miúdo limpo e sem casca
8 xícaras de arroz branco pronto, frio e bem soltinho
1/2 xícara de saquê mirin (licoroso)
3 colheres (sopa) de shoyu claro
1 colher (sopa) de óleo de gergelim
óleo vegetal
sal

↬ Numa tigelinha, misture os ovos e uma pitada de sal.
↬ Numa frigideira pequena, aqueça um fio de óleo, junte os ovos e deixe dourar de um lado e depois do outro, sem se importar se quebrar, passe para uma tábua, corte em tirinhas de 0,5 cm e reserve.
↬ Numa frigideira grande, aqueça um fio de óleo, junte o gengibre, 1/4 da cebolinha e os camarões e mexa até perfumar e mudar de cor. Acrescente o arroz e o saquê, espere esquentar e depois junte o shoyu e o óleo de gergelim. Acerte o sal, adicione o restante da cebolinha e sirva.

PAPILLOTE THAI DE PEIXE E LEGUMES
(6 pessoas; 45 minutos)

2 colheres (sopa) de nam pla (molho de peixe)
1 colher (sopa) de açúcar mascavo
2 colheres (sopa) de molho de pimenta-vermelha ou a gosto
2 colheres (sopa) de óleo de gergelim
1/4 de xícara de óleo
suco de 1 limão
1/2 xícara de saquê mirin (licoroso)
4 colheres (sopa) de shoyu
500 g de massa fininha de arroz (bi-fum ou super fine rice vermicelli; ou uma massa de trigo tipo cabelinho de anjo)
1 1/2 xícara de uma mistura de folhas de salsinha, coentro, manjericão e hortelã picadinhas
1 colher (sopa) de gengibre ralado
1 dente de alho picadinho
1 pimenta-dedo-de-moça bem picadinha ou a gosto
1 talo de capim-limão
1,2 kg de filé de linguado em tirinhas
2 xícaras de ervilha fresca ou congelada (ou ervilha-torta, brócolis, cogumelos)
1 cenoura grande em tirinhas finas
1 abobrinha italiana em tirinhas finas
1 pimentão vermelho em tirinhas finas
1 cebola em fatias finas
1 maço de espinafre, as folhas com os talos mais finos
6 retângulos de 25 x 30 cm de papel-manteiga ou papel-alumínio

↬ Aqueça o forno a 220°C (alto) e separe uma assadeira grande.

↦ Numa tigelinha, misture bem o nam pla, o açúcar, o molho de pimenta, o óleo de gergelim e o comum, o limão, o saquê e o shoyu e reserve.

↦ Cozinhe a massa em água fervente por uns 3 minutos, até que esteja macia, mas firme, escorra, passe para uma tigela, junte metade do molhinho, as ervas, o gengibre, o alho, a pimenta e o talo de capim-limão já em rodelinhas bem finas (descarte a base e as folhas externas e mais duras).

↦ Em outra tigela, misture o peixe, a ervilha, a cenoura, a abobrinha, o pimentão, a cebola, o espinafre e o restante do molho.

↦ No centro de cada retângulo de papel-manteiga, espalhe uma parte a massa e, por cima, um pouco da mistura de peixe e legumes. Feche bem o pacote dobrando as bordas para não deixar nada escapar e coloque na assadeira (se quiser, monte com até 6 horas de antecedência e deixe na geladeira). Asse os papillotes por uns 20 minutos, até que estejam estufados. Transfira os papillotes para os pratos de servir e deixe que cada um abra o seu à mesa.

FILÉS DE PESCADA À SICILIANA
(6 pessoas; 1 hora e 30 minutos)

1 cebola grande em cubos miúdos
1 bulbo de erva-doce em cubos miúdos
2 dentes de alho bem picadinhos
1/4 de xícara de pinoli
1/4 de xícara de pistache torrado sem casca
1/3 de xícara de uva-passa escura
2 colheres (sopa) de alcaparra
1/3 de xícara de azeitona preta em lascas
24 tomates-cereja cortados ao meio
1/2 xícara de salsinha bem picadinha
1/4 de xícara de folhinhas de manjericão
1/4 de xícara de folhinhas de hortelã
6 filés de pescada de 180 g cada um, sem pele e sem espinhas
1 limão, de preferência, siciliano
sal e pimenta-do-reino

↦ Numa frigideira grande, aqueça um fio de azeite e doure ligeiramente a cebola e a erva-doce com uma pitada de sal. Adicione o alho, deixe perfumar, acrescente os pinoli, o pistache, a alcaparra e a azeitona e misture bem. Junte o tomatinho, as ervas, sal, pimenta e azeite o bastante para umedecer os ingredientes e retire do fogo. (Se quiser, prepare na véspera e guarde na geladeira.)

↦ Aqueça o forno a 200°C (médio-alto). Unte com azeite um refratário grande e espalhe os filés de peixe. Polvilhe com sal e pimenta dos dois lados e regue com o suco de limão. Espalhe por cima o refogado e deixe repousar por uns 5 minutos, enquanto o forno aquece. Asse o peixe por uns 10 minutos, até que esteja macio e se separando em lascas (espete com um garfo para testar).

↦ Sirva em seguida, ou guarde na geladeira por até 24 horas e sirva frio ou aqueça novamente no forno.

FILÉS DE PESCADA À SICILIANA

PAPILLOTE THAI DE PEIXE E LEGUMES

CAÇAROLA DA PRAIA COM COUSCOUS MARROQUINO

1/4 de xícara de salsinha picadinha
2 1/2 xícaras de couscous marroquino
azeite de oliva
sal e pimenta-do-reino

↦ Caldo Numa panela média, aqueça um fio de azeite e doure ligeiramente a cebola e o salsão. Junte o alho, espere perfumar, acrescente a carcaça do peixe e o vinho branco e deixe ferver por 1 minuto. Adicione a água, o amarrado de ervas e um pouco de sal. Conte 20 minutos a partir da fervura e passe o caldo por uma peneira (depois disso, a carcaça deixará o caldo com gosto de areia). Separe 2 1/2 xícaras do caldo para hidratar o couscous e guarde o restante para o ensopado.

↦ Caçarola Numa panela grande, aqueça um fio de azeite e doure ligeiramente a cebola e a cenoura. Adicione o alho, espere perfumar e acrescente o vinho. Deixe ferver por 1 minuto, junte o suco de laranja, a polpa de tomate, o louro, o caldo reservado para o ensopado, sal e pimenta e ferva por mais 5 minutos. Acrescente o peixe e a lula, abaixe o fogo e cozinhe por uns 2 minutos, até que mudem de cor e estejam macios (é mesmo muito rápido). Ajuste o sal e a pimenta, adicione as raspas de laranja, o manjericão e a salsinha e retire do fogo.

↦ Enquanto isso, coloque o couscous numa tigela média, regue com o caldo fervente e aguarde uns 10 minutos, mexendo de vez em quando para evitar grumos. Ajuste o sal, passe para um prato fundo ou tigela, forme um "vulcão" não muito alto, coloque o ensopado no centro e sirva.

CAÇAROLA DA PRAIA COM COUSCOUS MARROQUINO
(6 PESSOAS; 1 HORA E 30 MINUTOS)

PARA O CALDO
carcaça do peixe quebrada em pedaços médios
1 cebola grande em cubinhos
2 talos de salsão
1 dente de alho inteiro sem casca
1/2 xícara de vinho branco seco
4 xícaras de água
1 amarrado de ervas, preparado com 1 folha de louro, vários ramos de salsinha, folhas e talinhos de salsão, manjericão e tomilho
sal

PARA A CAÇAROLA
1 cebola grande em cubos miúdos
1 cenoura grande em cubos miúdos
1 dente de alho picadinho
1/2 xícara de vinho branco seco
1 xícara de suco de laranja
2 xícaras de polpa de tomate peneirada
1 folha de louro
1 kg de lula limpa em anéis com os tentáculos
1 kg de badejo, vermelho ou outro peixe de carne firme, em cubos do tamanho de uma mordida
1 colher (sopa) de raspa de casca de laranja
1/4 de xícara de folhas de manjericão

CRUMBLE DE VIEIRA
(4 PESSOAS; 45 MINUTOS)

PARA AS VIEIRAS
600 g de vieiras limpas
2 dentes de alho inteiros sem casca
2 xícaras de folhas frescas de espinafre
1/2 xícara de passas claras
12 tomates-cereja cortados ao meio
1/4 de xícara de folhas de hortelã
sal e pimenta-do-reino branca

PARA A COBERTURA
1 xícara de miolo de pão italiano esfarelado
1/2 xícara de salsinha picadinha
1 colher (chá) de folhinhas de tomilho
1/4 de xícara de queijo parmesão ralado
1/4 de xícara de castanha de caju torrada grosseiramente picada
azeite de oliva

↦ Vieiras Aqueça o forno a 220°C (alto) e unte com azeite um refratário médio ou 4 individuais.

↦ Regue o fundo de uma frigideira grande com azeite, junte o alho e espere perfumar. Acrescente as vieiras, deixe dourar rapidamente dos dois lados e transfira para um prato. Na mesma frigideira, aqueça mais um fio de azeite, adicione o espinafre, as passas, sal e pimenta e espere murchar. Descarte o alho, volte com as vieiras para a frigideira, junte os tomatinhos e a hortelã e misture. Acerte o sal e coloque no refratário.

↳ Cobertura Numa tigela, misture o pão, a salsinha, o tomilho, o parmesão e a castanha, regue com um pouquinho de azeite e esfarele com a ponta dos dedos até conseguir uma farofa soltinha. Cubra as vieiras com a farofa e leve ao forno por uns 5 minutos para gratinar.

CURRY THAI DE CAMARÃO E ABACAXI

(4 PESSOAS; 45 MINUTOS)

1 colher (chá) de gengibre ralado
2 dentes de alho picadinhos
1 cebola-roxa média em fatias finas
1 raiz de coentro
3 pimentas-dedo-de-moça ou a gosto
2 1/4 de xícara de leite de coco
1 colher (chá) de açúcar mascavo
1 colher (sopa) de nam pla (molho de peixe)
1 talo de capim-limão em rodelinhas finas
500 g de camarão médio limpo sem casca
2 xícaras de abacaxi fresco em cubinhos
1 xícara de ervilha fresca ou congelada
20 tomates-cereja
2 colheres (sopa) de amendoim torrado sem pele
1/4 de xícara de folhas de manjericão graúdo
1/4 de xícara de folhas de coentro
sal

↳ Soque num pilão, ou bata no processador, o gengibre, o alho, a cebola, a raiz de coentro e 1 pimenta até virar uma pasta. Coloque 2/3 do leite de coco numa wok ou frigideira grande e deixe ferver por uns 15 minutos, até encorpar e o óleo natural subir à superfície. Junte a pasta de temperos, deixe ferver por 1 minuto, acrescente o açúcar, o nam pla e o capim-limão e espere mais 1 minuto. Adicione o camarão, o abacaxi e a ervilha. Passados uns 5 minutos, quando os camarões e as ervilhas estiverem cozidos, junte o restante do leite de coco, acerte o sal, acrescente os tomates, o amendoim, o manjericão, o coentro e as outras pimentas picadinhas e sirva com arroz branco, de preferência, de jasmim ou basmati.

CRUMBLE DE VIEIRA

CURRY THAI DE CAMARÃO E ABACAXI

PACOTINHO JAMAICANO DE CAMARÃO, COCO E BANANA

🐟 PACOTINHO JAMAICANO DE CAMARÃO, COCO E BANANA

(6 PESSOAS; 1 HORA E 15 MINUTOS)

1 kg de camarão médio limpo e sem casca
1 cebola grande
suco de 1/2 limão
1 xícara de coco fresco ralado
1/2 xícara de uma mistura de folhas de salsinha, coentro e cebolinha picadinhas
4 bananas-nanicas maduras em rodelinhas
1 pimentão vermelho pequeno em cubos miúdos
2 pimentas-dedo-de-moça ou a gosto
2 tomates vermelhos e firmes, cada um deles cortado em 6 rodelas
sal
2 folhas médias de bananeira divididas em 12 quadrados de uns 20 cm ou 12 pedaços de papel-alumínio de mesmo tamanho untados com manteiga

↬ Aqueça o forno a 160°C (médio-baixo) e separe uma assadeira grande. Com cuidado para não se queimar, segure as folhas de bananeira com as mãos, passe sobre a chama do fogão até amolecer e brilhar, divida em 12 pedaços e reserve.
↬ Bata no processador metade do camarão, a cebola, o limão e o coco até obter uma pasta homogênea. Passe para uma tigela, junte as ervas, a banana, o pimentão, a pimenta, o restante do camarão picado em pedaços grandes e sal e misture. Coloque 1/12 da pasta de camarão no centro de cada quadrado de folha, cubra com uma rodela de tomate, polvilhe com sal e dobre como um pacotinho. Coloque numa assadeira e leve ao forno por uns 30 minutos, virando na metade do tempo, até que os pacotinhos estejam bem quentes (espete um deles com a lâmina de uma faca para testar). Cada um abre o seu pacotinho à mesa.

🐟 MOQUECA DE CAMARÃO COM PIRÃO E ARROZ DE COCO

(6 PESSOAS; 1 HORA E 15 MINUTOS)

PARA O PIRÃO
cascas do camarão e carcaça de um peixe branco quebrada em pedaços médios
1 colher (sopa) de azeite-de-dendê
1 cebola média em cubinhos
1 dente de alho picadinho
2 tomates, sem sementes, em cubinhos
4 xícaras de água
1 folha de louro
1 xícara de farinha de mandioca crua
molho de pimenta-vermelha
sal

PARA A MOQUECA

1 kg de camarão grande limpo e sem casca
suco de 1 limão
1 cebola grande em rodelas finas
1 pimentão verde médio em rodelas finas
1 pimentão vermelho médio em rodelas finas
2 tomates maduros em rodelas finas
1/3 de xícara de coentro picadinho
3/4 de xícara de leite de coco
2 colheres (sopa) de azeite-de-dendê
pimenta-vermelha em conserva para servir
sal

PARA O ARROZ DE COCO

1/2 xícara de coco fresco ralado
1 cebola grande em cubos miúdos
2 xícaras (chá) de arroz branco lavado e escorrido
3/4 de xícara de leite de coco
3 xícaras de água fervente
óleo vegetal
sal

↬ **Pirão** Aqueça o dendê e doure ligeiramente a cebola, o alho e o tomate. Acrescente as cascas do camarão e a carcaça de peixe, cubra com a água, junte o louro e deixe ferver por 20 minutos (depois disso, as carcaças começam a soltar um gosto de areia). Passe o caldo por uma peneira, volte ao fogo e, sempre mexendo, para não empelotar, despeje a farinha de mandioca em chuva e deixe ferver e engrossar. Acerte o sal, junte molho de pimenta e reserve.

↬ **Moqueca** Coloque o camarão numa frigideira grande e larga, regue com o limão, polvilhe com sal e espalhe por cima a cebola, os pimentões, o tomate, o coentro, o leite de coco e o dendê. Aqueça e mantenha em fogo alto por uns 20 minutos, até que o camarão esteja macio, com um molhinho encorpado e perfumado.

↬ **Arroz** Numa frigideira seca, doure ligeiramente o coco ralado e reserve. Regue o fundo de uma panela média com óleo, aqueça e doure ligeiramente a cebola. Junte o arroz, mexa até que os grãos estejam soltinhos e brilhantes, acrescente o leite de coco, a água e um pouco de sal, tampe parcialmente a panela e cozinhe por uns 15 minutos, até que o líquido seque e os grãos estejam cozidos, mas firmes e soltinhos. Desligue o fogo, tampe a panela, aguarde 5 minutos, misture o coco ralado e sirva.

CUMBUCA CREMOSA DE CARANGUEJO E MILHO

(6 pessoas; 1 hora)

6 xícaras de milho verde bem macio (congelado ou em conserva)
2 xícaras de creme de leite fresco
50 g de manteiga
1 cebola grande em cubinhos
2 talos de salsão picadinhos
1 dente de alho picadinho
500 g de carne de caranguejo bem limpa
1/2 xícara de vinho branco
2 xícaras de água
1/2 xícara de salsinha bem picadinha
sal e pimenta-de-caiena

↔ Bata 1/3 do milho e o creme de leite no liquidificador, passe por uma peneira e reserve.
↔ Numa panela grande, aqueça a manteiga, junte a cebola, o salsão e uma pitada de sal, deixe murchar e acrescente o alho. Quando perfumar, adicione o milho restante e o caranguejo, misture bem e deixe aquecer por 1 minuto. Junte o vinho e deixe ferver por uns 2 minutos. Acrescente a água e o creme de milho e deixe ferver por 5 minutos para encorpar. Acerte o sal e a pimenta-de-caiena, acrescente a salsinha e sirva.

KEBAB DE CORDEIRO COM ESPECIARIAS E MOLHINHO DE IOGURTE E HORTELÃ; BERINJELA, QUEIJO E TOMATINHO; BATATINHA E ALECRIM

(8 pessoas; 2 horas, mais 6 horas para marinar)

PARA O KEBAB DE CORDEIRO
2 kg de lombo ou pernil de cordeiro em cubos de 2 cm
1 colher (sopa) de canela em pó
1 colher (chá) de cominho em pó
1 colher (chá) de gengibre em pó
1/2 colher (chá) de páprica doce
1 colher (sopa) de molho de pimenta-vermelha ou a gosto
1 colher (sopa) de folhas de alecrim bem picadinhas
2 dentes de alho picadinhos
1/4 de xícara de azeite de oliva
24 palitos para churrasquinho de bambu ou metal
sal e pimenta-do-reino

PARA O MOLHINHO
2 1/4 de xícara de iogurte natural
1 dente de alho picadinho
1/2 xícara de folhas de hortelã picadinhas
1/4 de xícara de azeite de oliva
sal e açúcar

CUMBUCA CREMOSA DE CARANGUEJO E MILHO

PARA OS ESPETINHOS DE BERINJELA, QUEIJO E TOMATINHO

4 berinjelas médias
48 tomates-cereja maduros
32 bolinhas miúdas de mussarela de búfala ou cubos de queijo feta ou queijo-de-minas meia-cura
32 folhinhas de manjericão
1 colher (chá) de mel
1/3 de xícara de vinagre balsâmico
1/2 xícara de azeite de oliva
1 colher (chá) de folhinhas de tomilho
16 palitos para churrasquinho de bambu ou metal
sal e pimenta-do-reino

PARA OS ESPETINHOS DE BATATA

2 kg de batata-bolinha com casca, lavada
2 colheres (sopa) de folhinhas de alecrim
1/2 xícara de azeite de oliva
20 palitos para churrasquinho de bambu ou ramos grandes de alecrim
sal e pimenta-do-reino

↦ Kebab de cordeiro Com pelo menos 6, ou no máximo 12 horas de antecedência, misture numa tigela os cubos de carne, a canela, o cominho, o gengibre, a páprica, o molho de pimenta, o alecrim, o alho, o azeite, sal e pimenta, cubra com filme plástico e deixe marinar na geladeira. Ao final do tempo, divida os cubos de carne entre os espetinhos (deixe os espetinhos de molho numa bacia com água por 30 minutos para não queimar). Grelhe os espetinhos por uns 15 minutos sobre um fogo bem quente (o carvão fica coberto de cinzas brancas) até que a carne esteja macia e dourada.

↦ Molhinho Numa tigela, misture o iogurte, o azeite, o alho e o sal. Corrija a acidez com pitadas de açúcar, junte a hortelã e leve à geladeira por 30 minutos ou por até 8 horas (mas aí só acrescente a hortelã na hora de servir).

↦ Espetinho de berinjela Com pelo menos 2, ou no máximo 48 horas de antecedência, aqueça o forno a 180°C (médio) e unte 2 assadeiras grandes com azeite. Corte a berinjela em 32 tiras longas de 0,5 cm de espessura, espalhe nas assadeiras, polvilhe com sal e pimenta, regue com azeite e asse por uns 20 minutos, virando na metade do tempo, até amaciar e dourar. Coloque 1 bolinha de queijo e 1 folha de manjericão na ponta de cada tira e enrole como um charutinho.

↦ Numa tigelinha, misture o mel, o vinagre, sal, pimenta e o azeite. Monte os espetinhos alternando rolinhos de berinjela e tomatinhos, pincele com o molhinho e grelhe por uns 5 minutos, só para dourar um pouco e derreter o queijo.

↦ Espetinho de batata Coloque as batatinhas numa panela com água fria, um pouco de sal e deixe ferver por uns 15 minutos, até que estejam cozidas, mas ainda firmes. Numa tigelinha, misture as folhinhas de alecrim, o azeite, sal e pimenta. Espete 5 batatinhas em cada espetinho, pincele com o azeite e grelhe por uns 15 minutos, apenas o bastante para deixar a casca dourada e crocante.

KEBAB DE CORDEIRO COM ESPECIARIAS E MOLHINHO DE IOGURTE E HORTELÃ; BERINJELA, QUEIJO E TOMATINHO; BATATINHA E ALECRIM

GELADO DE FRUTAS VERMELHAS

GELADO DE FRUTAS VERMELHAS

(6 PESSOAS; 30 MINUTOS)

1/4 de xícara de água
1 xícara de açúcar
4 claras
3 xícaras de frutas vermelhas, frescas ou congeladas (ou cubinhos de manga, banana ou papaia)
2 3/4 xícaras de creme de leite espesso (em lata ou em caixinha; aproximadamente 680 g)

↔ Numa panelinha, aqueça a água e o açúcar e mexa até dissolver. Enquanto espera ferver, bata as claras em neve até conseguir picos bem firmes. Sem parar de bater, despeje aos pouquinhos a calda fervente sobre as claras e bata até esfriar e conseguir um merengue firme. Com uma espátula e muita delicadeza, incorpore as frutas e o creme de leite (se estiver usando creme de leite fresco, antes de incorporá-lo, bata em ponto de chantilly). Passe para a tigela que irá à mesa e leve ao freezer por pelo menos 3 horas ou por até uns 3 dias.

GOIABA COM FAROFA CROCANTE DE CASTANHA-DO-PARÁ

(8 PESSOAS; 1 HORA)

PARA A GOIABA
8 goiabas vermelhas e maduras
1/2 xícara de açúcar ou a gosto
gengibre em pó
suco de 1 limão

PARA A FAROFA CROCANTE
1 xícara de farinha de trigo
3/4 de xícara de açúcar
1/2 colher (chá) de canela em pó
125 g de manteiga gelada em cubinhos
1 xícara de castanha-do-pará grosseiramente picada
sal

↔ Goiaba Aqueça o forno a 200°C (médio-alto). Descasque, corte ao meio e retire as sementes da goiaba. Coloque as metades, com o lado cortado para cima, num refratário médio, que acomode tudo bem juntinho mas numa só camada. Polvilhe com o açúcar e uma pitada de gengibre e regue com o suco de limão.
↔ Farofa Numa tigela, misture a farinha, o açúcar, a canela e uma pitada de sal. Junte a manteiga, esfarele com a ponta dos dedos até obter uma farofa bem solta e acrescente a castanha. Preencha as metades de goiaba com a farofa, espalhando o restante ao redor, e leve ao forno por uns 30 minutos, até que a fruta esteja macia e bem perfumada e a cobertura crocante e dourada. Deixe amornar por 15 minutos e sirva com sorvete. (Se quiser, faça na véspera e aqueça no forno na hora de servir.)

BOUQUET GARNI

Os raminhos das ervas e cheiros que fazem a diferença 🌿 Se tem coisa que não pode faltar na minha casa é um maço de salsinha. Como o meu quintal é bem grande, plantei ali ervas variadas e um loureiro, assim tenho sempre tudo fresquíssimo, colhido na hora de entrar na panela (a sensação de colher também é deliciosa – quando a gente corta um raminho, já sobe aquele perfume fresco dos óleos essenciais). Na fazenda, bem coladinho à porta da cozinha, eu fiz um canteiro de ervas muito lindo, bem parecido com um que vi num mosteiro no interior da França: é redondo como uma pizza, dividido por muretas de pedra, por onde a gente pode caminhar para colher e manusear as plantas sem pisotear nada. Mas a coisa se complica nas temporadas na casa da praia, já que a gente não vai tanto ao litoral. Como os vasinhos de ervas são pequenos, eles não duram muito nem ficam sempre bonitos, por isso costumo levar alguns maços das minhas ervas preferidas – que eu lavo, seco, embrulho em folhas de papel absorvente e guardo em potes bem fechados na gaveta de verduras da geladeira ou congelo já picadinhas e regadas com óleo ou azeite, ou misturadas com manteiga –, mas, em pouco mais de uma semana, ou tudo acaba, ou as folhas mais sensíveis envelhecem e vão para o lixo. Infelizmente, a quitanda de Maresias e a Kombi do verdureiro não trazem mais do que salsinha, cebolinha, coentro e, com sorte, um macinho de manjericão. Alguns amigos meus, que sabem bem quanto acho tristíssimo cozinhar sem ervas, quando vão de São Paulo para passar uns dias por lá, levam bouquets maravilhosos para mim (não resisto a uma flor, mas acho demais receber um maço de ervas com um laço de fita e, tenho certeza de que, se meu casamento fosse hoje, eu tranqüilamente trocaria o bouquet de flores por um de manjericão, sálvia e alecrim). 🌿 As ervas e os cheiros dão vida a qualquer prato de ovos, queijos, verduras, legumes, carnes, peixes, massas, grãos e frutas. É incrível, mas um pouquinho de salsinha, man-

Bouquet garni

jericão ou coentro muda completamente um molho de tomate ou um picadinho de carne; algumas folhinhas de hortelã deixam qualquer salada mais fresquinha; um ramo de alecrim torna um pão, um frango ou uma carne assada espetacular; uma folha de louro faz o arroz branco de todo dia ficar muito mais gostoso (aprendi isso com a minha mãe, com o louro o arroz fica mesmo muito melhor). Um molho de tomate com salsinha é totalmente diferente de outro com manjericão, coentro ou hortelã.

    O fato é que as ervas aguçam os nossos sentidos, pois fazem tudo ficar mais perfumado e saboroso. Contudo, é importante manter o equilíbrio do prato: não se deve exagerar no emprego de ervas, especiarias e condimentos em geral, para que estes não mascarem o sabor e o aroma dos outros ingredientes (temperar é um ato meio intuitivo, mas é sempre melhor ir colocando o que quer que seja aos pouquinhos, pois é fácil acrescentar, mas nem sempre dá para retirar ou diminuir a intensidade dos condimentos que já se misturaram aos outros ingredientes). Também é preciso prestar atenção à harmonia de aromas e sabores numa refeição, até para agradar aos convidados. Se você pretende servir um peixe com legumes, use uma erva mais marcante numa receita e uma mais leve na outra (por exemplo, coentro ou endro numa delas e salsinha na outra). O resultado não fica muito interessante quando várias receitas de uma mesma refeição levam ervas muito fortes ou de sabores e aromas contrastantes, ou quando vários pratos levam a mesma erva ou a mesma combinação de ervas (por exemplo, usar manjericão em três receitas torna a refeição monótona, pois, por mais que os outros ingredientes sejam diferentes, tudo resulta parecido). É preciso experimentar, conhecer e aprender a tirar o melhor proveito de cada erva e a usá-la no momento e na medida certa. Num ensopado, elas podem ter duas funções diferentes que se completam no final: uma parte entra no início, fica na panela durante todo o cozimento, perfuma e dá sabor a tudo, e o restante vai bem no finalzinho, para dar o toque de frescor ao prato. Como as folhas que participam do cozimento murcham e ficam com um verde escuro e feioso ao final, não é interessante que continuem no prato na hora de servir, e para facilitar a retirada, a solução é utilizar ramos grandes, de preferência amarrados para que se possa pescar tudo rapidinho (daí o famoso bouquet garni, um amarrado de ervas que tradicionalmente leva alguns ramos de tomilho, folhas e talinhos de salsinha e de salsão e uma folha de louro, tudo apertadinho como um charuto, envolto numa folha de alho-poró e amarrado com um barbante). Na hora da finalização, no momento de desligar o fogo e transferir tudo para o prato de servir, as ervas entram em folhinhas inteiras, rasgadas ou picadas bem miudinho. Para arrematar, as folhinhas mais lindas do maço ainda entram na decoração dos pratos (é importante manter a coerência e usar na decoração as ervas que entraram na receita). Para decorar, e também saborear, lave e seque bem, muito bem mesmo, os raminhos das ervas, depois frite por alguns segundos em óleo quente, escorra sobre papel absorvente e sirva (eles ficam verdes e crocantes).

Quanto às ervas secas, só use mesmo quando for impossível ter os produtos frescos, que são muito superiores. Na verdade, o louro e o orégano são as únicas boas opções desidratadas, mas não exagere na quantidade na hora de comprar, pois eles perdem sabor e perfume com o passar do tempo (1 colher (sopa) de ervas frescas costuma equivaler a 1 colher (chá) de seca).

Outra coisa: quem gosta tanto de um chazinho quente, numa caneca gostosa de segurar, ou numa xícara mais fina e delicada, ou de um belo copo de chá bem gelado para matar a sede nos dias de calor de rachar, não pode deixar de lado as infusões e tisanas de hortelã, erva-cidreira, sálvia, camomila, verbena, lavanda e o que mais quiser (ferva um pouco de água, desligue o fogo, junte as folhas e deixe em infusão por uns 15 minutos, depois coe e sirva).

Tanto numa horta (que pode se resumir a uns vasinhos numa varanda bem pequena de apartamento ou no peitoril de uma janela num lugar ensolarado) quanto na cozinha, as ervas não podem faltar, e lá vão elas.

Eu adoro alecrim (*Rosmarinus officinalis*, que, em latim, quer dizer "orvalho que veio do mar"), mas ele deve ser usado com parcimônia, pois tem sabor e perfume bem pronunciados — um ou dois ramos costumam bastar para aromatizar um pão, uma massa, um prato com legumes, um frango ou uma carne assada. Alecrim, alho e azeite fazem um trio perfeito. As folhas, que lembram agulhinhas, têm um tom verde bem escuro e ligeiramente metálico; as florzinhas são delicadas e arroxeadas; e o caule é bem duro, por isso nunca aparece no prato já pronto, a não ser como decoração.

O capim-limão (*Cymbopagon citratus*) — também conhecido como capim-cheiroso ou chá-de-estrada e semelhante à erva-cidreira (*Melissa officinalis*) — nasce numa touceira, tem talo grosso na base e folhas compridas, finas e ásperas, daquelas que, se a gente passar o dedo bem rápido, fazem uns cortes bastante incômodos. No Brasil, as folhas costumam virar chá e refresco; na Tailândia e no Vietnã, o talinho da base dá frescor e perfume a muitas receitas. Plante um pezinho num vaso médio e, em não muito tempo, você terá uma touceira.

As cebolinhas são bulbos que fazem parte da "família dos cheiros" e entram em muitas receitas brasileiras e orientais. Na China, elas reinam há milênios. Acho uma graça as touceiras de cebolinha, com aqueles fios espetadinhos que, quando florescem, ganham uns pomponzinhos brancos ou roxos nas pontas. Os fios verdes da cebolinha comum (*Allium fistulosum*) são longos, bem redondos, gordinhos, ocos e mais suaves que as bases brancas. A cebolinha-francesa (*Allium schoenoprasum*), cujos fios são mais curtos e bem fininhos, é bem mais delicada e suave que a cebolinha comum. Já a nirá (*Allium tuberosum*), também conhecida como cebolinha japonesa, tem folhas longas e achatadas e sabor forte, que lembra o do alho.

O cerefólio (*Anthriscus cerefolium*), da mesma família das cenouras, tem sabor suave, folhas muito leves, delicadas e bonitas, que lembram as da salsinha, porém, mais finas e rendadas. Pode entrar numa salada com ervas, num molhinho ou na decoração de um prato.

Aí vem o coentro (*Coriandrum sativum*), que até lembra a salsinha no aspecto, com folhas um pouco mais finas e arredondadas, mas totalmente diferente no sabor e no aroma. Ele entra em muitas receitas, e, em várias regiões do Brasil, muita gente simplesmente não cozinha sem ele. É também muito utilizado na cozinha oriental, tanto que é conhecido por salsinha chinesa. Já ouvi gente dizer que odiava coentro, com todas as letras maiúsculas, mas adorava a comida tailandesa e a mexicana, campeãs no uso de coentro, aí, com jeitinho, fui explicando, e, de repente, quem odiava passou a adorar.

As folhas muito finas, como agulhas macias, e delicadíssimas do endro (*Anethum graveolens*) — também chamado de aneto ou dill, nome inglês – lembram as da erva-doce, tanto no visual quanto no sabor. Ele vai muito bem com legumes, ovos, queijos e peixes – com salmão nem se fala! O interessante é que essa erva faz sucesso tanto na Escandinávia e nos países mais frios da Europa Oriental, quanto no calor do Mediterrâneo. Segundo algumas crenças, suas flores amarelas, bem miúdas, trazem amor e sorte.

É uma pena que o estragão (*Artemísia dracunculus*) ainda não seja tão fácil de achar por aqui. Muita gente estranha quando experimenta, mas é muito bom, saboroso e perfumado, com um gostinho de anis lá no fundo. Um ou dois ramos, com as suas folhinhas finas, são suficientes para uma receita. Combina com aves, tomate, legumes e ovos e entra no clássico molho béarnais, que acompanha um filé com batata frita.

Eu adoro o gostinho fresco e o perfume que algumas folhinhas de hortelã comum (*Mentha crispa*) – a mais suave e que dá bons chás –, hortelã-pimenta (*Mentha peperita*) – a mais ardidinha – e menta (*Mentha spicata*) – de folha mais pontuda – trazem para um prato, elas conseguem alegrar qualquer receita. Vão bem com carnes, aves, legumes, queijos, frutas e assados (não dá para pensar num cordeiro inglês sem um molhinho de hortelã), além de dar um toque especial às saladas e produzirem ótimas tisanas. A cozinha de todo o Mediterrâneo, do mundo árabe, do Sudeste Asiático e da Índia não vivem sem a hortelã. Na Antiguidade e na Idade Média, ela simbolizava hospitalidade – costumava-se espalhar ramos de hortelã pelo chão da casa quando se recebia visita.

Na fazenda, bem ao lado da casa, há vários pés de lavanda (*Lavandula officinalis*), que vivem floridos, espalhando um perfume maravilhoso para todo lado. As folhas são lindas, finas e compridas, de um tom verde-claro esmaecido, ligeiramente prateado; e as flores, arroxeadas, nascem juntas, numa miniespiga, e são bonitas demais. Vivo fazendo bouquets com ramos secos de lavanda para pendurar pela casa e perfumar as roupas no armário seguindo algumas dicas que aprendi numa das minhas viagens pela Provence francesa para preservar ao máximo a cor e o perfume das flores: logo cedo, depois do orvalho ter secado, mas antes do sol esquentar demais (se estiverem molhados, os ramos embolorem; e, se forem expostos ao calor, perdem muito do perfume), corto com a tesoura ramos de uns 25 cm de comprimento, retiro as folhinhas que estiverem nos 10 cm mais próximos da ponta, junto os ramos, fazendo um ramalhete, amarro com um barbante, penduro, com as flores para baixo, num varal em lugar coberto, mas ventilado, e deixo secar por uns 15 dias. Embora muita gente diga que prefere os raminhos perfumando os lençóis, as flores também podem aromatizar geléias, cremes e sorvetes.

As folhas de louro (*Laurus nobilis*), são usadas para aromatizar muitos pratos, se mantêm verdes mesmo depois de secas (para os gregos antigos elas simbolizavam a eternidade). O louro é essencial no bouquet garni, e uma única folha basta para tornar especiais o arroz e o feijão de todo dia (como a folha é dura, é preciso retirá-la da preparação antes desta chegar à mesa). Como a árvore demora muito para crescer, dá para manter uma pequena num vaso na varanda de um apartamento.

Miúdo ou graúdo, verde ou roxo, o manjericão (*Ocimum basilicum*) é sempre uma delícia. É perfumado, saboroso e essencial em muitas receitas mediterrâneas, em que sempre acompanha tomate, pimentão, berinjela, abobrinha, alho, azeite, azeitona ou mussarela. Quem me conhece bem, sabe que eu adoro uma saladinha de tomate, manjericão, queijo, sal, pimenta, azeite e umas gotas de vinagre balsâmico e que isso muitas e muitas vezes é o meu almoço. O nome *basilicum* vem de basilisco – réptil fantástico capaz de matar pelo hálito –, daí a antiga crença de que o manjericão ajuda a repelir cobras. Na Índia, é tido como sagrado; e na Itália, quando uma mulher coloca um vasinho de manjericão na janela, ela quer dizer que o seu amado é bem-vindo. Existe uma variedade de folha grande e mais picante, que sempre aparece nas receitas tailandesas. O manjericão vai bem em pratos frios e quentes, da salada à sobremesa (quem já experimentou morango com um pouquinho de vinagre balsâmico e manjericão sabe bem disso).

As folhinhas verde-claras aveludadas da manjerona (*Origanum majorana*) lembram um pouco as do manjericão miúdo, mas lembram mais ainda as do orégano. Como era a erva favorita de Afrodite, tornou-se símbolo do amor e da felicidade; daí as noivas enfeitarem os cabelos com ramos de manjerona. Na Grécia, em tudo quanto é moita encostada a uma pedra se encontra um pé de manjerona.

O orégano (*Origanum vulgare*) tem folha miúda, muito macia e perfumada, mas um pouco mais rústica que a da manjerona. Entra em muitas receitas mediterrâneas, fazendo uma parceria e tanto com o tomate — não dá para falar em pizza sem ele. Os gregos são doidos por orégano desde a Antiguidade, quando o utilizavam para perfumar os óleos de banho, acreditando que fora criado por Afrodite para trazer felicidade.

A salsinha é o máximo. É saborosa e delicadamente perfumada, tem formato e cor lindos. A lisa (*Petroselinum sativum*), pertencente à família das cenouras, é a mais gostosa; a crespa (*Petroselinum crispum*) purifica o corpo. Essa erva é mesmo essencial na cozinha, vai bem com tudo e de tudo quanto é jeito — crua, cozida, assada ou frita. Um ramo de salsinha tanto aromatiza uma receita durante o cozimento, como dá o toque final refrescante na hora de servir. E, por mais que inventem e tentem variar, um raminho ou só algumas folhinhas inteiras ou picadas continuam sendo imbatíveis na hora de enfeitar qualquer prato.

A sálvia (*Salvia officinalis*) é maravilhosa, com suas folhas ligeiramente aveludadas, de um verde acinzentado delicadíssimo. Umas quatro ou cinco folhas já bastam para deixar carnes, aves, queijos, pães ou pratos com batata muito mais gostosos e perfumados. É essencial em várias receitas italianas, principalmente nas da Toscana.

Como gosto de tomilho (*Thymus vulgaris*)! Uns poucos raminhos bastam para perfumar uma panela inteira e deixar tudo muito mais gostoso. O mel das florzinhas de tomilho sempre fez sucesso entre os gregos, que o chamavam de néctar dos deuses. As folhas, miúdas e bem verdes, vêm agarradinhas num galho bem firme. É uma erva muito versátil, vai bem com tudo o que vem do Mediterrâneo, carnes, aves e peixes (o tomilho-limão — *Thymus citriodora* — fica ainda melhor com as coisas do mar). Folhas bem frescas também entram na finalização de alguns pratos.

ALGUMAS DICAS DE PREPARO

Salsinha, coentro, endro, cerefólio, estragão e cebolinha: lave e deixe secar bem antes de picar, pois só assim conseguirá pedacinhos miúdos e uniformes (folhinhas molhadas grudam umas nas outras e na lâmina da faca). Coloque os ramos sobre a tábua e, com uma faca de lâmina grande e larga, pique tudo num sentido e depois siga repicando até chegar ao tamanho desejado. Eu gosto mesmo é de uma boa faca — mas há quem prefira a *mezzaluna* italiana, uma lâmina curva com um cabinho em cada ponta que corta com movimentos de balanço — ou a tesoura, esta também bastante eficiente para conseguir pedacinhos bem miúdos.

Tomilho, orégano, manjerona, alecrim: como os caules são duros, só as folhinhas costumam entrar na finalização. Lave e seque bem os ramos, depois segure um de cada vez com uma das mãos e puxe as folhas com a outra.

Manjericão e hortelã: como as folhas são muito sensíveis e escurecem bem rapidinho quando picadas com faca, é mais simples utilizar folhas inteiras ou rasgá-las com as mãos (se precisar picar, utilize logo em seguida).

Capim-limão: descarte a base próxima da raiz e a camada externa do talo (esta costuma ser bem verde, grossa e fibrosa) para chegar ao miolo verde mais clarinho, às vezes, quase branco —, depois corte esse talinho central em rodelinhas bem finas.

RECEITAS

Como as ervas trazem frescor aos pratos, acabei escolhendo, ainda que sem querer, várias receitas que têm tudo a ver com dias mais quentes. Como sempre, fui me empolgando e, quando vi, o número de receitas já era bem grandinho, mas tudo bem. Para começar, um suco de maracujá com alecrim, que é muito interessante e refresca mesmo. Aí vem a manteiga provençal com azeitona, tomilho e alecrim para servir com pão, torrada ou grissini como aperitivo ou lanche, ou ainda para acompanhar um grelhado. Também para a hora do aperitivo, escolhi o dip de queijo de cabra e hortelã, que vai muito bem com palitos de cenoura, pepino, salsão e pimentão. Vêm então cinco saladas, as duas primeiras mais leves e as outras três mais substanciosas, daquelas que valem por uma refeição: a ultra-refrescante salada de laranja, abacate, agrião, mel e hortelã, que além de gostosa, é linda; a salada de morango, espinafre e manjericão, que mescla o azedinho adocicado do morango com o aveludado das folhas cruas do espinafre e o sabor e perfume do manjericão; a salada de grão-de-bico, nozes e hortelã é muito boa mesmo, com aquele toque misterioso do Oriente; a saladinha de frango thai, ligeiramente picante e com gosto bem tailandês, que vem da mistura de coentro, hortelã, capim-limão, alho, gengibre, pimenta-vermelha e nam pla, o molho de peixe do Sudeste Asiático (se quiser, substitua por shoyu, mas o resultado será bem diferente); e a salada de batata, vagem, tomatinho, azeite e ervas, preparada no forno e muito perfumada pelo azeite, pelas ervas e pelo alho. Pensando num lanche, numa refeição mais leve ou até numa entradinha, escolhi o wrap refrescante de tofu e ervas preparado com pão-folha (aquele pão árabe que muita gente chama de pão-jornal), que fica bem leve e divino (quem não gosta de tofu pode usar queijo-de-minas bem fresco); o crocante de alcachofra, tomate e molhinho de manjericão tem aquele crocantezinho da massa bem fina de rolinho primavera, um recheio delicioso e um molhinho cremoso muito simples de fazer, pois tudo se resolve com um copo de requeijão cremoso, alho e manjericão; o cake de salsinha e cebolinha é fácil de preparar, fica bem verdinho e perfumado e pode servir de base para um sanduíche; a tortinha rápida de tomate, crocante e saborosíssima, tem aquele colorido lindo do tomate maduro (se quiser, faça tortinhas para servir numa festa ou como aperitivo); e o pão rústico de ervas, das minhas receitas preferidas, é bom mesmo. Para uma refeição mais descontraída, incluí o espetinho satay de filé-mignon com molho de amendoim e capim-limão, que são tiras finas de carne bem macia douradas na frigideira ou na grelha, acompanhadas do clássico molhinho satay, preparado com amendoim, gengibre, alho e capim-limão; o frango assado com louro e batata é gostoso e perfumado e tem aquele jeitinho de feito-em-casa, que sempre agrada, já que quase todo o mundo gosta de um franguinho assado; a sobrecoxa com salsa verde é uma receita que transforma ingredientes simples num prato especial (usei sobrecoxa porque a carne é muito macia e saborosa, mas troque por peito do frango se preferir). Para acompanhar um bom filé com fritas, com aquele ar bem bistrô, resolvi dar a receita da clássica e francesíssima sauce béarnaise. E para acompanhar um peixe, uma ave ou uma carne vermelha, resolvi incluir o saborosíssimo purê de batata com azeite de ervas — tradicional no sul da França —, que parte do azeite aromatizado com ervas e é muito bom. Como eu queria dar uma receita com algum legume, que pudesse ser tanto o prato principal de uma refeição mais leve ou vegetariana, como um acompanhamento, pensei na couve-flor ao azeite em crosta de ervas, que ficou gostosa nessa versão bem mediterrânea: a farofinha de ervas, que é bem versátil, vai sobre floretes pré-cozidos de couve-flor, de sabor suave e, na minha opinião, pouco utilizada. Os tradicionais escalopes de vitelo conhecidos como saltimbocca alla romana sempre impressionam, são apetitosos — com o gostinho da sálvia e do presunto cru —, muito fáceis de fazer e ficam prontos em pouquíssimo tempo. Por fim, pensando naquele jantar mais refinado, em que a idéia é preparar alguma coisa bem especial, incluí o koulibiac, um clássico da cozinha russa: filé de salmão aromatizado com endro e envolto em massa folhada (na hora de montar, faça um simples retângulo ou, como sugerem os livros russos mais tradicionais, corte no formato de peixe).

Bouquet garni

SUCO DE MARACUJÁ COM ALECRIM
(4 pessoas; 15 minutos)

4 maracujás maduros
folhinhas de 2 ramos de alecrim
4 xícaras de água gelada
1/4 de xícara de açúcar ou a gosto

↬ Bata no liquidificador a polpa com as sementes do maracujá, o alecrim e a água por uns 30 segundos, até que a polpa se separe das sementes. Passe o suco por uma peneira, coloque numa jarra, adoce e sirva com cubinhos de gelo.

MANTEIGA PROVENÇAL COM AZEITONA, TOMILHO E ALECRIM
(8 pessoas; 15 minutos)

1 dente de alho bem picadinho
1 colher (chá) de folhinhas frescas de tomilho
1 colher (sopa) de folhinhas frescas de alecrim bem picadinhas
1/2 xícara de azeitona preta picada bem miudinho
200 g de manteiga em temperatura ambiente
sal e pimenta-do-reino

↬ Numa tigela média, coloque o alho, o tomilho, o alecrim, a azeitona e a manteiga, misture bem e ajuste o sal e a pimenta. Passe para um potinho, cubra com filme plástico e guarde na geladeira por até 1 semana.

DIP DE QUEIJO DE CABRA E HORTELÃ
(6 pessoas; 15 minutos)

400 g de queijo de cabra cremoso
1 xícara de folhas de hortelã
1/4 de xícara de azeite de oliva
suco de 1 limão
sal

↬ Bata o queijo de cabra, a hortelã, o azeite e o limão no liquidificador até obter um creme liso. Ajuste o sal, passe para uma tigela e guarde na geladeira por até 2 horas (depois disso, o verde começa a escurecer). Sirva o dip geladinho com palitos de cenoura, pepino, salsão, pimentão e grissini.

MANTEIGA PROVENÇAL COM AZEITONA, TOMILHO E ALECRIM

Bouquet garni

SALADA DE LARANJA, ABACATE, AGRIÃO, MEL E HORTELÃ

SALADA DE LARANJA, ABACATE, AGRIÃO, MEL E HORTELÃ

(6 PESSOAS; 30 MINUTOS)

6 laranjas bem doces
1 abacate grande e maduro mas ainda firme
1/2 xícara de folhas de hortelã
3 colheres (sopa) de mel
1/4 de xícara de azeite de oliva
4 xícaras de folhas e talos finos de agrião
sal

↣ Com até 3 horas de antecedência, descasque as laranjas com uma faca bem afiada, retire toda a pele branca, separe e solte os gomos seguindo as divisões da pele e descarte os caroços. Passe para a tigela em que irá servir a salada, cubra com filme plástico e guarde na geladeira até o momento de usar.

↣ Uns 10 minutos antes de servir, divida o abacate ao meio, descarte o caroço, solte a polpa da casca com a ajuda de uma colher, corte cubinhos e coloque na tigela da laranja. Fatie bem fininho as folhas de hortelã (guarde algumas inteiras para decorar), coloque numa tigelinha com o mel, o azeite e um pouquinho de sal, misture bem e reserve. Na hora de servir, coloque o agrião e o molho na tigela da laranja e do abacate e misture.

SALADA DE MORANGO, ESPINAFRE E MOLHINHO DE MANJERICÃO

(6 PESSOAS; 45 MINUTOS, MAIS PELO MENOS 3 HORAS PARA O AZEITE DE MANJERICÃO REPOUSAR)

PARA O AZEITE DE MANJERICÃO
4 xícaras de água
1 colher (chá) de sal
1 xícara bem cheia de folhas de manjericão
1 xícara de azeite de oliva

PARA A SALADA
3 xícaras de folhas bem frescas de espinafre
3 xícaras de morangos limpos
2 colheres (sopa) de vinagre de vinho branco
sal e pimenta-do-reino

↣ Azeite de manjericão Com pelo menos 3 horas, ou até 1 semana de antecedência, aqueça a água, espere ferver, junte o sal e o manjericão, conte 15 segundos, escorra e mergulhe as folhas numa tigela com gelo para resfriar. Escorra novamente, esprema as folhas com as mãos para retirar toda a água, seque com papel e bata com o azeite no processador, ou no liquidificador, até obter uma pasta bem verde e lisa. Passe por uma peneira forrada com um pano limpo sem espremer, depois transfira o azeite para um pote com tampa e guarde na geladeira (retire 5 minutos antes de utilizar).

↬ **Salada** Lave e seque as folhas de espinafre. Lave os morangos, corte em 4 partes no sentido do comprimento e coloque numa saladeira.

↬ Numa tigelinha, misture o vinagre e um pouquinho de sal, depois junte 1/3 de xícara do azeite de manjericão (use o restante em outras saladas, com uma massa ou sobre fatias de pão). Na hora de servir, regue a salada com o molhinho.

SALADA DE GRÃO-DE-BICO, NOZES E HORTELÃ

(6 PESSOAS; 1 HORA E 15 MINUTOS, MAIS UMAS 6 HORAS PARA DEMOLHAR O GRÃO-DE-BICO E UMAS 2 HORAS PARA GELAR)

3 xícaras de grão-de-bico cru
1 cebola pequena inteira
1 dente de alho inteiro
1 folha de louro
1 xícara de folhinhas de hortelã ou menta
2 xícaras de nozes grosseiramente picadas
1/2 xícara de uva-passa clara
suco de 1 limão
1/2 xícara de azeite de oliva extravirgem
sal e pimenta-do-reino

↬ Com pelo menos 6 horas de antecedência, ou até na véspera, coloque o grão-de-bico numa tigela grande, cubra com água e deixe de molho. Ao final desse tempo, descarte a água do molho e, se quiser uma textura mais delicada para a salada, esfregue os grãos com as mãos para retirar a pele grossa. Numa panela média, coloque os grãos, a cebola, o alho e o louro, cubra com água e aqueça. Quando ferver, com uma concha, descarte a espuma que se formar na superfície, abaixe o fogo e cozinhe por mais ou menos 45 minutos, até que os grãos estejam macios, mas ainda inteiros. Escorra a água, retire a cebola e o alho e passe os grãos para uma tigela. Enquanto o grão-de-bico cozinha, aqueça o forno a 180ºC (médio), espalhe as nozes numa assadeira e aqueça por uns 5 minutos, até perfumar e dourar, depois transfira para a tigela do grão-de-bico. Junte as passas e as folhas de hortelã rasgadas com as mãos e misture. Adicione o suco de limão, sal, pimenta e o azeite e leve à geladeira por uma 2 horas. Na hora de servir, ajuste o sal e a pimenta e regue com mais um fio de azeite.

SALADA DE MORANGO, ESPINAFRE E MOLHINHO DE MANJERICÃO

SALADA DE GRÃO-DE-BICO, NOZES E HORTELÃ

↬ Corte o peito de frango em cubos médios e passe pelo moedor de carne, ou pique bem miudinho com a faca.
↬ Numa frigideira grande, aqueça bem os óleos de milho e gergelim e doure ligeiramente a cebola. Acrescente o alho e o gengibre e espere perfumar. Adicione o frango e mexa com uma colher de pau para soltar os pedacinhos e dourar bem. Junte o açúcar, o capim-limão, o nam pla e o suco de limão e deixe o molhinho encorpar por 1 minuto. Acrescente a pimenta-dedo-de-moça, o coentro e a hortelã, ajuste o sal e retire do fogo. Espere esfriar e leve à geladeira por umas 2 horas. Na hora de servir, forre uma tigela com as folhas de alface e por cima espalhe a salada de frango.

SALADA DE BATATA, VAGEM, TOMATINHO, AZEITE E ERVAS
(6 pessoas; 1 hora e 30 minutos)

1 colher (sopa) de açúcar
2 colheres (sopa) de vinagre balsâmico
1/3 de xícara de azeite de oliva (aproximadamente)
1 kg de batata-bolinha com casca, lavada
400 g de vagem roliça em pedaços de uns 2 cm
2 dentes de alho inteiros com casca
2 ramos de alecrim
6 ramos de tomilho
1/2 maço de manjericão
20 tomatinhos-cereja cortados ao meio
sal e pimenta-do-reino

SALADINHA DE FRANGO THAI
(4 pessoas; 30 minutos, mais 2 horas para gelar)

500 g de peito de frango sem pele e sem osso
2 colheres (sopa) de óleo de milho, girassol ou canola
2 colheres (sopa) de óleo de gergelim
1 cebola média em cubos miúdos
1 dente de alho bem picadinho
1 colher (chá) de gengibre ralado
1 colher (sopa) de açúcar mascavo
1 colher (sopa) de capim-limão em rodelinhas finas
2 colheres (sopa) nam pla (molho de peixe) ou shoyu
2 colheres (sopa) de suco de limão
1 pimenta-dedo-de-moça bem picadinha
1/4 de xícara de coentro picadinho
1 colher (sopa) de folhinhas de hortelã
1 pé de alface
sal

↬ Aqueça o forno a 180°C (médio).
↬ Numa assadeira grande, coloque o açúcar, o vinagre, sal e pimenta, misture bem e junte o azeite. Coloque batata, a vagem, o alho, o alecrim, o tomilho, metade do manjericão, mais um pouquinho de sal e pimenta e misture para envolver tudo muito bem com o molhinho (regue com mais azeite se ainda não estiverem bem úmidos). Espalhe bem para deixar uma camada única, sem amontoar (se ficarem muito próximos, irão juntar água e cozinhar em vez de assar e caramelizar). Leve ao forno por uns 40 minutos, mexendo de vez em quando, até que a batata e a vagem estejam bem douradas e macias. Descarte as ervas murchas.
↬ Numa tigela grande, esprema os dentes de alho e desmanche num pouquinho do azeite da assadeira. Junte as batatas com a vagem e todo o molhinho da assadeira, acrescente os tomatinhos, o restante do manjericão, misture bem e acerte o sal e a pimenta. Espere amornar e leve à geladeira por pelo menos 2 ou por até 8 horas antes de servir.

SALADA DE BATATA, VAGEM, TOMATINHO, AZEITE E ERVAS

ENTRE PANELAS E TIGELAS *Bouquet garni*

141

WRAP REFRESCANTE DE TOFU E ERVAS

WRAP REFRESCANTE DE TOFU E ERVAS
(6 pessoas; 30 minutos)

1 cubo de tofu fresco (aproximadamente 500 g)
4 tomates maduros, sem sementes, em cubos miúdos
1 pepino japonês com casca, lavado
1/4 de xícara de folhas de hortelã
1/4 de xícara de folhas de manjericão
2 colheres (sopa) de azeite de oliva extravirgem
6 pães folhas grandes
sal e pimenta-do-reino

↬ Esmigalhe o tofu com as pontas dos dedos para conseguir pedacinhos miúdos e coloque numa tigela com o tomate. Corte o pepino ao meio no sentido do comprimento, descarte as sementes com uma colher de chá, corte em fatias finas e passe para a tigela do tofu. Junte as ervas, o azeite, sal e pimenta e misture. Divida o recheio em 6 partes e espalhe cada uma delas sobre 1 fatia de pão folha, deixando 1 cm livre na borda. Pressionando bem com as mãos, enrole cada fatia como um rocambole e divida cada rolinho em 3 rolinhos menores e sirva.

CROCANTE DE ALCACHOFRA, TOMATE E MOLHINHO DE MANJERICÃO
(6 pessoas; 1 hora)

6 tomates vermelhos e maduros, sem pele e sem sementes, cortados em 4
1 maço de manjericão
1 dente de alho inteiro sem casca
12 folhas de massa para rolinho primavera
6 fundos congelados de alcachofra
suco de 1/2 limão
1/4 de xícara de parmesão ralado
1 colher (chá) de maisena dissolvida em 2 colheres (sopa) de água
1 copo de requeijão cremoso
azeite de oliva
sal e pimenta-do-reino

↬ Aqueça o forno a 180°C (médio).
↬ Num refratário médio, coloque o tomate, 1 colher (chá) de sal, o dente de alho, 1/4 do manjericão e pimenta, regue com azeite, misture e leve ao forno por uns 30 minutos, até que o tomate esteja bem macio e perfumado (guarde o dente de alho para o molhinho e o caldinho para umedecer o recheio). Enquanto isso, coloque os fundos de alcachofra numa panela média com água até cobrir, sal e o suco de limão, aqueça e cozinhe até que estejam bem macios, escorra, corte cada 1 deles em 4 e reserve.
↬ Para montar os rolinhos, coloque um quadrado de massa sobre uma tábua com 1 dos 4 cantos virados para você, como um balão, deixe uns 3 cm de massa livre nesse canto e, em seguida, fazendo uma barrinha de uns 2 cm de largura por uns 8 cm de comprimento, coloque 2 pedaços de tomate, 2 de alcachofra e regue com 1 colher (sopa) do caldinho do cozimento do tomate (mas não mais do que isso, para não vazar). Para fechar, comece cobrindo a barrinha de recheio com a ponta vazia de massa, então dobre as pontas das duas laterais em direção ao centro, cobrindo tudo, e depois enrole como um charutinho até chegar à outra ponta. Cole a pontinha de massa no rolinho com a mistura de maisena para não abrir, passe para uma assadeira ligeiramente untada com azeite, pincele a superfície dos rolinhos com um pouquinho de azeite (só um pouquinho mesmo, para não encharcar) e cubra com um pano úmido (ou cubra com filme plástico e guarde na geladeira por até 24 horas e deixe para pincelar com o azeite na hora de assar).
↬ Asse os rolinhos em forno médio por uns 20 minutos, até que estejam bem dourados e crocantes.
↬ Enquanto isso, faça o molhinho. Numa panelinha, aqueça o requeijão e o dente de alho reservado. Quando ferver, bata no liquidificador com o manjericão restante até obter um creme bem verde e liso. Ajuste o sal e sirva com os rolinhos.

CAKE DE SALSINHA E CEBOLINHA

CAKE DE SALSINHA E CEBOLINHA
(6 PESSOAS; 1 HORA)

1 1/2 xícara de farinha de trigo
1 colher (sopa) de fermento em pó
1/2 colher (chá) de sal
3 ovos
1/2 xícara de leite
1/2 xícara de azeite virgem ou óleo (ou meio a meio, pois o sabor do azeite é bem pronunciado)
1/2 xícara de queijo parmesão ralado
1 xícara de salsinha e cebolinha picadinhas
manteiga para untar e farinha de trigo para polvilhar
pimenta-do-reino

↠ Aqueça o forno a 180°C (médio), unte 1 fôrma média para bolo inglês com manteiga e polvilhe com farinha.
↠ Numa tigela bem grande, misture a farinha, o fermento, sal e pimenta. Em outra tigela, bata ligeiramente os ovos e depois junte o leite, o óleo e o queijo. Adicione os secos e mexa até obter uma massa lisa. Misture as ervas, transfira para a fôrma e asse o cake por uns 50 minutos, até que esteja dourado e crescido (ao enfiar um palito no centro, ele deverá sair limpo). Deixe amornar por 5 minutos, desenforme e sirva em fatias.

TORTINHA RÁPIDA DE TOMATE
(8 PESSOAS; 1 HORA)

1 cebola pequena em cubinhos
1 dente de alho bem picadinho
200 g de polpa de tomate peneirada ou de molho pronto
1/2 xícara de azeitona verde em lascas

TORTINHA RÁPIDA DE TOMATE

20 folhinhas de manjericão
1 retângulo de massa folhada laminada já descongelada
32 tomatinhos-cereja bem maduros
azeite de oliva
sal, açúcar e pimenta-do-reino

↔ Regue o fundo de uma panela média com um fio de azeite e doure ligeiramente a cebola. Junte o alho, espere perfumar e acrescente o molho de tomate, 4 folhinhas de manjericão, sal e pimenta. Deixe ferver por 5 minutos, adicione a azeitona, ajuste o sal e acerte a acidez com um pouquinho de açúcar. Retire do fogo e, para o molho esfriar mais rápido, coloque numa tigela apoiada em outra cheia de gelo e água fria.
↔ Com um cortador, ou com a borda de um copo, corte a massa em 16 discos de uns 8 cm de diâmetro, transfira para uma assadeira grande e leve à geladeira por 10 minutos, enquanto o forno aquece a 200°C (médio-alto).
↔ Corte os tomatinhos em fatias grossas, polvilhe com sal e pimenta e reserve. Retire os discos de massa da geladeira, espalhe uma parte do molho e dos tomatinhos sobre cada um deles e asse por uns 20 minutos, até que as tortinhas estejam bem douradas. Retire do forno, regue com um fio de azeite, coloque 2 folhas de manjericão sobre cada uma e sirva.

PÃO RÚSTICO DE ERVAS
(10 PESSOAS; 1 HORA E 30 MINUTOS, MAIS 3 HORAS PARA A MASSA REPOUSAR)

4 colheres (sopa) de azeite
1 cebola grande em cubos miúdos
4 dentes de alho bem picadinhos
1 xícara bem cheia de folhas frescas de alecrim, manjericão, sálvia, salsinha e tomilho bem picadinhas
1 colher (sopa) de sal
2 tabletes de fermento biológico (30 g)
1 colher (sopa) de açúcar
1 1/2 xícara de água morna
6 1/2 xícaras de farinha de trigo (aproximadamente)
1 xícara de leite
2 colheres (sopa) de sal grosso
pimenta-do-reino
azeite para pincelar

↔ Numa frigideira média, aqueça o azeite e doure a cebola. Depois adicione o alho, espere perfumar, junte as ervas, sal e pimenta e retire do fogo.
↔ Numa tigela média, dissolva o fermento e o açúcar na água, junte 1/2 xícara de farinha e deixe descansar por uns 15 minutos, até surgirem bolhas. Então, misture o refogadinho de cebola e o leite à massa de fermento e, aos poucos, vá juntando mais farinha e trabalhando até conseguir uma massa bem lisa, macia e que se solte das mãos. Cubra a tigela com filme plástico e deixe a massa repousar por mais ou menos 1 hora, até dobrar de volume. Divida a massa ao meio, molde 2 bolas e transfira para uma assadeira grande untada com azeite (ou simplesmente espalhe toda a massa na assadeira se quiser um pão retangular), cubra com um pano e deixe crescer por 1 hora, lembrando de aquecer o forno a 220°C (alto) quando faltarem quinze minutos para completar o tempo. Pincele os pães com azeite, polvilhe com o sal grosso e asse por uns 40 minutos, até que estejam bem crescidos e dourados. Deixe amornar por 15 minutos e sirva em fatias.

ESPETINHO SATAY DE FILÉ-MIGNON COM MOLHO DE AMENDOIM E CAPIM-LIMÃO

(6 PESSOAS; 1 HORA)

PARA O MOLHO

2 colheres (sopa) de óleo de gergelim
1 colher (sopa) de gengibre ralado
2 dentes de alho picadinhos
1 cebola-roxa pequena em cubos miúdos
1 colher (sopa) de capim-limão em rodelinhas bem fininhas
1/2 xícara de pasta adocicada de amendoim (tipo Amendocrem)
1/2 xícara de amendoim torrado bem picadinho
2 colheres (sopa) de açúcar mascavo
1 colher (sopa) de nam pla (molho de peixe) ou shoyu
1 colher (sopa) de vinagre de arroz
suco de 1 limão
1 xícara de leite de coco
1 pimenta-dedo-de-moça picadinha ou a gosto
sal

PARA O ESPETINHO

24 espetinhos de madeira ou metal para churrasco
1 kg de filé-mignon bem limpo, num só pedaço
óleo de amendoim, milho, girassol ou canola para pincelar

↔ Coloque os espetinhos de madeira numa tigela, cubra com água e deixe repousar por 30 minutos (molhados, os palitos demoram mais para queimar na frigideira ou na grelha).

↔ Molho prepare com até 2 dias de antecedência. Numa panelinha, aqueça o óleo de gergelim e junte o gengibre, o alho, a cebola e o capim-limão. Quando perfumar, acrescente a pasta de amendoim, o amendoim, o açúcar, o molho de peixe, o vinagre e o suco do limão. Espere ferver, junte o leite de coco, a pimenta e o sal (o molhinho é adocicado, mas não é sobremesa), aguarde 1 minuto e retire do fogo. Passe para um potinho e guarde na geladeira.

↔ Espetinhos divida o filé-mignon, em 24 bifes finos, de no máximo 0,5 cm de espessura, depois corte cada bife ao meio para conseguir 2 bifinhos mais estreitos e espete 2 deles em cada palito. Pincele os bifes com um pouquinho do molho e reserve. Aqueça bem uma frigideira grande ou uma grelha, regue com um fio de óleo e doure uns 4 espetinhos por vez, primeiro de um lado e depois do outro. Sirva os espetinhos com o restante do molho.

FRANGO ASSADO COM LOURO E BATATA

(4 PESSOAS; 1 HORA E 30 MINUTOS)

1 frango inteiro, bem limpo e seco
1 limão
12 folhas de louro
4 dentes de alho inteiros com casca
1 kg de batata descascada e cortada ao meio
3/4 de xícara de azeite
sal e pimenta-do-reino

↔ Aqueça o forno a 180°C (médio) e unte com azeite um refratário médio que possa ir à mesa, ou uma assadeira. Com cuidado, solte e levante a pele do peito e das coxas do frango, polvilhe a carne com sal e pimenta, distribua 6 folhas de louro sobre as partes mais carnudas e volte a pele para o lugar. Polvilhe com mais sal e pimenta, regue com o suco do limão, coloque 2 folhas de louro e 2 dentes de alho na cavidade e ponha no centro do refratário. Coloque a batata, os dentes de alho e as folhas de louro restantes ao redor do frango, polvilhe também com sal e pimenta e regue com azeite o bastante para umedecer bem. Cubra a assadeira com papel-alumínio e leve ao forno por aproximadamente 1 hora. Ao final desse tempo, descarte o papel-alumínio, aumente a temperatura para 220°C (alto) e volte com a assadeira ao forno por mais ou menos 30 minutos, até que a batata e o frango estejam bem dourados e macios (espete a coxa com um garfo e veja se os sucos sobem claros). Retire do forno, deixe repousar por 5 minutos e sirva.

SOBRECOXA COM SALSA VERDE

(4 PESSOAS; 1 HORA E 15 MINUTOS)

PARA A SALSA

1/2 xícara de azeite de oliva
2 xícaras de folhas de salsinha

SOBRECOXA COM SALSA VERDE

FRANGO ASSADO COM LOURO E BATATA

1/4 de xícara de folhas de manjericão
1 colher (sopa) de mostarda de Dijon
suco de 1/2 limão
2 dentes de alho
2 filezinhos de anchova em conserva, sem as espinhas
2 colheres (sopa) de alcaparra
sal e pimenta-do-reino

PARA O FRANGO
8 sobrecoxas com pele, ou 4 metades de peito de frango
azeite de oliva
sal e pimenta-do-reino

↠ Salsa bata o azeite, as ervas, a mostarda, o limão, o alho, a anchova e a alcaparra no processador ou no liquidificador até conseguir uma pasta grossa, com vários pedacinhos (é importante parar de bater antes de virar uma pasta lisa). Ajuste o sal e a pimenta e guarde na geladeira por até 24 horas.
↠ Frango aqueça o forno a 200ºC (médio-alto) e unte com azeite 1 refratário que acomode as sobrecoxas numa só camada. Tomando cuidado para não soltar de vez, levante a pele das sobrecoxas, espalhe 1 colher (sopa) da salsa sobre a carne e cubra, voltando com a pele para o lugar. Polvilhe as sobrecoxas com sal e pimenta e passe para o refratário. Asse as sobrecoxas por uns 45 minutos, até que estejam bem macias e douradas (espete a carne com um garfo e veja se os sucos sobem claros). Sirva com o restante da salsa ao lado.

SAUCE BÉARNAISE
(4 pessoas; 45 minutos)

150 g de manteiga
3 colheres (sopa) de vinagre de vinho branco
1/4 de xícara de água
4 grãos de pimenta-do-reino grosseiramente moídos
1 colher (sopa) de cubos bem miúdos de échalote ou cebola
20 folhas de estragão em tirinhas bem finas
2 gemas
1 colher (sopa) de folhinhas de cerefólio em tirinhas bem finas
sal

↣ Num panelina, em fogo baixo, derreta a manteiga e, com uma escumadeira, vá retirando toda a espuma que se formar na superfície. Com uma concha e tomando bastante cuidado para deixar para trás as impurezas que estiverem no fundo da panela, passe a manteiga para uma tigela e deixe amornar.
↣ Em outra panelinha, aqueça o vinagre, a água, a pimenta, a échalote ou cebola, 1/4 do estragão e deixe ferver até o líquido reduzir pela metade. Retire do fogo e espere esfriar.
↣ Enquanto isso, numa panela média, coloque um pouco de água para um banho-maria e aqueça bem, mas sem deixar ferver (quem tem mais prática, pode deixar de lado o banho-maria e trabalhar sobre um fogo bem baixinho). Coloque a panelinha do vinagre no banho-maria, junte as gemas e misture com um batedor de arame por uns 2 minutos, até começar a emulsificar. Sem parar de mexer e tendo bastante cuidado para passar o batedor na base e nos cantos da panela, vá juntando a manteiga aos pouquinhos e trabalhando o molho por mais uns 5 minutos, até encorpar. Ajuste o sal e a pimenta, adicione o cerefólio e o restante do estragão e passe para uma tigela de louça, vidro ou inox (já que o molho oxida no contato com o alumínio e a prata). Como o béarnais é um molhinho que, teoricamente, não gosta de esperar, sirva em seguida (eu experimentei e deu certo: preparei o molho com umas 6 horas de antecedência e guardei na geladeira; na hora de servir, aqueci só por alguns segundos em banho-maria, apenas até começar a derreter nas bordas, e mexi vigorosamente com o batedor de arame até conseguir a consistência de novo).

PURÊ DE BATATA AO AZEITE DE ERVAS
(6 pessoas; 1 hora)

1,5 kg de batata com casca, lavada
1 1/2 xícara de azeite de oliva extravirgem
6 dentes de alho inteiros com casca
2 folhas de louro
8 ramos de tomilho bem lavados e secos
12 ramos de salsinha bem lavados e secos
3 ramos de alecrim bem lavados e secos
1 1/2 xícara de creme de leite fresco (aproximadamente)
sal

↦ Coloque a batata numa panela, cubra com água fria e aqueça. Quando começar a ferver, abaixe o fogo e cozinhe por uns 20 minutos, até amaciar (espete com um garfo para testar).

↦ Enquanto isso, aqueça o azeite numa panelinha, mas retire do fogo antes de ferver ou soltar fumaça, assim que surgirem bolhinhas nas laterais da panela. Com cuidado, pois o azeite estará muito quente, junte os dentes de alho, o louro, o tomilho, a salsinha e o alecrim, tampe a panela, deixe em infusão por 30 minutos, depois passe por uma peneira. (Se quiser, faça 3 dias antes e guarde na geladeira.)

↦ Escorra e esprema a batata ainda bem quente, passe a polpa para uma tigela e vá incorporando o azeite aos pouquinhos, misturando com uma colher de pau, mas sem mexer demais para não virar uma cola. Acerte a consistência com o creme de leite para aveludar o purê, ajuste o sal e sirva, ou mantenha aquecido em banho-maria por até 1 hora (depois disso, o sabor e a textura começam a mudar).

COUVE-FLOR AO AZEITE EM CROSTA DE ERVAS

(6 PESSOAS; 1 HORA E 15 MINUTOS)

1 couve-flor grande separada em floretes
1 dente de alho bem picadinho
2 xícaras de miolo de pão italiano esmigalhado, ou umas 6 fatias de pão de fôrma branco sem casca
1/2 xícara de uma mistura de salsinha, cebolinha, hortelã, manjericão e tomilho
1/2 xícara de queijo parmesão ralado
azeite de oliva
sal e pimenta-do-reino

↦ Aqueça o forno a 200ºC (médio-alto) e unte com azeite 1 refratário médio que possa ir à mesa.

↦ Aqueça uma panela grande com água, espere ferver, junte 1 colher (sopa) de sal e a couve-flor e deixe no fogo por uns 10 minutos, até que os talos mais grossos estejam cozidos, mas ainda firmes. Escorra bem, transfira os floretes para o refratário, regue com azeite o bastante para envolver ligeiramente a couve-flor, misture e reserve (se preferir, cozinhe no vapor ou no microondas).

↦ Regue uma frigideira grande com azeite e aqueça. Junte o alho e espere perfumar. Acrescente o pão, sal e pimenta e mexa até obter uma farofa úmida e soltinha, sem pressionar para não virar uma pasta (acrescente mais azeite se ficar muito seca). Junte as ervas e o queijo, acerte o sal e a pimenta, retire do fogo e espalhe sobre a couve-flor. Leve ao forno por uns 30 minutos, até formar uma crosta dourada.

PURÊ DE BATATA AO AZEITE DE ERVAS

COUVE-FLOR AO AZEITE EM CROSTA DE ERVAS

SALTIMBOCCA ALLA ROMANA
(4 PESSOAS; 45 MINUTOS)

8 escalopes de vitelo de uns 80 g cada um
8 fatias finas de presunto de Parma
16 folhas grandes de sálvia
25 g de manteiga
2 colheres (sopa) de cebola em cubos bem miúdos
1 xícara de vinho branco seco
azeite de oliva
sal e pimenta-do-reino
8 palitos de dente

↬ Coloque os escalopes sobre uma tábua, cubra com um plástico ou papel-manteiga e bata com um martelo de carne até conseguir uma espessura bem fininha. Polvilhe os escalopes com pimenta e, sobre cada um, coloque 1 fatia de presunto e 2 folhas de sálvia (o presunto é bem salgadinho). Simplesmente dobre os escalopes ao meio, sem se importar com os pedaços de presunto e de sálvia que estiverem aparecendo, e prenda com um palito.
↬ Numa frigideira grande, aqueça metade da manteiga, junte um fio de azeite e, mantendo sempre o fogo forte, doure bem 4 escalopes, primeiro de um lado, depois do outro (é bem rápido mesmo, no máximo uns 2 minutos de cada lado) e passe para um prato. Aqueça a manteiga restante, prepare os outros 4 escalopes e transfira para o prato. Coloque a cebola na frigideira, deixe dourar um pouquinho, acrescente o vinho, mexa com uma colher de pau para soltar o que estiver colado no fundo da frigideira e deixe reduzir pela metade, por uns 2 ou 3 minutos. Polvilhe os escalopes com sal e pimenta, leve de volta à frigideira só para aquecer e sirva, se quiser, com um purê de batata.

KOULIBIAC
(6 PESSOAS; 1 HORA E 30 MINUTOS)

4 xícaras de água
2 cebolas (1 em rodelas grandes e 1 em cubos miúdos)
1 xícara de vinho branco seco
500 g de filé de salmão num só pedaço, sem pele e sem espinhas
50 g de manteiga
1 xícara de arroz branco cru bem lavado e escorrido
12 ovos de codorna
1 maço grande de espinafre ou 400 g de folhas congeladas
1 retângulo de massa folhada laminada, já descongelada
1 xícara de folhinhas de endro (dill)
1 gema para pincelar
1 xícara de creme leite fresco
1/4 de xícara de suco de limão
sal

↬ Numa panela grande, aqueça a água, as rodelas de cebola e o vinho. Quando ferver, junte 1 colher (chá) de sal e o salmão, abaixe o fogo e cozinhe por uns 10 minutos, até que esteja macio e se separando em lascas, mas ainda com um tom rosado mais forte no centro. Transfira o peixe para um prato para esfriar, passe o caldo por uma peneira e reserve 2 xícaras.
↬ Numa panelinha, aqueça metade da manteiga, junte os cubinhos de cebola, espere murchar e começar a dourar e misture o arroz. Quando os grãos estiverem brilhantes e soltinhos, acrescente o caldo reservado e 1 colher (chá) de sal e mantenha no fogo com a panela semitampada até que o líquido seque e o arroz esteja cozido, mas bem soltinho. Desligue o fogo, espere 5 minutos, passe para uma tigela e deixe esfriar.
↬ Coloque os ovos numa panelinha, cubra com água fria, aqueça e conte 10 minutos a partir da fervura. Depois escorra, passe pela água fria, descasque em seguida e reserve.
↬ Lave e seque as folhas e os talos mais finos do espinafre e reserve.
↬ Numa frigideira média, derreta a manteiga restante.
↬ Junte o espinafre, uma pitada de sal e deixe no fogo por uns 5 minutos, até que esteja macio mas ainda bem verde, e reserve.
↬ Abra o retângulo de massa folhada sobre uma superfície polvilhada com farinha. Misture 3/4 do endro ao arroz. No centro do retângulo e tendo por base o tamanho do filé de salmão, faça primeiro uma camada com metade do arroz, depois faça uma camada com metade do espinafre, em seguida coloque o salmão com os ovinhos alinhados por cima, o restante do espinafre e termine com arroz. Pincele as bordas livres de massa com a gema já dissolvida em 2 colheres (sopa) de água e dobre para fechar (use o excedente de massa para decorar). Transfira o koulibiac para uma assadeira e leve à geladeira por 30 minutos, enquanto o forno aquece a 200°C (médio-alto). Asse por uns 45 minutos, até que a massa esteja bem dourada e crocante.
↬ Misture o creme de leite e o suco de limão e junte um pouco de sal e o restante do endro. Coloque numa molheira e leve à geladeira. Passe o koulibiac para uma travessa e sirva em fatias com o creme.

KOULIBIAC

PARABÉNS A VOCÊ
UMA FESTA DE ANIVERSÁRIO
FEITA EM CASA

"Parabéns a você, nesta data querida, muitas felicidades, muitos anos de vida! É pique, é pique, é pique, é pique, é pique, é hora, é hora, é hora, é hora, é hora, rá-tim-bum!" E nada de "com quem será que ela vai se casar", pois, apesar de quase tudo quanto é criança cantar para os amigos, elas detestam quando cantam no seu aniversário, já vi algumas saírem correndo, entrar embaixo da mesa, chorar e ficar uma fera. 🎁 Não consigo pensar nesse assunto sem me lembrar das festas maravilhosas que a minha mãe fazia para mim, minha irmã e meus dois irmãos. Num tempo em que não se encontrava quase nada pronto, ela preparava festas de arrasar, fazia tudo com um capricho incrível — convites, toalha com babado, enfeites para a mesa, tabuleiros, forminhas de papel diferentes para cada tipo de doce, capinhas de cartolina para os refrigerantes caçulinhas e sacos de lembrancinhas, tudo sempre combinando com o tema da festa. Eram rolos e rolos de papel crepom, de seda, celofane, cartolina, além de fitas, purpurina e lantejoulas de todas as cores. Eu achava lindo. Com muita criatividade, a sala se transformava num navio pirata, num circo, numa fazenda, num campo de futebol, nas casas dos Três Porquinhos, dos Sete Anões e da Branca de Neve, ou da bruxa de João e Maria, nos bosques da Chapeuzinho Vermelho e da Bela Adormecida, na oficina do Jepeto ou num foguete chegando à Lua. Quando fiz sete anos, tive uma festa de Cinderela, com os convites de cartolina em forma de sapatinho, com purpurina dando o efeito de cristal, chiquérrimos mesmo. 🎁 Como a trabalheira era realmente grande, minha mãe passava umas duas semanas inventando e preparando tudo. Começava pelos enfeites, depois passava para os doces e terminava com o bolo e os salgadinhos. Quando faltavam dois ou três dias para a festa, ela acelerava o ritmo, passava noites enrolando e colocando aqueles mil doces nas forminhas. Eu ainda era pequena, mas já gostava de ajudar. 🎁 Ela sempre conta que, numa madrugada fria de outubro, estava tão cansada que adormeceu na

153

Parabéns a você

ENTRE PANELAS E TIGELAS

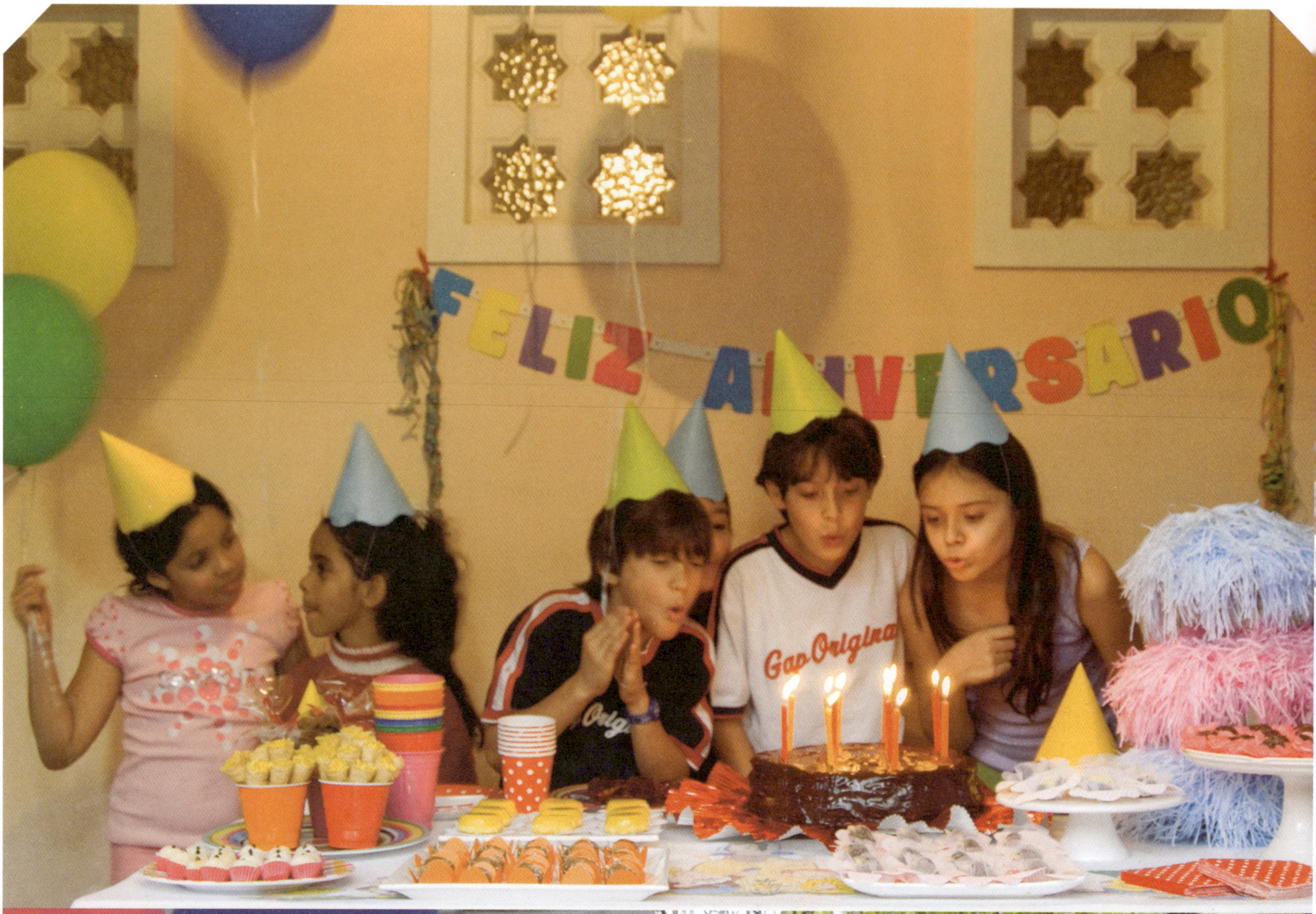
FELIZ ANIVERSARIO

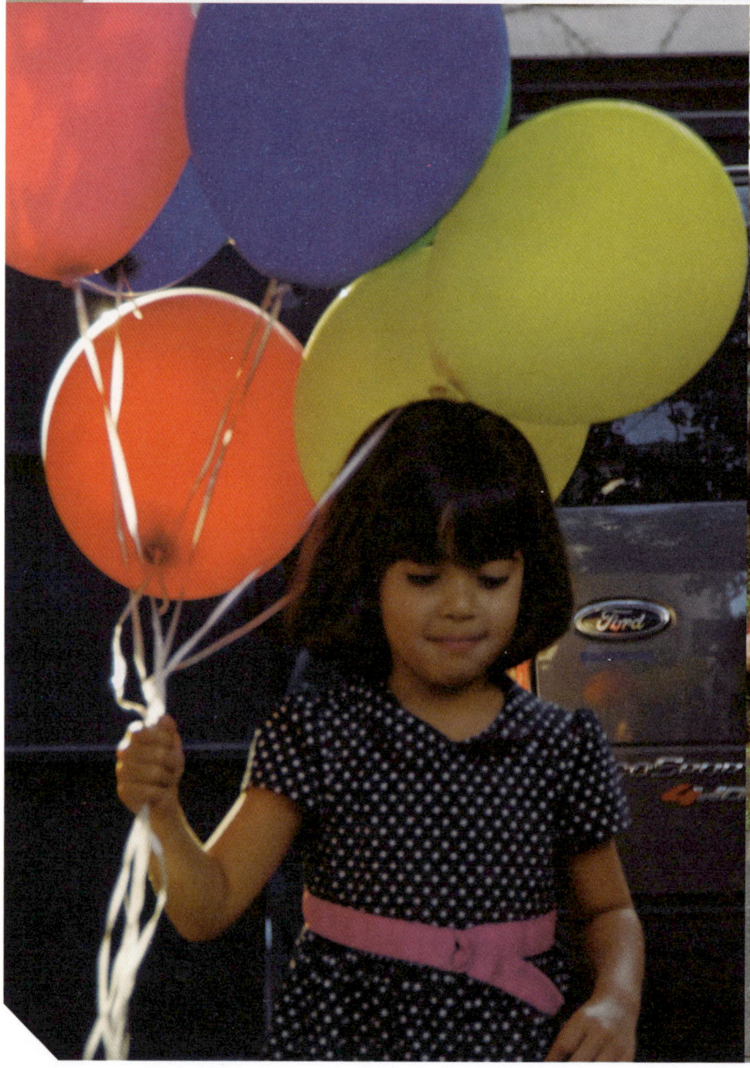
Ford

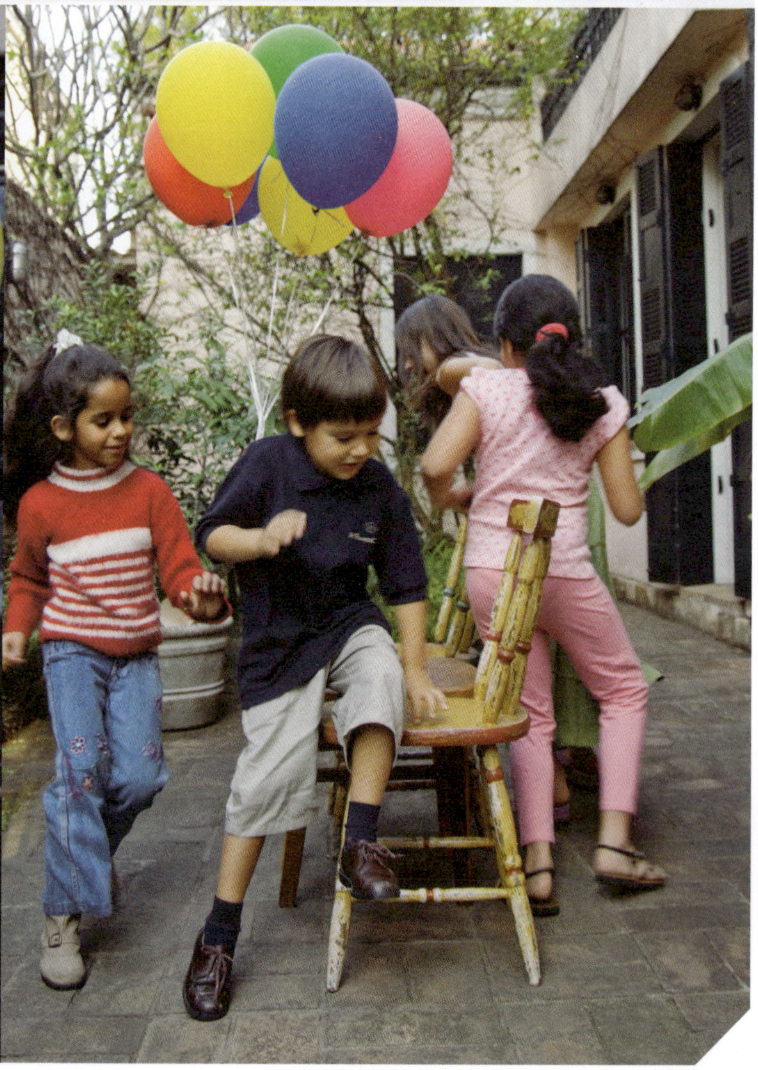

cadeira da sala enquanto enrolava os docinhos, mas uma senhora que trabalhava lá em casa acordou no meio da noite e, comovida e bem quietinha, enrolou tudo o que faltava. Quando a mamãe despertou e viu o tabuleiro pronto, levou tamanho susto que, por alguns segundos, até acreditou em duendes e fadas.

Nessas festas, todos comiam e se divertiam muito, tudo era lindo e delicioso. As bandejas de salgadinhos e sanduichinhos eram tentadoras. A molecada adorava as brincadeiras — correr vestindo saco de estopa e equilibrando uma batata na colher; acertar o rabo do burro com os olhos vendados; pescar e atirar argolas nas maçãs. Na hora do parabéns, todo mundo colocava um chapeuzinho — costume que chegou ao Brasil na década de 1940, junto com o das bexigas coloridas, e nunca mais saiu de moda — e, com a luz apagada, cantava e aproveitava para roubar um docinho, já que, teoricamente, só se podia atacar os doces depois de o aniversariante ter apagado a vela e cortado o bolo.

Este podia ser de chocolate, recheado com creme de chocolate ou doce de leite e coberto com chocolate, ou um bolo branco com baba-de-moça ou creme com pêssego ou abacaxi em pedacinhos. Mas eram sempre deliciosos — macios, úmidos e fartamente recheados. Como quase ninguém costumava ter em casa pratos grandes para os docinhos e o bolo, que, com o recheio e a cobertura, sempre ficava grande, o jeito era partir para os tabuleiros. Minha mãe providenciava tabuleiros quadrados e redondos de madeira de vários tamanhos, forrava e punha babados de papel laminado colorido, que não mela nem gruda no bolo, depois da festa jogava toda a papelada fora e forrava tudo de novo na festa seguinte. (Hoje, tudo é mais fácil, as lojas de artigos para festa têm tabuleiros de plástico até bonitinhos, com a borda rendada e tudo.)

Ela sempre gostou de cortar e servir o bolo, e o fazia com muita competência — essa é uma tarefa que requer um pouco de cuidado. Se o bolo for redondo, para evitar fatias desproporcionais, largas demais de um lado e muito finas do outro, que desmontam com facilidade e mal cabem nos pratinhos, a saída é fazer o seguinte: tendo por base um bolo de uns 50 cm de diâmetro, risque na superfície um círculo uns 10 cm a partir da borda, faça outro círculo adentrando mais 10 cm e, então, comece a cortar fatias de uns 2 ou 3 cm de largura utilizando primeiro todo o círculo externo antes de passar para o seguinte.

Minha mãe também montava uma caixa grande e redonda de papelão forrada com papel colorido, dentro da qual ela colocava os sacos de lembrancinhas com uma fita amarrada na ponta. No final da festa, quando ela levantava a tampa da caixa, cada um puxava a ponta de uma fita e tirava um saquinho. Era uma alegria só abrir aquele pacotinho cheio de balas, pirulitos, ioiôs, línguas-de-sogra e apitos. E na hora de ir embora, cada criança ainda levava umas duas ou três bexigas. Se esperar a festa já tinha sido uma delícia, desfrutá-la então, nem se fala.

Com tantas lembranças deliciosas, eu tinha mesmo era que gostar muito de festa de criança. Além das comidinhas serem muito mais saborosas, ainda têm a magia das coisas feitas em casa, mesmo que alguns docinhos saiam meio tortos ou que uns salgadinhos fiquem um pouco mais dourados do que deveriam. Parece que os docinhos, os salgadinhos e o bolo trazem em cada mordida uma boa dose de carinho, e os convidados percebem isso e acham o máximo.

É claro que preparar uma festa em casa dá um pouco de trabalho, não dá para comparar com um serviço de bufê, que a gente visita, marca a data, estabelece o número de convidados, escolhe o tema para a decoração, os doces e salgados, o bolo e as lembrancinhas, contrata alguém para entreter a garotada, depois chega na hora estipulada, usufrui de tudo por três ou quatro horas sem se preocupar com nada, paga e vai embora. Eu mesma me rendi aos bufês duas ou três vezes em momentos mais atribulados da vida ou para agradar as minhas meninas, que queriam experimentar os brinquedos e as atrações especiais. Mas uma festa caseira é mesmo diferente e vale a pena encarar a experiência pelo menos uma vez. Isso sem falar nos temas de festa, que, em casa, com um pouco de imaginação, podem ser ainda mais originais. Quando a Bebel, minha filha mais velha, fez três anos, ela disse que queria tudo de joaninha. E lá fui eu preparar um bolo oval coberto de metades de cereja e deixar a mesa inteira vermelha com bolinhas pretas. Também fiz uma festa cujo tema era galinha, porque Bebel adorava as "cocós"; inventei uma mesa toda de xícaras quando ela cismou com a xícara e o bule de *A Bela e a Fera*. E para a Ana, a mais nova, que não gostava de bolo quando era bem pequena, fiz no lugar deste um pão doce bem macio com a cara da Emília do *Sítio do Pica-pau Amarelo* e servi fatias de bolo embrulhadas em papel-alumínio.

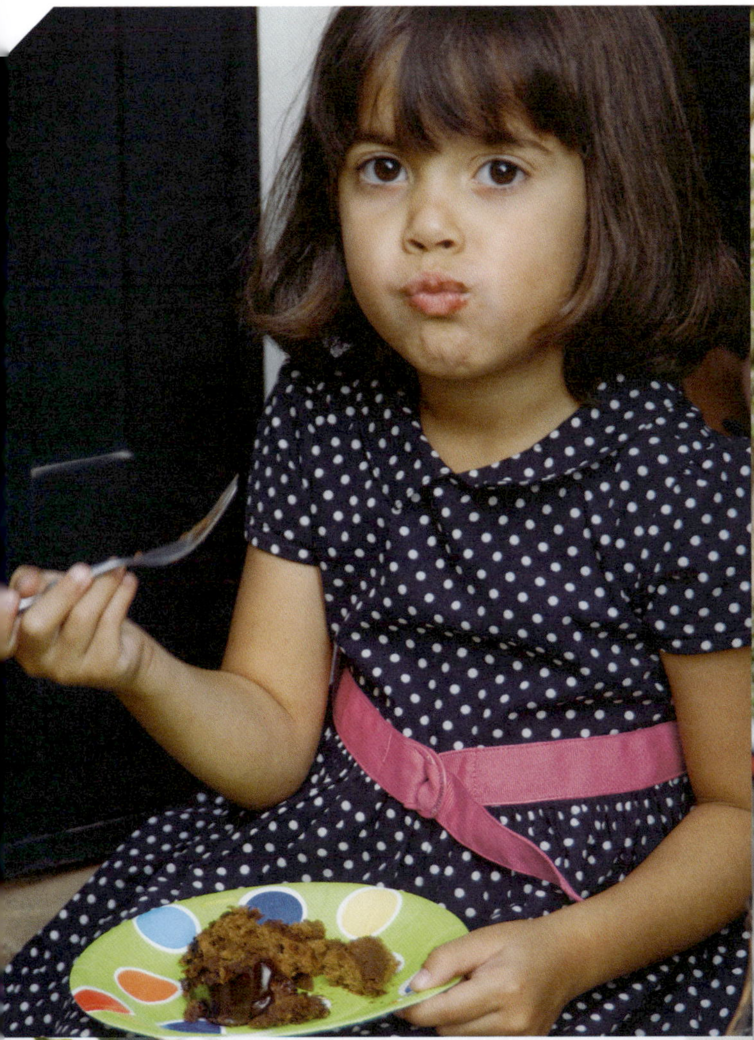

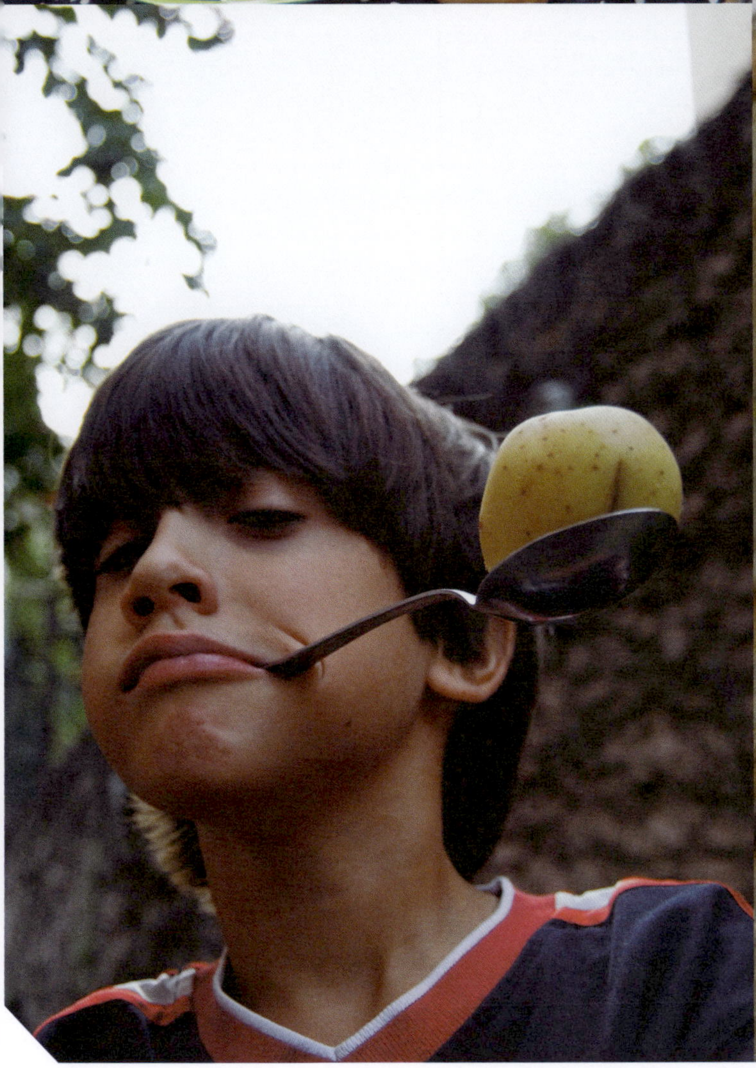

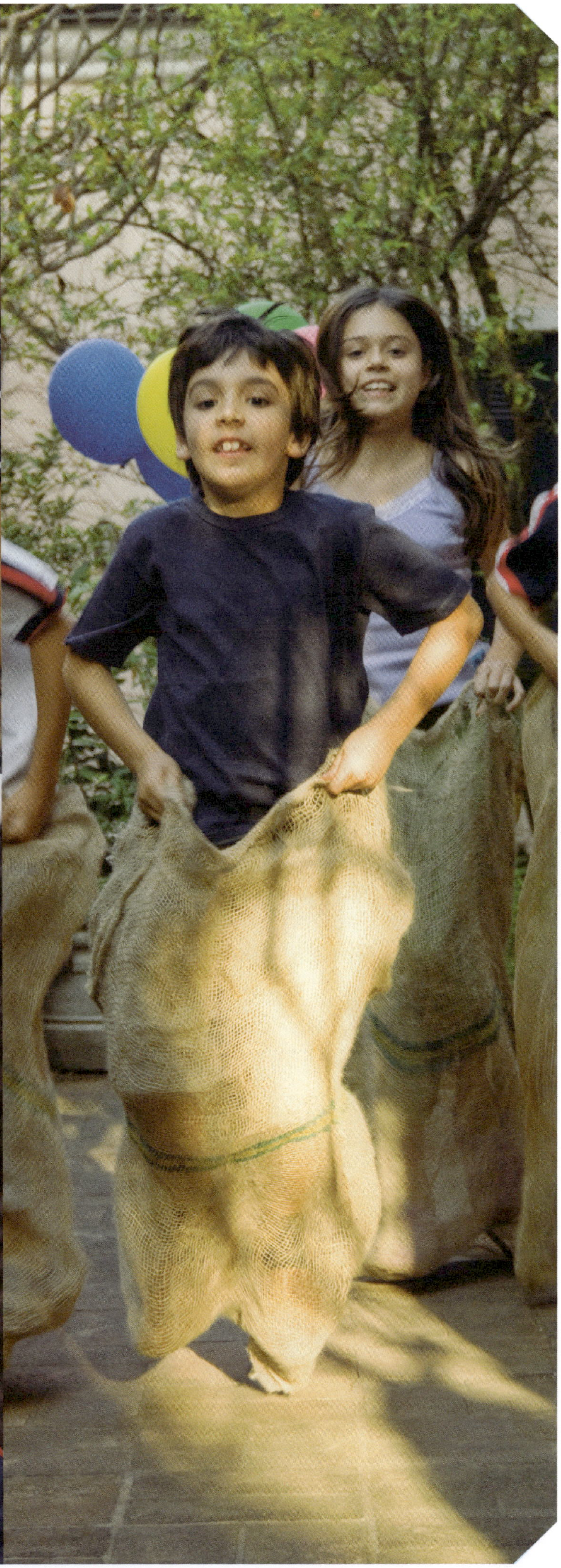

RECEITAS

Imaginei uma festa para umas 35 pessoas, já que dificilmente se junta menos gente do que isso, e escolhi receitas bem tradicionais, como as que sempre apareciam nas festas de aniversário das décadas de 1960 e 1970, quando meus irmãos e eu éramos crianças, e que constam dos cadernos e livros de receita de todo o mundo.

Não dá para negar que os salgadinhos fritos na hora ficam mais crocantes, leves e gostosos. Quem dispõe de espaço e de alguém para cuidar disso, deve mesmo tentar fazer tudo na hora. Mas como isso nem sempre é possível, já que fritar aquele monte de coisinhas toma tempo e causa um pouco de confusão na cozinha, dá para fazê-lo com até umas 8 horas de antecedência, colocar tudo em assadeiras e aquecer no forno quente na hora de servir. É claro que não é a mesma coisa, mas resolve. Há até quem congele os salgadinhos já fritos, mas acho que eles perdem muito na textura; e há também quem frite os salgadinhos com algumas horas de antecedência, acomode tudo entre folhas de papel absorvente numa sacola térmica ou num isopor forrado com papel-alumínio, e, como eles continuam quentinhos, simplesmente os transfere diretamente para a bandeja na hora de servir (mas é preciso ter o cuidado de colocar os bolinhos de bacalhau num isopor à parte, pois eles transferem seu cheiro para os outros salgados num minuto).

O rendimento em unidades é aproximado, já que a colher de chá, usada aqui como medida, pode ser mais cheia ou mais vazia e deixar os docinhos bem diferentes. A mesma coisa acontece com os salgadinhos: o tamanho das coxinhas e croquetes depende da porção de massa que cada um pega. As empadinhas variam de acordo com o tamanho das forminhas usadas.

Além de cachorro-quente e pão de queijo, sempre fazem sucesso uns sanduíches em minipães de leite ou em pão de fôrma branco sem casca cortado em quadradinhos ou em triângulos e embrulhado em papel-alumínio para não ressecar. Para isso, escolhi um trio de pastas, *todas muito fáceis de fazer: a* pasta de tomate da Maria, *que tem o sabor da minha infância — eu adorava levar de lanche para a escola os sanduichinhos que sobravam da festa; a* pasta de frango e pimentão verde, *que fica leve e costuma agradar até quem insiste em dizer que não gosta do coitado do pimentão; e a* pasta de presunto, *que a minha mãe sempre fazia e que dá um sanduichinho especial. Como todo o mundo adora um salgadinho saboroso, decidi fazer um apanhado dos favoritos. A variedade é grande, mas com um pouco de organização, dá para preparar quase tudo com antecedência, congelar e deixar só a finalização — rechear, fritar ou aquecer — para o dia da festa. A* barquete de maionese *é um clássico dos anos 1950 e 1960 (congele a base crocante já assada e, no dia, prepare a maionese e recheie; minha mãe ainda colocava uma velinha em cada barquete, cortando um triângulo pequeno de papel, colando num palito de dente e espetando na maionese.) O* croquete de carne, *que crianças e adultos adoram, aqui é dado numa versão com carne moída e molho béchamel (mas também fica gostoso quando feito de carne assada ou cozida processada com batata cozida espremida e ovo o bastante para conseguir enrolar — 500 g de carne, 500 g batata espremida e 1 ovo; há também receitas que, no lugar da batata ou do béchamel, usam pão amolecido no leite). A* carolina de camarão *é uma delícia e dá um ar sofisticado à festa (congele a carolina já assada e o recheio, aqueça e recheie no dia da festa). A* coxinha de frango *é sucesso garantido. Tem também o* rissole de carne, *com massa crocante por fora e macia por dentro e um recheio bem temperadinho; a* empadinha de palmito, *que é tão boa que o ideal é até dobrar a receita; o* bolinho de bacalhau, *com uma receita bem fácil e que dá bons bolinhos tanto fritos como assados; o* enroladinho de salsicha, *que a molecada adora, com uma massa* semifolhada preparada com requeijão tipo Catupiry – também ótima para pasteizinhos assados recheados com creme de palmito, camarão ou frango ou com queijo e presunto; e o rocambole de presunto e queijo, que some rapidinho da bandeja. Como os recheios de camarão, carne, palmito e frango são versáteis, você pode fazer as combinações que quiser, como uma empadinha de camarão ou um rissole de palmito, por exemplo.

Aí chegam os docinhos, que todo mundo adora. Primeiro, o brigadeiro, o rei da festa, que não tem mesmo concorrente, é o preferido e pronto, com um nome que homenageia o Eduardo Gomes, um político da primeira metade do século 20. A versão clássica leva leite condensado, chocolate em pó e manteiga, nada mais, mas muita gente gosta de acrescentar um pouco de mel para dar um gostinho diferente; ou leite e gemas para render e encorpar um pouco mais. Para enrolar e conseguir bolinhas perfeitas, a massa não deve ficar nem muito mole, pois desmonta, nem muito firme, pois fica puxa-puxa (além da receita de panela, vai também a versão rapidinha de microondas, que é uma mão na roda). Depois chegam o docinho de nozes e cereja, que a minha mãe preparava em todas as festas – na verdade, é a massa do brigadeiro com bem menos chocolate, mais nozes moídas e um pedacinho de cereja no meio; o beijinho tradicional, que é um docinho bem antigo, feito com leite de coco, coco ralado, leite, gemas, açúcar e baunilha e rolado no açúcar cristal (muita gente, no entanto, usa a receita do brigadeiro, mas substituindo o chocolate pelo coco ralado); o cajuzinho de amendoim, que fica uma graça e tem o gostinho da mistura de paçoquinha com chocolate; o bicho-de-pé, com aquele tom de rosa bem delicado e muito macio; as nozes fingidas, uns docinhos divinos, bem de antigamente (eu herdei as forminhas especiais no formato de nozes da minha avó Betty, mas quem não tem, pode usar uma metade vazia de casca de noz para moldar, ou simplesmente fazer bolinhas; o quindim, que sempre encanta com aquele creminho amarelíssimo e brilhante por cima e a crostinha dourada de coco por baixo e que aqui vai numa receita realmente deliciosa; o olho-de-sogra, com o leve azedinho da ameixa preta envolvendo um creme de coco, gemas e açúcar; o canudinho de cocada, com aquela massinha crocante e estaladiça, que parece de pastel, e um recheio bem cremoso; e o docinho de abacaxi, também muito amarelo e brasileirinho. Como a bala de coco tem as suas manhas, quase todo mundo prefere comprá-la pronta e só embrulhar em casa, mas eu queria mesmo decifrar os tais segredinhos e chegar à receita de uma bala que fosse mesmo deliciosa, se desmanchasse na boca, não fosse tão difícil ou complicada de fazer e desse sempre certo, então, fui atrás das mais variadas versões, muitas delas vagas, funcionam algumas vezes, mas outras não. Testei, retestei e testei de novo tantas vezes até perder a conta e chegar à receita que vai aqui, com todas as dicas possíveis (embora seja perfeitamente possível trabalhar com a bala sobre o mármore untado, um tapetinho de silicone facilita demais a função). Uma coisa importante que aprendi com a minha mãe: para que a bala continue macia depois de 2 ou 3 dias, ela deve ser embrulhada também em papel celofane, pois só com o papel colorido com barrado de tirinhas ela resseca mesmo. E, se quiser fazer bala de coco gelada, prepare a receita normalmente, deixe a bala secar por no mínimo 2 e no máximo 10 horas, coloque todas as balas numa assadeira, regue com uma mistura de 1/2 xícara de leite de coco, 1/2 xícara de leite e 1/2 xícara de coco fresco ralado, leve à geladeira por umas 2 horas e depois coloque num saco plástico bem fechadinho; guarde por até 1 semana na geladeira ou congele por até 1 mês.

Se há um docinho de festa que parece não ser para criança é o quadradinho de cachaça e uva, mas ele sempre aparecia nas festas da minha infância, e a cachaça é tão sutil que não há problema algum (além do mais, nem só de crianças vivem as festas de aniversário). Os quadradinhos ficam mais gostosos quando passados no açúcar cristal, mas como a umidade do ar é alta e, depois de passados no açúcar, em 5 minutos tudo começa a melar, é mais simples eliminar a etapa. Resolvi dar duas opções de bolo: como a maioria gosta mesmo é de chocolate, não dava para não dar a receita de um bolo de chocolate recheado de chocolate e coberto de chocolate, então escolhi um pão-de-ló superleve de chocolate, recheado com um creme de confeiteiro de chocolate e coberto com uma ganache de chocolate, que pode receber um enfeite por cima, ou simplesmente vir riscadinho com um garfo, uma decoração simples, caseira, mas bonita (tente preparar tudo e montar o bolo na véspera, aí ele tem tempo de descansar, mesclar os sabores e ficar muito, mas muito mais gostoso). O outro é um bolo de coco com baba-de-moça, também com massa muito leve, recheio cremosíssimo feito de gema e leite de coco e coberto com um merengue bem fofo e muito branco — quer dizer, um bolo de arrancar suspiros. Na certa, com tanta coisa boa, os convidados mais chegados vão acabar montando pratinhos com salgadinhos, docinhos e um pedaço de bolo para levar para casa.

🎁 TRIO DE PASTAS: TOMATE DA MARIA; PEITO DE FRANGO E PIMENTÃO VERDE; PRESUNTO

(APROXIMADAMENTE 200 SANDUICHINHOS – O QUE CORRESPONDE A 100 FATIAS DE PÃO DE FÔRMA, CERCA DE 7 PACOTES, OU 200 MINIPÃEZINHOS; 1 HORA E 30 MINUTOS, MAIS 2 HORAS PARA FIRMAR)

PARA A PASTA DE TOMATE DA MARIA
1 1/2 xícara de polpa de tomate peneirada
2 colheres (sopa) de azeite de oliva
1 cebola pequena picadinha
1 xícara de leite
4 fatias de pão de fôrma sem casca ou 1 pão francês
1 folha de louro
2 gemas
1/2 xícara de queijo parmesão ralado
1/4 de xícara de salsinha picadinha
sal e pimenta-do-reino

PARA A PASTA DE FRANGO E PIMENTÃO VERDE
2 peitos de frango inteiros sem pele
1 cebola cortada em 4
1 folha de louro
1 dente de alho inteiro sem casca
1 pimentão verde grande, sem sementes e sem filamentos
2 xícaras de maionese
azeite de oliva
sal e pimenta-do-reino

PARA A PASTA DE PRESUNTO
2 latinhas de patê de presunto
1 1/2 xícara de creme de leite espesso (de lata ou de caixinha)
1 envelope de gelatina em pó incolor sem sabor (12 g)
1 1/4 de xícara de água
1 tablete de caldo de carne

↔ **Pasta de tomate** No liquidificador, bata a polpa de tomate, o azeite, a cebola, o leite, o pão já esfarelado, o louro e as gemas até obter uma pasta. Passe para uma panela, aqueça e, sempre mexendo, deixe ferver e engrossar. Junte o parmesão e a salsinha, acerte o sal e a pimenta, espere amornar e guarde na geladeira por até 3 dias.
↔ **Pasta de frango** Numa panela média, coloque os peitos, a cebola, o louro, o alho, sal e pimenta, cubra com água e aqueça. Quando ferver, abaixe o fogo e cozinhe por uns 40 minutos, até que a carne esteja bem macia. Retire os peitos da panela e, quando amornar, separe em lascas miúdas.
↔ **No processador ou liquidificador**, bata o pimentão, a maionese e o frango até obter uma pasta. Ajuste o sal e a pimenta e guarde na geladeira por até 2 dias.
↔ **Pasta de presunto** Numa tigela, misture o patê de presunto e o creme de leite.
↔ **Numa tigelinha**, coloque a gelatina e 1/4 de xícara de água fria e deixe hidratar por 1 minuto. Enquanto isso, aqueça a água restante e o caldo de carne. Quando ferver, despeje sobre a gelatina e misture até dissolver.

Despeje na tigela da pasta de presunto, mexa até obter uma creme liso e leve à geladeira para firmar por pelo menos 2 horas ou por até 3 dias.
↔ **Monte os sanduichinhos** com no máximo 8 horas de antecedência, coloque numa bandeja e cubra bem com um pano úmido para o pão não ressecar.

🎁 BARQUETE DE MAIONESE

(60 UNIDADES; 1 HORA E 30 MINUTOS, MAIS 2 HORAS PARA GELAR)

PARA A MASSA
2 xícaras de farinha de trigo (aproximadamente)
1/2 colher (chá) de fermento em pó
1 colher (chá) de sal
150 g de manteiga gelada em cubinhos
1/4 de xícara de leite
1 gema

PARA O RECHEIO
2 kg de batata lavada com casca
4 cenouras grandes com casca
1 cebola grande em cubos miúdos
1 pimentão vermelho, sem sementes e sem filamentos, em cubos miúdos
3 xícaras de ervilha em conserva
1 xícara de azeitona verde picadinha
8 ovos cozidos picadinhos
4 xícaras de maionese, de preferência, caseira
1 xícara de salsinha bem picadinha
sal e pimenta-do-reino

↔ **Massa** Numa tigela grande, misture a farinha, o fermento e o sal. Junte a manteiga e esfarele com a ponta dos dedos até obter uma farofa. Acrescente o leite e a gema e trabalhe até conseguir uma massa macia, que descole das mãos (se ficar pegajosa, junte um pouco mais de farinha). Envolva em filme plástico e leve à geladeira por pelo menos 30 minutos ou por até uns 2 dias.
↔ **Na hora de montar**, separe mais ou menos 60 fôrmas para barquete ou fôrmas médias para empadinha. Sobre uma superfície enfarinhada, abra a massa com um rolo até ficar bem fininha e forre as fôrmas. Espalhe as fôrmas numa assadeira e leve à geladeira por uns 15 minutos, enquanto o forno aquece a 180°C (médio). Asse as barquetes por uns 20 minutos, até ficarem douradas e crocantes. Retire do forno, aguarde 10 minutos, solte as barquetes das fôrmas, deixe esfriar e guarde num pote bem fechado por uns 3 dias, ou congele por até 1 mês.
↔ **Recheio** Coloque a batata numa panela e a cenoura em outra, cubra com água e aqueça. Quando ferver, abaixe o fogo e cozinhe por uns 30 minutos, até que a batata e cenoura estejam macias, mas ainda firmes. Escorra e, quando amornar, descasque, corte em cubinhos miúdos e junte tudo numa tigela grande. Adicione

a cebola, o pimentão, a ervilha, a azeitona, o ovo, a maionese, a salsinha, sal e pimenta, misture e leve à geladeira por pelo menos 2 ou por até 24 horas.

↔ Na hora de servir, recheie cada barquete com uma colher (sopa) da maionese. (Se for preciso, deixe as barquetes montadas na geladeira por no máximo 6 horas; depois desse tempo, a massa começa a amolecer.)

🎁 CROQUETE DE CARNE
(100 UNIDADES; 2 HORAS)

80 g de manteiga
1/2 xícara de farinha de trigo
2 xícaras de leite
1 cebola grande em cubos miúdos
1 dente de alho picadinho
2 tomates, sem pele e sem sementes, em cubos miúdos
1 kg de patinho ou coxão mole moído
5 ovos
2 xícaras de farinha de rosca
sal e pimenta-do-reino
1 litro de óleo para fritar

↔ Numa panela média, aqueça a manteiga e a farinha e, sempre mexendo com batedor de arame ou com colher de pau e fazendo um 8 para raspar todo o fundo, misture até obter uma pasta amarelada e borbulhante. Junte o leite aos poucos e mexa por mais uns 10 minutos, até ferver e engrossar. Reserve.

↔ Em outra panela média, aqueça um fio de óleo e doure ligeiramente a cebola. Junte o alho e espere perfumar. Acrescente o tomate, a carne, sal e pimenta e mexa para soltar totalmente os grumos. Cozinhe em fogo baixo até a carne secar e começar a dourar, então junte o creme reservado e 3 ovos. Acerte o sal e a pimenta e, misturando sempre, deixe no fogo até soltar da panela. Espere amornar e leve à geladeira por uns 30 minutos para firmar. Unte as mãos com um pouquinho de óleo, pegue porções de massa com uma colher de sopa e molde os croquetes. Coloque os ovos restantes num prato fundo e bata ligeiramente com um garfo. Ponha a farinha de rosca em outro prato. Passe os croquetes pelo ovo e depois pela farinha de rosca. (Se quiser, prepare até aqui na véspera e guarde na geladeira, ou congele por até 1 mês.) Pouco antes de servir, frite os croquetes em óleo quente até que estejam dourados e com uma casquinha crocante e escorra sobre papel absorvente.

BARQUETE DE MAIONESE

CROQUETE DE CARNE

CAROLINA DE CAMARÃO

CAROLINA DE CAMARÃO

(60 UNIDADES; 2 HORAS)

PARA A MASSA
1 1/2 xícara de água
200 g de manteiga gelada em cubinhos
1/2 colher (chá) de sal
2 xícaras de farinha de trigo
8 ovos
manteiga para untar

PARA O RECHEIO
50 g de manteiga
1 cebola grande picadinha
1 dente de alho picadinho
1,2 kg de camarão pequeno bem limpo e sem casca
1 folha de louro
1 1/2 xícara de polpa de tomate peneirada
500 g de queijo cremoso (tipo Catupiry)
1/3 de xícara de maisena
1/2 xícara de água
1/2 xícara de salsinha picadinha
azeite de oliva
sal e pimenta-do-reino

↠ Massa Aqueça o forno a 180°C (médio) e unte 2 assadeiras grandes com manteiga.
↠ Numa panela média, aqueça a água, a manteiga e sal. Quando ferver, junte a farinha de uma só vez e, sem parar de mexer, cozinhe até a massa formar uma bola que se solte totalmente da panela. Passe para a tigela da batedeira e, sempre batendo, junte o primeiro ovo e bata até incorporar. Continue batendo e juntando os demais ovos, um a um, até o 7º ovo. Como os ovos variam de tamanho e a massa não deve ficar nem firme e nem mole demais, quebre e misture o 8º ovo numa tigelinha e vá incorporando-o à massa aos poucos, até ela ficar lisa e bem brilhante (risque a superfície com a ponta do dedo indicador e veja se fica um caminho marcado). Com saco de confeitar e bico liso médio de 1 cm, molde diretamente nas assadeiras umas 60 bolinhas de 2 cm de diâmetro, deixando 5 cm entre elas). Asse as carolinas por uns 25 minutos, até que estejam crescidas e bem douradas de todos os lados. Retire do forno, deixe esfriar e solte da assadeira. (Se quiser, asse na véspera e guarde num pote bem fechado, ou congele por até 1 mês.)
↠ Recheio Numa panela, aqueça a manteiga e um fio de azeite e doure ligeiramente a cebola. Junte o alho e espere perfumar. Adicione o camarão, mexa até mudar de cor e acrescente o louro, a polpa de tomate, sal e pimenta e deixe ferver por uns 5 minutos. Junte o queijo cremoso e misture até derreter. Acrescente a maisena, já dissolvida na água, e mexa até ferver e engrossar. Ajuste o sal e a pimenta, acerte a acidez com um pouquinho de açúcar, acrescente a salsinha e deixe esfriar (mergulhe a panela numa tigela com água e gelo para esfriar mais rápido).
↠ Pouco antes de servir, aqueça o creme de camarão, corte uma tampinha em cada carolina e coloque umas

COXINHA DE FRANGO E RISSOLE DE CARNE

2 colheres (chá) do recheio na cavidade. (Se quiser, recheie as carolinas com até 8 horas de antecedência, cubra com filme plástico, guarde na geladeira e aqueça por uns 15 minutos no forno a 180°C (médio) antes de servir.)

🎁 COXINHA DE FRANGO
(120 UNIDADES; 3 HORAS)

PARA O RECHEIO
800 g de sobrecoxa ou, se preferir carne branca, peito sem pele
1 tablete de caldo de galinha
1 folha de louro
6 xícaras de água
25 g de manteiga
1 cebola média em cubos miúdos
1 dente de alho picadinho
3 tomates bem vermelhos, sem pele e sem sementes, em cubinhos
1/3 de xícara de salsinha e cebolinha picadinhas
1/3 de xícara de maisena
azeite de oliva
sal e pimenta-do-reino

PARA A MASSA E A FINALIZAÇÃO
4 xícaras do caldo do cozimento do frango
75 g de manteiga gelada em cubinhos
1 colher (chá) de sal
4 xícaras de farinha de trigo
3 xícaras de farinha de rosca
3 ovos
pimenta-do-reino
1 litro de óleo para fritar

↪ Recheio Numa panela grande, aqueça a sobrecoxa, o tablete de caldo, o louro e a água e cozinhe por uns 40 minutos, até que a carne esteja bem macia, se soltando dos ossos. Retire do fogo, passe o caldo pela peneira, reserve 4 xícaras para a massa e 1 xícara para engrossar o recheio. Deixe a sobrecoxa amornar e separe a carne em lascas miúdas.
↪ Numa panela média, aqueça a manteiga e um fio de azeite e doure ligeiramente a cebola. Junte o alho, espere perfumar e adicione o frango, o tomate, a salsinha e cebolinha, sal e pimenta. Dissolva a maisena no caldo reservado para o recheio, coloque na panela e mexa até ferver e engrossar. Ajuste o sal e a pimenta, retire do fogo e deixe esfriar (mergulhe a panela numa tigela com água e gelo para esfriar mais rápido).
↪ Massa Enquanto isso, coloque o caldo, a manteiga, o sal e pimenta numa panela média e aqueça. Quando ferver, junte a farinha de uma só vez e, sem parar de mexer, cozinhe até a massa formar uma bola que se solte totalmente da panela e deixe esfriar.
↪ Unte as mãos com um pouquinho de óleo, pegue uma porção de massa com uma colher de sopa, faça uma bola, aperte no centro com o polegar para fazer uma cavidade, nela coloque umas 2 colheres (chá) de recheio e depois pressione as bordas para fechar e dar o formato de coxinha (se quiser, espete um palito na ponta mais fina). Coloque os ovos num prato fundo e bata ligeiramente com um garfo. Coloque a farinha de rosca em outro prato. Passe as coxinhas primeiro pelo ovo e depois pela farinha de rosca. (Se desejar, prepare até aqui na véspera e guarde na geladeira, ou congele por até 1 mês.) Pouco antes de servir, frite as coxinhas em óleo quente até que estejam douradas e com uma casquinha crocante e escorra sobre papel absorvente.

🎁 RISSOLE DE CARNE
(100 UNIDADES; 2 HORAS)

PARA A MASSA
3 xícaras de leite
100 g de manteiga gelada em cubinhos
1 colher (chá) de sal
3 xícaras de farinha de trigo

PARA O RECHEIO E A FINALIZAÇÃO
1 cebola média em cubos miúdos
1 dente de alho picadinho
600 g de carne moída (patinho ou coxão mole)
2 colheres (sopa) de polpa de tomate
1/2 xícara de azeitona verde picadinha
2 colheres (sopa) de salsinha picadinha
2 ovos
2 xícaras de farinha de rosca
sal e pimenta-do-reino
1 litro de óleo para fritar

↪ Massa Numa panela grande, coloque o leite, a manteiga e o sal e aqueça. Quando ferver, junte a farinha de uma só vez e, sem parar de mexer, cozinhe até a massa formar uma bola que descole da panela. Retire do fogo e deixe esfriar.
↪ Recheio Enquanto isso, regue o fundo de uma panela média com um fio de óleo e doure ligeiramente a cebola. Junte o alho e espere perfumar. Acrescente a carne, sal e pimenta e mexa até soltar os grumos e mudar de cor. Adicione a polpa de tomate e cozinhe em fogo baixo até a carne secar e começar a dourar. Junte a azeitona e a salsinha, acerte o sal e a pimenta e deixe esfriar.
↪ Abra a massa com um rolo sobre uma superfície ligeiramente enfarinhada, corte uns 100 discos de uns 6 cm de diâmetro, recheie cada um deles com umas 2 colheres (chá) de carne, dobre e aperte as bordas para fechar. Coloque os ovos num prato fundo e bata ligeiramente com um garfo. Coloque a farinha de rosca em outro prato. Passe os rissoles primeiro pelo ovo e depois pela farinha de rosca. (Se quiser, prepare até aqui na véspera e guarde na geladeira, ou congele por até 1 mês). Pouco antes de servir, frite os rissoles no óleo quente até que estejam dourados e com uma casquinha crocante e escorra sobre papel absorvente.

EMPADINHA DE PALMITO

🎁 EMPADINHA DE PALMITO

(80 UNIDADES; 2 HORAS)

PARA A MASSA

4 1/2 xícaras de farinha de trigo (aproximadamente)
1 colher (chá) de sal
300 g de manteiga gelada em cubinhos
1/4 de xícara de água gelada
farinha de trigo para polvilhar
1 gema para pincelar

PARA O RECHEIO

75 g de manteiga
1 cebola grande picadinha
1 dente de alho picadinho
1 kg de palmito em conserva, em rodelinhas finas (normalmente 2 vidros grandes)
3 xícaras de leite
2 colheres (sopa) de ketchup
1 tablete de caldo de legumes
1/2 xícara de maisena
1/3 de xícara de salsinha picadinha
azeite de oliva

↣ **Massa** Numa tigela grande, coloque a farinha, o sal e a manteiga, esfarele com a ponta dos dedos até obter uma farofa e vá acrescentando água gelada aos pouquinhos, à medida que se fizer necessário, e trabalhando até formar uma massa macia que descole das mãos. Envolva em filme plástico e leve à geladeira por pelo menos 30 minutos ou por até uns 2 dias.

↣ **Recheio** Enquanto isso, numa panela média, aqueça a manteiga e um fio de azeite e doure ligeiramente a cebola. Junte o alho e espere perfumar. Adicione o palmito, o leite, o ketchup e o caldo e deixe ferver por 5 minutos. Junte a maisena dissolvida em 1 xícara de água e, sempre mexendo, mantenha no fogo até ferver e engrossar. Adicione a salsinha, acerte o sal e a pimenta, e, se for preciso, ajuste a acidez com uma pitada de açúcar. Retire do fogo e deixe esfriar (mergulhe a panela numa tigela com água e gelo para esfriar mais rápido).

↣ **Na hora de montar**, separe umas 80 fôrmas pequenas para empadinha de uns 2 cm de diâmetro. Sobre uma superfície enfarinhada, abra a massa com um rolo até ficar com a espessura de uma casca de banana. Corte discos de massa do tamanho suficiente para forrar o fundo e as laterais das forminhas, preencha a cavidade com o recheio, cubra com um disco de massa, pressione as bordas para fechar e pincele com a gema diluída em 2 colheres (sopa) de água. Espalhe as forminhas numa assadeira e leve à geladeira por uns 15 minutos, enquanto o forno aquece a 180°C (médio). Asse as empadinhas por uns 30 minutos, até que estejam bem douradas e crocantes. Retire do forno, aguarde 10 minutos, desenforme e sirva. (Se quiser, monte as empadinhas na véspera, deixe na geladeira e asse no dia da festa; ou congele, cruas ou já assadas, por até 1 mês e aqueça no forno na hora de servir).

BOLINHO DE BACALHAU

🎁 BOLINHO DE BACALHAU

(100 UNIDADES; 2 HORAS, MAIS 24 HORAS PARA DESSALGAR O BACALHAU)

1 kg de bacalhau em lascas limpo, sem pele e sem espinhas
1/4 de xícara de azeite
1 cebola grande em cubinhos
2 dentes de alho picadinhos
1,5 kg de batata inteira com casca
1 xícara de salsinha picadinha
4 ovos
azeite de oliva
sal e pimenta-do-reino

↣ **Com uns 2 dias de antecedência**, coloque o bacalhau numa tigela, cubra com água e deixe na geladeira, trocando a água de 2 em 2 horas para dessalgar, depois escorra.

↣ **Numa panela grande**, aqueça o azeite e doure ligeiramente a cebola. Adicione o alho, espere perfumar e junte o bacalhau. Mantenha no fogo por uns 10 minutos, até que esteja bem macio, misturando bem para desfazer o bacalhau em lascas bem miúdas.

↣ **Enquanto isso**, cozinhe a batata numa panela com água fria até amaciar (espete com um garfo para testar), escorra e passe pelo espremedor. Misture a batata espremida, o bacalhau, a salsinha, o ovo e ajuste o sal e a pimenta. (Se preferir bolinhos fritos, para que eles fiquem leves e fofos, junte primeiro as gemas à massa, e depois as claras batidas em neve.) Aqueça o forno a 200°C (médio-alto) e unte 2 assadeiras grandes com azeite. Unte as mãos com azeite, pegue porções de massa com uma colher de sopa, molde os bolinhos e coloque na assadeira. Asse os bolinhos por uns 30 minutos, até que estejam dourados e crocantes. (Se quiser, congele os bolinhos assados por até 1 mês e aqueça no forno na hora de servir).

ENROLADINHO DE SALSICHA

ROCAMBOLE DE PRESUNTO E QUEIJO

🎁 ENROLADINHO DE SALSICHA

(60 UNIDADES; 1 HORA E 30 MINUTOS, MAIS 2 HORAS PARA A MASSA GELAR)

3 xícaras de farinha de trigo (aproximadamente)
1 colher (chá) de sal
100 g de manteiga gelada em cubinhos
410 g de queijo cremoso (tipo Catupiry)
60 minissalsichas para aperitivo
farinha de trigo para polvilhar
1 gema para pincelar

↬ Numa tigela grande, coloque a farinha, o sal e a manteiga e esfarele com a ponta dos dedos até obter uma farofa. Junte o queijo e trabalhe até formar uma massa macia, que descole das mãos (a massa fica mesmo muito macia, mas, se ficar pegajosa demais, junte um pouquinho de farinha). Envolva em filme plástico e leve à geladeira por pelo menos 2 horas ou por até uns 2 dias.

↬ Enquanto isso, coloque as salsichas numa panela média, cubra com água, deixe ferver por 1 minuto, escorra e deixe esfriar.

↬ Com um rolo, abra a massa sobre uma superfície enfarinhada até obter um retângulo de uns 25 x 60 cm. Com uma faca afiada, divida em 60 tiras de 1 cm de largura. Enrole cada salsicha com uma tira de massa, mas deixe as pontinhas aparecendo, coloque numa assadeira grande, pincele com a gema diluída em 2 colheres (sopa) de água e leve à geladeira por uns 15 minutos, enquanto o forno aquece a 180°C (médio). Asse os enroladinhos por uns 20 minutos, até que a massa esteja bem dourada e crocante. Retire

uma massa macia, que descole das mãos. Cubra com um pano e deixe repousar por mais ou menos 1 hora, até dobrar de volume. Divida a massa ao meio e, com um rolo, abra metade dela sobre uma superfície enfarinhada até conseguir um retângulo de uns 25 x 40 cm.

↬ Recheio Deixando uma borda de 1 cm livre em toda a volta, espalhe sobre o retângulo de massa metade do molho, da mussarela, do presunto, do parmesão e do orégano, enrole como um rocambole, pressione bem as pontas para fechar e passe para uma assadeira grande untada com óleo. Faça o mesmo com a outra metade da massa. Depois pincele a superfície com a gema diluída em 2 colheres (sopa) de água e deixe descansar por mais uns 15 minutos, enquanto o forno aquece a 180°C (médio). Asse os rocamboles por uns 40 minutos, até que estejam crescidos e bem dourados. Aguarde uns 5 minutos, retire os rocamboles da assadeira, corte em fatias finas com uma faca de serra e sirva quente ou em temperatura ambiente.

BRIGADEIRO
(100 UNIDADES; 2 HORAS, MAIS UMAS 3 HORAS PARA ESFRIAR)

4 latas (340 g cada) de leite condensado
1 xícara de chocolate em pó
75 g de manteiga
500 g de chocolate granulado
manteiga para untar

↬ Numa panela larga, alta e de fundo grosso, coloque o leite condensado, o chocolate e a manteiga e aqueça. Sempre mexendo, para não grudar nem queimar no fundo, e tomando cuidado, pois ele espirra bastante e é muito quente, cozinhe por uns 40 minutos, até o brigadeiro encorpar, escurecer, ganhar um brilho diferente e descolar de uma vez da panela, fazendo umas pregas e deixando no fundo só uma crostinha bem fina. (Versão rapidinha: num refratário bem alto, pois a massa sobe bastante e costuma derramar, misture 1 lata de leite condensado e 2 colheres (sopa) de chocolate em pó e cozinhe no microondas, em potência alta, por 7 minutos, mexendo nos seguintes intervalos: aos 2, aos 4, aos 6 minutos e no final. No final, junte 20 g de manteiga. Não prepare mais do que 1 receita por vez, pois a massa sobe muito quando ferve, transborda mesmo e faz uma meleca.)

↬ Transfira a massa para um refratário untado com manteiga e deixe esfriar por umas 3 horas para que o brigadeiro mantenha a forma ao enrolar (se a massa passar do ponto e ficar muito dura, junte um pouquinho de leite e volte ao fogo para acertar). Para moldar, unte as mãos com um pouco de manteiga, pegue porções de massa com uma colher (chá) e enrole fazendo bolinhas. Coloque o chocolate granulado num prato fundo, role os docinhos nele e transfira para as forminhas. Guarde os brigadeiros num pote fechado em temperatura ambiente por 2 ou 3 dias (ou congele já nas forminhas por uns 3 meses e, sem abrir o pote, para não melar, deixe descongelar naturalmente).

do forno, aguarde 10 minutos e passe para o prato de servir. (Se quiser, monte os enroladinhos na véspera, deixe na geladeira e asse no dia da festa; ou congele, crus ou já assados, por até 1 mês e aqueça no forno na hora de servir.)

ROCAMBOLE DE PRESUNTO E QUEIJO
(2 ROCAMBOLES GRANDES, 1 HORA E 30 MINUTOS, MAIS UMAS 2 HORAS PARA A MASSA REPOUSAR)

PARA A MASSA
2 tabletes de fermento biológico (30 g)
1 colher (sopa) de açúcar
1 xícara de leite morno
4 1/2 xícaras de farinha de trigo (aproximadamente)
1 ovo
1/2 xícara de óleo vegetal
1 colher (chá) de sal

PARA O RECHEIO
1 xícara de molho pronto de tomate
400 g de fatias finas de queijo mussarela
400 g de fatias finas de presunto
1 xícara de queijo parmesão ralado
1 colher (sopa) de orégano
1 gema para pincelar

↬ Massa Numa tigela grande, misture o fermento, o açúcar, o leite e 1/2 xícara de farinha e deixe repousar por 10 minutos, até espumar. Junte o ovo, o óleo e o sal e vá, aos poucos, acrescentando a farinha e trabalhando até obter

DOCINHO DE NOZES E CEREJA

🎁 DOCINHO DE NOZES E CEREJA

(100 UNIDADES; 2 HORAS, MAIS UMAS 3 HORAS PARA ESFRIAR)

3 latas (340 g cada) de leite condensado
1 1/2 xícara de leite
2 gemas
2 colheres (sopa) de chocolate em pó
50 g de manteiga
1 3/4 de xícara de nozes grosseiramente moídas
25 cerejas em calda escorridas e cortadas em 4
2 xícaras de açúcar refinado para rolar
manteiga para untar

↬ **Numa panela larga,** alta e de fundo grosso, coloque o leite condensado, o leite, as gemas, o chocolate e manteiga e aqueça. Sempre mexendo, para não grudar nem queimar no fundo, e tomando cuidado, pois ele espirra bastante e é muito quente, cozinhe por uns 35 minutos, até o doce encorpar, ganhar um brilho diferente e descolar de uma vez da panela, fazendo umas pregas e deixando no fundo só uma crostinha bem fina. Então, misture as nozes, transfira a massa para um refratário untado com manteiga e deixe esfriar por umas 3 horas para que os docinhos mantenham a forma ao enrolar (se a massa passar do ponto e ficar muito dura, junte um pouquinho de leite e volte ao fogo para acertar). Para moldar, unte as mãos com um pouco de manteiga, pegue porções de massa com uma colher de chá, aperte com a palma da mão para abrir um disco, coloque 1 pedaço de cereja no centro, junte as bordas para fechar e enrole fazendo uma bolinha. Coloque o açúcar num prato fundo, role os docinhos nele e transfira para as forminhas. Guarde os docinhos num pote fechado em temperatura ambiente por 2 ou 3 dias (ou congele já nas forminhas por uns 3 meses e, sem abrir o pote, para não melar, deixe descongelar naturalmente).

🎁 BEIJINHO

(60 UNIDADES; 2 HORAS, MAIS UMAS 3 HORAS PARA ESFRIAR)

3/4 de xícara de leite de coco
1 xícara de leite
2 xícaras de coco fresco ralado
1 1/2 xícara de açúcar
25 g de manteiga
6 gemas
1 colher (chá) de essência de baunilha
2 xícaras de açúcar refinado para rolar
60 cravos-da-índia
manteiga para untar

↬ **Numa panela média,** alta e de fundo grosso, coloque o leite de coco, o leite, o coco, o açúcar, a manteiga, as gemas e a baunilha e aqueça. Sempre mexendo, para não grudar nem queimar no fundo, e tomando cuidado, pois a massa espirra bastante e é muito quente, cozinhe

BEIJINHO

por uns 40 minutos, até conseguir um doce encorpado, brilhante, que descole de uma vez da panela, fazendo umas pregas e deixando no fundo só uma crostinha bem fina. Transfira para um refratário untado com manteiga e deixe esfriar por umas 3 horas para que os docinhos mantenham a forma ao enrolar (se a massa passar do ponto e ficar muito dura, junte um pouquinho de leite e volte ao fogo para acertar). Para moldar, unte as mãos com um pouco de manteiga, pegue porções de massa com uma colher de chá e enrole fazendo bolinhas. Coloque o açúcar num prato fundo, role os docinhos nele, transfira para as forminhas e espete um cravo no centro de cada um. Guarde os beijinhos num pote fechado em temperatura ambiente por 2 ou 3 dias (ou congele já nas forminhas por uns 3 meses e, sem abrir o pote, para não melar, deixe descongelar naturalmente).

CAJUZINHO DE AMENDOIM

(100 UNIDADES; 1 HORA)

2 claras
1 1/3 xícara de açúcar
3 1/3 de xícaras de amendoim torrado e moído (aproximadamente 400 g; pode ser o já salgado, basta dar uma esfregada com um pano limpo para retirar o excesso de sal)
1/4 de xícara de chocolate em pó
2 xícaras de açúcar refinado para rolar
100 metades de amendoim torrado (cerca de 50 g)
manteiga para untar

↔ Na batedeira, bata as claras até começarem a espumar. Junte o açúcar aos pouquinhos e continue batendo até conseguir picos bem brancos e firmes. Acrescente o amendoim moído e o chocolate e verifique se a massa está boa para enrolar (se for o caso, acerte a consistência com chocolate). Unte as mãos com um pouco de manteiga, pegue porções de massa com uma colher de chá e molde os cajuzinhos. Coloque o açúcar num prato fundo e role os docinhos nele. Espete uma metade de amendoim na ponta mais larga de cada um dos cajuzinhos e transfira para as forminhas. Guarde os cajuzinhos num pote fechado em temperatura ambiente por 2 ou 3 dias (ou congele já nas forminhas por uns 3 meses e, sem abrir o pote, para não melar, deixe descongelar naturalmente).

NOZES FINGIDAS

🎁 NOZES FINGIDAS

(80 UNIDADES; 2 HORAS, MAIS UMAS 3 HORAS PARA ESFRIAR)

1/3 de xícara de água
3 1/3 xícaras de açúcar
3 xícaras de nozes moídas
3 xícaras de amêndoa moída
6 gemas
1/3 de xícara de chocolate em pó
25 g de manteiga
manteiga para untar

↪ Numa panela média, aqueça a água e o açúcar, mexa só até dissolver e deixe ferver por uns 5 minutos, até conseguir uma calda que caia em fio quando levantar a colher. Retire do fogo e deixe amornar por uns 15 minutos. Junte as nozes, a amêndoa, as gemas e o chocolate, aqueça de novo e, sempre mexendo, deixe o doce engrossar e descolar do fundo da panela. Acrescente a manteiga, passe para um refratário untado com manteiga e deixe esfriar por umas 3 horas para que o docinho mantenha a forma ao enrolar. Para moldar, use uma forminha ou uma casca de noz untada com manteiga. Pegue porções de massa com uma colher de chá, coloque na forminha, pressione para marcar o desenho e passe para a forminha de papel. Guarde as nozes fingidas num pote fechado em temperatura ambiente por até 2 dias (ou congele já nas forminhas por uns 3 meses e, sem abrir o pote, para não melar, deixe descongelar naturalmente).

🎁 BICHO-DE-PÉ

(60 UNIDADES; 2 HORAS, MAIS UMAS 3 HORAS PARA ESFRIAR)

2 latas (340 g cada) de leite condensado
50 g de manteiga
1 envelope de gelatina em pó vermelha sem sabor (12 g)
2 xícaras de açúcar refinado para rolar
manteiga para untar

↪ Numa panela média, alta e de fundo grosso, coloque o leite condensado e a manteiga e aqueça. Sempre mexendo, para não grudar nem queimar no fundo, e tomando cuidado, pois a massa espirra bastante e é muito quente, cozinhe por uns 15 minutos, até que a massa fique brilhante e com um colorido mais forte e a panela comece a chiar. Retire do fogo, junte a gelatina e misture até dissolver, passe para um refratário untado com manteiga e deixe esfriar por umas 3 horas para que o docinho mantenha a forma ao enrolar. Para moldar, unte as mãos com um pouco de manteiga, pegue porções de massa com uma colher de chá, enrole fazendo bolinhas. Coloque o açúcar num prato fundo, role nele os docinhos e transfira para as forminhas. Guarde os bichos-de-pé num pote fechado em temperatura ambiente por 2 ou 3 dias (ou congele já nas forminhas por uns 3 meses e, sem abrir o pote, para não melar, deixe descongelar naturalmente).

🎁 QUINDIM

(48 UNIDADES; 1 HORA E 30 MINUTOS, MAIS 8 HORAS PARA A MASSA REPOUSAR E ESFRIAR)

2 xícaras de água
3 1/3 de xícara de açúcar
50 g de manteiga
14 gemas
2 ovos
1 1/2 xícara de coco fresco ralado
manteiga para untar
açúcar para polvilhar

↪ Numa panela média, aqueça a água e o açúcar, mexa só até dissolver e deixe ferver por uns 5 minutos, até conseguir uma calda que caia em fio quando levantar a colher. Retire do fogo, junte a manteiga e deixe esfriar. Passe as gemas e os ovos por uma peneira (assim, fica para trás a película que deixa um gosto forte de ovo) e junte à calda. Acrescente o coco e deixe repousar por umas 6 horas (o quindim ficará muito mais cremoso e brilhante).
↪ Aqueça o forno a 180°C (médio) e ferva mais ou menos 1 litro de água para o banho-maria. Separe 1 assadeira grande e forre com umas 2 folhas de papel absorvente para a água não borbulhar. Unte com manteiga e polvilhe

com açúcar 48 forminhas pequenas para empadinha, de uns 2 cm. Misture a massa do quindim, coloque nas forminhas, limpe o açúcar excedente das bordas para não grudar e espalhe as forminhas na assadeira. Com cuidado, despeje a água fervente no fundo da assadeira (ela deve chegar, no máximo, à metade da altura das forminhas) e asse os quindins por uns 40 minutos, até formar uma crostinha ligeiramente dourada na superfície. Retire a assadeira do forno e deixe amornar por uns 10 minutos. Retire as forminhas da assadeira, deixe esfriar e guarde na geladeira por até 48 horas (ou congele por uns 2 meses). Rode delicadamente cada quindim com a palma da mão para soltar e retirar da forminha e transfira para a forminha de papel, normalmente uma margarida branca ou prateada.

🎁 OLHO-DE-SOGRA

(50 UNIDADES; 1 HORA E 30 MINUTOS, MAIS 2 HORAS PARA A COCADA ESFRIAR)

1/3 de xícara de água
1 xícara de açúcar
6 gemas
1 xícara de coco fresco ralado
1 colher (chá) de essência de baunilha
50 ameixas secas sem caroço (Se estiverem muito secas, deixe de molho num pouquinho de água fervente por 10 minutos e escorra, não deixe passar desse tempo, pois aí elas amolecem demais e se desmancham.)
2 xícaras de açúcar cristal para rolar

↬ Numa panela média, aqueça a água e o açúcar, mexa só até dissolver e deixe ferver por uns 5 minutos, até conseguir uma calda que caia em fio quando levantar a colher. Retire do fogo e deixe amornar por uns 15 minutos. Junte as gemas, o coco e a baunilha, aqueça de novo e, sempre mexendo, deixe a cocada no fogo por mais uns 10 minutos, até encorpar e descolar do fundo da panela. Deixe esfriar.

↬ Com cuidado para não rasgar, abra cada uma das ameixas, fazendo uma cavidade no centro, e ali coloque 1 colher (chá) da cocada, depois levante as bordas para cobrir as laterais e deixar só com uma faixa de cocada aparecendo por cima. Coloque o açúcar cristal num prato fundo, segure cada doce, cubra só a parte da cocada com o açúcar e transfira para a forminha de papel. Guarde os olhos-de-sogra num pote fechado em temperatura ambiente por até 2 dias (ou congele já nas forminhas por uns 3 meses e, sem abrir o pote, para não melar, deixe descongelar naturalmente).

QUINDIM

OLHO-DE-SOGRA

🎁 CANUDINHO DE COCADA

(50 UNIDADES; 1 HORA E 30 MINUTOS, MAIS 2 HORAS PARA A COCADA ESFRIAR E A MASSA DESCANSAR)

PARA A MASSA
4 xícaras de farinha de trigo (aproximadamente)
1 colher (chá) de sal
25 g de manteiga gelada ou gordura vegetal hidrogenada em cubinhos
1 ovo
1 colher (sopa) de cachaça
1/4 de xícara de água morna
1 litro de óleo para fritar
farinha de trigo para polvilhar

PARA O RECHEIO
1/2 xícara de água
1 1/2 xícara de açúcar
9 gemas
1 1/2 xícara de coco fresco ralado
1 1/2 colher (chá) de essência de baunilha

↔ Recheio Numa panela média, aqueça a água e o açúcar, mexa só até dissolver e deixe ferver por uns 5 minutos, até conseguir uma calda que caia em fio quando levantar a colher. Retire do fogo e espere amornar por uns 15 minutos. Junte as gemas, o coco e a baunilha, aqueça de novo e, sempre mexendo, mantenha a cocada no fogo por mais uns 5 minutos, até engrossar um pouco e ficar brilhante (ela deve continuar molinha). Deixe esfriar.

↔ Massa Enquanto isso, numa tigela grande, misture a farinha, o sal, a manteiga, o ovo, a cachaça e a água até conseguir uma massa bem macia, que descole das mãos. Cubra com um pano e deixe descansar por uns 30 minutos. Com um cilindro ou um rolo, abra a massa sobre uma superfície ligeiramente enfarinhada até ficar bem fininha, com uns 2 mm de espessura. Corte em tiras de uns 2 cm de largura. Enrole uma tira de massa ao redor de uma forminha de metal para canudinho e, para não desenrolar, aperte bem as pontas de baixo e de cima.

↔ Numa frigideira grande, aqueça o óleo, mergulhe o canudinho com a massa enrolada e, banhando com uma escumadeira, frite até ficar bem dourado e crocante. Escorra sobre papel absorvente, deixe esfriar por uns 2 minutos e solte da forminha. Guarde os canudinhos prontos num pote fechado por até 48 horas (ou congele por até 2 meses e deixe descongelar naturalmente e chegar em temperatura ambiente). Recheie os canudinhos com a cocada com no máximo 8 horas de antecedência; depois desse tempo, a massa começa a amolecer.

🎁 DOCINHO DE ABACAXI

(60 UNIDADES; 2 HORAS, MAIS 3 HORAS PARA ESFRIAR)

1 abacaxi grande e maduro
2 xícaras de coco fresco ralado
3 xícaras de açúcar
2 xícaras de açúcar cristal para rolar

↪ Descasque o abacaxi e guarde as folhas. Rale o abacaxi com um ralador grosso e coloque a polpa ralada e o caldinho numa panela média (você deve obter umas 3 xícaras de polpa). Junte o coco e o açúcar, aqueça e, sempre mexendo, para não grudar nem queimar no fundo, cozinhe por uns 25 minutos, até conseguir um doce encorpado, brilhante, que descole de uma vez da panela. Transfira para um refratário untado com manteiga e deixe esfriar por umas 3 horas, para que os docinhos mantenham a forma ao enrolar (se a massa passar do ponto e ficar muito dura, junte um pouquinho de água e volte ao fogo para acertar). Para moldar, unte as mãos com um pouco de manteiga, pegue porções de massa com uma colher de chá e enrole dando um formato ovalado, que lembre um abacaxi. Coloque o açúcar cristal num prato fundo e role nele os docinhos. Corte tirinhas miúdas de folha do abacaxi, coloque duas na ponta de cada docinho e transfira para as forminhas de papel. Guarde os docinhos num pote fechado em temperatura ambiente por 2 ou 3 dias (ou congele já nas forminhas por 1 mês e, sem abrir o pote, para não melar, deixe descongelar naturalmente).

🎁 BALA DE COCO

(120 UNIDADES; 1 HORA, MAIS PELO MENOS 2 HORAS PARA SECAR)

1/2 xícara de água
1/2 xícara de leite de coco
3 1/3 xícaras de açúcar

↪ Numa panela média, coloque a água, o leite de coco e o açúcar e aqueça, mexendo só até dissolver. Quando ferver, abaixe o fogo e, molhando um pincel num pouco de água, limpe constantemente a borda da panela para eliminar os cristais de açúcar, que fazem tudo açucarar. Deixe ferver por uns 25 minutos, até atingir o ponto de bala firme, nem muito mole nem muito dura. (Para testar o ponto, coloque um pouco da calda numa xícara com água, aperte com os dedos e veja se formou uma bolinha firme, mas ainda macia, que não se desmancha nem fica quebradiça; ou coloque algumas gotas no mármore untado com óleo e veja se firma na hora, fazendo um barulhinho de areia.) Imediata e cuidadosamente, pois é superquente, despeje a massa, que estará bem líquida e com uma cor perolada, meio transparente, sobre um tapetinho de silicone (ou sobre o mármore untado com um pouquinho de óleo). Deixe amornar e firmar por uns 7 minutos, até que, ao levantar a placa de massa com as mãos, ela se mantenha firme, sem se desmontar ou esticar muito. É hora de trabalhar a massa: enrole a placa como um rocambole, segure as pontas com as mãos e comece a puxar, dobrar, puxar e dobrar de novo. Depois de uns 5 minutos puxando e dobrando, a massa começa a perder o aspecto translúcido e a ficar esbranquiçada, formando uns grãozinhos e ficando cada vez mais firme e difícil de puxar. Em certo ponto, parece que ela vai se quebrar e tudo vai dar errado, mas insista, continue puxando por mais 1 ou 2 minutos, até que ela se torne flexível de novo e seja possível esticar bem até conseguir um rolinho enrugadinho com uns 2 cm de diâmetro. Com uma tesoura ou faca afiada, corte em pedacinhos de uns 2 cm, passe para uma assadeira e deixe secar por pelo menos 2 ou por no máximo 12 horas (no início, elas ficam bem firmes e duras, mas depois amaciam). Guarde num pote fechado por até 5 dias, mas deixe para embrulhar as balas com no máximo 48 horas de antecedência e sempre usando papel duplo, ou seja, primeiro um celofane, que mantém a umidade, e depois o crepom.

🎁 QUADRADINHO DE CACHAÇA E UVA

(60 UNIDADES; 30 MINUTOS, MAIS 12 HORAS PARA GELAR)

24 folhas de gelatina incolor sem sabor
(ou 2 envelopes de gelatina em pó, 24 g)
2 xícaras de cachaça
1 kg de açúcar
2 xícaras de suco concentrado de uva

↪ Numa panela média, coloque a gelatina e a cachaça e deixe amolecer por 5 minutos. Leve ao fogo baixo e mexa até dissolver. Junte o açúcar e mantenha no fogo por mais 10 minutos.
↪ Coloque o suco de uva numa tigela, misture a gelatina, transfira para 1 assadeira grande molhada com água e leve à geladeira por pelo menos 12 ou por até 48 horas para firmar. Solte a gelatina da assadeira (se ficar difícil, mergulhe a assadeira rapidamente em água fervente), corte em quadradinhos, círculos ou algum outro formato com uns 2 cm. Se quiser, role os quadradinhos no açúcar cristal na hora de servir (em pouco tempo o açúcar começa a melar).

BOLO DE CHOCOLATE RECHEADO DE CHOCOLATE E COBERTO DE CHOCOLATE

(60 FATIAS, 1 HORA E 30 MINUTOS, MAIS PELO MENOS UMAS 2 HORAS PARA ESFRIAR E, SE POSSÍVEL, UMAS 12 HORAS PARA DESCANSAR)

PARA O RECHEIO
1 1/2 xícara de açúcar
4 ovos
8 gemas
1/2 xícara de maisena
1 litro de leite
2 colheres (sopa) de essência de baunilha
400 g de chocolate meio amargo em cubinhos

PARA A MASSA
16 ovos
2 xícaras de açúcar
2 1/2 xícaras de farinha de trigo
1/2 xícara de chocolate em pó

PARA A COBERTURA
400 g de chocolate meio amargo em cubinhos
1 xícara de creme de leite, de preferência, fresco

↔ Recheio Numa tigela, misture o açúcar, os ovos, as gemas e a maisena. Numa panela grande, aqueça o leite e espere ferver. Despeje uma parte do leite na tigela dos ovos, misture, volte para a panela e, sempre mexendo, mantenha no fogo até ferver e engrossar. Retire do fogo, junte a baunilha, os cubinhos de chocolate e misture até derreter. Passe para uma tigela, cubra bem rente com filme plástico para que não se forme uma película sobre a massa e deixe esfriar. (Se quiser, guarde na geladeira por até 2 dias.)

↔ Massa Aqueça o forno a 180°C (médio). Unte com manteiga 2 fôrmas redondas grandes (de uns 30 cm de diâmetro), forre o fundo com papel-manteiga também untado, polvilhe com farinha e reserve.

↔ Separe as gemas e as claras em duas tigelas limpas. Com a batedeira, bata as claras em neve até formarem picos bem brancos e firmes. Depois, incorpore delicadamente a farinha e o chocolate e reserve. Com a batedeira, bata as gemas até começarem a espumar. Então, junte o açúcar e bata por mais uns 5 minutos, até obter um creme bem fofo e encorpado (se levantar o batedor e deixar o creme cair, verá que o desenho vai demorar um pouco a desaparecer). Incorpore delicadamente as gemas à mistura de claras, coloque metade da massa em cada fôrma e asse os bolos por uns 30 minutos, até que se soltem das laterais (ao enfiar um palito no centro, ele deverá sair limpo). Retire do forno e deixe esfriar.

↣ Cobertura Enquanto isso, derreta o chocolate no microondas por uns 2 minutos, ou em banho-maria, misture o creme de leite até ficar bem liso e brilhante e reserve.

↣ Com uma faca serrilhada, divida cada bolo ao meio para obter 2 discos (para conseguir discos uniformes, primeiro faça uma volta com a faca para marcar a linha de corte, depois siga fazendo voltas e cortando cada vez mais em direção ao centro, até as partes se soltarem completamente).

↣ Coloque o primeiro disco sobre o tabuleiro em que o bolo será servido e, com uma espátula, espalhe sobre ele 1/3 do recheio, cubra com o segundo disco e mais 1/3 do recheio, coloque por cima o terceiro disco e o restante do recheio e termine com o quarto disco. Com uma espátula, cubra o bolo com a cobertura, alisando bem, depois risque com um garfo e leve à geladeira por uns 30 minutos para firmar. (O bolo se conserva bem em temperatura ambiente por uns 2 dias e na geladeira por uns 4).

BOLO DE COCO COM BABA-DE-MOÇA

60 FATIAS, 1 HORA E 30 MINUTOS, MAIS UMAS 2 HORAS PARA ESFRIAR)

PARA A MASSA
10 ovos
1 xícara de água fria
3 xícaras de açúcar
3 xícaras de farinha trigo
1 colher (chá) fermento em pó
sal
manteiga para untar e farinha de trigo para polvilhar

PARA A BABA-DE-MOÇA
4 xícaras de açúcar
1/2 xícara de água
16 gemas passadas pela peneira
2 xícaras de leite de coco

PARA O MERENGUE E A FINALIZAÇÃO
1/3 de xícara de água
3 xícaras de açúcar
12 claras
1 1/2 xícara de coco fresco ralado

↣ Massa Aqueça o forno a 180°C (médio). Unte com manteiga 2 fôrmas redondas grandes (de uns 30 cm), forre o fundo com papel-manteiga também untado, polvilhe com farinha e reserve.

↣ Separe as gemas e as claras em duas tigelas limpas. Com a batedeira, bata as claras em neve até formarem picos bem brancos e firmes. Incorpore delicadamente a farinha, o fermento e duas pitadas de sal e reserve.

↣ Coloque a água na tigela das gemas e, com a batedeira, bata até começar a espumar. Junte, então, o açúcar e bata por mais uns 5 minutos, até obter um creme bem fofo e encorpado (se levantar o batedor e deixar o creme cair, verá que o desenho vai demorar um pouco a desaparecer). Incorpore delicadamente as gemas à mistura de claras, coloque metade da massa em cada fôrma e asse os bolos por uns 30 minutos, até que se soltem das laterais (ao enfiar um palito no centro, ele deverá sair limpo). Retire do forno e deixe esfriar.

↣ Baba-de-moça Numa panelinha, aqueça o açúcar e a água, mexa só até dissolver e deixe ferver por uns 5 minutos, até conseguir uma calda que caia em fio quando levantar a colher. Passe para uma tigela e espere amornar. Então, junte as gemas e o leite de coco, volte para a panela, aqueça de novo e, sempre mexendo, mantenha em fogo baixo até engrossar. Deixe esfriar.

↣ Com uma faca serrilhada, divida cada bolo ao meio para obter 2 discos (para conseguir discos uniformes, primeiro faça uma volta com a faca para marcar a linha de corte, depois siga fazendo voltas e cortando cada vez mais em direção ao centro, até as partes se soltarem de vez).

↣ Coloque o primeiro disco sobre o tabuleiro em que o bolo será servido e, com uma espátula, espalhe sobre ele 1/3 do recheio, cubra com o segundo disco e mais 1/3 do recheio, coloque por cima o terceiro disco e o restante do recheio e termine com o quarto disco (prepare até aqui com até 48 horas de antecedência, cubra com filme plástico e guarde na geladeira, mas deixe para cobrir com o merengue quando faltarem umas 12 horas para a festa).

↣ Merengue Numa panelinha, coloque a água e o açúcar, misture só até dissolver e deixe ferver por 5 minutos.

↣ Enquanto isso, com a batedeira, usando uma tigela bem grande, bata as claras em neve até formarem picos bem firmes. Retire a calda do fogo e despeje aos pouquinhos sobre as claras, continuando a bater até esfriar e conseguir um merengue firme. Com uma espátula, cubra o bolo com o merengue e polvilhe com o coco.

GULOSEIMAS EM PARIS

Pensar em Paris é pensar açucarado, pois essa é uma cidade que recende a caramelo, chocolate, baunilha, bolo, doces e pão saindo do forno. É lugar para ser visto de um jeito guloso, como devorando com os olhos os mil pães, doces, bolos e sorvetes irresistíveis, com a sensação da criança que ataca às escondidas um pote de biscoitos. Como as guloseimas estão em tudo quanto é canto, a gente vai tropeçando em coisas deliciosas pelas ruas. São as tais *gourmandises* ou *friandises*, palavras muito antigas, que no início do século 19 ganharam o sentido de coisa gostosa, delicada e carinhosa, que faz bem tanto quando se está feliz como quando bate uma ponta de tristeza. Elas caem bem no *p'tit déj* – o café-da-manhã –, ou no *goûter*, aquele lanchinho da tarde, depois da escola ou à saída do trabalho, num café (com café ou chocolat chaud escaldante e bem espesso do Café de Flore, do Les Deux Magots ou do Jean-Paul Hévin, ou com uma xícara de um dos melhores chás do mundo na Mariage Frères) ou enquanto caminha pela rua ou pelo parque. (Nos tempos de Paris, depois de pegar a Bebel na escola, sempre dávamos uma paradinha no Champ de Mars para ela brincar um pouco enquanto comíamos um pain au chocolat). Algumas dessas guloseimas podem servir até de sobremesa (acho uma graça ouvir aquela pergunta toda delicada que ainda fazem nos restaurantes pequenos: *Et comme dessert, qu'est ce que vous voulez? Mousse au chocolat, choux à la crème, crème caramel, glâce vanille, fraise, chocolat, passion?* Tenho vontade de pedir tudo). A responsabilidade de um *pâtissier* é grande, pois adoçar a vida das pessoas é tarefa importante; e a do *boulanger*, que prepara o pão de cada dia, não fica atrás. O que eles fazem é mesmo o máximo. Dá para imaginar como é possível transformar um pouco de farinha, manteiga, açúcar, sal, ovo, creme, amêndoa e framboesa numa torta deslumbrante; ou chocolate, creme e ovo numa sobremesa de tirar o fôlego? Não era milagre o que faziam as freiras portuguesas com ovo, açúcar e amêndoa, criando

177

ENTRE PANELAS E TIGELAS *Guloseimas em Paris*

Saumonette
1kg 29F00

aqueles mil doces que, apesar das semelhanças, tinham texturas e finalizações diferentes e sempre surpreendiam? A beleza da confeitaria está na simplicidade, é a tal da *sweet simplicity*.

Com o pão acontece a mesma coisa: farinha, água e fermento — às vezes, leite, ovo, manteiga, óleo ou azeite — dão um resultado sensacional. Tem coisa melhor do que uma *baguette* quentinha, bem dourada e crocante? E, se achar que uma inteira é demais, peça para levar *demie* — eles cortam e vendem metade de quase todos os pães — e mais tarde compre outra metade, assim terá sempre pão fresquinho. Ah, não se incomode de carregar o pão pela rua de um jeito meio displicente, é assim mesmo que os franceses fazem.

Se quando vi pela primeira vez uma *pâtisserie* em Paris — uma bem comum, em Montparnasse — quase tive um chilique, imagine quando entrei nesse mundo das pâtisseries e *boulangeries top*. Gosto tanto da *pâtisserie boulangère* mais ligada à *viennoiserie*, aos pães adocicados e amanteigados, — *croissant, pain au chocolat, brioche* e doces clássicos, como bombas e tortinhas de frutas como aquelas das pâtisseries mais requintadas, onde tudo vai se refinando, os doces vão ficando mais criativos, tomam outro vulto e viram obras de arte, com ingredientes de primeiríssima linha, massa *sablée, brisée ou feuilletée* hiperdourada e crocante feita com manteiga *d'origine controlée*, frutas deslumbrantes e recheios tão maravilhosos que a gente fica olhando, olhando e precisa tomar coragem para dar a primeira mordida. É o caso da pâtisserie de Pierre Hermé, ao lado da igreja de Saint-Sulpice, onde tudo lembra uma joalheria: a vitrine que dá para a rua, os doces nas vitrines internas, o atendimento, o serviço, tudo tão especial; ali, um doce é uma experiência única (tanto o *millefeuille* clássico como o *deux millefeuille*, com creme de avelã, são pura tentação no mais elevado grau).

Sou fascinada pelas pâtisseries ou boulangeries com placas antigas, espelhos e flores pelas paredes, como a do meu querido Laurent Duchêne, pertinho da place d'Italie. É quase um sonho entrar naquele lugar perfumadíssimo, escolher um *gâteau* — que pode ser uma torta ou um bolo — ou um doce maravilhoso de chocolate ou frutas, um pão impecável, sair com uma caixinha de papelão rosa com um lacinho e depois, com muita calma, saborear cada pedacinho como se fosse o último.

Quando cheguei a Paris para passar o ano de 1995, sabia que era o momento de virar a cidade doce do avesso, conhecer cada cantinho e experimentar um pouco de tudo. Nessa minha maratona gulosa, fui seguindo as dicas dos meus chefs e professores da Le Cordon Bleu, de revistas e guias franceses e americanos e de vários livros que falavam do assunto. (Aqui vão alguns deles: Linda Dannemberg, *Boulangerie-pâtisserie, recipes from thirteen outstanding French bakeries*; Patrícia Wells, *The food lover's guide to Paris*; Catherine Amor, *Les bonbons; Hélène & Irene Lurçat, Paris gourmandises*; Dorie Greenspan, *Paris sweets*; Pierre Rival, *Belles et bonnes boutiques de la ville* — em inglês, *Gourmet shops of Paris*.) Além disso, sempre que conversava com um parisiense, eu dava um jeito de abordar o assunto e acabava descobrindo mais alguma coisa. Como as aulas e estágios consumiam quase todo o meu tempo, eu tinha de aproveitar cada minuto livre para as tais visitas. Vivia correndo de metrô ou de ônibus de um lado para o outro, entrava nos lugares escolhidos, olhava bem, comprava um pouquinho de tudo o que me interessava e levava para casa para experimentar com calma, fazer as minhas anotações, imaginar as receitas e programar as próximas visitas. Às vezes, eu percorria mais de 20 estações de metrô por um bolinho ou um docinho, mas o fazia com o maior prazer do mundo. Acho que esse meu tour nunca vai terminar, pois sempre que volto a Paris gosto de rever os meus lugares preferidos e conhecer mais alguma coisa, afinal de contas, a cidade borbulha como calda de açúcar e sempre tem alguma coisa nova acontecendo.

Conforme a gente vai experimentando e saboreando tudo isso, vai refinando o paladar, aprimorando o tal *goût sucré*, achando cada vez melhor o chocolate mais amargo e, claro, querendo sempre mais.

Por falar em superchocolates, daqueles que tiram muita gente do sério (há quem faça loucuras por uma mordidinha!), nada como uma passadinha nas boutiques dos grandes *chocolatiers*, que trabalham com as melhores favas de cacau do mundo. Jean-Paul Hévin é um purista criativo que mescla a técnica perfeita e a modernidade (como a gente morava quase em frente à loja da avenue de la Motte Piquet, eu vivia namorando aqueles doces); Christian Constant — com seus tabletes bem amargos, sabores misteriosos e doces e tortas diferentes, que instigam o paladar — fica pertinho de uma das saídas laterais do Jardin de Luxembourg; Michel Chaudun, sempre simpático e mesmo brilhante, com chocolates totalmente artesanais; e, é claro, La Maison du Chocolat, com aquela vitrine toda em tons do bege ao marrom-café, com chocolates, doces e gâteaux maravilhosos feitos por Robert Linxe – os caramelos de café são de enlouquecer (gosto da loja que fica quase na pracinha do Bon Marché).

Se quiser tomar um sorvete (*glace* ou *sorbet*, cremoso ou não), não tenho dúvida, recomendo os do Jean-Paul Hévin (principalmente os de damasco e gengibre), do Christian Constant (os de chocolate e os mais exóticos), do Pascal le Glacier (o de *pain d'épices* e o que mistura várias espécies de baunilha) e os sorvetes à *l'ancienne* do Le Bac à Glaces. São todos excelentes, impecáveis. Mas, para mim, Berthillon ainda é mesmo o top dos top, a *crème de la crème*. Enfrentar uma megafila na calçada no verão ou uma fila só um pouquinho menor num inverno de gelar os ossos já faz parte de um ritual que consiste em atravessar a ponte que sai logo detrás da Notre Dame e chegar à Île Saint-Louis; depois da espera, que nem sempre é de todo ruim, já que às vezes dá para puxar conversa com alguém da fila, é o momento de chegar a um microbalcão, escolher rapidinho três entre os sabores do dia – normalmente *chocolat, chocolat mendiant, chocolat blanc, pêche* (parece que a gente está mesmo mordendo um pêssego), *fraises des bois* (muita gente acha que é o melhor, são morangos silvestres divinos, tão românticos que fazem a gente se sentir meio como a Bela Adormecida encontrando o príncipe no meio do bosque ao lado de um castelo lá do vale do Loire), *citron* (aquele azedinho tão azedinho do limão que dá até um arrepio, mas um arrepio gostoso) e *figue* (magnífico, ainda mais para os alucinados por figo, como eu) –, pagar, caminhar até uma beiradinha livre de calçada se o calor estiver derretendo tudo muito rápido, ou andar até o Sena, e, com os olhos fechados, dar as primeiras lambidas em cada uma das três bolas, todas muito saborosas, aveludadas e, é claro, bem geladinhas.

E os *macarons*? Eles são super-Paris! *Flâner* quer dizer "andar à toa", de preferência, às margens do Sena ou pelo Jardin de Luxembourg, num dia frio, com alguém muito especial do lado e uma caixinha de macarons da Dalloyau, do Mulot ou da Ladurée (o pain au chocolat de lá é irresistível, a loja da rue Royale, que é do final do século 19, tem um teto espetacular, afrescos, lustres e espelhos que deixam cada doce ainda mais emocionante) é o que há de bom, *c'est superbe, du rêve!* Não é simples a tarefa de descrever um gosto com palavras, mas quem nunca comeu um macaron pode tentar imaginar a sensação de morder um doce que parece uma mistura de suspiro com um bolo levíssimo, com massa muito simples de clara em neve, farinha de amêndoa e açúcar. A receita é antiga, os conventos da Idade Média já o preparavam, mas hoje existe uma variedade incrível de sabores e cores de massa e recheio, desde os clássicos *crème au beurre à la vanille, ganache* (uma mistura de creme de leite e chocolate) até as *confitures* ou geléias mais diversas.

As *éclairs*, as mais do que famosas bombas, fazem sucesso há uns 150 anos. Para mim, as do Jean-Paul Hévin, do Laurent Duchêne e do Lenôtre são divinas, nas versões clássicas de chocolate, creme, café e, às vezes, café com chocolate, sempre uma bela combinação. Mas também são interessantes as modernérrimas de creme com cobertura de chá verde do japonês Sadaharu Aoki. As mais lindas são alongadas, mas nada impede que sejam redondas. Como cobertura, aparecem o *fondant* (uma pasta bem densa de açúcar que pode receber chocolate, café, essências e corantes variados) e chocolate quase puro, com um pouquinho de creme ou de óleo para dar textura. Sempre vou me lembrar do dia em que tive aula prática de *éclairs* e levei um montão para casa, dei um tanto para o motorista do ônibus, mais um tanto para uma vizinha e, mesmo assim, o Carlos, a Bebel e eu almoçamos e jantamos bombas. Com a mesma massa você pode fazer as *chouquettes*, umas bombas redondinhas com grãos graúdos e brancos de açúcar ao redor; as *religieuses*, ou um aro recheado de *crème au beurre au praliné* (com avelã), que vira o paris-brest, que eu acho delicioso.

Quem gosta de especiarias não deve deixar de experimentar o *pain d'épice* de André Lerch (não me esqueço de um que comi na saída de uma exposição de desenhos do Delacroix, no Marrocos, acho que em 1994) e, aproveitando o momento, devorar um pedaço de cada uma das tortas alsacianas de frutas que ele faz.

Da Fauchon – que, com aquelas vitrines tentadoras, sempre merece uma visita –, guardei o gosto mágico da mistura de café e chocolate de uma fatia de *opéra* que comi com a minha prima Marina nas escadarias da igreja de la Madeleine há uns 20 anos. Como as duas estavam com dinheiro contado, tivemos de optar entre o lanche da hora do almoço e o doce, ficamos com o doce, e valeu a pena.

Sempre que posso, gosto de dar um pulinho na Störer, que é a mais antiga pâtisserie de Paris, desde 1730 fica ali no burburinho da Montorgueil, perto do Halles, com todos aqueles espelhos e desenhos nas paredes. Quantas vezes almocei um *cake* de presunto e azeitona e um doce, normalmente um *baba au rhum, um puit d'amour* ou *marron glacé*. E por falar em marrons, como é bom comer uma castanha assada na rua, bem tostadinha, num dia de muito frio!

Adoro a *pâtisserie boulangerie* de Gérard Mulot, que fica ali no miolinho de Saint-Germain. Eu sempre via Mulot passeando entre os pães e doces, trazendo mil coisas divinas lá de dentro, mas ele é bem tímido e eu morria de vergonha, até que, um dia, respirei bem fundo, puxei conversa e acabamos ficando amigos. Comer uma fatia de uma de suas tortas salgadas ou um sanduíche maravilhoso e um doce deslumbrante como sobremesa já vale o dia. Há uns dois anos, estive lá na semana de 6 de janeiro, Dia de Reis, e ele me deu de presente uma *galette des rois* magnífica, massa mais que perfeita, creme de amêndoa espetacular e a coroa dourada (guardo até hoje a surpresa de porcelana que veio na minha fatia, umas cerejas bem bonitinhas).

Como eu morava bem pertinho da Poujauran, que é tudo de bom (além de ser linda e charmosíssima, tinha um carro de entregas antigo, azul e rosa, que ficava estacionado na frente), esta era a boulangerie e pâtisserie do meu dia-a-dia. Não dava para resistir aos pãezinhos que se fazia ali, principalmente aos de nozes e figo, aos bolinhos variados, aos *cannelés* bem escurinhos, caramelizados por fora e macios por dentro, que, para mim, são os melhores da cidade (na maior parte da vezes, eles aparecem como *cannelés*, mas de vez em quando vê-se escrito com um "n" só) e aos *financiers* (uns bolinhos de amêndoa que vêm do final do século 19, de uma pâtisserie que ficava ao lado da Bolsa).

Mas, como é sempre bom variar, de vez em quando eu ia à Moulin de la Viérge, que também é linda e tem um pão que é demais. Quando estava com vontade de passear, pegava o metrô até bem pertinho do cemitério de Pére-Lachaise e ia até a boulangerie da *famille* Ganachaud comprar uma *flûte*, que parece uma baguette bem fininha e é ótima, um *kouing-amann* da Bretanha, que é um mix de pão doce e bolo folhado, com um amanteigado caramelizado de dar água na boca, e um pedaço de *gâteau quatre-quart marbré au chocolat*, um bolo mármore de chocolate delicioso (eles fazem uns imensos, bem compridos e vão cortando do tamanho que se pede). Também para o pão, vira e mexe eu fazia questão de ir à boulangerie do Poilâne da rue du Cherche Midi, pertinho da rue de Rennes, escolher um *pain au levain*, aquele pão redondo e cascudo de fermentação natural, com um miolo maravilhoso, sair de lá com o pão embrulhado num saquinho de papel com desenhos de ramos de trigo e moinhos, morder um naco logo na calçada e, depois, comer o restante com uma manteiga bem saborosa ou fazer um sanduíche de presunto e queijo (eu viveria disso tranqüilamente!).

Quando o assunto é queijo – ou melhor, *fromage* – Paris é (de novo!) o paraíso. Basta entrar numa *fromagerie*, trocar idéias com o *maître fromager* para escolher o pedaço mais adequado ao seu desejo. Eles cuidam do queijo com o maior cuidado, conhecem o tempo de maturação de cada um, sabem qual deles é o ideal para cada ocasião e época do ano. Das tantas fromageries espalhadas pela cidade, eu costumava freqüentar, bem pertinho da minha casa, a Marie-Anne Cantin, grudadinha na rue Cler, que tem queijos de cabra maravilhosos e um porão para *affinage* dos queijos espetacular; a Barthélémy, que talvez seja umas das melhores, além dos queijos divinos, tem manteiga caseira da Normandia; e a Quatrehommes, charmosa, com queijos muito bem escolhidos. Também valem uma visita a Fromagerie Beillevaire, que, além de ser deliciosa, é uma graça; a Leverrier, que também é muito linda; a La Ferme de Saint-Hubert e a Alléosse. O fato é que, com um pedaço de pão, uma taça de vinho, um pedaço de um bom mimolette, ou um époisse, um Roquefort ou um fourme d'Ambert, um Camembert, um Brie ou um Livarot e um ou dois *chévres* já se tem um banquete nas mãos.

Para um almoço rápido ou um lanche, nada como uma *tartine* (uma fatia grande de um pão de *campagne* com uma cobertura saborosa, às vezes bem cremosa) ou um sanduíche numa baguette de casquinha estaladiça com recheios variados. Também pode ser um *croque monsieur*, aquele sanduíche de pão de fôrma, queijo Gruyère e presunto, coberto com um pouco de béchamel e gratinado, ou um *croque madame*, que leva um ovo, nos clássicos, poéticos e quase vizinhos Café de Flore ou Les Deux Magots, ou no bem mais moderno e descolado Le Pain Quotidien, com mesas comunitárias de madeira, umas manteigas diferentes, pastas de mel, avelã e chocolate e geléias bem pedaçudas e maravilhosas. Se, para um lanche de sábado ou domingo à noite, quiser brincar de sanduíches franceses, compre baguettes bem douradinhas e crocantes, uma boa manteiga, um pote de mostarda de Dijon e um de minipepinos em conserva (os *cornichons*), queijos Gruyère, Emmenthal,

Camembert e Roquefort, presuntos cozido e cru, salame, atum, azeitonas, alface, tomate, ovos cozidos em rodelas, camarões miúdos cozidos e um pouco de maionese rosada e deixe cada um montar o seu. Outro sanduíche delicioso para comer andando pela rua é um *panini* com tomate e queijo derretido. (Nunca me esqueço de quando, há uns 20 e poucos anos, vi pela primeira vez um panini e fiquei imaginando quem é que acharia graça em comer aquele pão branquelo e meio molenga, mas logo vi um senhor saindo com um já prontinho, bem dourado e crocante, entendi. Santa ignorância!) Uma boa saída é uma paradinha numa das muitas barraquinhas de crêpe, aquela panqueca bem fininha que aceita qualquer coisa como recheio, desde apenas açúcar ou mel até uma pasta de avelã, chocolate e banana, uma geléia, queijos variados, presunto, ovo ou atum. Outra coisa que eu amava fazer num dia quente era entrar numa das muitas casas da rue des Rosiers, no Marais, quase sempre no L'As du Falafel, que todo o mundo diz ser a melhor, comprar um sanduíche de falafel – pão sírio recheado com aqueles bolinhos magníficos de grão-de-bico e fava, molho picante de tahine, cubinhos de tomate e alface e cebola picadinhas – e comer enquanto caminhava até a place des Vosges, que é a praça mais linda do mundo. E quando, em seguida, dava vontade de comer um doce, dava uma paradinha no 27 da mesma rua, na Sacha Finkelstajn, e pedia uma *vatrouchka* – torta de queijo deliciosa – ou um gâteau de figo, ou andava um pouquinho mais, até a Republique, e ia à La Bague de Kenza, que é um pedacinho da Argélia em Paris, com muito pistache, amêndoa, nozes, mel, água de flor de laranjeira, bolinhos e biscoitos amanteigados e crocantes sensacionais (eu adoro as *cornes* de *gazelle*).

A *confiserie* é outra arte, é o mundo das balas que parecem cristais preciosos, dos caramelos, dos confeitos e das frutas frescas e secas açucaradas. Confesso que, quando começava a experimentar aquele monte de coisinhas, eu me sentia a própria Maria, irmã do João, atacando a casinha de doces da bruxa. Como era quase vizinha, sempre comprava uns saquinhos de bala na Les Gourmandises de Nathalie, que tinha uma bela seleção de guloseimas, e na Les Bonbons, pequenininha, mas com muita coisa boa. Do outro lado do Sena, eu costumava passear pela La Marquisane, que tem um fabuloso perfume de café, caramelo e amêndoa; pela Fouquet, que é um sonho, com todas as guloseimas possíveis, os *fondants* com essência de fruta de verdade e umas latas chiquérrimas, pintadas à mão; pelas Aux Miels de France e Maison du Miel, que têm tudo que é bom feito de mel; e pela que talvez seja a mais bonita de todas, superantiga, com o maior estoque de doces e balas de toda a *ma douce* France, onde os olhos brilham e todo o mundo se sente um pouco criança, a La Mère de Famille. Há também o Le Furet-Tanrade, um *confiseur* nota-dez, como nos velhos tempos – produção artesanal, panelões de cobre, pêssegos, mexericas, maçãs, bananas, cerejas, ameixas e figos frescos de primeira; a L'Étoile d'Or, onde se acha um pouquinho de tudo o que há de melhor pelo interior do país; e a Le Bleu Dans l'Île, que é uma graça e vende *guimauve* (marshmallow) de sabores variados que se desmancha na boca. Com certeza, é em alguma dessas confiseries que o bom Saint Nicolas – o patrono dos confiseurs – se abastece de guloseimas para distribuir no Natal.

Nessas confiseries, a gente pode comprar uma boa *pâte de fruits provençal* (uma pasta de frutas como a nossa goiabada, bananada, marmelada e pessegada), que é o maior requinte das mesas chiques (a mais antiga e tradicional é a da Maison Vieillard, desde 1781); os *pruneaux de Tours*, deliciosas ameixas recheadas; os *calissons d'aix*, docinhos feitos de amêndoa e melão com um glacê muito branco por cima; o *cotignac d'Orléans*, pasta bem alaranjada e brilhante de marmelo que desde o século 17 vem numa caixinha de madeira; as *dragées* de Verdun, fabricadas desde a Idade Média pela Maison Braquier; um bom *massepain*, o marzipã, que há uns 500 anos aparece como guloseima; o *nougat blanc* de Montélimar; as bolinhas esbranquiçadas de anis cristalizado que a abadia de Flavigny faz há mais de 200 anos, coloca numas latinhas floridas e chama de Au Galant Berger; as Violettes de Toulouse, da Candiflor, que há muito tempo mesmo transforma flores em balas; o *praline de Montargis*, amêndoa envolta em calda de caramelo e baunilha, da Maison Mazet; o Le Negus de Nevers, chocolate envolvido em caramelo que vem numa latinha preta. E quem resiste às balas coloridíssimas de Nantes – as *rigolettes* da Maison Bohu –, recheadas com um pinguinho de geléia de damasco ou maçã; ou aos *berlingots* da Maison Bonté de Nantes ou aos listradinhos provençais de Carpentras? Embora nem sempre façam sucesso por aqui, ainda há os bastõezinhos e as espirais de *réglisse*, raiz adocicada do alcaçuz que dá em todo o Mediterrâneo, que deixam as crianças francesas enlouquecidas e com a língua bem escura.

Ainda tem os caramelos, que são divinos, começam firmes e depois derretem na boca. Os do Jean-Paul Hévin são mesmo de babar. Quem puder dar uma escapadinha num final de semana e ir até a Bretanha visitar Quiberon não pode deixar de experimentar os maravilhosos caramelos *au beurre salé* – o CBS –, da Le Roux – que são maravilhosos. (Na verdade, o que parece ter sido uma grande idéia aconteceu naturalmente: na Bretanha quase só se usa manteiga salgada, ela entrou na receita do caramelo e deu no que deu, uma combinação muito feliz.)

Por tudo isso, apesar de ser brasileiríssima e gostar muito daqui, já deu para perceber que adoro Paris e que um pedacinho do meu coração é meio francês. Quando a saudade bate, preparo um doce bem francês em casa, fico com as minhas mãos perfumadas de açúcar e manteiga, deixo a casa com um cheirinho maravilhoso de baunilha e de chocolate e consigo sentir la France mais perto de mim.

Quanto aos ingredientes, a maior parte das receitas pede farinha, açúcar, ovo, manteiga, mel, frutas secas e frescas, leite, creme de leite, chocolate e baunilha. A farinha, o açúcar, o ovo, o mel, o leite, as frutas secas não costumam dar problemas. Quanto às frutas frescas, não dá para negar que as frutas vermelhas, cerejas, maçãs, peras e ameixas de lá são melhores do que as nossas, mas, em compensação, quase todas as outras dão muito bem por aqui, são tão doces e suculentas que a gente ainda sai ganhando. É verdade que manteigas de Isigny, na Normandia, ou de Poitou-Charents são maravilhosas, mas dá muito bem para viver e cozinhar com uma boa manteiga daqui, é só escolher uma que tenha gosto de manteiga (muitas marcas não tem gosto de nada). É bom saber que o nosso creme de leite fresco lembra a *crème fleurette* e que, se você misturar 1 xícara de creme de leite fresco a 1 colher (sopa) de iogurte, deixar descansar por umas 12 horas e guardar na geladeira, terá um creme ligeiramente azedo, encorpado e aveludado, que não será igual, mas lembrará a *crème fraîche*, difícil de encontrar por aqui.

Aí vem a baunilha, ou *la vanille*, fava perfumadíssima de uma orquídea linda, que está para o doce assim como o sal e a pimenta estão para o salgado (eu gosto tanto que até o meu hidratante diário contém baunilha). Há uns 13 anos, quando ainda era bem difícil encontrar baunilha de verdade no Brasil, um chef muito amigo, sabedor desse meu fascínio, mandou-me de Paris por correio umas 50 favas e um cartão de aniversário. Foi o presente mais lindo e diferente que já recebi (o cartão continua perfumado até hoje). Como as essências vendidas no Brasil são todas artificiais, sempre que viajo vou atrás de essência pura de baunilha e trago muitos vidrinhos, além das favas mais exóticas do Taiti, de Madagáscar, das ilhas Reunião e do México, pois os perfumes têm diferenças sutis, interessantes tanto para variar como para misturar (na Detou você encontra chocolates, essências, pastas etc.). Embora possa parecer uma extravagância comprar uma ou duas favas, se considerarmos que os outros ingredientes do bolo ou do doce são baratíssimos, o custo da receita continuará pequeno e o resultado será compensador — a baunilha de verdade faz toda a diferença. Se você pensar que pode lavar e secar uma fava que foi usada num creme, colocar num pote, cobrir com açúcar e, depois de algum tempo, ganhar um açúcar com aroma de baunilha, verá que o custo é zero. Para aproveitar a fava ao máximo, divida-a ao meio no sentido do comprimento com uma faca afiada e raspe bem as sementinhas (num bolo, costuma-se usar só as sementes, mas, se for um creme ou uma calda, use também a fava já raspada).

Na hora de escolher um chocolate para trabalhar, o ideal é conseguir um Valrhona, com uns 60% de cacau (mas por aqui isso nem sempre é fácil), ou um bom Callebaut. (O problema é que, quando a gente se acostuma a trabalhar com chocolates "verdadeiros" e realmente bons, fica complicado encarar os tabletes comuns, que têm pouco chocolate e muito açúcar.) O chocolate em pó francês é escuro e de gosto bem marcante, feito de cacau mesmo. Por aqui, as coisas estão começando a melhorar e já é possível encontrar cacau em pó um pouquinho melhor que o chocolate em pó comum e sem açúcar.

Uma última coisa antes de começar com as receitas: como as mil fôrmas e os utensílios especiais para confeitaria facilitam a vida e tornam mais eficiente e divertido o tempo passado na cozinha, é sempre bom dar uma voltinha pelas lojas profissionais parisienses, todas muito tradicionais e equipadíssimas, com tudo do bom e do melhor (eu, por exemplo, não troco por nada no mundo as minhas placas lisas para confeitaria da Matfer, algumas delas já têm uns 20 anos de uso intenso, estão muito gastas e riscadinhas, mas nunca entortam com o calor do forno, são grossas e pesadas na medida certa e duram uma vida, o que nem sempre acontece com as concorrentes, sempre mais em conta). Desça na estação Louvre ou Les Halles, caminhe em direção à igreja de Sait-Eustache e entre na primeira loja, a E. Dehillerin — os produtos empilhados e o ar bagunçado são puro charme —, depois ande uns dois quarteirões e saia na rue Montmartre, quase em frente à Maison MORA, essas duas são as minhas preferidas (se não encontrar o que estiver procurando, entre na A. Simon e na Bovida, na mesma rua).

MON CAHIER D'ADRESSES

PÂTISSERIES, BOULANGERIES E SANDUÍCHES
André Lerch - 4, rue du Cardinal Lemoine, 5ème
Café de Flore e Les Deux Magots - 172 e 170, boulevard Saint-Germain, 6ème
Dalloyau - 2, place Edmond Rostand, 6ème
Famille Ganachaud - 226, rue des Pyrénées, 20ème, perto do cemitério de Pére-Lachaise
Fauchon - 26, place de la Madeleine, 8ème
La Bague de Kenza - 207, rue du Faubourg Sainte-Antoine
Ladurée - 16, rue Royale, 8ème; e 21, rue Bonaparte, 6ème
L'As du Falafel - 34, rue des Rosiers, 4ème
Laurent Duchêne - 2, rue Wurtz, 13ème
Lenôtre - 48, avenue Victor Hugo, 16ème
Le Pain Quotidien - 18/20, rue des Archives, 4ème; perto do Louvre: 18, place du Marché Saint-Honoré, 1er
Mariage Frères - 13, rue des Grands-Augustins, 6ème
Moulin de la Viérge - 166, avenue de Suffren, 15ème
Mulot - 76, rue de Seine, 6ème
Pierre Hermé - 72, rue Bonaparte, 6ème
Poilâne - 8, rue du Cherche Midi, 6éme
Poujauran - 20, rue Jean Nicot, 15ème
Sacha Finkelstajn - 27, rue des Rosiers, 4ème
Sadaharu Aoki - 35, rue de Vaugirard, 6ème
Störer - 51, rue de Montorgueil, 2ème

CHOCOLATIERS E GLACIERS
Berthillon - 31, rue St. Louis em l'île, 4ème
Christian Constant - 37, rue d'Assas, 6ème
Jean-Paul Hévin - 3, rue Vavin, 6ème; e 23bis, avenue de La Motte-Picquet, 7ème
La Maison du Chocolat - 19, rue de Sèvres, 6ème
Le Bac à Glaces - 109, rue du Bac, 6ème
Michel Chaudun - 149, rue de L'Université, 7ème
Pascal le Glacier - 17, rue Bois-le-Vent, 16ème

CONFISERIES
Aux Miels de France - 71, rue du Rochers, 8ème
Fouquet - 22, rue François 1er; 8ème
L'Étoile d'or - 30, rue Fontaine, 9ème
La Marquisane - 68, avenue Victor Hugo, 16ème
La Mère de Famille - 35, rue du Faubourg Montmartre, 9ème
Le Bleu dans l'Île - 35, rue des Deux Ponts, 4ème
Les Bonboms - 6, rue Bréa, 6ème
Le Furet-Tanrade - 63, rue de Chabrol, 10ème
Les Gourmandises de Nathalie - 67, boulevard des Invalides, 7ème
Maison de Bonboms - 16, rue de Sévigné, 8ème
Maison du Miel - 24, rue Vigon, 9ème

FROMAGERIES
Alléosse - 13, rue Poncelet, 17ème
Barthélémy - 51, rue de Grenelle, 7ème
Fromagerie Beillevaire - 140, rue de Belleville, 20ème
La Ferme de Saint-Hubert - 21, rue Vignon, 8ème
Leverrier - 25, rue Daniele Casanova, 1er
Marie-Anne Cantin - 12, rue du Champs de Mars, 7ème
Quatrehommes - 62, rue de Sévres, 7ème

UTENSÍLIOS E INGREDIENTES ESPECIAIS PARA COZINHA E CONFEITARIA
A. Simon - 48, rue Montmartre, 2ème
Bovida - 36, rue Montmartre, 2ème
Detou - 58, rue Tiquetonne, 2ème
E. Dehillerin - 18/20, rue de la Coquillière, 1er
MORA - 13, rue Montmartre, 2ème

Guloseimas em Paris

RECEITAS

São tantas guloseimas que a lista das preferidas quase não tem fim, por isso tive de deixar muita coisa de lado. Para a primeira receita, o macaron à la vanille, é importante usar claras muito frescas, um bom açúcar de confeiteiro e uma farinha de amêndoa bem fininha (processe e peneire se for o caso). Não se assuste com a quantidade de manteiga do recheio, pois uma crème au beurre legítima é assim mesmo; as que são preparadas com uma calda de açúcar — à l'italienne, como a que vai aqui —, ficam leves e delicadas, dá para comer sem (tanta) culpa! Aí vem a éclair au chocolat, uma bomba de chocolate deliciosa, com massa leve, douradinha e ligeiramente crocante por fora, recheada com creme com bastante gosto de chocolate e, é claro, coberta com chocolate (como a minha avó Betty, eu também adoro as de café, mas, de cada dez pessoas, nove preferem as de chocolate, não adianta). Depois, vêm os três bolinhos favoritos. O cannelé, que é muito bom e fica perfeito quando preparado nas forminhas de cobre caneladas, que transferem o calor de modo que eles ficam bem dourados e caramelizados por fora e com uma consistência cremosa e meio puxa-puxa por dentro. (As forminhas de silicone para cannéle funcionam bem, embora a crosta fique mais brilhante e menos crocante. Contudo, não é muito fácil encontrá-las por aqui, e a solução é usar outra forminha miúda de silicone, pode ser até uma fôrma de gelo que suporte a alta temperatura do forno ou uma fôrma pequena de silicone para bolinhos ou muffins. As forminhas de metal, tanto as mais pesadas como as de alumínio, não servem mesmo, pois produzem bolinhos que nada têm a ver com os cannéles de verdade.) O financier, aqui com a massa tradicional de amêndoa e um pedacinho de fruta fresca ou seca na superfície. (Se quiser, junte um pouco de chocolate granulado à massa, asse numas forminhas individuais para pudim, aquelas com buraco no meio, e preencha as cavidades com um pouco de ganache de chocolate.) A receita do bolinho macio de pistache — bem próximo da que aprendi com Phillipe Givre, nos seus tempos de Fauchon — foi ligeiramente adaptada para que eu pudesse fazer a pasta de pistache em casa sem muita complicação (a receita original pede dois tipos diferentes de pasta, que nem de longe se parecem com a pasta bem verde e normalmente artificial que por aqui se acha com mais facilidade). Apesar de saber que a maioria das pessoas acaba comprando massa folhada pronta, pois nem sempre está a fim de encarar uma receita que é mesmo trabalhosa, resolvi ousar no millefeuille à la vanille e ensinar a preparar uma massa folhada de verdade — leve, desfolhada, quebradiça e estaladiça. (Não é difícil, basta um pouco de boa vontade e tempo, pois não é coisa para fazer com pressa. Também é fundamental usar farinha e manteiga de boa qualidade — passe longe de qualquer tipo de margarina ou gordura hidrogenada.) Conforme se adquire um pouco de prática, a massa vai ficando cada vez melhor, e você, tornando-se craque em massa folhada de verdade, poderá fazer **palmiers**, aqueles biscoitinhos superdourados, caramelizados e deliciosos em formato de orelha (corte tiras de massa de 40 x 10 cm, polvilhe totalmente a superfície com açúcar cristal e, para fazer um rolinho, dobre as laterais em direção ao centro até que se encontrem e cubram totalmente o açúcar, polvilhe novamente com açúcar, dobre mais uma vez, pressione para fechar e leve ao freezer por pelo menos 1 hora ou por até 1 semana; depois corte em rodelas de 0,5 cm, coloque numa assadeira, mantendo espaços livres entre elas, volte ao freezer por mais 10 minutos e asse por uns 15 minutos no forno a 200°C (médio-alto) até que elas estejam bem douradas e crocantes; solte em seguida da assadeira, espere esfriar e guarde num pote fechado por 2 ou 3 dias — se você conseguir resistir!); e **chaussons aux pommes** (recheie discos de massa com um doce feito de cubinhos de maçã dourados na manteiga com açúcar e canela, dobre como meia-lua, pincele com gema e asse até a massa ficar bem dourada e crocante). Para rechear o millefeuille, escolhi um creme mousseline bem brilhante, cremoso e com muito gosto de baunilha (para facilitar, sugeri engrossar o creme só com maisena, mas, para um creme mais estruturado, consistente e não tão elástico, o ideal é usar metade maisena, metade farinha de trigo). Escolhi também uma receita de gauffre (ou gaufre, em cada lugar se escreve de um jeito), que acompanha muito bem uma xícara de chá ou de café e é a prima franco-belga do waffle, ou da talassa, xadrez ou grade portuguesa, todas receitas muito antigas (no século 12 já falavam desses bolinhos que lembravam favos de mel e eram cozidos entre duas placas pesadas de ferro). A massa é muito saborosa e vai bem apenas polvilhada com açúcar ou coberta com geléia ou queijo bem cremoso. Como não dava para pensar em Paris sem crêpe, decidi dar uma receita bem básica, que aceita coberturas doces ou salgadas, enfim, o que você quiser colocar em cima (a receita leva 6 ovos, é bastante, mas as crêpes com mais ovos e menos farinha ficam mais leves e rendadas). Quis dar a receita do nougat aux fruits secs que, além de ser uma delícia, é daquelas coisas que quase todo o mundo acha que não dá para fazer em casa, mas não só dá, como fica ótimo (escolhi figo seco, damasco, pistache, avelã e amêndoa, mas nada impede que você use as frutas secas e cristalizadas que quiser; e, como nem sempre é fácil encontrar o papel de arroz, aquele superfininho, esbranquiçado e quebradiço, sugeri espalhar sobre papel-manteiga untado com manteiga e depois polvilhar com açúcar de confeiteiro). Caramelos divinos, nem moles, nem duros demais, são de arrancar suspiros. Capriche na dose de baunilha e não deixe de colocar a pitada de fleur du sel, é o algo mais que dá aquela quebradinha no sabor, realça o doce, o cremoso, a baunilha e transforma um simples caramelo em algo realmente inesquecível. Que delícia é morder uma florentine, biscoito normalmente redondo, marrom-escuro pelo caramelo que envolve a amêndoa e as outras frutas secas e pelos risquinhos de chocolate que desenham a superfície, é perfeito para acompanhar um café. O pain au chocolat é a guloseima que mais faz sucesso com as crianças, e muitos adultos também, é preparado com a mesma massa do croissant, que vai se desfolhando, tem gosto de manteiga de verdade e é divino. Não dá para negar que a receita assusta um pouco, pois tem várias etapas e é demorada, mas não é difícil e dá certinho. Escolhi um sorvete de chocolate que é doce e amargo ao mesmo tempo, fica ultracremoso e macio, realmente parecidíssimo com o da Berthillon. É preciso cozinhar o cacau em pó por alguns minutos, para eliminar um possível gostinho de poeira, fazer um creme inglês de chocolate e uma calda; o resultado é para lá de bom (e se você tiver uma sorveteira em casa, aí poderá encontrar a perfeição). Por último, chegam as três receitas salgadas: como eu queria um croque monsieur como manda o figurino, dei a receita do pão-de-fôrma e do creme béchamel, que pedem um bom presunto e um Gruyère de verdade, mas nada impede que, para ganhar tempo, se compre um pão-de-fôrma bem macio. Para o sanduíche de falafel, experimentei receitas libanesas com grão-de-bico e fava e egípcias só com grão-de-bico ou só com fava até chegar à versão que vai aqui (testei também umas receitas mais rapidinhas, com grão-de-bico e fava já cozidos, em conserva, que dão uma massa mais pastosa, e não é exatamente a mesma coisa, mas funciona quando bate a vontade de comer um falafel de última hora; como a massa fica mais mole e às vezes se desmancha na hora de fritar, resolvi assar os bolinhos, e deu certo); e, por último, o cake jambon aux olives, que ficou bem próximo ao do Sthörer e é perfeito para o lanche ou piquenique.

MACARON À LA VANILE

(40 UNIDADES; 1 HORA E 30 MINUTOS)

PARA A MASSA

1 3/4 xícara de açúcar de confeiteiro
3/4 de xícara de farinha de amêndoa
3 claras
1 colher (chá) de essência de baunilha

PARA O RECHEIO

2 favas de baunilha
1 1/3 xícara de açúcar
1/3 de xícara de água
2 claras
250 g de manteiga em temperatura ambiente

↬ Massa Reserve 1/4 do açúcar, peneire o restante e misture à farinha de amêndoa. Com a batedeira em velocidade média, bata as claras até começarem a esbranquiçar, junte o açúcar reservado, aumente a velocidade e bata por mais uns 2 minutos, até obter picos bem firmes. Com uma espátula, incorpore delicadamente os ingredientes secos e a essência de baunilha às claras. Com o bico redondo de um saco de confeitar, faça umas 80 bolinhas de 1,5 cm de diâmetro, mantendo uma distância de 3 cm entre elas, em 2 assadeiras grandes forradas com papel-manteiga ou em tapetes de silicone. Deixe descansar por 10 minutos para formar uma película na superfície, o que evita que os macarons rachem, enquanto o forno aquece a 180ºC (médio). Asse por uns 15 minutos, até que estejam firmes e sequinhos, mas ainda clarinhos, não dourados. Retire do forno, deixe esfriar e solte os macarons da assadeira (se quiser, guarde num pote fechado por uns 3 dias na geladeira e recheie pouco antes de servir).
↬ Recheio Corte as favas ao meio no sentido do comprimento, raspe as sementes e coloque as favas e as sementes numa panelinha com a água e o açúcar, mexa só até dissolver e deixe ferver por uns 5 minutos, até a calda começar a engrossar.
↬ Enquanto isso, na batedeira, bata as claras até obter picos firmes. Descarte as favas e, sem parar de bater, vá juntando aos poucos a calda às claras até amornar. Então, acrescente aos poucos os pedacinhos de manteiga e continue batendo até conseguir um creme liso e macio. Dois a dois, como um sanduichinho, recheie os macarons com um pouco do creme.

ÉCLAIR AU CHOCOLAT

(30 UNIDADES; 2 HORAS)

PARA A MASSA

1 1/2 xícara de água
200 g de manteiga gelada em cubinhos
1 colher (sopa) de açúcar
2 xícaras de farinha de trigo
8 ovos
sal
manteiga para untar

PARA O CREME

1 1/2 xícara de açúcar
4 ovos
8 gemas
1/2 xícara de maisena
1 fava de baunilha
1 litro de leite
400 g de chocolate meio amargo em cubinhos

PARA A COBERTURA

200 g de chocolate meio amargo
1 colher (sopa) de óleo vegetal

↬ Massa Aqueça o forno a 180ºC (médio) e unte 2 assadeiras grandes com manteiga. (Uma boa dica: coloque cada assadeira dentro de outra para deixar a base mais grossa, assim, a bomba demorará um pouco mais para dourar por baixo e a massa terá mais tempo para secar.)
↬ Numa panela média, aqueça a água, a manteiga, o açúcar e uma pitada de sal, espere ferver, junte a farinha de uma só vez e, sem parar de mexer, cozinhe até a massa formar uma bola que se solte totalmente da panela. Passe para a tigela da batedeira e, sempre batendo, junte o 1º ovo e bata até incorporar. Junte mais um ovo, continue batendo e prossiga da mesma forma até o 7º ovo. Como os ovos variam muito de tamanho e a massa não deve ficar nem firme nem mole demais, quebre e misture o 8º ovo numa tigelinha e vá incorporando-o aos poucos à massa, até ela ficar lisa e bem brilhante (risque a superfície com a ponta do dedo indicador e veja se fica um caminho marcado). Com saco de confeitar e bico liso médio de 1 cm, molde umas 30 bombas com 10 cm de comprimento deixando 5 cm livres entre elas. Asse por uns 25 minutos, até que estejam crescidas e bem douradas de todos os lados. Retire do forno, deixe esfriar e solte da assadeira. (Se quiser, prepare na véspera e guarde num pote bem fechado, ou congele por até 1 mês.)
↬ Creme Enquanto isso, numa tigela, misture o açúcar, os ovos, as gemas e a maisena. Corte a fava de baunilha ao meio no sentido do comprimento, raspe as sementes e coloque a fava e as sementes numa panela com o leite. Quando ferver, despeje parte do leite sobre a mistura de ovos, misture, volte para a panela e mantenha no fogo, sem parar de mexer, até ferver e engrossar. Retire do fogo, junte os cubinhos de chocolate, misture até eles

MACARON À LA VANILE

ÉCLAIR AU CHOCOLAT

derreterem e o creme brilhar, passe para uma tigela, cubra bem rente com filme plástico para evitar que se forme uma película na superfície e deixe esfriar. (Se quiser, guarde na geladeira por até 2 dias.)
↔ Cobertura Derreta o chocolate no microondas por uns 2 minutos, ou em banho-maria, misture o óleo e deixe descansar por 30 minutos.
↔ Para rechear, coloque o creme de chocolate num saco de confeitar, faça um furinho numa das pontas de cada bomba, encaixe ali o bico do saco de confeitar e pressione até preencher a bomba com o creme. Em seguida, mergulhe rapidamente a superfície de cada bomba no chocolate, levante para escorrer, coloque numa assadeira e leve à geladeira por uns 10 minutos para firmar (mas não mais do que isso, pois a massa da bomba começa a perder o aspecto crocante).

CANNELÉ

(40 UNIDADES; 1 HORA E 30 MINUTOS, MAIS PELO MENOS 12 HORAS PARA A MASSA REPOUSAR)

2 ovos
1 gema
1 fava de baunilha
2 xícaras de leite
50 g de manteiga
1 1/2 xícara de açúcar de confeiteiro ou,
se quiser cannelés escuros, mascavo
1 xícara de farinha de trigo
1/4 de xícara de rum
manteiga para untar
açúcar e farinha de trigo para polvilhar

↬ Numa tigela, coloque os ovos e a gema, bata ligeiramente com garfo e reserve. Corte a fava de baunilha ao meio no sentido do comprimento, raspe as sementes, coloque a fava e as sementes raspadas numa panela com o leite e a manteiga e aqueça. Quando ferver, retire do fogo e deixe esfriar. Então, adicione o açúcar, a farinha, os ovos e o rum e misture até obter uma massa lisa e homogênea. Cubra com filme plástico e leve à geladeira por no mínimo 12 ou por até 48 horas.

↬ Aqueça o forno a 200°C (médio-alto). Unte com manteiga e polvilhe com uma mistura de mais ou menos 1 colher (sopa) de açúcar e 1 colher (sopa) de farinha 40 fôrmas médias para cannelé e disponha numa assadeira. Asse os cannelés por mais ou menos 1 hora, até que estejam bem dourados e caramelizados (eles ficam bem escuros mesmo). Deixe amornar por uns 15 minutos, desenforme e deixe esfriar sobre uma grade. (Se quiser, guarde num pote bem fechado por até 24 horas.)

FINANCIER

(20 UNIDADES; 2 HORAS)

150 g de manteiga sem sal
1 fava de baunilha ou 2 colheres (chá) de essência
1 xícara de clara (aproximadamente 6)
1 1/2 xícara de açúcar de confeiteiro
2/3 de xícara de amêndoa moída bem fininho
2/3 de xícara de farinha de trigo
manteiga para untar
pedacinhos de amêndoa, pistache, banana, abacaxi ou framboesa

↬ Numa panelinha, derreta a manteiga e, com uma escumadeira, descarte toda espuma que se formar na superfície. Espere a manteiga se transformar num líquido bem dourado com um leve perfume de avelã, retire do fogo para não queimar, passe imediatamente para uma tigela e deixe esfriar.

↬ Corte a fava ao meio e raspe bem para soltar as sementes (guarde a fava para outra receita).

↬ Numa tigela média, misture bem a clara, o açúcar, a amêndoa moída e as sementes de baunilha, depois junte a farinha e a manteiga derretida (evitando transferir também as partículas depositadas no fundo da tigela da manteiga, pois estas deixam a massa pesada), misture mais um pouco e deixe repousar por 1 hora (ou prepare uns 3 dias antes e guarde na geladeira).

↬ Quinze minutos antes de assar, aqueça o forno a 220°C (alto) e unte com manteiga 20 forminhas retangulares médias (de uns 8 cm de comprimento) ou 50 bem miúdas (ou use fôrmas de empadinha). Encha as fôrmas com a massa, decore com pedacinhos de frutas secas, 2 ou 3 framboesas ou pedacinhos de banana ou de abacaxi, e asse por uns 10 minutos, até que os bolinhos estejam bem dourados na borda. Retire do forno, deixe amornar, desenforme e guarde num pote fechado por até 3 dias.

FINANCIER

BOLINHO MACIO DE PISTACHE

(48 UNIDADES; 2 HORAS)

1 1/2 xícara de pistache cru sem casca
1 colher (chá) de óleo vegetal
1/4 de xícara de açúcar
175 g de manteiga em temperatura ambiente
3 ovos
1 1/4 xícara de açúcar mascavo
3/4 de xícara de farinha de trigo
manteiga para untar
12 cerejas em conserva, bem escorridas da calda, divididas em 4 partes

↔ Pique grosseiramente metade do pistache e reserve. Bata a outra metade no processador com o óleo e o açúcar comum até obter uma pasta grossa e esverdeada. Passe a pasta para uma tigela, junte a manteiga e mexa com batedor de arame até obter uma pasta homogênea. Sempre mexendo, incorpore os ovos um a um, depois acrescente o açúcar mascavo, a farinha e o pistache picado.

↔ Aqueça o forno a 180°C (médio). Unte com manteiga 48 fôrmas redondas miúdas (ou de empadinha) e espalhe numa assadeira. Coloque 1 pedaço de cereja no fundo de cada fôrma, deixando o lado brilhante para baixo. Encha as fôrmas com a massa, parando um pouco antes da borda, e asse os bolinhos por uns 10 minutos, até que estejam crescidos e bem dourados. Retire do forno, deixe amornar, desenforme e guarde num pote fechado por até 3 dias.

MILLEFEUILLE À LA VANILLE

(12 PESSOAS; 4 HORAS, MAIS PELO MENOS 6 HORAS PARA A MASSA REPOUSAR)

PARA A MASSA FOLHADA
4 1/4 xícaras de farinha de trigo
450 g de manteiga (350 g em temperatura ambiente e 100 g gelada em cubinhos)
1 colher (chá) de sal
3/4 de xícara de água
1/2 colher (chá) de suco de limão
farinha de trigo para polvilhar

PARA O CREME E A FINALIZAÇÃO
1 1/2 xícara de açúcar
4 ovos
12 gemas
1/2 xícara de maisena
2 favas de baunilha
1 litro de leite
50 g de manteiga gelada em cubinhos
1 xícara de açúcar para caramelizar

↪ **Massa** Numa tigela, misture 1 1/4 xícara de farinha e os 350 g de manteiga em temperatura ambiente, molde um quadrado de uns 15 cm, embrulhe em filme plástico e leve à geladeira por 2 horas.

↪ **Em outra tigela**, misture a farinha restante e a manteiga gelada até obter uma farofa. Depois junte a água, o sal e o limão, trabalhe até conseguir uma massa macia, faça um quadrado de uns 12 cm, embrulhe em filme plástico e deixe na geladeira por 1 hora e 45 minutos. Em seguida, coloque a primeira massa sobre uma superfície ligeiramente enfarinhada, polvilhe a massa com farinha e abra com um rolo até conseguir um retângulo de 30 x 15 cm aproximadamente. Posicione a segunda massa na metade de baixo do retângulo, deixando uma borda vazia em volta, cubra com a metade livre de massa, pressione as bordas para fechar, embrulhe em filme plástico e leve à geladeira por 1 hora. Ao final desse tempo, polvilhe a superfície com um pouco mais de farinha e abra a massa, num só sentido, até obter um retângulo de 60 x 15 cm aproximadamente. Dobre em 3, como uma carta, vire no outro sentido, abra a massa de novo num retângulo, dobre em 3 novamente, embrulhe em filme plástico e leve à geladeira por mais 1 hora. Repita essa operação mais 2 vezes e, no final, se quiser, guarde a massa na geladeira por até 2 dias. Então, abra a massa até conseguir um retângulo de 30 x 40 cm, com 2 mm de espessura, divida em 3 tiras de 10 x 40 cm, fure a massa em alguns pontos com um garfo para facilitar a saída do vapor que se acumular por baixo, passe as tiras para uma assadeira plana e leve à geladeira por 30 minutos. (Se quiser, congele por até 1 mês e descongele por 12 horas na geladeira). Cortar e servir um millefeuille sem desmontar tudo não é tarefa das mais simples, por isso, se quiser facilitar, divida a massa ainda crua em 36 retângulos de 10 x 3 cm para montar 12 doces individuais. (Se preferir utilizar massa folhada pronta congelada, você precisará de mais ou menos 1,2 kg).

↪ **Aqueça o forno** a 220°C (alto) por uns 10 minutos, reduza a temperatura para 180°C (médio) e leve a assadeira com a massa bem gelada ao forno por 10 minutos. Então, cubra com outra assadeira, para pesar e não deixar a massa crescer e estufar tanto, e volte ao forno por mais 10 minutos, até ficar dourada e crocante. Em seguida, para deixar a massa bem brilhante, adocicada e ainda mais saborosa, polvilhe toda a superfície com açúcar e leve ao forno por mais 10 minutos para caramelizar, virando na metade do tempo. Transfira as placas para uma grelha e deixe esfriar por uns 30 minutos.

↪ **Creme** Numa tigela, misture o açúcar, os ovos, a gema e a maisena. Corte as favas ao meio no sentido do comprimento, raspe as sementes e coloque as favas e as sementes numa panela com o leite. Quando ferver, despeje uma parte sobre a mistura de ovos, misture, volte para a panela e deixe no fogo, mexendo sem parar, até ferver e engrossar. Retire do fogo, junte os cubinhos de manteiga, mexa até esta derreter e o creme brilhar, passe para uma tigela e cubra bem rente com filme plástico para evitar que se forme uma película sobre a massa. Deixe esfriar e use ou guarde na geladeira por até 2 dias.

↪ **Monte o millefeuille** no máximo 4 horas antes de servir, porque depois disso a massa começa a amolecer e perder o brilho, o caramelizado pode melar e o creme desmontar. Separe a tira mais bonita para ficar por cima. Coloque uma tira no prato de servir, sobre ela espalhe metade do creme, alise para deixar a camada uniforme, cubra com a segunda tira, faça mais uma camada de creme e por cima coloque a tira de massa que foi separada. Para cortar, risque cuidadosamente a massa com uma faca serrilhada e, sem tirar a faca da massa, siga cortando e descendo até separar a fatia. Limpe a lâmina antes de cortar a fatia seguinte.

GAUFFRE

GAUFFRE

(12 UNIDADES; 1 HORA E 30 MINUTOS, MAIS 1 HORA PARA A MASSA REPOUSAR)

4 xícaras de farinha de trigo
2 xícaras de açúcar
6 ovos
1 xícara de leite
1 colher (sopa) de rum
1 colher (sopa) de essência de baunilha
125 g de manteiga derretida
sal
manteiga para pincelar
açúcar de confeiteiro para polvilhar

↦ Numa tigela grande, misture a farinha, o açúcar e uma pitada de sal. Faça uma cavidade no centro e nela coloque os ovos, o leite, o rum e a baunilha. Com batedor de arame em movimentos circulares, vá misturando os ingredientes aos poucos até obter uma massa lisa. Junte a manteiga derretida, misture bem, cubra com um pano e deixe descansar por 1 hora. (Se quiser, guarde por até 12 horas na geladeira.) Aqueça uma frigideira para waffle (esta normalmente permite preparar 2 por vez), pincele com manteiga, preencha as cavidades com 1 xícara bem cheia de massa e feche (cuidado: se colocar massa de mais, o conteúdo irá transbordar; se colocar de menos, as gauffres ficarão muito baixas e secas). Abaixe o fogo, deixe dourar por 5 minutos de um lado, depois vire para dourar por mais 5 minutos do outro lado (na metade do tempo, abra a frigideira para conferir se estão dourando bem). Passe as gauffres prontas para um prato e prepare as restantes, untando com mais manteiga se for preciso (normalmente, as primeiras pedem um pouco de manteiga, depois a frigideira vai ficando mais engordurada e a massa nem gruda mais). Polvilhe com açúcar de confeiteiro e sirva (Se quiser, prepare até aqui na véspera e aqueça no forno na hora de servir. No microondas, as gauffres perdem o aspecto crocante).

CRÊPE

(20 UNIDADES; 1 HORA, MAIS PELO MENOS 30 MINUTOS PARA A MASSA REPOUSAR)

3 xícaras de leite ou água
6 ovos
2 xícaras de farinha de trigo
1 colher (chá) de sal
50 g de manteiga
manteiga para fritar

↦ Bata no liquidificador o leite, os ovos, a farinha e o sal até obter uma massa lisa, passe para uma tigela, cubra e leve à geladeira por 30 minutos.
↦ Enquanto isso, derreta a manteiga na frigideira em que irá preparar as crêpes, descarte a espuma que se formar na superfície, retire do fogo e reserve. Junte a manteiga à massa. Aqueça a frigideira com 1/2 colher (chá) de manteiga, despeje mais ou menos 1/4 de xícara de massa e movimente a frigideira bem rápido para espalhar e conseguir uma crêpe fininha e uniforme. Espere dourar nas bordas, vire para dourar do outro lado, transfira para um prato e prepare outra, juntando manteiga quando começar a grudar e limpando a frigideira com papel absorvente de vez em quando. (Se quiser, prepare as crêpes na véspera e guarde na geladeira, ou congele por até 2 meses e aqueça na frigideira ou no microondas antes de servir.)
↦ Sirva com geléia, pasta de chocolate com avelã, queijo e presunto (nesse caso, coloque as fatias de queijo e presunto sobre a crêpe já dourada na frigideira para o queijo derreter), atum em conserva ou o que mais sua imaginação permitir.

NOUGAT AUX FRUITS SECS

(40 UNIDADES; 2 HORAS E 30 MINUTOS)

1/2 xícara de amêndoa com pele
1/2 xícara de pistache sem pele
1/2 xícara de avelã com pele
1/3 de xícara de mel
3 1/2 xícaras de açúcar
1/3 de xícara de água
1 colher (sopa) de glicose de milho (Karo)
2 claras
1 colher (sopa) de água de flor de laranjeira
1/2 xícara de figo seco

NOUGAT AUX FRUITS SECS

1/2 xícara de damasco seco
óleo vegetal para untar

↬ Aqueça o forno a 180ºC (médio). Espalhe a amêndoa, o pistache e a avelã numa assadeira grande e leve ao forno por uns 10 minutos, até que estejam dourados e perfumados, depois transfira para uma tigela e reserve.
↬ Unte com óleo um quadrado de uns 40 cm de papel-manteiga e com ele forre o fundo de uma assadeira.
↬ Numa panelinha, coloque o mel, aqueça e deixe ferver por uns 2 minutos, até perfumar e surgirem muitas bolhas, reserve.
↬ Em outra panelinha, aqueça a água, o açúcar e a glicose, mexa só até dissolver e deixe ferver por uns 10 minutos, até formar uma calda brilhante e com muitas bolhas grandes. Enquanto isso, numa tigela grande, com a batedeira, bata as claras até obter picos firmes. Vá despejando aos poucos o mel e a calda na tigela das claras e bata até o nougat esfriar, firmar e soltar da tigela. (Se ficar muito úmido, coloque a tigela sobre uma panela com água e leve ao fogo em banho-maria por uns 5 ou 10 minutos para secar, até descolar da tigela.) Junte as frutas secas, despeje sobre o papel-manteiga, aperte e alise com a palma da mão para deixar o nougat com mais ou menos 1,5 cm de espessura. Espere firmar totalmente e, com uma faca serrilhada, divida em mais ou menos 40 quadradinhos. Embora vá ficando mais durinho com o passar do tempo, pode ser guardado por até 10 dias num pote bem fechado.

CRÊPE

CARAMEL À LA VANILLE ET AU BEURRE SALÉ

CARAMEL À LA VANILLE ET AU BEURRE SALÉ
(60 UNIDADES; 1 HORA)

1 xícara de creme de leite fresco
1/2 xícara de leite
2 xícaras de açúcar
1/2 xícara de glicose de milho (Karo)
50 g de manteiga
1 fava de baunilha ou 1 colher (chá) de essência de baunilha
1/2 colher (chá) de fleur du sel de Guérande
óleo vegetal para untar

↬ Numa panela média, coloque o creme de leite, o leite, o açúcar, a glicose, a manteiga, a fava de baunilha já aberta ao meio no sentido do comprimento, as sementes de baunilha e o sal e aqueça, mexendo só até dissolver. Quando ferver, abaixe o fogo e cozinhe por uns 30 minutos, até alcançar o ponto de bala firme, mas não dura. (Para testar, coloque um pouco de água gelada num copo, despeje 1 colher (chá) do caramelo na água e aperte com a ponta dos dedos, você deverá conseguir moldar uma bolinha macia, mas firme e consistente.) Despeje o caramelo sobre uma superfície de mármore untada com óleo, ou sobre um tapetinho de silicone, e deixe amornar por uns 15 minutos (depois disso, o caramelo endurece e fica difícil cortar; se isso acontecer, volte ao fogo por alguns minutos para amolecer de novo). Com uma faca de lâmina grande e afiada, divida a placa de caramelo em 60 quadradinhos de uns 2 cm. Embrulhe cada quadradinho em papel celofane e guarde por até uma semana. Se quiser, elimine o sal e acrescente 50 g de chocolate meio amargo, ou acrescente 1 colher (sopa) de raspa de casca de laranja ou de limão.

FLORENTINE

FLORENTINE
(30 UNIDADES; 1 HORA E 30 MINUTOS)

1 1/4 xícara de creme de leite fresco
1 xícara de açúcar
1 colher (chá) de essência de baunilha
1 xícara de amêndoa, sem pele, em lâminas ou palitos
1/2 xícara de laranja cristalizada bem picadinha
25 g de manteiga
1/4 de xícara de farinha de trigo
100 g de chocolate meio amargo

↬ Numa panelinha, aqueça o creme de leite, o açúcar e a baunilha e mexa até dissolver. Assim que o creme amarelar e ficar com aparência ligeiramente translúcida, retire do fogo, junte a amêndoa, a laranja, a manteiga e a farinha e mexa até obter um creme homogêneo.

↬ Aqueça o forno a 200°C (médio-alto). Forre 2 assadeiras grandes com papel-manteiga ou com tapetinhos de silicone e espalhe umas 30 colheres (chá) de massa, mantendo 2 cm livres entre os montinhos. Asse os biscoitos por uns 10 minutos, até que estejam bem chatos e com as bordas bem douradas (eles se espalham bastante). Retire do forno (não se aflija, pois eles saem macios e só se firmam quando esfriam), solte da assadeira com uma espátula e transfira para uma grade. Derreta o chocolate no microondas, ou em banho-maria, coloque num saquinho plástico ou num cone feito de papel-manteiga, corte a pontinha e desenhe um ziguezague de chocolate na superfície de cada florentine. (Se quiser discos perfeitos, corte cada um deles com um cortador de metal enquanto ainda estiverem mornos — quentes, eles não cortam direito, e frios, eles se quebram — e use as sobras para acompanhar sorvete.)

PAIN AU CHOCOLAT

(48 UNIDADES; 3 HORAS, MAIS 12 HORAS PARA A MASSA REPOUSAR)

2 tabletes de fermento biológico fresco (30 g)
1/4 de xícara de açúcar
1/3 de xícara de água morna
6 xícaras de farinha de trigo (aproximadamente)
1/4 de xícara de óleo vegetal
2 colheres (chá) de sal
1 xícara de leite
1 ovo
400 g de manteiga em temperatura ambiente
800 g de chocolate meio amargo
1 gema para pincelar

↬ Numa tigela grande, dissolva o fermento e o açúcar na água, junte 1/2 xícara (chá) de farinha e deixe descansar por uns 10 minutos, até surgirem bolhas.
↬ Forre com filme plástico uma assadeira de 20 x 35 cm e outra de 16 x 18 cm.
↬ Junte o óleo, o sal, o leite, o ovo e 4 xícaras (chá) de farinha à massinha fermentada e misture apenas o suficiente para ligar os ingredientes e conseguir uma massa mole e pegajosa. Despeje na assadeira média, acerte com a ponta dos dedos para fazer uma camada uniforme, cubra com filme plástico e leve à geladeira por 1 hora.
↬ Numa tigela, misture a manteiga e 1/2 xícara (chá) de farinha, espalhe na assadeira pequena, cubra com filme plástico, alise bem a superfície com o dorso de uma colher e leve à geladeira por uns 45 minutos para firmar. Passado esse tempo, descarte o filme que cobre as assadeiras, solte a placa de manteiga e posicione sobre uma das metades do retângulo de massa, deixando uma borda livre. Dobre a parte livre da massa sobre a placa de manteiga, pressione as bordas com os dedos para fechar bem, cubra com filme plástico e leve à geladeira por mais 15 minutos. Em seguida, transfira a massa para uma superfície enfarinhada e abra com um rolo apenas no sentido do comprimento, até triplicar de tamanho, depois dobre em 3, como uma carta, gire 1/4 de volta para deixar uma das laterais abertas virada para você, abra com o rolo mais uma vez até triplicar de tamanho, dobre de novo em 3, embrulhe em filme plástico e leve à geladeira por 30 minutos. Repita essa seqüência mais 2 vezes, aumentando apenas o último descanso na geladeira para no mínimo 6 horas e no máximo 2 dias.

↬ Umas 3 horas antes de servir, divida o chocolate em 96 barrinhas finas. Polvilhe o mármore com farinha e divida a massa em 4 partes iguais. Sempre apenas no sentido do comprimento, abra uma parte de massa com o rolo até obter uma tira de 60 x 10 cm com a espessura de uma casca de uma banana, divida em 12 retângulos e enrole cada um deles como um minirrocambole, colocando uma barrinha de chocolate logo na beirada e outra depois da primeira volta. Cubra os pãezinhos com um pano e deixe crescer por mais 2 horas (ou cubra com filme plástico, deixe por até 12 horas na geladeira e retire 1 hora antes de assar). Dez minutos antes de assar, aqueça o forno a 180°C (médio) e pincele os pãezinhos com a gema diluída em 2 colheres (sopa) de água. Asse por uns 20 minutos, até que estejam dourados e bem crescidos. Deixe amornar sobre uma grade e sirva. (Não é a mesma coisa, mas dá para assar na véspera e aquecer no forno.)

CROQUE MONSIEUR

(12 SANDUÍCHES; 3 HORAS, MAIS 2 HORAS E 30 MINUTOS PARA A MASSA REPOUSAR)

PARA O PÃO (OU 24 FATIAS DE PÃO DE FÔRMA)

2 tabletes de fermento biológico fresco (30 g)
1 colher (sopa) de açúcar
1 2/3 xícara de leite morno
4 1/2 xícaras de farinha de trigo (aproximadamente)
2 colheres (chá) de sal
75 g de manteiga em temperatura ambiente
manteiga para untar
farinha de trigo para polvilhar

PARA O CREME

50 g de manteiga
1/2 xícara de farinha de trigo
2 xícaras de leite frio
sal e noz-moscada

PARA O RECHEIO E A FINALIZAÇÃO

24 fatias finas de presunto cozido (aproximadamente 150 g)
1 kg de queijo Gruyère ralado grosso
manteiga para dourar o pão e untar

↬ **Pães** Para que fique mais saboroso, comece a preparar o pão com umas 4 horas de antecedência ou até na véspera.
↬ Numa tigela grande, misture o fermento, o açúcar, o leite e 1 xícara de farinha e espere 10 minutos, até surgirem bolhas. Junte o sal e a manteiga derretida e, aos poucos, vá acrescentando mais 3 xícaras de farinha e trabalhando até obter uma massa bem macia, que descole das mãos (só junte a outra 1/2 xícara de farinha se a massa estiver pegajosa demais). Cubra com filme plástico e deixe crescer por 1 hora, até dobrar de volume.
↬ Enquanto isso, unte com manteiga e polvilhe com farinha 2 fôrmas de 30 cm para pão de fôrma. Divida a massa ao meio, abra cada metade com a palma das mãos formando um retângulo do mesmo comprimento da fôrma, enrole como um rocambole bem apertado, coloque numa fôrma (a massa deverá ocupar uns 2/3 da fôrma) e deixe crescer por mais 1 hora. (Nesse ponto, a massa deve preencher uns 3/4 da fôrma, mas, se ela tiver crescido um pouco mais, para não transbordar no forno, retire o excedente e faça um pãozinho separado.) Quando faltarem uns 15 minutos para completar o tempo, aqueça o forno a 180°C (médio). Tampe as fôrmas (se não tiver usando fôrma de pão de fôrma, que vem com tampa para deixar o pão bem quadradinho e com a casca uniforme dos 4 lados, use uma assadeira sobre a fôrma para fazer peso, ou improvise uma tampa com várias camadas de papel-alumínio), coloque na grade do meio do forno e asse por 30 minutos. Então, destampe para liberar o excesso de vapor e volte ao forno por mais uns 5 minutos (eles deverão estar com casca firme e ligeiramente dourados). Desenforme os pães e coloque sobre uma grade para esfriar.
↬ **Creme** Numa panela média, aqueça a manteiga. Junte a farinha e espere virar uma pasta amarelada. Acrescente o leite, sal e noz-moscada e, sem parar de mexer, mantenha no fogo até ferver e engrossar.
↬ Uns 30 minutos antes de servir, aqueça o forno a 200°C (médio-alto) e separe 2 assadeiras grandes. Com uma faca serrilhada, corte 24 fatias de pão de mais ou menos 1 cm de espessura, besunte um dos lados com um pouco de manteiga, espalhe nas assadeiras e leve ao forno por uns 5 ou 10 minutos, apenas para começar a firmar e dourar um pouquinho (assim, o sanduíche fica ligeiramente crocante e não empapa). Retire o pão do forno, espalhe metade do queijo sobre 12 fatias de pão, por cima de cada uma coloque 2 fatias de presunto e outra fatia de pão. Cubra tudo com o creme quente, espalhe por cima o restante do queijo, volte ao forno para gratinar por uns 15 ou 20 minutos e sirva.

SORVETE DE CHOCOLATE

(8 PESSOAS; 1 HORA E 30 MINUTOS, MAIS 6 HORAS PARA REPOUSAR, TURBINAR E CONGELAR)

1/2 xícara de água
1 1/2 xícara de açúcar
1 1/2 xícara de chocolate em pó
3 xícaras de leite
1 fava de baunilha
400 g de chocolate meio amargo bem picadinho
6 gemas
2 colheres (chá) de café solúvel
2 xícaras de creme de leite fresco

↬ Numa panelinha, aqueça a água e 1/2 xícara de açúcar, mexa só até dissolver, deixe ferver por 1 minuto, retire do fogo e reserve.

↬ Numa tigelinha, misture o chocolate em pó e 1/2 xícara de açúcar. Junte 1 xícara de leite, mexa até obter uma pasta e reserve.

↬ Corte a fava ao meio no sentido do comprimento, raspe as sementes e coloque a fava e as sementes numa panela com o restante do leite e aqueça. Quando ferver, despeje o leite sobre a mistura de chocolate em pó, mexa bem, volte com tudo para a panela e, sempre mexendo, cozinhe em fogo baixo por mais uns 5 minutos.

↬ Em outra tigelinha, misture as gemas e o restante do açúcar e reserve.

↬ Passados os 5 minutos, junte o chocolate picado ao leite, mexa até dissolver, despeje sobre as gemas, misture bem, volte com tudo para a panela e leve ao fogo. Mantenha no fogo até engrossar, sem parar de mexer e sem deixar ferver, (devem surgir bolhinhas miúdas nas laterais). Retire do fogo imediatamente, junte o café e passe para uma tigela limpa. Coloque a tigela sobre outra cheia de água com gelo para esfriar, depois junte o creme de leite e a calda de açúcar, misture bem, cubra com filme plástico, leve à geladeira por no mínimo 3 e no máximo 12 horas e depois bata o creme numa sorveteira. (Ou leve ao freezer por 30 minutos, retire, bata com a batedeira por 5 minutos, volte ao freezer e repita a operação mais 3 vezes.)

SANDUÍCHE DE FALAFEL

(8 SANDUÍCHES; 1 HORA, MAIS 12 HORAS PARA DEMOLHAR O GRÃO-DE-BICO)

PARA O FALAFEL
500 g de grão-de-bico cru
1 xícara de fava fresca ou congelada
1 cebola grande
2 dentes de alho
1 pimenta-dedo-de-moça, sem sementes, cortada ao meio
2 1/2 xícaras de salsinha picadinha
1/2 colher (chá) de coentro em pó
1 colher (chá) de cominho
1/2 colher (chá) de pimenta-síria
1 colher (chá) de sal
1 colher (chá) de bicarbonato de sódio
1 litro de óleo para fritar

PARA O MOLHINHO
1 xícara de tahine (pasta de gergelim)
2 dentes de alho bem picadinhos
1/2 xícara de suco de limão
1 xícara de água gelada
sal

PARA A MONTAGEM DO SANDUÍCHE
1 pé de alface em tirinhas finas
3 tomates bem vermelhos, sem sementes, em cubinhos
3 pepinos japoneses com casca, bem lavados, em cubinhos
1 cebola grande em cubinhos
8 pães sírios grandes

↬ Falafel Coloque o grão-de-bico numa tigela, cubra com água fria e deixe de molho por 12 horas.

↬ Aqueça cerca de 1 litro de água, espere ferver, junte 1 colher (sopa) de sal e a fava e cozinhe por uns 10 minutos, até que esteja macia, mas ainda bem verde. Descarte a água do cozimento e coloque a fava numa tigela com água e gelo para esfriar. Escorra novamente, esfregue cada uma com a ponta dos dedos para soltar a pele grossa e reserve.

↬ Descarte a água do molho do grão-de-bico e bata os grãos no processador com a fava, a cebola, o alho, a pimenta, a salsinha, o coentro, o cominho, a pimenta, o sal e o bicarbonato até conseguir uma pasta grossa. Transfira a pasta para uma tigela, cubra com filme plástico e leve à geladeira por pelo menos 30 minutos, ou por até 24 horas.

↬ Numa frigideira média, aqueça o óleo (ele deve ficar quente, mas não demais, pois os bolinhos precisam de tempo para cozinhar por dentro sem queimar por fora). Com as mãos, molde uns 36 bolinhos de uns 4 cm de diâmetro e 1 cm de espessura. (Se quiser, deixe na geladeira por até 24 horas ou congele por até 3 meses e frite os bolinhos ainda congelados em fogo médio para que eles não queimem por fora e fiquem crus por dentro.) Pouco antes de servir, frite os bolinhos por uns 3 minutos, até que estejam cozidos por dentro e dourados e crocantes por fora, escorra e seque sobre papel absorvente. (Se preferir, pincele os bolinhos com azeite, coloque numa assadeira untada com azeite e asse em forno quente por um 30 minutos.)

↬ Molhinho Numa tigela média, misture o tahine, o alho e o limão. Aos poucos, sem parar de mexer, acrescente a água até esbranquiçar e encorpar.

↬ Na hora de montar e servir o sanduíche, corte uma tampinha numa das laterais do pão e abra como um bolso. Na cavidade, coloque uma parte das tirinhas de alface, dos cubinhos de tomate, de pepino e de cebola, uns 4 ou 5 bolinhos e regue com um pouco de molho (se quiser faça sanduíches com minipão sírio e sirva como entrada ou como petisco numa festa).

CAKE JAMBON, FROMAGE ET OLIVES

(6 PESSOAS; 1 HORA)

1 1/2 xícara de farinha de trigo
1 colher (sopa) de fermento em pó
1/2 colher (chá) de sal
3 ovos
1/2 xícara de leite
100 g de manteiga derretida em temperatura ambiente
1/2 xícara de queijo Gruyère ralado grosso
200 g de presunto cozido em tirinhas finas
1 xícara de azeitona verde em lascas
pimenta-do-reino
manteiga para untar
farinha de trigo para polvilhar

↬ Aqueça o forno a 180°C (médio), unte com manteiga e polvilhe com farinha uma fôrma média para bolo inglês.

↬ Numa tigela grande, misture a farinha, o fermento, o sal e pimenta.

↬ Em outra tigela, bata ligeiramente os ovos. Junte o leite, a manteiga, o queijo, o presunto e a azeitona, então adicione os secos e mexa até obter uma massa lisa. Transfira para a fôrma e asse o cake por uns 35 minutos, até que esteja dourado e crescido (ao enfiar um palito no centro, ele deverá sair limpo). Deixe amornar por 5 minutos, desenforme e sirva em fatias.

SANDUÍCHE DE FALAFEL

CAKE JAMBON, FROMAGE ET OLIVES

PASSEANDO PELA INGLATERRA

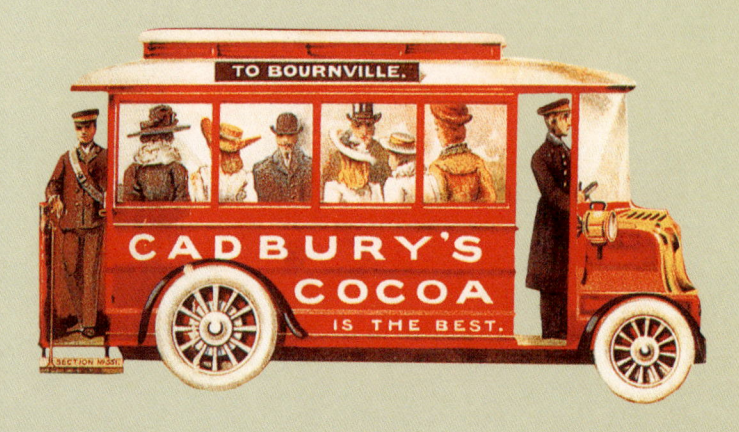

Viajar é bom demais! Eu realmente adoro pegar o carro e sair sem pressa, sem compromisso e sem rumo certo por estradinhas pequenas, cruzando campos, cidades, vilarejos, fazendas e plantações, conhecendo uma coisa aqui, outra ali, e, como não poderia deixar de ser, tentando experimentar tudo o que aparecer de apetitoso e interessante pelo caminho. Quem me conhece mais de perto sabe que o meu coração bate forte pela França. Já estive lá muitas vezes, cruzei o país de carro por tudo quanto é estradinha, explorando cada cantinho. Não me canso nunca e, mesmo que eu volte lá mil vezes, será sempre o máximo. Entretanto, o outro lado do canal da Mancha também me fascina, sempre adorei histórias envolvendo bretões, normandos, saxões, vikings, celtas, piratas, bosques com duendes e fadas, Robin Hood, os cavaleiros do Rei Artur, campos verdíssimos, castelos de pedra, vilarejos bucólicos, o mundo em volta dos livros em Oxford e Cambridge e, é claro, Londres — uma cidade linda, grande na medida certa, repleta de lugares interessantes e muito charme. Eu já tinha ido a Londres algumas vezes com o meu marido e a Bebel, a nossa filha mais velha, mas queria conhecer muito mais e, no final 2004, como eu estava muito cansada, decidi passar uns vinte e poucos dias na Inglaterra com o Carlos, a Bebel e a Ana, a mais nova, passando lá o Natal e ano-novo. Foram dez dias em Londres e 13 pelo interior. Visitamos Stonehenge e Averbury, com aquelas pedras imensas, alinhadas e misteriosas; Salisbury, Winchester e Canterbury, cujas catedrais são espetaculares; Rye, que é uma graça; Leeds Castle e Oxford, esta última é o lugar perfeito para quem, como eu, não vive longe dos livros; os vilarejos de Costwolds, todos com lindas casinhas de pedra, onde, com certeza, eu toparia morar; Stratford-Upon-Avon, onde a gente sente o espírito de Shakespeare de um jeito muito forte; York, que é o máximo; Durham, com as muralhas, a universidade e a paisagem de tirar o fôlego; Hexxam, onde se pode visitar a

Passeando pela Inglaterra

Muralha de Adriano e dormir num castelo de uns 800 anos que é um arraso; e, por fim, demos um pulinho na Escócia, passando três dias em Edimburgo. Que viagem!

Pensando nas complicações dos feriados de final de ano, com muitos restaurantes fechados por dez ou 15 dias, resolvemos ficar num flat em Londres, na Holborn, perto do Covent Garden e do British Museum, o que foi perfeito. Se ficasse complicado comer fora ou desse vontade de comer alguma coisa gostosa comprada durante o dia, era só complementar as compras no Sainsbury, um supermercado que ficava bem na esquina e tinha uma variedade imensa de pratos prontos e semiprontos. Foi muito divertido e prático, e as meninas amaram.

Falam muito mal da comida inglesa e da falta de interesse dos ingleses por coisas realmente boas. É verdade que muita gente não está muito aí para comida, compra bastante coisa pronta — e nem sempre interessante — no dia-a-dia, mas dizer que nada é bom é crueldade e injustiça das grandes. Fugindo do óbvio, posso dizer que comi muita coisa boa, bastou procurar e experimentar. Até entre os pratos prontos de alguns supermercados há muita coisa gostosa — as sopas e os pratos indianos grelhados e assados são bem melhores que sopa de pacotinho ou macarrão instantâneo. É claro que o *fish and chips* hiperengordurado e feito com um peixe congelado meia-boca e batata molenga servido num lugar feioso não tem nada a ver com a porção deliciosa de um fish and chips de bacalhau fresco e batata frita bem tenra por dentro e crocante por fora que comi numa taverna superaconchegante em Rye, este sim, feito como manda o figurino desde o século 19. Comi *cornish pies*, uns pastelões assados recheados de carne, ervilha, gravy (o molho de carne básico dos ingleses), frango, queijo, cebola e batata, que lembram empanadas e são bem gostosos. Já na Escócia, no Blue Elephant, o café-restaurante de Edimburgo onde J. K. Rowling escreveu o primeiro *Harry Potter*, comi primeiro uma torta de legumes e depois um *toffee ginger pudding*, ambos inesquecíveis. Andando pelo interior, comi queijos e mais queijos maravilhosos e muitos pratos rústicos e substanciosos, perfeitos para um jantar perto de uma janela com neve fininha caindo e muito vento lá fora (e eu adoro vento!). Eram ensopados, sopas, tortas doces e salgadas, rosbifes, cordeiros, assados com pratos de legumes e *Yorkshire puddings* ao lado, molhos e condimentos, cereais, salmões escoceses magníficos, haddocks maravilhosos, cerveja, gengibre, pudins, *triffles* e cremes de sobremesa, cafés-da-manhã tentadores com cestas de pães muito gostosos, geléias mil, mingau, iogurtes cremosos, fatias suculentas de bacon, lingüiças caseiras divinas, bolos, *clotted cream* (um creme de leite bem espesso), biscoitos, pães e sanduichinhos de pepino e rabanete que enchem os olhos na mesa do chá (na verdade, a única coisa de que realmente não consegui gostar foi o chá, por enquanto continuo preferindo chocolate quente e café, mas quem sabe da próxima vez...).

Também adorei tentar entender as placas e nomes muito divertidos dos pubs, entrar, procurar uma mesa, ir ao balcão para escolher os pratos e as bebidas e pagar, depois voltar à mesa com uma colher de pau numerada na mão, que serve para o garçom identificar quem pediu o prato, esperar um pouco, comer, voltar ao caixa para pedir mais bebidas e a sobremesa, esperar de novo e continuar assim até cansar e dar vontade de ir embora.

Para quem gosta de livros de receita ou sobre comida, a Inglaterra é um prato cheio não é de hoje. As livrarias são ótimas, e os livros são excelentes. Para ficar só em alguns exemplos, já que a lista completa seria imensa, divirta-se com Elizabeth David, Mrs. Beeton, Florence White, Delia Smith, Anne Willan, Sally Clark, Rose Gray, Marco White, Nigella Lawson e Jamie Oliver.

QUANDO VOCÊ FOR A LONDRES, NÃO DEIXE DE VISITAR

Books for Cooks: é, literalmente, a livraria mais aconchegante, farta e apetitosa do mundo. (4 Blenheim Crescent W11, uma ruazinha à esquerda de quem desce a Portobello Road, bem embaixo, quase Notting Hill).

Sally Clarke – Clarke's: além do restaurante, que é ótimo, Sally Clarke tem a Bakery, que é o máximo, com pães, pães e mais pães lindos e cheirosos, com cascas crocantes e miolos macios, além de bolos, tortas e biscoitos divinos (124 Kensington Church Street W8, tube: High Street Kensington).

Harrods: o *food hall* da mais famosa loja de departamentos inglesa é lindo e delicioso, com frutas, legumes, peixes, carnes, queijos, lingüiças, pães, geléias, chás e cafés (87 Brompton Road SW1).

The Conran Shop: utensílios variados, louças, talheres, toalhas e tudo mais que se pode ter numa mesa linda (81 Fulham Road SW3).

Blue Bird: uma loja de alimentos cheia de coisas gostosas, bonitas e orgânicas (350 King's Road SW3, perto da Sloane Square).

Fortum and Mason: a loja de alimentos mais chique e sofisticada da cidade tem de tudo, e tudo muito bom, saboroso e perfumado. Os garam masalas (curries), em versões suaves e picantes, são realmente espetaculares; para mim, são os melhores (181 Piccadily Street W1, a uns 2 quarteirões do Piccadily Circus).

John Lewis: loja de departamentos com um belo andar de coisas para casa e cozinha, tudo muito tentador para quem – como eu – não pode ver um pratinho, uma tigelinha ou uma forminha diferente – ou mesmo um pano de prato (W1, na Oxford Street, quase esquina com Regent's St).

Algerian Coffee Store: loja perfeita para quem ama café, tem aquele perfume contagiante e pó de tudo quanto é canto do mundo (52 Old Coffee Street W1, perto da Leicester Square).

Neal Yard Dairy: imperdível, é o paraíso dos *cheese lover's*! Fiquei tão deslumbrada com tantos queijos artesanais maravilhosos, que sonhei que era uma ratinha que invadia a loja. São nem sei quantos tipos de Cheddar, Lancaster, Cheshire mais ou menos curados, Stilton ultramacios e saborosos e outros tantos queijos irresistíveis. Em meio a tanta coisa boa, não é fácil escolher, mas os vendedores são bárbaros e dá para experimentar algumas lasquinhas enquanto a fila caminha (17 Shorts Gardens WC2, perto do Covent Garden).

Covent Garden Fishmonger's: peixaria pequena e charmosa, com um pouco de tudo que há nos mares que banham o Reino Unido (37 Tunham Green Terrace W4).

Simply Sausages: inglesíssima, com uma infinidade de lingüiças, salsichas, bacons e defumados em geral deliciosos de ver e de comer, tudo preparado e comercializado por gente que entende mesmo do assunto (Harts Corner, 341 Central Markets EC1).

Blagden: outra peixaria que é o máximo, com muitos peixes das águas frias dos mares do norte (65, Paddington Street W1, tube: Baker Street, não muito longe da casa de Sherlock Holmes).

Leadenhall Market: belas arcadas vitorianas abrigam peixes, carnes, frutas, legumes, queijos e cereais; além do mais, é um belo passeio (Leadenhall Street EC3, tube: Aldgate).

RECEITAS

Vamos então às receitas: como os pães, os queijos e os condimentos interessantes sempre me fascinaram, escolhi algumas opções com esse perfil. Para começar, dois pães gostosos, perfeitos para servir num lanche, muito fáceis e rapidíssimos de fazer, pois partem de bicarbonato de sódio, e não de fermento biológico: os cheese scones — com pedacinhos de Cheddar e de salsinha no meio da massa — e o super rústico easy soda bread. Depois, vêm os crackers and stilton paste, uma versão caseira e muito saborosa dos biscoitos crocantes que os ingleses adoram, com aqueles cristais de sal por cima e uma pasta cremosa de manteiga, nozes, vinho do Porto e Stilton (queijo nobre, forte e de veios azulados, mas mais cremoso que um Roquefort ou um gorgonzola, e que é famoso desde o século 18), para servir com fatias finas de maçãs, que refrescam o paladar. Para acompanhar pães, os próprios crackers, uma carne assada, um queijo ou uma porção de batata frita, sugeri um mix de condimentos bem inglês: o ketchup de tomate, inspirado numa receita bem antiga, de 1857, que realmente surpreende pelo gosto e pela cor "de verdade" do tomate mesclado ao azedinho adocicado da maçã, e não tem nada a ver com o que a gente encontra no dia-a-dia; o ketchup de cogumelo, que é superinteressante, consistente e muito saboroso, mesmo não tendo a cor mais linda do mundo; a mostarda ao mel, que é divina e não leva mais do que 5 minutos para preparar, mas deve ser feita com uns 20 dias de antecedência para ter tempo de mesclar e suavizar os sabores e perder o gostinho de poeira que, se não descansar, fica lá no fundo; e a onion marmelade, que é uma deliciosa compotinha adocicada de cebola. Para as noites mais frias, que pedem pratos fumegantes de sopa, pensei em duas receitas: a onion, beer, barley and Cheddar soup, uma sopa diferente e apetitosa de cebola e cevadinha cozida na cerveja, com tudo ligado com Cheddar no final; e a substanciosa sopa de carne e legumes, perfeita para ficar cozinhando por horas a fio em fogo baixinho, num grande caldeirão: ossobuco e legumes cozidos até a carne se desmanchar e se soltar dos ossos, dando um caldo muito perfumado e saboroso.

Se a idéia for almoçar ou jantar bem no estilo pub, com um copo de cerveja ao lado, são quatro opções, todas servidas com uma tigela de ervilha passada na manteiga. Pode ser uma porção dos deliciosos Scottish salmon cakes, uns bolinhos chatos preparados com salmão e batata; ou um clássico e popular fish and chips, um filezinho de peixe empanado numa massinha leve e crocante de cerveja, para servir com batata frita (lá, eles usam bastante o peixe conhecido por bacalhau fresco; aqui, use o peixe branco que quiser); ou a "torta do dia", bem no estilo inglês — um recheio de legumes, de peixe e frutos do mar, de aves, de carne de cordeiro ou de boi, simplesmente como um ensopado ou com um molho mais cremoso, colocado diretamente no refratário, coberto com uma camada de massa folhada ou de purê de batata e assada até dourar —, que pode ser a haddock cream pie, o peixe cozido, refogado com legumes e envolto num molho cremoso, com massa folhada, que fica bem parecida com a que eu comi num pub supercharmoso que beirava um riachinho perto de Oxford, chamado The Trout Inn, onde o Lewis Carrol levava Alice para contar-lhe histórias; e a shepherd's potato pie, um ensopado de cordeiro e damasco coberto com purê de batata (e que passa a chamar cottage pie quando a carne é bovina).

Como não dá para passar sem um docinho, escolhi quatro receitas para a hora da sobremesa e duas para a do chá da tarde. Para sobremesa, vêm o toffee ginger pudding, que é maravilhoso, tudo de bom para quem gosta de gengibre, de bolinhos úmidos servidos quentes e de caldas bem doces e cremosas; os potinhos de raspberries oat betty, uma mistura azedinha e adocicada de framboesa com uma farofinha crocante e dourada de aveia por cima; o old tea cream flan, creme muito delicado de chá verde que realmente surpreende, pois, apesar do ar contemporâneo, é uma receita que aparece em livros muito antigos; e a Porto wine jelly, com tudo a ver com os ingleses, que adoram vinho do Porto e gelatina e se esmeram nas fôrmas com desenhos lindos para moldar (aliás, como mãe, confesso a minha eterna gratidão aos ingleses por gostarem tanto de gelatina, inclusive daquelas que têm cor e sabor nada naturais, pois nos tempos de Paris, lá só se achava gelatina sem sabor, e a Bebel, que tinha quatro anos, morria de saudade das gelatinas brasileiras de morango, uva e framboesa, a solução era, de tempos em tempos, dar uma escapadinha até Londres num final de semana, passar num supermercado e voltar com a mala cheia de caixinhas). Para a hora do chá, pensei numa fatia do cherries and raisins english cake — um típico bolo inglês, com aquela massa bem saborosa, enriquecida com manteiga, creme de leite, raspinhas de limão, passas e cerejas — e no lemon curd, uma pasta docinha e azedinha de limão, bem amarelinha e ligeiramente translúcida, excelente para servir com pão fresco, torradas e crackers e para rechear tortas, biscoitos e bolos (eles costumam usar limão-siciliano, mas a receita também fica perfeita com Taiti, galego e até cravo).

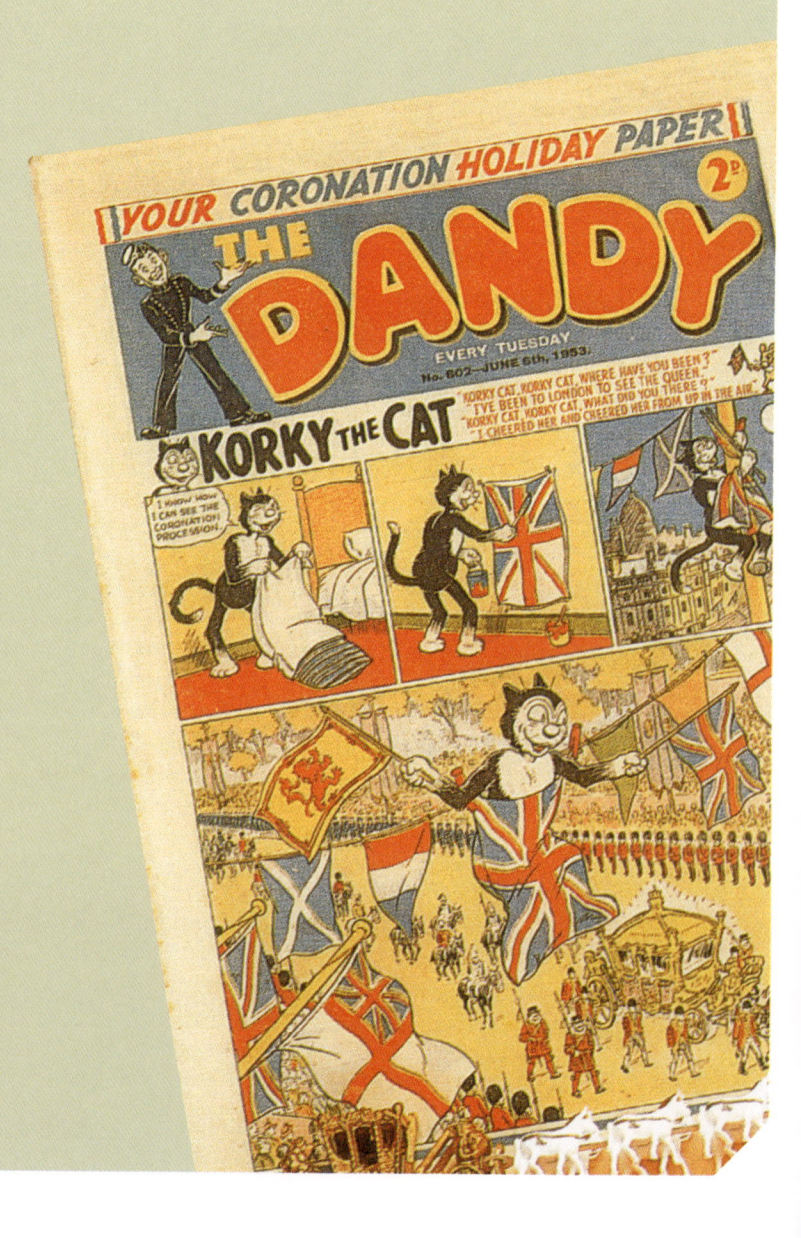

CHEESE SCONES
(PÃEZINHOS RÁPIDOS DE QUEIJO)
(6 PESSOAS; 30 MINUTOS)

2 xícaras de farinha de trigo
2 colheres (chá) de fermento em pó
1 xícara de queijo Cheddar ralado grosso
1 colher (sopa) de salsinha picadinha
75 g de manteiga
1/2 xícara de creme de leite espesso (em lata ou caixinha)
1 colher (chá) de mostarda
manteiga para untar
farinha de trigo para polvilhar

↬ Aqueça o forno a 220°C (alto), unte uma assadeira média com manteiga e polvilhe com farinha.
↬ Numa tigela média, misture a farinha, o fermento, o queijo e a salsinha. Acrescente a manteiga e misture com a ponta dos dedos até virar uma farofa. Junte o creme de leite e a mostarda e trabalhe apenas o suficiente para formar uma massa macia, que descole das mãos (se ficar pegajosa, junte um pouco mais de farinha). Polvilhe uma superfície com farinha e, com rolo ou apenas achatando com as mãos, abra um retângulo de massa de mais ou menos 1 cm de espessura, corte 20 quadrados ou discos e espalhe na assadeira. Asse os scones por uns 20 minutos, até que estejam crescidos e dourados.

EASY SODA BREAD
(PÃO FÁCIL DE BICARBONATO)
(6 PESSOAS; 1 HORA)

4 xícaras de farinha de trigo
2 colheres (chá) de sal
1 colher (chá) de bicarbonato de sódio
2 colheres (chá) de fermento em pó
1/3 de xícara de açúcar
50 g de manteiga em temperatura ambiente
1 1/3 xícara de creme de leite espesso (em lata ou caixinha)
1/4 de xícara de suco de limão
manteiga para untar

↬ Unte com manteiga e polvilhe com farinha uma assadeira média.
↬ Numa tigela média, misture a farinha, o sal, o bicarbonato, o fermento e o açúcar. Em seguida, junte a manteiga, o creme de leite e o limão e trabalhe até conseguir uma bola macia, que se solte das mãos. Coloque a bola de massa no centro da assadeira, cubra com um pano limpo e deixe descansar por 10 minutos, enquanto o forno aquece a 180°C (médio). Asse o pão por uns 45 minutos, até crescer e dourar. Retire do forno, aguarde 5 minutos e sirva ainda quente com manteiga.

CRACKERS AND STILTON PASTE

CRACKERS AND STILTON PASTE
(BISCOITINHOS SALGADOS CROCANTES E PASTA DE QUEIJO STILTON)

(6 PESSOAS; 1 HORA)

PARA OS CRACKERS
1 3/4 xícara de farinha de trigo
1 colher (chá) de sal
1 colher (chá) de fermento em pó
50 g de manteiga gelada em cubinhos
1/2 xícara de creme de leite espesso (em lata ou em caixinha)
fleur de sel de Guérande ou sal grosso quebrado em cristais miúdos para salpicar
manteiga para untar

PARA A PASTA
225 g de queijo Stilton, Gorgonzola ou Roquefort em temperatura ambiente
75 g de manteiga em temperatura ambiente
1/4 de xícara de nozes grosseiramente moídas
2 colheres (sopa) de vinho do Porto
1 maçã vermelha ácida em fatias bem finas

↔ Crackers Unte com manteiga 2 assadeiras grandes.
↔ Numa tigela média, misture a farinha, o sal e o fermento. Junte a manteiga e trabalhe com a ponta dos dedos até conseguir uma farofa. Acrescente o creme de leite, misture até obter uma massa macia, que descole das mãos, envolva em filme plástico e leve à geladeira por 15 minutos. Sobre uma superfície enfarinhada, abra a massa com um rolo até ficar bem fininha, como uma casca de banana. Com uma faca afiada, divida em 30 quadrados, ou discos, de uns 3 cm, passe para as assadeiras, perfure cada quadrado em dois ou três lugares com um garfo e leve à geladeira por uns 10 minutos, enquanto o forno aquece a 180°C (médio). Salpique ligeiramente os crackers com o sal grosso ou a flor de sal e asse por uns 15 minutos, até que estejam dourados e crocantes. Deixe esfriar sobre uma grelha e guarde num pote bem fechado por até 3 dias.
↔ Pasta Coloque todos os ingredientes numa tigela e misture com uma espátula até conseguir um creme homogêneo. Cubra com filme plástico e guarde na geladeira por até 2 semanas. Sirva os crackers com a pasta de Stilton e fatias finas de maçã.

MIX DE CONDIMENTOS: TOMATO KETCHUP, MUSHROOM KETCHUP E HONNEY MUSTARD
(KETCHUP DE TOMATE, KETCHUP DE COGUMELO E MOSTARDA AO MEL)

(12 PESSOAS)

KETCHUP DE TOMATE
(3 HORAS E 30 MINUTOS)
1 kg de tomate bem maduro, lavado, com casca
4 maçãs ácidas, lavadas, com casca
1 1/3 xícara de açúcar mascavo
1 colher (sopa) de sal
2 xícaras (chá) de vinagre de maçã ou de vinho branco

↔ Corte o tomate ao meio, descarte as sementes e coloque numa panela média. Divida as maçãs em 4 partes, conservando os cabinhos e as sementes, e junte ao tomate. Acrescente o açúcar, o sal e o vinagre, misture e aqueça. Quando ferver, abaixe o fogo e, mexendo de vez em quando, cozinhe por umas 3 horas, até conseguir uma pasta grossa e encorpada. Passe o ketchup por uma peneira, espremendo bem, depois transfira para um pote médio, bem limpo e seco e que feche bem, deixe esfriar e guarde por até 1 mês na geladeira.

KETCHUP DE COGUMELO
(1 HORA E 30 MINUTOS, MAIS 24 HORAS PARA MARINAR)
800 g de cogumelo fresco em fatias finas
2 colheres (sopa) de sal
1 cebola média em cubinhos
1 dente de alho picadinho
1/2 colher (chá) de canela em pó
1/4 de colher (chá) de noz-moscada moída
1 folha de louro
1 xícara (chá) de vinagre de vinho branco
cravo-da-índia em pó

↬ Numa tigela, misture o cogumelo e o sal, cubra com filme plástico e deixe repousar fora da geladeira por 24 horas. Em seguida, escorra o cogumelo do líquido que tiver se acumulado, passe as fatias rapidamente por água fria, escorra de novo, coloque numa panela com a cebola, o alho, a canela, a noz-moscada, uma pitada de cravo, o louro e o vinagre e aqueça. Quando ferver, abaixe o fogo e cozinhe por uns 45 minutos, até que os cogumelos estejam bem macios. Espremendo bem, passe tudo por uma peneira para obter uma pasta, volte ao fogo para ferver por mais 5 minutos e transfira para um pote médio, bem limpo e seco e que feche bem. Deixe esfriar e guarde por até 1 mês na geladeira.

MOSTARDA AO MEL
(5 MINUTOS, MAIS 2 SEMANAS DE REPOUSO
ANTES DE CONSUMIR)
2/3 de xícara de mostarda em pó
1/4 de xícara de vinagre de vinho branco
1/2 xícara de mel
1 dente de alho bem picadinho
1 colher (chá) de sal
pimenta-do-reino

↬ Coloque todos os ingredientes numa tigela média, misture com um batedor de arame até obter uma pasta homogênea, transfira para um pote médio, bem limpo e seco e que feche bem, e deixe descansar na geladeira por pelo menos 2 semanas, ou por até 1 mês, antes de consumir (sem repouso, a mostarda fica com um sabor muito forte e com um gostinho de poeira no fundo).

ONION MARMELADE (COMPOTINHA DE CEBOLA)

(6 PESSOAS; 1 HORA)

25 g de manteiga
1 kg de cebola fatiada bem fininho
1 colher (chá) de açúcar
1/2 xícara de vinho do Porto
canela em pó
gengibre em pó
noz-moscada
anis estrelado
sal e pimenta-do-reino

↬ Numa frigideira média, aqueça a manteiga, junte a cebola e uma pitada de sal e espere murchar. Acrescente o açúcar e o vinho do Porto, abaixe o fogo e cozinhe por uns 45 minutos, até que a cebola esteja bem macia, brilhante e dourada. Adicione uma pitada de cada especiaria e ajuste o sal. Quando perfumar, retire do fogo e passe para um pote médio, bem limpo e seco e que feche bem. Espere esfriar e guarde por até 1 mês na geladeira.

MIX DE CONDIMENTOS: TOMATO KETCHUP, MUSHROOM KETCHUP E HONNEY MUSTARD E ONION MARMELADE

ONION, BEER, BARLEY AND CHEDDAR SOUP

ONION, BEER, BARLEY AND CHEDDAR SOUP
(SOPA DE CEBOLA, CERVEJA, CEVADA E QUEIJO CHEDDAR)

(6 PESSOAS; 1 HORA E 30 MINUTOS)

75 g de manteiga
1,5 kg de cebola em cubos miúdos
1 folha de louro
1 colher (sopa) de açúcar
2 colheres (sopa) de farinha de trigo
1 xícara de cevadinha
6 xícaras de caldo de galinha, de preferência, caseiro
(ou 2 tabletes dissolvidos na mesma medida de água)
1 1/2 xícara de cerveja escura
1 1/2 xícara de queijo Cheddar ralado grosso
sal e pimenta-do-reino

↔ Numa panela média, aqueça a manteiga. Junte a cebola, uma pitada de sal e o louro e cozinhe em fogo baixo por uns 20 minutos, até que os cubinhos estejam bem macios (se ainda estiverem firmes e começarem a dourar, junte um pouquinho de água). Acrescente então o açúcar e espere começar a caramelizar. Adicione a farinha, misturando bem, depois junte a cevadinha e o caldo e cozinhe por mais uns 30 minutos, até que os grãos estejam cozidos e a cebola se desmanchando. Acrescente a cerveja, deixe ferver por mais 15 minutos, depois junte o queijo, acerte o sal e a pimenta e sirva com fatias de pão rústico (se quiser, prepare a sopa na véspera, mas só junte o queijo na hora de aquecer; adicione um pouquinho de água se a sopa estiver grossa demais).

SOPA DE CARNE E LEGUMES

(6 PESSOAS; 5 HORAS, MAIS UMAS 6 HORAS PARA REPOUSAR NA GELADEIRA)

1 kg de ossobuco de vitelo
1 colher (sopa) de farinha de trigo
25 g de manteiga
50 g de bacon em cubinhos
2 cebolas em cubinhos
2 cenouras grandes em cubinhos
2 talos de salsão em cubinhos
2 talos de alho-poró em fatias finas
2 dentes de alho bem picadinhos
1 amarrado de ervas preparado com 1/2 maço de salsinha,
6 ramos de tomilho e 1 folha de louro
1 colher (chá) de pimenta-do-reino em grão
1 pedaço pequeno de canela em pau
12 xícaras de água fervente (aproximadamente)
1/4 xícara de vinho do Porto
cravo-da-índia em pó
óleo vegetal
sal

SOPA DE CARNE E LEGUMES

↔ Polvilhe os pedaços de ossobuco com a farinha e reserve. Numa panela, aqueça a manteiga e um fio de óleo. Doure bem os pedaços de ossobuco de um lado, vire para dourar do outro lado e depois transfira para um prato. Na mesma panela, doure o bacon e depois acrescente a cebola, a cenoura, o salsão, o alho-poró e uma pitada de sal. Deixe murchar, junte o alho, espere perfumar e volte com a carne para a panela. Acrescente o amarrado de ervas, os grãos de pimenta, uma pitada de cravo, a canela e a água. Quando ferver, retire com uma concha a espuma que se formar na superfície, abaixe o fogo e cozinhe por umas 4 horas, até que a carne se solte dos ossos e esteja muito macia, realmente se desmanchando. Retire do fogo, descarte o amarrado de ervas e a canela em pau e transfira o caldo com os legumes para uma tigela e o ossobuco para outra (se os pedacinhos de tutano ainda estiverem colados aos ossos, retire-os com uma colher de chá e desmanche-os no caldo). Separe a carne em pedaços do tamanho de uma mordida, descartando todos os nervos e gorduras, e coloque as lascas na tigela do caldo. Leve a sopa à geladeira por pelo menos 6 horas, ou por até 3 dias. Pouco antes de servir, descarte a camada de gordura da superfície, ferva a sopa por 5 minutos, ajuste o sal e a pimenta e acrescente o vinho do Porto. Sirva com fatias de um pão rústico.

🎗 SCOTISH SALMON CAKES (BOLINHOS ESCOCESES DE SALMÃO)

(4 PESSOAS; 1 HORA)

1 xícara de leite
1 cebola em cubinhos
350 g de filé de salmão limpo, sem pele e sem espinhas, em cubos de uns 2 cm
1 batata grande cozida e espremida (aproximadamente 250 g)
1 ovo cozido esmagado com um garfo
raspas de 1 limão
25 g de manteiga em temperatura ambiente
1 colher (sopa) de farinha de trigo
1/4 xícara de salsinha bem picadinha
1 clara
óleo vegetal
sal e pimenta-de-caiena
1 limão cortado em 4 para acompanhar

↠ Numa panela média, aqueça o leite e a cebola. Quando ferver, junte o salmão e cozinhe por 10 minutos, até que o peixe esteja bem macio. Retire do fogo, descarte metade do leite e passe o restante para uma tigela. Retire os pedaços de salmão com uma escumadeira, separe em lascas e coloque na tigela do leite. Junte a batata, o ovo cozido, as raspas do limão, a manteiga, a farinha, a salsinha, uma pitada de pimenta e sal e misture até conseguir uma massa macia. Bata a clara em neve até obter picos firmes e, em seguida, com uma espátula, incorpore-as muito delicadamente à massa. Deixe repousar por 30 minutos.
↠ Divida a massa em 8 partes. Aqueça um fio de óleo numa frigideira grande, espalhe 4 porções de massa e aperte com o dorso de uma colher para formar bolinhos achatados. Deixe dourar bem de um lado, depois vire com uma espátula para dourar do outro lado e transfira para um prato. Frite os outros bolinhos e sirva com o limão.

🎗 FISH AND CHIPS (PEIXE FRITO COM BATATA FRITA)

(4 PESSOAS; 1 HORA)

800 g de batata
1 1/4 xícara de farinha de trigo
250 ml de cerveja clara
2 claras
4 filés de peixe branco, sem pele e sem espinhas (aproximadamente 200 g cada um)
sal e pimenta-do-reino
1 litro de óleo para fritar

↠ Descasque e corte a batata em palitos, coloque numa tigela com bastante água fria e deixe descansar por 15 minutos.
↠ Enquanto isso, numa tigela média, junte 1/2 colher (chá) de sal, 1 xícara de farinha e a cerveja e misture até

obter um creme liso. Bata as claras em neve e, com uma espátula, incorpore-as muito delicadamente à massa.
↠ Polvilhe os filés de peixe com sal e pimenta, empane com a farinha restante e reserve.
↠ Escorra e seque muito bem a batata com um pano limpo. Numa panela média, aqueça o óleo e, aos poucos, frite a batata até que esteja cozida por dentro e dourada e crocante por fora. Retire a batata da panela com uma escumadeira, seque sobre papel absorvente e polvilhe com sal na hora de servir. Em seguida, mergulhe rapidamente os filés na massa, deixe escorrer o excedente e frite por uns 5 minutos no mesmo óleo em que fritou a batata, até que estejam bem dourados e fofos. Escorra com uma escumadeira, seque sobre papel absorvente e sirva.

HADDOCK CREAM PIE
(TORTA CREMOSA DE HADDOCK)
(4 pessoas; 1 hora e 30 minutos)

800 g de filé de haddock bem limpo
(se possível, já sem pele e sem espinhas)
75 g de manteiga
1/4 de xícara de farinha de trigo
1 1/2 xícara de leite
1 xícara de creme de leite fresco
4 ramos de tomilho
1 folha de louro
1 cebola em cubinhos
1 talo de alho-poró em rodelinhas finas
1 maçã ácida sem casca em cubinhos
1 colher (chá) de mostarda
1/4 de xícara de vinho branco
1/2 xícara de salsinha picadinha
1 retângulo de massa folhada laminada, já descongelada
(aproximadamente 300 g)
1 gema para pincelar
noz-moscada
sal

↠ Coloque o peixe numa tigela, cubra com água fria e deixe repousar por 1 hora.
↠ Enquanto isso, numa panela média, derreta metade da manteiga, junte a farinha e mexa com colher de pau até obter uma pasta lisa. Quando a pasta amarelar e surgirem bolhinhas, acrescente 1/2 xícara de leite, o creme de leite, o tomilho, o louro, uma pitada de noz-moscada e sal e continue mexendo com colher de pau ou batedor de arame, até ferver e engrossar. Retire do fogo e reserve.
↠ Escorra o peixe da água, descarte a pele e as espinhas se houver e corte em cubos de uns 2 cm.
↠ Numa panela pequena, aqueça a xícara de leite restante. Espere ferver, junte o haddock, abaixe o fogo e cozinhe por 10 minutos, até que esteja bem macio. Então descarte o leite e separe o peixe em lascas.
↠ Numa panelinha, aqueça a manteiga restante e doure ligeiramente a cebola e o alho-poró. Depois acrescente a maçã, a mostarda, o haddock e o vinho e deixe ferver por 1 minuto. Junte o molho pronto e a salsinha, despeje num refratário fundo e espere amornar.
↠ Pincele as bordas do refratário com um pouco de água para a massa colar com facilidade. Cubra o recheio e as bordas do refratário com a massa folhada e corte com uma faca as sobras das bordas. Faça uns cortes na superfície para o vapor sair e use as sobras de massa para decorar. Pincele com a gema diluída em 2 colheres (sopa) de água e leve à geladeira por 15 minutos, enquanto o forno aquece a 180°C (médio). Asse a torta por uns 30 minutos, até que a massa esteja bem dourada e crocante.

SHEPHERD'S POTATO PIE
(TORTA DE CORDEIRO COM PURÊ DE BATATA)

(8 PESSOAS; 3 HORAS)

PARA O RECHEIO
1 kg de pernil de cordeiro, muito limpo, em cubos de 1 cm
1 colher (sopa) de farinha de trigo
50 g de manteiga
2 cebolas grandes em cubinhos
1 talo de alho-poró em rodelinhas finas
1 talo pequeno de salsão em cubinhos
1 cenoura pequena em cubinhos
2 xícaras de cogumelos frescos em fatias finas
2 dentes de alho picadinhos
1 colher (sopa) de açúcar
1 colher (chá) de canela em pó
1 colher (chá) de gengibre em pó
8 xícaras de água fervente
1 xícara de damasco seco em fatias finas
1/2 xícara de salsinha picadinha
1/4 de xícara de folhas de hortelã
noz-moscada em pó
cravo-da-índia em pó
sal e pimenta-do-reino

PARA A COBERTURA
500 g de batata
1 xícara de leite
50 g de manteiga
sal

↣ Recheio Polvilhe a carne com a farinha e reserve.
↣ Numa panela média, aqueça metade da manteiga, doure a carne de todos os lados e transfira para um prato. Na mesma panela, aqueça a manteiga restante, junte a cebola, o alho-poró, o salsão, a cenoura, o cogumelo e uma pitada de sal e espere começar a dourar. Adicione o alho e aguarde perfumar. Junte o açúcar e deixe começar a caramelizar. Volte com a carne para a panela, acrescente a canela, uma pitada de cravo e outra de noz-moscada, o gengibre, sal e pimenta e cubra com a água. Quando ferver, abaixe o fogo, tampe parcialmente a panela e cozinhe por mais ou menos 1 hora e 30 minutos, até que a carne esteja bem macia (como o recheio deverá ficar com a consistência de ensopado mas com um molho ligeiramente encorpado e que cubra o dorso de uma colher, só junte mais água se secar demais). Acrescente o damasco e deixe ferver por mais 5 minutos. Ajuste o sal e a pimenta, adicione a salsinha e as folhas de hortelã rasgadas na hora, transfira para um refratário fundo e deixe amornar.
↣ Passados uns 45 minutos do início do cozimento da carne, coloque a batata numa panela, cubra com água e cozinhe até que esteja bem macia (espete com um garfo para testar). Escorra a batata, descasque, passe ainda quente pelo espremedor e transfira para uma tigela. Junte o leite, a manteiga e sal e misture até obter um purê bem cremoso.
↣ Aqueça o forno a 180°C (médio). Espalhe o purê sobre o ensopado, alise com o dorso de uma colher e leve ao forno por uns 30 minutos para aquecer e dourar.

TOFFEE GINGER PUDDING
(BOLO CARAMELIZADO DE GENGIBRE)

(8 PESSOAS; 2 HORAS E 30 MINUTOS, MAIS UNS 30 MINUTOS PARA AMORNAR)

PARA O PUDDING

1 1/2 xícara de farinha de trigo
1 colher (chá) de bicarbonato de sódio
1 colher (chá) de gengibre em pó
1 colher (sopa) de gengibre fresco ralado
1/2 colher (sopa) de canela em pó
1/4 de colher (chá) de noz-moscada em pó
raspas de 1 limão
1 1/2 xícara de leite
1 1/2 xícara de tâmara sem caroço picada
75 g de manteiga
1 xícara de açúcar mascavo
1 colher (chá) de baunilha
1 colher (sopa) de café pronto forte
3 ovos
manteiga para untar

PARA A CALDA

1 xícara de açúcar mascavo
100 g de manteiga
1/2 xícara de creme de leite espesso (em lata ou em caixinha)
1 colher (chá) de essência de baunilha

↔ Pudding Aqueça o forno a 180ºC (médio), separe uma tigela refratária de uns 25 cm de diâmetro na borda, ou uma assadeira média e unte com manteiga.
↔ Numa tigela média, misture a farinha, o bicarbonato, o gengibre em pó e o fresco, a canela, a noz-moscada e as raspas de limão. Numa panela, aqueça o leite e a tâmara, retire do fogo quando ferver, junte a manteiga, o açúcar, o café e a baunilha e misture até derreter. Junte os ovos, coloque tudo na tigela da farinha e mexa até obter uma massa lisa. Despeje na tigela ou na assadeira e leve ao forno por uns 40 minutos, até que o pudding esteja crescido, dourado, se soltando das laterais (ao enfiar um palito no centro, ele deverá sair limpo). Deixe amornar por uns 15 minutos, passe a lâmina de uma faca nas laterais da fôrma para ajudar a soltar e desenforme sobre um prato (ou prepare com até 2 dias de antecedência e guarde o pudding na geladeira na fôrma em que foi feito; na hora de servir, aqueça em banho-maria ou por uns 2 minutos no microondas antes de desenformar).
↔ Calda Numa panela pequena, aqueça a manteiga e o açúcar mascavo e deixe ferver por 1 minuto, até derreter. Então misture o creme de leite e a baunilha e cozinhe em fogo baixo por 10 minutos, mexendo de vez em quando. Despeje a calda quente sobre o pudding e sirva com sorvete.

🟠 RASPBERRIES OAT BETTY
(FRAMBOESAS COM COBERTURA CROCANTE DE AVEIA)
(8 PESSOAS; 45 MINUTOS)

*4 xícaras de framboesa fresca ou congelada
(ou amora, ou morango, ou uma mistura de todas elas)
raspas e suco de 1 limão
1 colher (sopa) de maisena
1 xícara de açúcar demerara (açúcar cristal dourado)
1/2 xícara de farinha de trigo
1/2 xícara de aveia em flocos
1 colher (chá) de canela em pó
100 g de manteiga gelada em cubos bem miúdos
cravo-da-índia em pó
noz-moscada*

↬ Aqueça o forno a 180ºC (médio), separe 8 potinhos refratários individuais e espalhe numa assadeira.
↬ Numa tigela média, misture a framboesa, o suco de limão, a maisena e metade do açúcar e coloque uma parte em cada potinho.
↬ Para a cobertura crocante, misture numa tigela o açúcar restante, as raspas de limão, a farinha, a aveia, a canela, uma pitada de cravo e uma de noz-moscada. Junte a manteiga e esfarele com a ponta dos dedos até obter uma farofa grossa. Divida a farofa entre os potinhos e asse por uns 20 minutos, até a cobertura ficar bem crocante e dourada. Sirva o betty quente ou morno com sorvete, chantilly ou creme de leite espesso.

🟠 PORTO WINE JELLY
(GELATINA DE VINHO DO PORTO)
(6 PESSOAS; 2 HORAS E 30 MINUTOS)

*2 xícaras de vinho do Porto
1 xícara de açúcar ou a gosto
1 pedaço de canela em pau
2 cravos-da-índia
1 tira de casca de limão sem a parte branca
1 tira de casca de laranja sem a parte branca
2 envelopes de gelatina em pó sem cor e sem sabor (24 g)
1/4 de xícara de água fria
1/2 xícara de água fervente
noz-moscada*

↬ Separe uma fôrma com capacidade para 600 ml e molhe com água, para facilitar na hora de desenformar. Reserve 1/2 xícara de vinho do Porto para a finalização, pois um pouquinho do vinho não fervido dá um algo mais à receita.
↬ Numa panela média, coloque o vinho restante, o açúcar, a canela, o cravo, uma pitada de noz-moscada e as tiras de casca de limão e de laranja e aqueça, mexendo só até dissolver. Deixe ferver por 5 minutos, retire do fogo, tampe a panela, deixe em infusão por 30 minutos e depois passe por uma peneira para descartar os sólidos.

RASPBERRIES OAT BETTY

OLD TEA CREAM FLAN

PORTO WINE JELLY

↳ Enquanto isso, numa tigelinha, coloque a gelatina e 1/4 de xícara de água fria e deixe hidratar por 1 minuto. Depois junte a água fervente e misture até dissolver. Junte a gelatina e o vinho do Porto restante ao vinho já aromatizado, misture bem, despeje na fôrma e leve à geladeira por 2 horas para firmar. Desenforme a gelatina sobre um prato raso (solte as laterais com a pontinha de uma faca ou, se estiver difícil, mergulhe a fôrma por alguns segundos numa panela com água fervente) e sirva.

OLD TEA CREAM FLAN
(FLAN DE CHÁ À MODA ANTIGA)
(6 pessoas; 2 horas e 30 minutos)

2 xícaras de creme de leite fresco
25 g de chá verde
1/4 colher (chá) de coentro em grão
1 pedaço pequeno de canela em pau
1/2 xícara de açúcar
1 envelope de gelatina em pó sem cor e sem sabor (12 g, ou 6 folhas)
1/4 de xícara de água fria
1/2 xícara de água fervente

↳ Numa panela média, misture o creme de leite, o chá, o coentro, a canela e o açúcar e aqueça. Deixe ferver por 5 minutos, retire do fogo e espere esfriar.
↳ Enquanto isso, coloque a gelatina e 1/4 xícara de água fria numa tigelinha para hidratar por 1 minuto. Depois misture a água fervente, mexa até dissolver e junte ao creme. Passe tudo por uma peneira, deixando cair na tigela em que irá servir. Leve à geladeira por 2 horas para firmar e sirva gelado.

→ Aqueça o forno a 180ºC (médio). Unte com manteiga e polvilhe com farinha uma fôrma grande para bolo inglês.

→ Numa tigela média, misture a farinha, o fermento e as raspas de limão e reserve. Numa tigelinha, misture a uva passa, a cereja e o rum e reserve.

→ Quebre os ovos, coloque as claras numa tigela grande e as gemas em outra. Com a batedeira, bata as claras em neve até ficarem bem brancas e formarem picos firmes e reserve. Também com a batedeira, bata as gemas por uns 5 minutos, até ficarem bem fofas e com um tom amarelo claro. Junte o açúcar aos poucos e continue batendo por mais 1 ou 2 minutos, até encorpar. Pare de bater e, com uma espátula, incorpore muito delicadamente o creme de leite e a manteiga às gemas.

→ Coloque 1 colher (sopa) da mistura de farinha na tigelinha das passas, mexa e reserve.

→ Com a espátula, vá incorporando a farinha às gemas, depois junte a uva passa, a cereja e, por último, as claras. Despeje a massa na fôrma e asse o bolo por uns 45 minutos, até crescer, firmar e dourar (ao enfiar um palito no centro, ele deverá sair limpo). Deixe o bolo esfriar sobre uma grade, desenforme sobre um prato retangular e sirva em fatias com uma xícara de chá.

LEMON CURD
(CREME AZEDINHO DE LIMÃO)

(6 PESSOAS; 15 MINUTOS)

3 ovos
1 xícara de açúcar
suco de 2 limões-sicilianos grandes (2 Taiti ou 4 galegos)
50 g de manteiga gelada em cubinhos

→ Para o banho-maria, coloque água numa panela média até 1/3 de sua altura e aqueça.

→ Passe os ovos por uma peneira fina, deixando cair numa tigela pequena de louça ou de inox, junte o açúcar e o limão e encaixe a tigela na panela com água (descarte um pouco da água se esta estiver tocando a base da tigela). Abaixe o fogo para que a água ferva e, mexendo de 1 em 1 minuto com um batedor de arame, cozinhe por uns 15 minutos, até obter um creme liso, brilhante e encorpado, com bolhinhas aparecendo nas laterais. Junte a manteiga e misture só até derreter. Retire do fogo e passe para um pote médio, bem limpo e seco e que feche bem. Deixe esfriar e guarde por até 1 mês na geladeira. Sirva com pão, torradas, ou use como recheio de tortas, bolos e biscoitos.

CHERRIES AND RAISINS ENGLISH CAKE
(BOLO INGLÊS COM CEREJA E UVA-PASSA)

(8 PESSOAS; 1 HORA E 30 MINUTOS)

2 xícaras de farinha de trigo
1 colher (sopa) de fermento em pó
1 colher (sopa) de raspas de limão
1 xícara (chá) de uva-passa escura
1/2 xícara de cereja bem escorrida da calda e dividida ao meio
1 colher (sopa) de vinho do Porto ou rum
4 ovos
2 xícaras de açúcar
1 1/3 xícara de creme de leite espesso (em lata ou em caixinha)
50 g de manteiga derretida, em temperatura ambiente
manteiga para untar e farinha de trigo para polvilhar

CHERRIES AND RAISINS ENGLISH CAKE

CHING LING – MADE IN CHINA

Hoje, o mundo é *made-in-China*. Tudo vem de lá, tudo é feito lá. Mas será que só agora é assim? 🌸 Na verdade, isso acontece há muito tempo. A influência da China no mundo é imensa, e na gastronomia não é diferente: ela é a mãe da cozinha oriental. De lá vieram uma filosofia de vida ligada à alimentação, diferentes métodos de cozimento e técnicas que envolvem muitos ingredientes, sempre buscando obter o melhor em sabor, textura, aroma e forma de cada um deles. 🌸 Todo esse conhecimento foi se aprimorando ao longo de quase 10 mil anos através das dinastias Hsia, Shang, Chou, Ch'in, Han, Sui, Tang, Sung, Ming e Ching (eu adoro esses nomes, são tão lindos!). Só para ter uma idéia, entre 5000 e 3000 a.C; os chineses já cultivavam arroz, trigo, malte, cevada, abóbora, repolho, fava e lótus; já conheciam castanhas, pinoli, broto de bambu e caqui; pescavam, caçavam e criavam cabras, ovelhas e porcos, que já eram os seus preferidos. No milênio seguinte, galinhas, patos, gansos, codornas, perdizes, bois, búfalos e cabras já faziam parte do dia-a-dia, e a culinária chinesa começava a se organizar. 🌸 Há 3 mil anos, o arroz já era o grão mais importante; os chineses já distinguiam o *fan*, que são grãos neutros cozidos (e que, com o tempo, passaram a chegar à mesa também em forma de massas e pães), e o *ts'ai*, verduras, legumes e carnes que dão sabores, cores, texturas e aromas diferentes à refeição; plantavam soja; cortavam alimentos em pedacinhos do tamanho de uma mordida para facilitar o cozimento e a divisão na hora de servir; sabiam defumar, secar alimentos ao sol e preparar conservas de legumes. Logo depois, estabeleceram os cinco sabores básicos da cozinha chinesa – o doce, o azedo, o salgado, o picante e o amargo; incrementaram as formas das massas; passaram a usar a soja de várias maneiras, principalmente fermentada; aprimoraram as bebidas alcoólicas fermentadas e destiladas; receberam dos soldados e viajantes muitos ingredientes de outras partes do mundo, como uva, nozes, gergelim, ervilha, pepino,

偉利會計事務所
會計師 廖偉利（Contadora）
律 師 廖俊傑（Advogado）
R.Florencio de Abreu No 157,Cj 701
（近25街）Metro Sao Bento Sao Paulo
(011)3311-7633通中、葡、台、語
丁育仁會計事務所
精通中、葡、台語
• 公司行號設立變更登記 • 電腦計帳
• 申報各類稅捐 • 節稅規劃 • 稅務諮詢
• 企業管理諮詢 • 所得稅申報規劃
地址:Al. Barros 95A, Sala 01,地下鐵Santa Cecilia站
電話:(011)3825-0780 傳真:(011) 3661-0494
劉維康 醫師
衛生署簽發醫師證書
開業醫院任主治醫師多年
CRISTINA YU
Servico Receptivo
E-mail:crispeng@bol.com.br
Fax: (011)3385-5501
牙科醫師
★一般牙
★日夜應
R.Guinle
Paula Ne
Rosa
Ana Rosa
3486-0949
臺灣僑報免費送
附設超音波檢查
Liberdade
Rua conselheiro Furtado
Rua Galvao Bueno

Confúcio, o mais conhecido dos filósofos chineses, já falava da importância da comida na vida das pessoas, da refeição como um dos pilares da paz e da harmonia. Dizia que um grande cozinheiro era um bom alquimista, alguém capaz de misturar os melhores ingredientes e sabores preservando a essência de cada um. Com base na filosofia de que alimentar é nutrir para fortalecer, evitar doenças e ter corpo e mente saudáveis e longevos, os chineses entendem que cada ingrediente tem o seu papel específico na refeição, faz parte do *yin e yang*, o princípio das forças opostas e mutuamente complementares do universo. Para alimentar o corpo e a mente, visando a esse equilíbrio, eles distinguem os ingredientes quentes (*yang*, carnes e ovos), os neutros (alguns legumes, verduras e frutas) e os frios (*yin*, algumas frutas e verduras e várias coisas do mar); respeitam as estações do ano, considerando aquecer ou resfriar o organismo; estudam as condições de cada pessoa — se são mais *yin* ou mais yang e em que fase da vida estão (infância, adolescência, maternidade, adultos mais jovens ou mais velhos); e correlacionam os alimentos, os principais órgãos do corpo e os elementos da natureza (o doce, a terra; o amargo, o fogo; o azedo, a madeira; o forte e picante, o metal; o salgado, a água). Levam em conta também o benefício que determinados alimentos podem trazer à família — como a paz e a sabedoria da galinha, considerado animal sagrado; o pato, que representa a fidelidade e a alegria; o peixe, que traz a prosperidade; e as mexericas e laranjas, que tornam a vida mais doce. Na prática, um ingrediente ajuda o outro, às vezes realçando qualidades, às vezes disfarçando imperfeições, cumprindo cada um o seu papel e dando ao prato os elementos necessários para ter o *hsien* (sabor adocicado natural), o *hsiang* (aroma), o *tsuei* (crocante), o *nun* (macio), o *nung* (o lado mais rico do alimento), e o *yu-er-pu-ni* (o lado bom das gorduras). Tudo isso é levado em conta na hora de preparar uma refeição, é nessa mistura equilibrada que reside o refinamento da cozinha chinesa, que é mesmo o máximo.

O meu interesse pelo assunto vem de longe. Tinha uns 13 anos quando uma colega de classe da Aliança Francesa, que acabara de chegar da China, contou-me que, num banquete chiquérrimo, serviram pés de pato como uma superiguaria. Apesar de ainda ser bem novinha, a comida já era uma coisa importante na minha vida, e eu não consegui tirar

coentro, figo, pistache, espinafre, beterraba, banana, coco, manga, tâmara e canela, que passaram a conviver com cebolinha, salsão, gengibre, mel, mexerica, lichia, longana, rambutão, melão, grapefruit, laranja-doce, limão, maçã, avelã, marmelo, pêssego, pêra e ameixa. Há uns 1500 anos, nasceram os *dim sums*; surgiram muitos livros sobre alimentos, tanto os que descreviam receitas como os que relacionavam comida e medicamentos; as especiarias vindas da Índia — principalmente as pimentas secas, a canela e o cardamomo — ficaram cada vez mais populares, dando vida a muitos pratos. Passados uns 500 anos, o chá, o shoyu e o tofu já estavam em tudo quanto é canto. Tempos depois, com a descoberta da América, começaram a plantar milho, batata-doce, tomate, amendoim, tabaco e pimenta-vermelha, que viraram alimentos de todo dia. De lá prá cá, a cozinha chinesa vem se refinando cada vez mais.

aqueles pés de pato da cabeça. Achava que os chineses deviam ser mesmo muito bons, pois só cozinheiros excepcionais conseguiriam transformar algo tão estranho, borrachento e duro num prato deslumbrante. Atribuí isso àquela coisa de eles não desperdiçarem nada, de inventarem um jeito de aproveitar tudo que possa ser ou virar alimento, e sempre de forma interessante. Há pouco tempo, soube de um amigo do meu marido que foi convidado para um superbanquete na China e teve que encarar uma bandeja de escorpiões cozidos e tigelas de sopa de água-viva — haja estômago e coragem!

Vira e mexe, eu jantava com os meus pais e irmãos em restaurantes chineses, alguns dos quais nem existem mais, como o Golden Dragon, na avenida Rebouças, e o Sino Brasileiro, da Beth Ong, que ficava bem perto de casa. Tempos depois, conheci o Hi-Pin-Chan, onde certa vez um amigo oriental pediu um cardápio especial e eu pude experimentar pratos diferentes; o China Massas Caseiras, na Mourato Coelho; o Taizan, na Galvão Bueno; o Ton Hoi, na Francisco Morato; e outro cujo nome não me lembro, que ficava atrás do Fórum João Mendes. Todos com cardápios imensos, e eu ficava pensando como é que dava para sair tanta coisa diferente de uma cozinha só.

Com uns 17 anos, eu conheci duas *chinatowns* realmente importantes, a de San Francisco e a de Nova York, e fiquei fascinada pelos ingredientes misteriosos, com sabores, aromas e texturas intrigantes, pelos patos assados pendurados nas calçadas; pelo monte de tigelinhas, colheres e woks; e por tanta gente falando chinês. Senti que queria saber mais sobre aquele lado do mundo, precisava ir além do frango xadrêz, da carne com brócolis e brotos de feijão e de bambu, do rolinho primavera, do arroz chinês básico, do abacaxi e da banana caramelizados com gergelim. Comprei meus primeiros livros sobre o assunto e passei a estudar e experimentar tudo que podia. Uns dez anos depois, quando um dos meus irmãos passou quase quatro anos em Nova York, a cidade entrou para valer na minha vida, e, como ele morava no Village, bem pertinho da *chinatown*, voltei lá muitas vezes e fui me embrenhando mais nesse mundo de ingredientes e utensílios tão diversos. Rapidinho me apaixonei também pelo universo do *dim sum* (não esqueço um jantar delicioso num resturante que ficava perto do Lincoln Center, com todos os rolinhos e bolinhos possíveis). Depois vieram as *chinatowns* de Bancoc,

Melbourne, Sidney e Los Angeles, todas maravilhosas, com grande número de imigrantes; também conheci as de Londres e de Paris. O fato é que meus olhos brilham de tanta curiosidade, e eu adoro andar por aquelas ruas com lojas cheias de coisas diferentes, revirar tudo, tentar conversar com aquele monte de gente, comprar meio no escuro e na sorte. Em 2006 e 2007, voltei à *chinatown* de San Francisco, não dá mesmo para negar, ela é incrível. O nosso bairro da Liberdade é ótimo, mas, apesar de se achar bastante coisa chinesa por lá, ele é bem mais japonês.

Quando vi o filme *Comer, beber, viver*, fiquei deslumbrada com a cozinha do senhor Shu, com as mil facas, woks, tábuas, tambor de defumar; a rapidez e precisão dos movimentos na cozinha; a quantidade e a diversidade de ingredientes e pratos; a mesa redonda cheia de coisas deliciosas; e, o mais bonito, a importância das refeições na vida de Shu e das filhas. Tudo mostrado com muita sensibilidade. O meu encanto pelos chineses é tal que, embora a família de um dos meus melhores amigos seja bem japonesa, para mim, ele sempre foi e sempre será o "meu chinês".

Adorei viajar pelo norte da Tailândia, na fronteira com a antiga Birmânia, um canto que foi território chinês por muito tempo. Dava para sentir as "chinesices" nos mercados de Mae Hon Son e Chiangmai, cheios de ovos de pato de mil anos e outras coisas mais; aquele *mix* de rusticidade e criatividade para viver com o pouco que se tem; as gaiolinhas de grilos que, segundo dizem, trazem sorte; a imagem de Zao Jun, o deus chinês que fica perto dos fogareiros e protege a família e os cozinheiros; e os pratos e colheres usados para agradar e servir comida — na maior parte das vezes uma galinha, a *taiyeji* — aos deuses e aos ancestrais, para que estes abençoem as colheitas, os negócios e a vida familiar.

Sinto que, na China, comida e vida se juntam de um jeito tão forte que não dá para separar, e isso me fascina.

Há não muito tempo, tive uma experiência que foi realmente tudo de bom. Fui almoçar com o meu marido e dois amigos — um deles um médico americano de origem cantonesa que mora em Los Angeles e adora cozinhar e comer bem —, num megarrestaurante chinês em Monterey Park — o Ocean Star (145, North Atlantic Boulevard.), vizinho de outros 50 restaurantes imensos, que parecem templos para 500 ou mais pessoas, com cozinhas de todos os cantos da China e alguns da Coréia (ao lado do nosso, ficava um coreano que servia um festival de tofu, só não fui até lá porque não tive tempo, apesar de saber que, para realmente aproveitar, eu teria que me emocionar mais ao comer tofu). O movimento é sempre enorme no almoço, no jantar e nos finais de semana; são grupos de executivos ou amigos, casais, famílias inteiras, além dos casamentos e festas ali celebrados (na entrada, ficam uns cartazes que anunciam as comemorações).

A proposta era fazer uma refeição de *dim sum*, um ritual surgido na dinastia Sung e bastante tradicional na cozinha do Cantão, ou Guangdong, tida por muitos como a melhor culinária da China, com ingredientes de primeira linha tanto do mar como da terra. Por muito tempo, só os homens visitavam as casas de chá — *yum cha* —, onde, desde cedo e até o final da tarde, tomavam chá e comiam *dim sum*, bolinhos de massa leve de arroz ou trigo recheados com camarão, vieira, peixe, carne de ave ou porco, legumes, cogumelos e verduras, ou simplesmente coisas miúdas enroladas em massas ou folhas verdes (repolho, espinafre, folha de lótus), cozidos no vapor ou em caldo ou fritos. Como vem fechadinho e traz a surpresa do recheio, como um presente, um *dim sum* significa um agrado no coração. Com o tempo, essas casas de chá passaram a receber mulheres e crianças, mas mantiveram a tradição do *dim sum* (ainda não conheço, mas dizem que a mais linda, tradicional e deliciosa de todas essas casas é a Luk Yu Teahouse, em Hong Kong, que existe desde 1933).

Assim, num clima contagiante, em que se falava muito mais chinês do que inglês, já que quase todo o mundo era chinês ou quase chinês, a gente se sentou e, para dar tranqüilidade à alma e ao momento, pediu uma chaleira de chá de jasmim, colocou um pouquinho de chá e rolou os potinhos nas mãos para aquecer, descartou esse primeiro chá e aí encheu de novo o potinho, dessa vez para tomar mesmo.

Aí começou o desfile de carrinhos de metal, como os de pipoca ou cachorro-quente, com um fogareiro escondido, empurrados pelas *dim sum mui*, chinesas que não costumam perguntar, mas apenas olhar. A gente então espia as cestinhas de bambu ou de metal repletas de coisas deliciosas e indica se quer ou não, e as moças colocam na mesa o que foi escolhido e fazem uma marca com um carimbinho na comanda que fica sobre a toalha. A mesa vai ficando repleta de rolinhos e bolinhos os mais variados, além de verduras refogadas, sopas, saladinhas para refrescar o paladar, outros pratos para complementar a refeição e condimentos (vinagre vermelho, tirinhas de gengibre, pimenta, picles, óleos de cebolinha, de alho e de pimenta, mostarda, shoyu e molhos agridoce e de ameixa e pimenta-vermelha). Chegam também uns pãezinhos divinos, assados ou cozidos no vapor, muito macios e branquinhos, que me fazem lembrar dos da d. Alzira, uma senhora que trabalhou na casa dos meus pais quando eu tinha uns quatro anos, os quais eu comia com a sensação de estar mordendo um sonho ou um travesseiro de nuvem (ela os chamava de travesseirinhos japoneses, mas eram, na verdade, chineses; existem pãezinhos simples e recheados, principalmente com carne de porco agridoce ou legumes, e tiras dessa massa, que às vezes é adocicada, podem ser usadas para enrolar pedaços de lingüiça).

O ritual pede que primeiro a gente olhe tudo para entender, depois sinta o perfume e só então dê a primeira mordida. Tudo é tão lindo e apetitoso que dá vontade de pegar um pouco de cada coisa, mas é impossível. A solução é comer sem pressa o que for possível num dia e voltar em outras ocasiões, até matar toda a vontade.

De Los Angeles fui para San Francisco e, seguindo a dica do Larry, o nosso amigo médico, repeti a dose no Yank Sing (no Rincon Center), também maravilhoso.

No início de 2007, voltei a Los Angeles e fui de novo ao Ocean Star apenas com o meu marido, sem o Larry, e, aí sim, o bicho pegou. As chinesinhas dos carrinhos são muito gentis, mas seu inglês fica muito longe do compreensível. A gente vê aquele monte de bolinhos e pacotinhos fechados e quer pelo menos ter uma idéia do que tem dentro deles, tanto para não ser pego de surpresa como para poder experimentar coisas diferentes, mas é preciso estar com o ouvido afiadíssimo para conseguir pescar que "xlimp" é na verdade *shrimp* (camarão), que "oc" é *pork*, e por aí vai... Mas é o máximo, supergostoso e divertido.

Depois disso tudo, sem conseguir pensar em outra coisa, devorei os livros de cozinha chinesa dos meus autores preferidos (Hsiang-Ju Lin e Tsuifeng Lin, Grace Young, Eillen Yin-Fei Lo, Ken Hom, Kenneth Lo's, Nina Simonds, A. Zee, E. N. Anderson, Francine Halvorsen, Shaun Hill, Bryanna Clark Grogan, Marin Yan e Bruce Cost) e resolvi preparar um festival de *dim sum*. Parti para os meus milhares de testes, comparações de diferentes versões, adaptações de ingredientes e tentativas de facilitar a vida, ajustes, novos testes, até chegar às receitas que vão aqui. Mas, antes de entrar nas receitas, achei interessante falar um pouquinho sobre os ingredientes e utensílios básicos chineses, pois muitos deles são bem peculiares e não fazem parte do dia-a-dia de quem não é "muito chinês".

A DESPENSA

Apesar de hoje ser possível encontrar quase tudo por aqui, comprar ingredientes pode ser uma tarefa detetivesca. Por isso achei que algumas explicações e dicas sobre os principais produtos da cozinha chinesa poderiam ser úteis (isso vale tanto para aqueles que, como eu, não falam chinês e só conseguem enxergar desenhos naqueles caracteres rebuscados quanto para aqueles que até compreendem o idioma mas se perdem em meio a tanta coisa diferente). Os problemas surgem porque a maioria dos produtos vem de Hong Kong, Taiwan, Tailândia, Vietnã e Japão em embalagens nem sempre decifráveis e muitos vendedores ou não falam ou falam mal português, ou às vezes não são muito solícitos, ou não sabem explicar alguma coisa. Perdi a conta das vezes em que perguntei sobre determinado produto, se havia outra marca ou embalagem menor, e a resposta foi não, eu não me conformei, revirei sozinha as prateleiras e encontrei o que queria. Como não poderia deixar de ser, parti dos nomes em português dos produtos, que não servem para muita coisa na hora de identificar os ingredientes, pois só costumam aparecer nas etiquetas de importação, que às vezes são de arrepiar os cabelos: já vi cogumelos secos como "vegetais secos" e massa de arroz como "macarrão branco", sem falar nas medidas e instruções de preparo e de armazenamento totalmente absurdas. Incluí os nomes em inglês, pois estes, ainda que em letras bem miudinhas, sempre aparecem nas embalagens e acabam facilitando a vida. Para completar o trabalho, comparei os nomes chineses em caracteres latinos e acrescentei-os à lista, mas, como a transliteração não é muito exata, pode-se encontrar variações (percebi que, em cinco embalagens de marcas diferentes de um mesmo produto, o nome chinês quase sempre muda: um é fan; o outro, *fen*; o outro, *faan*; o outro, *fann*; e por aí vai). Também indiquei o que considero as melhores marcas de alguns produtos, nos casos em que a marca faz diferença. A ida às compras fica bem mais simples quando se conhece um pouco mais os ingredientes. Como a maior parte das coisas dura uma vida, tanto na geladeira quanto no freezer ou no armário, as suas visitas a mercados orientais poderão acontecer apenas de tempos em tempos. Alguns endereços: em São Paulo, todas na Liberdade, Mercearia Towa (praça da Liberdade, 113; produtos do Japão, China, Tailândia e Vietnã), Mei Sim (praça da Liberdade, 83; esta bem mais chinesa) e Astron (avenida Conselheiro Furtado, 229); em Curitiba, Astron (avenida Senador Souza Neves, 500, Cristo Rei, tel. 41 3363 3529); e, no Rio de Janeiro, Astron (rua Marques de Abrantes 219, lojas C e D, Botafogo, tel. 21 2551 3051).

Alho: a China e a Coréia são os maiores consumidores mundiais, é impossível viver e cozinhar sem ele.

Arroz branco de grão longo (*long grain rice*), mai: o arroz do dia-a-dia, cujos grãos ficam brilhantes, leves e soltos quando cozidos. Uma tigela de arroz bem-feito basta para confortar o corpo e a alma.

Arroz moti (*glutinous/sticky rice, naw mai*): é o arroz que gruda, tem grão curto, perolado e arredondado, entra em pratos salgados, doces e em muitos recheios de pacotinhos. Não é o de sushi nem o italiano para risotto, mas o italiano até consegue substituir o moti em algumas receitas.

Broto de bambu (*bamboo shoots, juk seun/jook soon*); boas marcas são Ma Ling e Companion Bamboo Shoots: dão um crocante adocicado aos refogados rápidos e aos recheios de bolinhos, principalmente os de camarão e carne bovina. Não são todos os bambus que dão brotos comestíveis, mas é fácil encontrar na China e no Brasil bons brotos frescos, sempre gostosos (os de inverno são menores e mais tenros que os de primavera). Descasque o broto fresco até chegar ao miolo macio, coloque numa panela com água e ferva por uns 15 minutos, até amaciar (o tempo depende do tamanho e da idade do broto), escorra e use, ou guarde por uns 2 dias na geladeira. Em conserva, eles são mais amarelados e vêm em pedaços ou já fatiados (descarte a água da conserva, lave e aferrente os brotos por uns 2 minutos para tirar o amargor, escorra, coloque num vidro limpo com água filtrada e guarde por até 3 dias na geladeira, trocando a água diariamente para não azedar).

Caldo de galinha chinês: limpe uma galinha inteira de 1,5 kg, descarte os excessos de pele e gordura, espalhe 1 colher (sopa) de sal por dentro e por fora, passe para um caldeirão, cubra com água e aqueça. Espere ferver, descarte a água da primeira fervura, junte 2 litros de água fria, um pedaço de uns 5 cm de gengibre e 4 cogumelos chineses secos. Deixe ferver por uns 5 minutos e, para deixar o caldo bem claro, descarte a espuma que se formar na superfície. Abaixe o fogo, tampe a panela e, retirando a espuma de tempos em tempos, cozinhe por umas 4 horas, sem deixar ferver, até conseguir um caldo bem saboroso. Passe por uma peneira bem fina forrada com um pano limpo, deixe esfriar, leve à geladeira e, se quiser, retire a placa de gordura que se formar.

Casca seca de mexerica (tangerine peel, guo pay/chen pi): a casca seca tem sabor e aroma bem concentrados, deve ser hidratada antes de ser usada e vai bem com pimenta e anis (use casca de mexerica fresca quando possível e também as de limão e laranja). Aromatiza ensopados, refogados rápidos e recheios e é tão importante quanto o alho, o gengibre e a canela.

Castanha-d'água water chesnut, ma tai; boa marca é Jiangki Bailin: na verdade, não é uma castanha, e sim um bulbo de casca escura e polpa esbranquiçada, do tamanho de uma castanha portuguesa, que nasce em lugares úmidos. Dá um crocante a muitos recheios (vai muito bem com frango). Fresca e ralada, lembra o coco na textura e no frescor. Se adquirida em conserva, é só abrir a lata, escorrer a água e usar.

Cebolinhas: elas reinam na China, entram em quase tudo – refogados rápidos, recheios, saladas, sopas – ou são usadas como verdura, simplesmente salteadas num pouco de óleo de amendoim. Existem três tipos básicos: a cebolinha chinesa, que parece a nossa cebolinha comum, mas com fios mais achatados e a parte branca menor (gul choy); a cebolinha florida ou nirá chinesa, um pouquinho mais suave que a japonesa, tem um gostinho de alho e flores comestíveis nas pontas dos fios (gul choy fa); e a cebolinha de fios e bulbos mais arredondados, como a nossa (chung).

Chá: chá e dim sum andam juntos. Dizem que ele acalma, harmoniza e limpa o corpo e a alma. Os preferidos são: o chá verde, que é fresco – e por isso logo perde o sabor – leve, muito verde e estimula o apetite (em três variedades: dragon well, loong tsing; strong green tea, so mei; delicate green tea, pi lo chun); o bo lei – favorito entre os cantoneses na hora do dim sum, quanto mais velho, mais saboroso – tem as folhas fermentadas e prensadas em cubinhos; o jasmim, feito de folhas de chá verde e flores e folhas secas de jasmim, tem um sabor que limpa o paladar e vai bem com tudo o que é picante e forte, costuma ser o mais pedido nos restaurantes ocidentais de *dim sum* (*jasmine tea; xiang pian*). Ferva a água, apenas até surgirem as primeiras bolhas, escalde uma chaleira, coloque na chaleira vazia 1 colher (chá) do chá por pessoa e uma para o pote, regue com água fervente, aguarde de 3 a 6 minutos (quanto mais tempo, mais forte) e sirva, sempre sem açúcar (dizem que boas folhas rendem até 3 infusões e que a segunda costuma ser a melhor). Além dos chás de verdade, eles ainda costumam tomar infusões preparadas com pétalas de flor de laranjeira, rosa e camélia (regue com água fervente, escorra e descarte a primeira água, cubra com água de novo, espere perfumar e sirva).

Coentro (*yeem sai*): perfuma e dá sabor a muitos pratos, é conhecido como a salsinha chinesa.

Cogumelos secos chineses: eles realmente preferem cogumelos secos aos frescos pelo sabor mais concentrado e ligeiramente defumado, porque absorvem melhor os molhos e, como são fortes, quase viram um tempero. Existem muitos tipos, miúdos e grandes, mais fortes ou mais delicados, mas os mais importantes e saborosos são redondos e grandes, como o shiitake japonês, eles podem ser negros ou marrons (*black e golden oak, doong qwoo*) e clarinhos mas totalmente riscados de marrom-escuro, estes são os melhores, mais carnudos e bem mais caros (*chinese dried crack mushrooms, fa qwoo*). São vendidos em sacos grandes e transparentes de papel celofane. Antes de usar, descarte os talos duros, lave bem, escorra e deixe de molho em água fervente por uns 30 minutos, depois escorra e guarde a água do molho para usar em sopas ou refogados, seque e prepare os cogumelos como quiser.

Defumados chineses – lingüiças, presunto e bacon: são muito saborosos, embora fortes, salgados e bem firmes, tanto que os chineses costumam aferventar os pedaços por alguns minutos antes de cortar e usar nos refogados ou misturar ao arroz. As lingüiças chinesas, muitas delas bem fininhas, são feitas de carne de porco, shoyu, açúcar e especiarias, mas não são muito picantes (*chinese sausage, lop chong*); o presunto é muito antigo e tradicional na China, é marinado no shoyu e depois defumado (*chinese ham, faw-toy*; na falta, um Parma é a melhor saída); e o bacon é bem defumado, vem em tiras grandes e entra em muitas receitas (*chinese bacon, lop yok*).

Farinhas e amidos: usados nas massas chinesas, tanto nas de fio longo como nas que servem para envolver bolinhos e rolinhos. Amido de mandioca (*tapioca starch, ling fan*; a melhor é a da Combine Thai Foods Co.): os chineses utilizam as marcas tailandesas, mas nós podemos tranqüilamente usar o nosso polvilho doce, que funciona perfeitamente e deixa a massa dos bolinhos muito leve e transparente; amido de milho, a maisena: entra em algumas receitas de massa para bolinhos, nos recheios e nos refogados rápidos e para dar uma engrossadinha nos molhos, também é usado para empanar pedaços de carne que serão fritos em bastante óleo; amido de trigo (*wheat starch, dung fung*; o melhor é o da Man Sang FTY): uma farinha muito leve, com textura de maisena, usada em várias receitas de massa para bolinhos, é o que sobra depois de retirada a proteína; farinha de arroz moti (*glutinous rice flour, naw mai fun*), dá a textura puxa-puxa a algumas receitas de massa de arroz para bolinhos, e de arroz comum (*rice flour; zeem mai fun*; as melhores são as tailandesas da Erawan Market Co.), que vai em todas as receitas de massa longa de arroz; farinha de trigo comum: usada nas receitas de massa de trigo, principalmente nas de rolinho primavera e *wonton*.

Gengibre (*ginger root, geung/jiang*): assim como acontece com o alho, é quase impossível preparar uma refeição chinesa sem ele. É um rizoma tropical que deve ser firme, pesado, novo e ter a pele lisa e a polpa pouco fibrosa (guarde na gaveta de baixo da geladeira, dentro de um saquinho de papel para que possa respirar; apesar de não ser a mesma coisa, bata um pouco de gengibre bem fresco no liquidificador, coe e congele para quando precisar e não tiver o fresco por perto). É yang e, além de dar sabor picante e refrescante aos pratos, ajuda a limpar o paladar, melhorar a imunidade e desintoxicar o organismo, contribui na digestão e na circulação e alivia os sintomas de gripes e resfriados.

Iguarias e extravagâncias chinesas: ingredientes muito caros e especiais, tanto que, nos mercados chineses, costumam ficar bem atrás do caixa ou até em armários trancados. As ostras, vieiras e lulas secas (*dried oysters, hoe see; dried scallops, gawn yu chee/gan bei; dried squid, ying you*) têm sabor muito concentrado (deixe de molho na água, coe – use o líquido, pois é bem saboroso – e cozinhe em água até amaciar). Vi varais de lulas secando nas ilhas do sul da Tailândia, pareciam morceguinhos dormindo. Barbatanas de tubarão (*shark's fin, yu chee*) e ninhos de andorinha (*bird's/swallow's nest, yan wo*) são, segundo os chineses, alimentos cheios de significado; o primeiro parece um pente triangular, e o segundo é um emaranhado de fios, quanto mais clarinhos, ou seja, com menos sangue e sujeira, mais valiosos. Na Tailândia, eu visitei uma caverna que era um paraíso para os caçadores de ninho. Estes não são feitos de galhos, e sim de uma substância que é cuspida pelas andorinhas, e só se pode retirá-los após a partida dos filhotes, por isso os limpinhos valem tanto. As barbatanas e os ninhos entram em sopas e ensopados chiquérrimos (eles devem manter a textura depois de cozidos, ficando com um aspecto levemente gelatinoso, sem, no entanto, desmanchar-se — se isso ocorrer e eles virarem um grude, é porque são falsos). Ovos de mil anos (*thousand-years-old eggs, song hua dan*) são ovos de pata curados por uns 50 dias numa mistura de sal, folhas de chá e palha de arroz, ficam com uma cor verde-escura-acinzentada, textura gelatinosa e sabor bem concentrado; há também os ovos salgados de pata (*salted duck eggs, hom dan*), de uns 30 dias, curados na cinza e no sal, têm a clara bem viscosa e a gema firme, salgadinha, saborosa e com um tom laranja-avermelhado. Se for a San Francisco, ainda que só por pura curiosidade — já que, além de ser estranhíssimo, tudo custa uma verdadeira fortuna —, dê uma passadinha no 919 da Grant Street, na Namhai: vieiras secas, das bem pequenas às imensas, chifres de veado, barbatanas de todos os tamanhos e mais um monte de esquisitices, até uns ninhos de andorinha muito especiais que custam 3 mil dólares o pacote de mais ou menos 500 g, dá para acreditar?

Leite de soja e tofu: a não ser no tempo dos mongóis, que tomavam leite de iaque e faziam queijo e manteiga, os laticínios nunca fizeram muito sucesso na China. Para cumprir esse papel, há mais de 3 mil anos eles usam e abusam do leite de soja, e com ele preparam pastas e queijos. O tofu, feito de soja hidratada e moída misturada com água e cozida até se solidificar, é rico em proteína e aparece em diferentes texturas, desde os hipercremosos, que ficam nos potes e são servidos às colheradas, como uma coalhada (*silken tofu, wat dul-foo*), até os cubos grandes e frescos (*tofu/bean curd; dou-fu/dul-foo*) e os bem mais firmes, que podem ser puros (*bean curd cakes; dou-fu/dul-foo*), com especiarias (*five spice tofu, nmm heung dul foo gawn*) ou fritos (*fried bean curd, dul foo gock*). Como é bem neutro, o tofu vai bem com qualquer coisa, entra em refogados, saladas, sopas, recheios, pastas e sobremesas. Quando percebi que não era fácil encontrar o tofu cremoso, essencial para uma das sobremesas, resolvi experimentar fazer em casa, mas como achar um leite de soja puro, sem açúcar ou aditivos, também é complicado para quem não tem um mercado oriental por perto, decidi preparar o leite em casa e depois transformá-lo em tofu, deu certo (está tudo explicadinho na receita tofu cremoso gelado com calda de gengibre e canela).

Lótus: planta sagrada e cheia de significados, tanto que, em várias imagens, Buda aparece carregando a flor de lótus numa das mãos. A folha é redonda e linda; e o rizoma, que todo o mundo chama de raiz, é símbolo de pureza; ambos são usados na cozinha. A folha, vendida seca, vem dobrada ao meio, como um leque bem grande, e, depois de hidratada, é perfeita para embrulhar os tradicionais bolinhos de arroz, pois passa muito do seu perfume e sabor delicados para o recheio (*lotus leef, he ye*, uma boa marca é a Super Brand, da Yue King Trading Co. Hong Kong). Os gomos do rizoma, de casca escurinha e polpa marfim, lembram bananas-da-terra bem gordinhas emendadas como lingüiça, com o peso e a consistência do nabo, perfume fresco e sabor semelhante ao da alcachofra. Cortados em rodelas, os gomos mostram uns furinhos lindos em toda a volta. Lave, descasque, tire os pontos escuros, cozinhe em água fervente até amaciar, escorra, seque e use em refogados rápidos, sopas, ensopados e frituras (*lotus root, leen ngao/gnul*).

Massas: os chineses consomem massa de quatro maneiras básicas, nunca cozidas demais, pois perdem a maciez e a flexibilidade e ficam encharcadas: como *lo mein*, a massa já cozida misturada a um refogado rápido; como *chow mein*, a massa cozida, moldada como um ninho na wok, dourada dos dois lados e servida com um refogado no centro; a massa cozida num caldo como sopa; e a massa cozida regada apenas com um molho. Como os fios longos significam longevidade, as massas sempre aparecem nos aniversários.

Massas de arroz: secas, elas são esbranquiçadas e levemente transparentes; cozidas ou hidratadas, ficam bem brancas e macias, mas continuam um pouco elásticas. Por aqui, não é fácil encontrar a massa fresca de arroz, mas existem vários tipos de massa seca, com fios longos mais arredondados (dos finíssimos, como cabelo-de-anjo, que nas embalagens aparecem como *bi-fum* ou *super fine rice vermicelli*, aos mais grossos, *rice vermicelli* ou *mai fun*) e em fitas chatas de larguras variadas, como talharim. Há também os discos de massa seca bem fininha, usados em rolinhos na Tailândia e no Vietnã, que levam apenas uns 30 minutos para serem hidratados (*banh trang*).

As toalhas de massa fresca de arroz, mais grossas que os discos tailandeses, servem para preparar uns canelones recheados com refogados rápidos bem temperados, mas que a gente quase não acha por aqui (*rice noodle sheets, sha hefen/ho fan/haw fun*). As duas formas básicas de preparar as massas secas de arroz, que, depois de prontas, devem ficar macias mas *al dente*, são: a) coloque a massa crua numa tigela, cubra com água fervente e deixe repousar por 15 a 30 minutos (o tempo depende do tamanho e do formato da massa); b) cozinhe a massa crua em água fervente abundante por 3 a 10 minutos (se a massa ainda precisar de uma finalização na wok, escorra enquanto ela ainda estiver firme; e, se estiver preparando com antecedência, ou para uma salada, escorra, passe por água fria para retirar o excedente de amido e regue com um pouco de óleo para os fios não grudarem).

Massas de trigo: há massas secas e frescas de trigo e água, usadas normalmente em sopas (*udon*, em japonês; *ho-fan*, em chinês), e de trigo e ovos, essas bem mais comuns e semelhantes em sabor às massas ocidentais (as frescas ficam nas geladeiras dos mercados orientais). No Brasil, as massas de trigo e ovos, de fios longos, costumam aparecer como *yakisoba* ou *lamen*; na China, chamam de *wonton* e *chow mein* as massas frescas de trigo e ovos em fios, discos ou quadrados finos, e de *lo mein* as mais grossas. Os fios mais chatos costumam entrar nos refogados; e os mais arredondados, nas sopas. As massas vendidas como "frescas" costumam vir pré-cozidas e só precisam de um aquecimento final (afervente por 1 minuto em água, no caldo da própria sopa, ou direto na frigideira com o restante do refogado). As secas instantâneas, tipo *lamen*, cozinham muito rápido, uns 3 a 5 minutos em água fervente, e as não-instantâneas levam uns 10 minutos, dependendo do formato e da espessura. Além das massas de trigo em fios, existem as que servem para embrulhar os pacotinhos: a massa para rolinho primavera, que é muito fina e fica bem crocante e estaladiça (no Brasil, a melhor é a quadrada da Tsukimaru, vendida em pacotes de 12 folhas, algumas levam trigo e ovos, outras só trigo e água); para wonton, um quadradinho de massa não tão fina, usado para preparar pacotinhos como capelletti, que entram nas sopas e ficam muito leves (dizem os chineses, como uma andorinha voando), ou viram trouxinhas cozidas ou fritas, são vendidos em saquinhos contendo de 20 a 50 folhas; e para *guioza*, discos mais finos, bons para pasteizinhos cozidos no vapor ou fritos, vendidos em pacotinhos de 20 unidades (algumas marcam também levam polvilho). Apesar de muita gente dizer que os bolinhos preparados com as massas de wonton e guioza podem ser cozidos no vapor, o fato é que eles sempre ficam meio duros e borrachentos no lugar das dobras, por isso prefiro cozinhar na água ou no caldo ou mesmo fritar e deixar para cozinhar no vapor os bolinhos feitos com massa de maisena e polvilho, que ficam perfeitos e levíssimos (dei a receita da massa para bolinhos cozidos no vapor). Enquanto estiver recheando, cubra as massas com um pano úmido para não se ressecarem. Uma boa idéia é usar tiras de massa de wonton ou de rolinho primavera para embrulhar camarões ou vieiras temperados como quiser, amarrar com fios de cebolinha, fritar e servir com um molhinho.

Massa de broto de feijão verde: gosto de usar essa massa intrigante, que, quando seca, lembra um novelo de fios bem duros de náilon, e, hidratada, fica absolutamente transparente e gelatinosa. Isoladamente, ela não tem gosto de nada, mas absorve o sabor e o perfume dos demais ingredientes e dá uma textura muito interessante aos pratos. No Japão, entra em saladas e como parte do *sukiaki*; na China e na Tailândia, vai bem em refogados e sopas, e, frita e crocante, fica ótima em saladas (mergulhe os fios por alguns segundos no óleo quente abundante, vire quando a parte de baixo estufar, esbranquiçar e ficar crespinha, espere acontecer a mesma coisa do outro lado, escorra com uma escumadeira e seque sobre papel absorvente). Para hidratar, separe um pouco os fios, coloque numa tigela, cubra com água fervente, deixe repousar por 15 minutos, depois escorra e use como quiser (*cellophane noodles, fan si/sai fun* e *harusame*, em japonês, o nome mais comum por aqui; vem em novelos de 50 g). Ah, pode parecer bobagem, mas não é: não se esqueça de soltar e jogar fora o barbante que amarra o novelinho, a linha costuma ser tão branca quanto o fio de massa e pode acabar no meio do prato.

Mistura de cinco especiarias: canela, anis-estrelado, pimenta de Sichuan, erva-doce e cravo-da-índia moídos. É forte, perfumada, picante e adocicada ao mesmo tempo, mas nem sempre é igual (na China, as lojas de ervas preparam as suas próprias misturas). Pode aromatizar um refogado, um recheio, uma sopa ou um pedaço de tofu (*five spice powder, wu xiang fen/nmm heung fun*).

Molho de ameixa: molho agridoce feito de ameixa, açúcar, sal, gengibre e pimenta que serve para contrabalançar sabores com pratos mais encorpados e frituras (*plum sauce, shoon moy zheung*).

Molho de ostra: um dos molhos essenciais na cozinha chinesa, leva ostra moída, shoyu, água, sal, amido e caramelo, fica bem encorpado, como um ketchup, e, apesar de ter ostra como ingrediente, não tem nenhum gosto de mar. O uso é tal na China que mesmo os supervegetarianos monges budistas têm permissão para consumi-lo (*oyster sauce, sou yao*; o Lee Kum Kee é bom, mas os melhores são o da Hip Sing Lung Oyster Sauce Company of Hong Kong e da Sa Cheng Oyster of Kwangtung). Dura uma vida na geladeira.

Molho de peixe fermentado: o nam pla chinês, usado na cozinha do sul (*fish sauce, yue lo*).

Molho de soja, shoyu: fundamental na cozinha chinesa há mais de 3 mil anos, tanto no preparo dos alimentos, como para acompanhar a refeição (*soy sauce, see yul*; boas marcas importadas são Pearl River Bridge's e Koon Chun Sauce Factory; no Brasil, os mais fáceis de encontrar são os da Sakura e da Mãe Terra). É preparado em grandes barris por meio de fermentação natural. Com o tempo, o molho vai tomando forma e sedimentando; ficando perolado, adocicado e escuro na base (*dark pearl sauce*); menos denso mas ainda escuro um pouco acima (*black/dark soy, low zul*); e mais claro e leve perto da superfície (*thin soy, sang zul*). Os escuros são tidos como os melhores, de sabor mais pronunciado; ao passo que os mais claros, que às vezes aparecem como *light soy sauce*, são mais fortes e salgados que os escuros (o light não tem nada a ver com o que chamam de "lite", com teor de sal reduzido).

Molho de pimenta: molho picante e grossinho, preparado com pimenta-vermelha, vinagre, sal e açúcar (alguns contêm shoyu), que aparece em todas as mesas chinesas e sempre entra nas panelas (*chili sauce, shoon yong lat ziu zheung*; os mais conhecidos são o americano Sriracha Hot Chili Sauce e o da Lee Kum Kee); dei a receita de um molho chinês de pimenta-vermelha.

Molho hoisin: clássico, bem saboroso, espesso, adocicado, marrom-avermelhado, com um ligeiro defumado no fundo, feito de soja, vinagre, açúcar, especiarias, alho, gergelim e pimenta fresca. Também conhecido por *Chinese barbecue sauce*, sempre acompanha o pato de Pequim nos restaurantes do

Ocidente (*hoisin sauce, soisin zheung*; boas marcas são Ma Ling, Koon Chun Sauce Factory e Lee Kumkee).

Mostarda picante: condimento que sempre aparece nas mesas das casas de chá, preparado com mostarda em pó e água (use mostarda de Dijon).

Nozes: pode parecer estranho pensar que nozes têm a ver com comida chinesa, mas têm muito, e não é de hoje. Aliás, eles acreditam que as nozes, que têm formato semelhante ao do cérebro, fortalecem as idéias e dão longevidade, pois uma nogueira dura séculos.

Pastas de soja: existem vários tipos, umas mais, outras menos salgadas, e há ainda as picantes; algumas preparadas com o grão de soja amarelo, outras com o avermelhado e outras com o preto; entram nas receitas como condimento ou como parte do molho. Pasta fermentada de feijão preto (*salted fermented black beans, dao si/dul see*; a mais famosa é a Mee Chun, mas são boas as Koon Chun Sauce Factory e Yang Jiang Preserved Beans): são grãos escuros de soja fermentados com sal, especiarias, gengibre e raspas de laranja, de perfume e sabor bem pronunciados. Na receita, os grãos podem entrar inteiros ou esmagados com o cutelo. Há quem mande lavar os grãos para suavizar o sabor e quem sustente que não se deve lavar, pois muito do gosto vai embora com a água. Pasta fermentada de soja (*bean sauce, jiang*): leva também farinha de trigo, açúcar e sal e é bem salgadinha. Pasta de soja apimentada (*chili bean paste, laat dao zeung*; as melhores são a Lan Chibrand e a Szechuan Chili Sauce, da Sze Chuan Food Products): bem grossinha, escura e picante, feita com grãos de soja, pimentas, sal, óleo e missô, entra em muitos refogados rápidos. Pasta adocicada de soja (*sweet bean sauce, meen si*, também *tim min jeung*; a melhor é a da Koon Chun): mais fina que a apimentada, é quase um molho adocicado de grãos avermelhados ou amarelos de soja, açúcar, alho e óleo de gergelim, apenas um pouco mais doce que o *hoisin*.

Pimenta de Sichuan: é a pimenta seca clássica chinesa, também conhecida como pimenta-flor, pois são botões avermelhados e semi-abertos, é só um pouquinho mais forte que a pimenta-do-reino (*Sichuan pepper, fazu*).

Pimentas frescas: vieram das Américas e rapidamente invadiram a China. As vermelhas, tipo pimenta-dedo-de-moça, são as mais comuns. Eles também usam as pimentas secas, inteiras ou socadas.

Óleos aromatizados: há milênios, os chineses adoram usar óleos aromatizados com cebola, cebolinha, coentro e pimenta para cozinhar, regar sopas ou acompanhar rolinhos. Aqui vai uma receita: aqueça a wok, junte 1 1/2 xícara de óleo de amendoim e 3 cebolas grandes em fatias finas (ou 2 maços grandes de cebolinha ou de coentro, ou 2 colheres (sopa) de pimenta-vermelha seca em pedaços de uns 5 cm) e cozinhe em fogo baixo até o óleo ficar bem dourado e perfumado (uns 30 minutos para a cebolinha e o coentro; uns 10 minutos em fogo alto e uns 20 em fogo baixo para a cebola; e uns 10 minutos em fogo baixo para a pimenta). Peneire e, se quiser, guarde na geladeira por até 6 meses para a cebolinha, o coentro e a pimenta e 3 meses para a cebola.

Óleo de amendoim: além de entrar em muitos pratos do dia-a-dia, é ótimo para fritura, pois só queima em temperaturas muito altas e não absorve muito o gosto dos alimentos, podendo por isso ser reaproveitado em prazo curto. No fundo, tem um leve gostinho de amendoim, que dá um ar de China à receita (na falta, use óleo de milho).

Óleo e sementes de gergelim: um óleo dourado feito de sementes torradas de gergelim, tem gostinho marcante e aroma sedutor (*sesame oil, ma yul*). Os da China e do Japão são mais delicados que os do Oriente Médio. Entram em muitos pratos, tanto no início como no final do cozimento, para dar um algo mais. Muitos refogados rápidos, saladas e verduras são polvilhados com sementes claras ou escuras de gergelim (*black sesame seeds, hock zeema e white sesame seeds, bock zeema*). Várias saladas são temperadas com uma mistura de óleo de gergelim, shoyu e vinagre de arroz.

Verduras e legumes: fazem parte de todas as refeições chinesas e trazem cores — principalmente o verde — e equilíbrio à mesa; aparecem sempre ligeiramente firmes, apenas refogados com alho, molho de ostra, shoyu e, às vezes, com uma espirradinha de vinagre de arroz; são usados em recheios de bolinhos, em sopas e como acompanhamento para carnes e massas. A verdade é que os chineses adoram abóbora, abobrinha, alface, alho, alho-poró, aspargos, batata-doce, beterraba, brócolis, castanha-d'água, cebola, cebolinha, cenoura, cogumelos, couve, couve-flor, erva-doce, ervilha, ervilha-torta, espinafre, inhame, milho, pepino, pimentas, pimentão, repolho, salsão, soja verde, vagens (umas curtas e outras tão compridas que a gente até consegue enrolar e dar um nó). Mas nada é mais popular que o repolho chinês, o *bok choy*, com seu talo que começa esbranquiçado e termina num verde-clarinho e folhas lisas, pequenas e arredondadas, que vão do verde-claro ao escuro (quanto menores, mais macios; solte as folhas do talo central e corte em triângulos). Eles também adoram os brotos de soja e de feijão verde (na cozinha cantonesa mais chique, costumam tirar a pontinha escura para ficar mais delicado), que devem estar sempre muito frescos (na geladeira, eles se mantêm crocantes e não azedam).

Vinagres de arroz: são feitos de arroz moti e entram em muitas receitas, principalmente nas agridoces. Há o branco, mais leve (*white rice vinegar, cho*); o escuro adocicado, ligeiramente picante (*sweetened black vinegar, teem ding teem cho*); e o vermelho (*red rice vinegar, dai hoon seet cho*), que costuma ir à mesa numa tigelinha para acompanhar bolinhos com recheio do mar. No norte da China, há uns vinagres bem escuros, feitos de cevada, centeio, sorgo ou trigo, que lembram um balsâmico.

Vinho de arroz: vinho preparado com arroz moti que pode ser mais seco ou mais doce, é feito na China há mais de 2 mil anos (*rice wine, Shaoxing/Shao Hsing/siu hing zul*; os melhores são Pagoda Brande Shao Xing Rice Wine, ou Shao Hsing Hua Tiao Chie). Como o sabor é totalmente diferente do saquê – que é um destilado –, os melhores substitutos são xerez seco e vermute. Existem uns vinhos Shaoxing bem baratinhos, que já vêm com indicação para uso culinário na etiqueta, mas eles são sofríveis, muito salgados (vale mesmo a pena investir numa boa garrafa, pois não custa muito e a diferença é gritante – uma espirradinha de um verdadeiro Shaoxing levanta qualquer prato).

OS UTENSÍLIOS BÁSICOS

A simplicidade de uma cozinha tradicional é incrível. Por muito tempo, a falta de lenha grossa fez com que os chineses queimassem gravetos, palha de arroz e carvão, materiais que produzem fogo forte e intenso mas que se extingue logo, o que exige cozimentos rápidos. Daí nasceu a base da culinária chinesa. Nas cozinhas mais simples, esse fogo ainda queima num balde ou lata de metal, e, nas mais sofisticadas, há uma ou mais bocas de gás bem forte, em que se apóiam a wok, o caldeirão da sopa, a panela do arroz e a chaleira. Além disso, há uma tábua para cortar, pelo menos um cutelo, um escumadeira, uma concha, uma espátula de metal, panelitos longos de bambu, as *tans* – tigelas de cerâmica –, potinhos e colheres de sopa.

Colher de sopa: além de servir para tomar sopa, é usada como suporte para bolinhos e uma série de outras miudezas que devem ser comidas com molho, vinagre, pimenta ou tirinhas de gengibre.

Cutelo: faca chinesa que lembra um machadinho. Apesar de visualmente parecidos, há cutelos de pesos e tamanhos de lâminas diferentes; uns servem para cortes mais pesados e brutos, que exigem mais força, e outros para fins mais delicados. Por isso, um cozinheiro costuma ter uns dois ou três. É impressionante a destreza com que os chineses manejam os cutelos; a princípio, tem-se a impressão de que é impossível trabalhar com aquela coisa enorme e desajeitada, mas aos poucos a gente vai se acostumando com as suas utilidades e aprendendo a manejá-los, pois, além de cortar, os cutelos servem para esmagar, abrir massas e transportar ingredientes – e acaba achando o máximo. Uma coisa importante: as tábuas devem ser pesadas e fortes, adequadas ao peso dos cutelos, do contrário, quebram-se mesmo com o baque (eu mesma já quebrei umas duas!).

Cestas para cozimento no vapor: como cozinhar no vapor é uma arte de possibilidades quase infinitas, vale a pena investir nas cestas, que existem em tamanhos variados e devem ser proporcionais ao tamanho da wok. Elas podem ser de alumínio, inox ou bambu, costumam vir em conjuntos de três ou quatro peças empilháveis e com uma tampa com alça por cima de tudo, para não deixar nada secar, e permitem que se prepare vários pratos diferentes ao mesmo tempo, às vezes até uma refeição inteira, tendo como base uma única panela com água fervente. Eu gosto mais das de bambu, que têm um jeito mais natural, são lindas e funcionam muito bem (antes de usar uma cesta de bambu pela primeira vez, lave bem, apóie na wok com água fervente e "cozinhe" vazia por uns 5 minutos; para não embolorar, depois de usar e lavar, seque bem antes de guardar). Quem não tem as cestinhas, pode improvisar com uma peneira, uma grelha e uma tampa de panela para conseguir o efeito do vapor.

Escumadeira: é importante ter uma bem grande, com trama larga e arejada, para escorrer frituras.

Espátula chinesa de metal: é muito firme, e seu formato de pá permite raspar com facilidade as laterais e o fundo da wok.

Palito (*yi shuang kuai zi*, em chinês; *hashi*, em japonês; *chopstick*, em inglês): os mais longos, de bambu, são para mexer os alimentos na wok e servir, e os mais curtos para comer (existem palitos lindíssimos de madeira natural, pintada ou laqueada, madrepérola, bambu ou plástico).

Wok (ou *guo*): utensílio que reflete a sabedoria chinesa. Graças ao formato côncavo difunde perfeitamente o calor e se adapta aos mais diversos tipos de cozimento, o que torna a wok uma panela que vale por muitas. Saltear: técnica usada para preparar um refogado rápido, num piscar de olhos, quase como mágica, com sabores acentuados, muita cor e perfume fresco (para conseguir um prato harmonioso, preservando a identidade de cada elemento, há que se controlar bem o fogo, respeitar as quantidades e o corte uniforme, além da ordem e da lógica ao adicionar os ingredientes na wok: aqueça a wok vazia por uns 30 segundos, regue com óleo, espere esquentar, junte o gengibre e o alho, depois os outros ingredientes cortados em tamanho uniforme e bem secos — jamais molhados — e, sempre mexendo, deixe no fogo apenas até que tudo esteja macio mas ainda resistente à mordida). Fritar: coloque óleo na wok até no máximo metade de sua capacidade, certificando-se de que ela esteja bem firme para evitar o risco de virar (teste a temperatura do óleo mergulhando nele a ponta de um palito de bambu — se surgirem bolhinhas em volta, estará na temperatura ideal; se nada acontecer, ainda estará frio; se queimar, estará quente demais). Uma cesta com tampa permite que se cozinhe no vapor e uma tampa faz com que se possa preparar um ensopado ou um caldo na wok. O interessante é que a wok aceita quantidades menores de óleo que uma panela comum tanto para refogar como para fritar e serve para preparar pequenas ou grandes quantidades de alimento. Como a base das woks tradicionais é ou muito cônica ou arredondada demais, é difícil equilibrá-la nas bocas dos fogões ocidentais, por isso inventaram o aro de metal que facilita o encaixe e a wok com uma base ligeiramente achatada, mas que continua bem próxima do fogo (se estiver na chinatown de San Francisco, não deixe de visitar o paraíso das woks, a The Wok Shop — Tane Chan, onde há de tudo e sabem de tudo sobre o assunto — 718, Grant Avenue).

O ideal é que a wok tenha entre 33 e 35 cm de diâmetro. Existem modelos com duas alças, com um cabo e com um cabo e uma alça (para mim, estas são as melhores). À primeira vista, woks com revestimento interno antiaderente são práticas, mas não cumprem o papel, pois a cobertura evita a rápida caramelização dos açúcares naturais dos alimentos, o que muda o resultado final do prato quanto a cor, textura e sabor. Também não funcionam as frigideiras ocidentais que apenas imitam o formato da wok, pois aquelas são muito grossas e não transmitem o calor do mesmo jeito. É preciso entender que a wok é muito mais que uma forma, é todo um conjunto.

As mais antigas eram de ferro, mas hoje a maioria é de aço, material que conduz muito bem o calor, esquenta rápido e é fácil de cuidar (as de aço chinesas custam baratíssimo e são ótimas). É preciso curar uma wok de aço, mas isso não é nenhum bicho-de-sete-cabeças. Existem vários métodos, dos rapidinhos aos mais demorados, entre os quais está o de untar a wok com uma camada fina de óleo, aquecer por alguns minutos, até começar a sair fumaça, retirar do fogo e limpar a wok com papel absorvente e repetir o processo durante uns 20 dias até ela escurecer bem e parar de absorver a gordura. Testei alguns deles e cheguei à conclusão de que, além deste método, os seguintes funcionam bem: coloque umas 3 colheres (sopa) bem cheias de gengibre fresco ralado na wok, aqueça e, sempre mexendo, deixe fritar até a panela começar a escurecer, então descarte o gengibre, regue a wok com mais ou menos 1/4 de xícara de óleo e deixe no fogo até a panela escurecer (haverá tanta fumaça e cheiro de queimado que, se você morar num apartamento, o prédio inteiro irá reclamar), então retire do fogo, deixe esfriar, lave e use; ou aqueça 1 litro de óleo e frite uma boa porção de batata (ela irá absorvendo óleo aos poucos até o dia em que ficará pretinha, brilhante e naturalmente antiaderente; e, para manter o efeito, limpe a wok apenas com água fria ou morna, raspando a superfície com uma vassourinha de bambu que vai soltando tudo o que nela estiver colado, nunca use o lado abrasivo da esponja).

RECEITAS

A idéia é um festival de dim sum, um ritual com rolinhos e bolinhos que podem ser cozidos no vapor ou em caldo ou fritos, com recheios e molhos variados — pois a graça está na diversidade de textura das massas, sabores, cores e formatos —, algumas outras coisinhas salgadas para complementar e as sobremesas. Como não é aquela refeição formal, com entrada, prato principal e sobremesa, e sim com um monte de coisinhas que vão chegando aos poucos, todo o mundo acaba comendo bastante, mas devagar, ao longo da festa. Pensando nisso tudo e considerando que os recheios rendem muito, por menor que seja a quantidade de ingredientes, e que tudo se multiplica com a variedade de bolinhos e receitas, concluí que a festa que imaginei é suficiente para umas 20 pessoas. As receitas são bem tradicionais, dessas que aparecem em quase todos os livros em muitas versões, e sempre agradam.

Preparar as massas e recheios em casa pode parecer um pouco ousado e talvez bata aquela dúvida sobre se tudo dará certo, se a trabalheira irá compensar. Mas basta imaginar o prazer de fazer a massa e os recheios, montar os bolinhos, fritar ou cozinhar no vapor, destampar a cesta, sentir o perfume delicioso, saborear algo divino e ver os convidados de queixo caído, para acreditar que é possível sim, que vale a pena. Difícil, difícil não é, mas é delicado e exige paciência e boa vontade, além de organização na cozinha e disposição para preparar tudo. Quase tudo pode ficar pronto com antecedência — algumas coisas podem ser congeladas por até 1 mês, e outras ficam muito bem na geladeira por 1 ou 2 dias —, sobrando apenas aquecer ou fritar próximo ao momento de servir, mas para não correr o risco de não aproveitar a festa, pense em chamar alguém para lhe ajudar nessa finalização. Para que tudo flua bem nessa hora, mantenha no fogo uma panela grande com água fervente para aquecer os bolinhos e pãezinhos já cozidos; providencie umas 4 ou 5 cestas grandes para cozimento no vapor (não custam muito e são superúteis tanto para esquentar como para servir). Aqueça no forno os wontons e os rolinhos primavera que já estiverem fritos.

Para a etapa dos rolinhos e bolinhos, temos as massas (quem tem por perto um mercado chinês pode ganhar tempo comprando prontas as massas para rolinho primavera e wonton, mas a massa para bolinhos no vapor deve ser feita em casa, não há nada pronto que dê o mesmo resultado) e os recheios, que vão bem com todas elas, para cada um usar como quiser. Aqui vão as minhas sugestões de combinação de massa e recheio: prepare uma vez massa de rolinho primavera, recheie com camarão e legumes e frite; faça uma vez a massa de wonton, recheie metade com cogumelo chinês e tofu e frite e metade com pato e cozinhe no caldo do próprio pato; divida uma receita da massa de bolinhos no vapor entre três recheios, frango e castanha-d'água, porco e repolho bok choy e camarão e broto de bambu (faça 1/3 da massa verde); use o recheio de carne bovina com pimenta e mexerica para as pearl balls e faça os pãezinhos no vapor com o lombo agridoce, uma combinação perfeita. Para deixar a mesa mais bonita, dê formatos diferentes aos bolinhos: flor (recheio no centro do disco e bordas levantadas e pregueadas, como um vasinho); trouxinhas (amarre com fios de cebolinha ou simplesmente dê uma torcidinha); crista de galo (um pastelzinho com pregas mais salientes); ou caramujo, um pastelzinho com as dobras mais arredondadas. Ah, outra coisa muito importante: não se esqueça de comprar 1 repolho grande ou uns 3 pés de alface-lisa para forrar as cestas de vapor.

São 3 massas fininhas: a de rolinho primavera, que é muito crocante, boa para fritar e assar (como a fritura é muito rápida, o ideal é usar um recheio já cozido); a de bolinho no vapor, que, depois de cozida no vapor ou no caldo, fica quase transparente e muito macia e é ótima para os recheios crus (escolhi uma receita com maisena e polvilho doce porque são ingredientes que a gente encontra em qualquer lugar e dão uma massa perfeita e fácil de trabalhar; a versão verde, com cebolinha, é uma graça); a de wonton, que lembra a massa italiana, fica supercrocante quando frita e macia quando cozida num caldo, mas fica borrachenta no vapor (como ela é mais grossinha e demora um pouco para cozinhar ou fritar, o recheio pode ser cru). Depois vêm os pãezinhos no vapor, branquíssimos e muito macios, feitos de massa fermentada, que requerem um recheio já cozido; a pearl ball, na verdade, grãos de arroz que envolvem uma bolinha de recheio e dão a impressão de pérolas; e a surpresa de lótus coroa essa etapa da refeição, com um perfume irresistível que surge quando a gente abre o pacotinho com arroz, frango, camarão, ervilha e cogumelo. Como os chineses costumam misturar muitos tipos de carne e de legumes numa refeição, sugeri sete recheios com ingredientes bem diferentes, os cinco primeiros crus e os dois últimos já cozidos, mas todos muito fáceis e rápidos de fazer (é, quase sempre, a mesma coisa, só picar e misturar tudo): frango e castanha-d'água; porco e bok choy; camarão e broto de bambu; cogumelo chinês e tofu; carne bovina, pimenta e mexerica; lombo agridoce; camarão e legumes. Além do shoyu, sugeri três molhinhos para acompanhar: o adocicado de ameixa, o agridoce e o picante chinês de pimenta-vermelha (um pouco de óleo de cebolinha também vai bem).

Em seguida, vem a panquequinha crocante de cebolinha e gergelim, deliciosa, hiperclássica e muito popular na China — a cong you bing —, que serve de petisco ou de acompanhamento para pratos com molhinhos mais grossos; o reconfortante caldo de pato com wonton, que fica o máximo numa tigelinha; o espinafre com molho de ostra, que traz o verde à mesa e equilibra a refeição; as vieiras com molhinho de feijão, uma combinação interessante de um molho encorpado e salgadinho com a delicadeza das vieiras (se quiser, troque por vôngole, lula, camarão ou peixe); e a incrível salada de repolho-roxo, cebolinha e nozes caramelizadas (ainda me lembro quando a chinesinha do Yang Sing me ofereceu dizendo que era o máximo, duvidei um pouco, mas ela surpreende mesmo, refresca o paladar depois de um banquete desses e, por mais moderna que pareça, não é não, pois nozes caramelizadas fazem parte da cozinha chinesa há séculos).

Na hora da sobremesa, só coisas leves, geladinhas e digestivas: laranjas refrescantes, nada mais do que o suco das laranjas com ágar-ágar, a gelatina oriental de algas, servido na casca da própria laranja; e o tofu cremoso gelado com calda de gengibre e canela, coisa dos monges budistas, que adoram o sabor delicado e a leveza do tofu fresco (dei uma receita do creme porque, apesar de existirem uns envelopinhos de soybean pudding instant, que só pedem um pouco de água, funcionam direitinho e são bem gostosos, nem sempre são fáceis de encontrar; os melhores são da Mount Elephant Brand e da Guangxi Cereals Oils and Foodstuffs Imp. and Exp.).

Ching Ling — made in China

MASSA PARA ROLINHO PRIMAVERA

(40 UNIDADES; 1 HORA E 30 MINUTOS, MAIS 3 HORAS PARA A MASSA DESCANSAR)

1 3/4 de xícara de farinha de trigo
1/2 colher (chá) de sal
1 ovo ligeiramente batido
1/2 xícara de água
1 colher (chá) de maisena dissolvida em 2 colheres (sopa) de água
1 litro de óleo para fritar
maisena para polvilhar

↔ Numa tigela média, misture a farinha e o sal e forme um vulcão. Coloque o ovo e a água no centro e, com um garfo, incorpore aos poucos os ingredientes. Quando tudo estiver bem misturado, passe a trabalhar a massa com as mãos até que esteja bem lisa e macia. Embrulhe em filme plástico e deixe repousar por 3 horas em temperatura ambiente. Passe a massa por um cilindro (também é possível abrir com um rolo, mas, além de não ser muito fácil, a massa nunca fica tão fininha quanto no cilindro) e, polvilhando com o mínimo possível de maisena, abra até conseguir tiras muito finas, quase transparentes: comece dividindo a massa em 4 partes e vá passando no cilindro aos poucos, diminuindo a espessura de ponto em ponto, cortando as tiras ao meio quando ficarem compridas demais e deixando repousar por uns minutos entre uma passada e outra pelo cilindro — com o descanso, o glúten da farinha relaxa e fica mais fácil abrir mais um pouco em seguida. Divida as tiras em quadrados de uns 12 cm (ou de 5 cm a 6 cm se quiser fazer rolinhos bem pequenos), empilhe os quadrados, embrulhe em filme plástico e guarde na geladeira por até 1 semana, ou no freezer por até 3 meses.

↔ Para montar os rolinhos, que devem ser bem delicados, coloque um quadrado de massa sobre uma tábua com um dos cantos virado para você, como um balão, deixe uns 3 cm de massa livre nesse canto e, em seguida, espalhe um pouco do recheio fazendo uma barrinha de uns 2 cm de largura por uns 8 cm de comprimento. Para fechar, comece cobrindo a barrinha de recheio com a ponta vazia de massa, então dobre as pontas das duas laterais em direção ao centro, cobrindo tudo, e depois enrole como um charutinho até chegar à outra ponta. Cole a ponta com a mistura de maisena e água para não abrir, passe para uma assadeira e cubra com um pano úmido, ou cubra com filme plástico e guarde na geladeira por até 12 horas, ou no freezer por até 1 mês.

↔ Numa frigideira grande, aqueça o óleo e frite os rolinhos de 3 em 3 até ficarem dourados e crocantes, escorra com uma escumadeira, seque sobre papel absorvente e sirva (ou coloque os rolinhos fritos numa assadeira, cubra com filme plástico, guarde na geladeira por até 8 horas e aqueça mergulhando no óleo quente por 1 minuto, ou por uns 5 minutos no forno a 180°C, médio). Se preferir rolinhos assados, coloque todos eles numa assadeira untada com óleo, pincele a superfície dos próprios rolinhos com um pouquinho de óleo e asse por uns 15 ou 20 minutos, no forno a 180°C (médio), até ficarem dourados e crocantes.

MASSA PARA BOLINHOS COZIDOS NO VAPOR

(120 UNIDADES; 1 HORA E 30 MINUTOS, MAIS 30 MINUTOS PARA A MASSA REPOUSAR)

3 xícaras de maisena
1 1/2 xícara de polvilho doce
1/2 colher (chá) de sal
2 colheres (sopa) de óleo vegetal
3 xícaras de água fervente
fios verdes de 2 maços grandes de cebolinha (apenas se quiser preparar 1/3 da receita como massa verde)
maisena para polvilhar

↔ Numa tigela grande, misture a maisena, o polvilho, o sal e o óleo. Regue com a água, misture com uma colher e, quando amornar, passe a trabalhar a massa com as mãos até que esteja bem lisa e macia (para a massa verde, bata a cebolinha no liquidificador com 1 xícara de água, peneire espremendo bem, ferva esse caldo verde e use no lugar da água). Embrulhe a massa em filme plástico e leve à geladeira por 30 minutos. Molde um cilindro de uns 2 cm, corte em discos de 0,5 cm de espessura e, sobre uma superfície ligeiramente polvilhada com maisena, abra cada disco com um rolo até ficar com uns 10 cm de diâmetro e quase transparente. Coloque 1 colher (chá) de recheio no centro do disco, pincele as bordas com água para colar e dobre como quiser (se preferir, monte os bolinhos na véspera, espalhe numa assadeira ligeiramente polvilhada com maisena, cubra com filme plástico e deixe na geladeira).

↔ Há três formas de cozinhar os bolinhos: a) no vapor — apóie a cesta ou peneira numa wok com um pouco de água (como a água não pode encostar na base da cesta, descarte o que for preciso), leve para ferver, forre a cesta com uma camadinha de folhas de repolho ou de alface, espalhe por cima os bolinhos, tampe e cozinhe por uns 7 minutos, até que o recheio esteja cozido e a massa bem macia e ligeiramente transparente (dá para ver os pontinhos verdes da cebolinha ou rosados do camarão); b) em líquido abundante — cozinhe num caldo ou água fervente por uns 5 minutos, até que os bolinhos subam à superfície, a massa esteja macia e o recheio esteja cozido, escorra com uma escumadeira; — c) em pouco líquido — aqueça um fio de óleo na wok, doure ligeiramente os bolinhos de um lado e depois do outro, junte um pouco de água ou caldo e mantenha no fogo por uns 10 minutos, até que a massa esteja macia e o recheio cozido. Embora o sabor e a textura não sejam exatamente os mesmos, dá para congelar os bolinhos prontos por até 1 mês, descongelar naturalmente e aquecer mergulhando em água fervente por 1 ou 2 minutos.

ROLINHO PRIMAVERA

WONTON

MASSA PARA WONTON

(100 UNIDADES; 1 HORA E 30 MINUTOS, MAIS 3 HORAS PARA A MASSA DESCANSAR)

2 1/2 xícaras de farinha de trigo
1 xícara de maisena
1 colher (chá) de bicarbonato de sódio
4 ovos
4 colheres (sopa) de água
maisena para polvilhar

↬ Numa tigela média, misture a farinha, a maisena e o bicarbonato e forme um vulcão. Coloque os ovos e a água no centro e, com um garfo, incorpore aos poucos os ingredientes. Então, passe a trabalhar com as mãos e siga até obter uma massa bem lisa e macia. Embrulhe em filme plástico e deixe repousar por umas 3 horas em temperatura ambiente, ou por até 24 horas na geladeira. Passe a massa por um cilindro (abrir com o rolo é mais difícil, e a massa nunca fica tão fininha) e, polvilhando com o mínimo possível de maisena, abra-a até conseguir tiras finas, como de uma massa para lasanha: comece dividindo a massa em 4 partes e vá passando no cilindro aos poucos, diminuindo a espessura de ponto em ponto, cortando as tiras ao meio quando ficarem compridas demais e deixando repousar por uns minutos — com o descanso, o glúten da farinha relaxa, e fica mais fácil abrir mais um pouco em seguida. Divida as tiras em quadrados de uns 8 cm, empilhe os quadrados, embrulhe em filme plástico e guarde na geladeira por até 1 semana, ou no freezer por até 3 meses.

↬ Para rechear como um capelletto, coloque um quadrado de massa sobre uma tábua e, bem no centro, ponha 1 colher (chá) de recheio, dobre ao meio formando um triângulo, dobre uma das 2 pontas opostas para dentro, cobrindo a parte do recheio, faça o mesmo com a outra ponta e, por fim, dobre a ponta de cima para trás. Se quiser, monte na véspera, espalhe os wontons numa assadeira ligeiramente polvilhada com maisena, cubra com filme plástico e deixe na geladeira, ou congele por até 1 mês e descongele naturalmente antes de usar.

↬ Cozinhe os wontons em caldo ou água fervente por uns 5 minutos, até que subam à superfície, a massa esteja macia e translúcida e o recheio cozido, escorra com uma escumadeira ou, se for uma sopa, deixe no caldo, ou frite em óleo quente até a massa ficar crocante e dourada e o recheio cozido, seque sobre papel absorvente e sirva (ou espalhe os wontons fritos numa assadeira, cubra com filme plástico, guarde na geladeira por até 8 horas e aqueça no forno por uns 5 minutos).

PÃEZINHOS NO VAPOR

(40 UNIDADES; 1 HORA, MAIS 2 HORAS PARA A MASSA DESCANSAR)

1 colher (sopa) de fermento biológico seco
1 xícara de água morna
1/2 xícara de açúcar de confeiteiro
3 xícaras de farinha de trigo
50 g de manteiga em temperatura ambiente
farinha de trigo para polvilhar

↔ Numa tigela, coloque o fermento e a água e mexa até dissolver. Junte o açúcar e 1 xícara de farinha, misture bem e deixe repousar por uns 15 minutos, até surgirem bolhas. Junte a manteiga e vá acrescentando aos poucos o restante da farinha e trabalhando até obter uma massa bem macia, que descole das mãos. Cubra com um pano e deixe descansar por mais ou menos 1 hora, até dobrar de volume. Divida a massa em 40 partes iguais, aperte cada uma delas com a palma da mão para conseguir um disco de uns 6 cm de diâmetro, coloque 1 colher (chá) de recheio no centro, depois levante, junte e pressione as bordas para fechar como uma bolinha, passe para uma assadeira ligeiramente polvilhada com farinha, com o lado da abertura para baixo, e deixe repousar por mais 30 minutos. Com a ponta de uma faca afiada, faça um corte bem leve em forma de cruz na superfície de cada pãozinho, transfira para a cesta de vapor já forrada com uma camada de folhas de repolho ou de alface e já apoiada numa wok com água fervente (como a água não pode encostar na base da cesta, descarte o que for preciso). Mantenha no fogo por uns 10 minutos, até que os pãezinhos estejam crescidos e macios, e sirva. Se quiser, cozinhe com até 12 horas de antecedência, passe para uma assadeira, cubra com filme plástico, guarde na geladeira, ou congele por até 1 mês, deixe descongelar naturalmente e aqueça no vapor por uns 2 minutos antes de servir.

PEARL BALLS

PEARL BALLS
(40 UNIDADES; 1 HORA E 30 MINUTOS)

2 xícaras de arroz moti lavado e escorrido

↔ Coloque o arroz numa tigela, cubra com água fria e deixe repousar por 30 minutos, depois escorra. Role bolinhas de recheio no arroz ainda cru, coloque numa cesta para cozimento no vapor forrada com uma camada de folhas de repolho ou de alface e apoiada numa wok com água fervente (como a água não pode encostar na base da cesta, descarte o que for preciso) e cozinhe por uns 20 minutos, até que o arroz e o recheio estejam macios. Se quiser, guarde por até 12 horas na geladeira ou congele por até 1 mês, deixe descongelar naturalmente e aqueça no vapor por uns 2 minutos antes de servir.

RECHEIO DE FRANGO E CASTANHA-D'ÁGUA
(40 UNIDADES; 30 MINUTOS)

250 g de peito de frango picado bem miudinho ou moído
1/4 de xícara de castanha-d'água bem picadinha
1/4 de pimentão vermelho em cubinhos
1 cenoura média ralada grossa
1 dente de alho picadinho
1/4 de xícara de cebolinha picadinha
1 colher (sopa) de coentro picadinho
1 colher (sopa) de gengibre ralado
1 colher (chá) de óleo de gergelim
1 colher (sopa) de vinho de arroz (Shaoxing)
1 colher (sopa) de shoyu
1 colher (chá) de sal
2 colheres (chá) de açúcar
1 colher (sopa) de molho de ostra
2 colheres (sopa) de maisena

↔ Misture tudo numa tigela média e use em seguida ou guarde na geladeira por até 24 horas.

RECHEIO DE PORCO E REPOLHO BOK CHOY
(40 UNIDADES; 30 MINUTOS)

250 g de lombo de porco picado bem miudinho ou moído
1/2 colher (sopa) de gengibre ralado
1 dente de alho picadinho
1 colher (chá) de vinagre de arroz
1 colher (sopa) de molho de ostra
1 colher (chá) de óleo de gergelim
4 colheres (sopa) de óleo de amendoim ou de milho
1 colher (sopa) de maisena
1 repolho bok choy pequeno
sal

↔ Numa tigela, misture o lombo, o gengibre, o alho, o vinagre, o molho de ostra, os óleos de gergelim e de amendoim e a maisena e reserve. Numa panela média, aqueça um pouco de água. Quando ferver, junte um pouco de sal e o repolho inteiro, conte 2 minutos, escorra e mergulhe o repolho em água fria para resfriar. Escorra de novo, corte em tirinhas bem finas e junte ao lombo. Use em seguida ou guarde na geladeira por até 24 horas.

RECHEIO DE CAMARÃO E BROTO DE BAMBU
(40 UNIDADES; 15 MINUTOS)

500 g de camarão médio picado em pedaços médios
1/2 xícara de broto de bambu picadinho
1 colher (sopa) de gengibre ralado
2 dentes de alho picadinhos
2 colheres (sopa) de shoyu
1/4 de xícara de cebolinha picadinha
1 colher (sopa) de maisena

↔ Misture tudo numa tigela média e use em seguida ou guarde na geladeira por até 12 horas.

RECHEIO DE COGUMELO CHINÊS E TOFU

(40 UNIDADES; 45 MINUTOS)

6 cogumelos chineses secos sem os cabinhos, bem lavados
1/3 de xícara de coentro picadinho
1 colher (chá) de raiz de coentro picadinha
1 dente de alho picadinho
1/2 colher (sopa) de gengibre ralado
1/4 de xícara de cebolinha picadinha
1 pimenta-dedo-de-moça picadinha ou a gosto
1/4 de xícara pimentão vermelho em cubos miúdos
1/2 xícara de tofu em cubos miúdos
1/3 de xícara de pasta de amendoim
2 colheres (sopa) de shoyu
1 colher (sopa) de óleo de amendoim ou de milho

↬ **Coloque os cogumelos** numa tigela, regue com água fervente para hidratar por 30 minutos, depois escorra, pique bem miudinho e leve de volta à tigela. Junte os outros ingredientes e use em seguida ou guarde na geladeira por até 48 horas.

RECHEIO DE CARNE BOVINA, PIMENTA E MEXERICA

(50 UNIDADES; 30 MINUTOS)

500 g de carne bovina moída (coxão mole ou patinho)
1 colher (sopa) de óleo de gergelim
2 colheres (sopa) de vinagre de arroz
3 colheres (sopa) de molho de ostra
2 pimentas-dedo-de-moça picadinhas ou a gosto
1 1/2 colher (sopa) de gengibre ralado
1 colher (sopa) de raspas de mexerica
(ou de casca seca já hidratada bem picadinha)
2 dentes de alho picadinhos
2 colheres (sopa) de coentro picadinho

↬ **Misture tudo** numa tigela média e use em seguida ou guarde na geladeira por até 24 horas.

RECHEIO DE LOMBO AGRIDOCE

(40 UNIDADES; 1 HORA E 30 MINUTOS)

400 g de lombo de porco em tirinhas finas e miúdas
1/4 de xícara de açúcar
1 ponta de estrela de anis
1/2 colher (chá) de canela em pó
1/2 colher (chá) de pimenta-do-reino branca
1 colher (chá) de sal
2 colheres (sopa) de vinho de arroz (Shaoxing)
1/2 xícara de suco de abacaxi
2 colheres (sopa) de shoyu
1 colher (sopa) de óleo de gergelim
1 colher (sopa) de gengibre picadinho
2 dentes de alho picadinhos
2 colheres (sopa) de cebolinha picadinha
1 colher (sopa) de maisena dissolvida em 1/4 de xícara de água
óleo de amendoim ou de milho

↬ **Numa tigela média**, misture o lombo, o açúcar, o anis, a canela, a pimenta, o sal, o vinho, o suco, o shoyu e o óleo de gergelim e deixe marinar por pelo menos 1 ou até por 12 horas.

↬ **Numa wok**, aqueça um fio de óleo, junte o gengibre e o alho, espere perfumar, junte o lombo com a marinada e mantenha em fogo alto por uns 10 ou 15 minutos, até que a carne esteja macia e dourada. Acrescente a cebolinha, a maisena e, sempre mexendo, deixe no fogo até engrossar. Espere esfriar e use em seguida ou guarde na geladeira por até 48 horas.

RECHEIO DE CAMARÃO E LEGUMES

(50 UNIDADES; 1 HORA)

1 cenoura média
1 batata-doce média (aproximadamente 250 g)
2 abobrinhas pequenas bem verdes
400 g de camarão médio picado em cubos médios
1 dente de alho picadinho
1 colher (chá) de gengibre ralado
3 talos de alho-poró em tirinhas finas
1 colher (sopa) de açúcar mascavo
1 colher (sopa) de molho de ostra
2 colheres (sopa) de shoyu
1 xícara de cebolinha picadinha
1 colher (sopa) de maisena dissolvida em 1/4 de xícara de água
óleo de amendoim ou de milho
sal

↬ **Rale separadamente** a cenoura, a batata-doce e a abobrinha num ralador grosso. Regue o fundo da wok com um fio de óleo, aqueça e junte o alho e o gengibre. Quando perfumar, acrescente o alho-poró e deixe murchar. Adicione o camarão, mexa até mudar de cor e junte a cenoura, a batata-doce e uma pitada de sal. Espere murchar e acrescente a abobrinha, açúcar, o molho de ostra e o shoyu. Deixe em fogo alto até que os legumes estejam cozidos, mas ainda firmes, e o líquido tenha secado. Junte a maisena e mexa até engrossar. Acrescente a cebolinha, acerte o sal, retire do fogo, deixe esfriar e use em seguida ou guarde na geladeira por até 24 horas.

SURPRESA DE LÓTUS

(24 UNIDADES; 1 HORA)

3 folhas de lótus desidratadas
1 1/3 xícara de arroz moti lavado e escorrido
1 colher (chá) de óleo de gergelim
1/3 de xícara de caldo de galinha
6 cogumelos chineses secos, sem os cabinhos, bem lavados
2 colheres (sopa) de óleo de amendoim ou de milho
1 colher (sopa) de gengibre ralado
200 g de peito de frango moído
150 g de camarão médio moído
1 lingüiça chinesa em rodelas muito finas
1 xícara de ervilha fresca ou congelada
1 colher (sopa) de shoyu
1 colher (sopa) de vinho de arroz (Shaoxing)
1 colher (sopa) de molho de ostra
1 colher (sopa) de maisena dissolvida em 1/4 de xícara de água
1/2 xícara de cebolinha picadinha
açúcar
"5 especiarias" (ou canela em pó, cravo-da-índia em pó, anis-estrelado, erva-doce e pimenta)

↦ Numa assadeira, coloque as folhas de lótus, cubra com água fervente e deixe hidratar por 15 minutos. Depois escorra e divida cada uma delas em 8 pedaços, como uma pizza.

↦ Numa tigela, coloque o arroz, cubra com água fria e deixe repousar por pelo menos 2 ou por até 12 horas. Em seguida, apóie a tigela com o arroz numa wok com um pouco de água já fervente, ou espalhe o arroz numa cesta para cozimento no vapor forrada com um pano limpo (como a água não pode encostar na base da cesta, descarte o que for preciso) e deixe no fogo por uns 20 minutos, até que os grãos estejam cozidos mas ainda firmes. Retire do fogo, misture o óleo de gergelim, uma pitada de açúcar, duas pitadas das especiarias e o caldo e deixe esfriar.

↦ Coloque os cogumelos numa tigela, regue com água fervente e deixe hidratar por 30 minutos. Depois escorra, pique bem miudinho e reserve.

↦ Numa wok, aqueça um fio de óleo, junte o gengibre e espere perfumar. Adicione o frango, o camarão e a lingüiça, misture bem e espere mudar de cor. Adicione a ervilha, o shoyu, o vinho e o molho de ostra e deixe em fogo alto por uns 5 minutos, até que a ervilha esteja cozida, mas ainda bem verde. Acrescente a maisena e, sempre mexendo, espere ferver e engrossar. Junte então a cebolinha e retire do fogo.

↦ Divida o arroz em 24 porções. Coloque meia porção de arroz perto da base de um triângulo de folha, espalhe por cima 1 parte do recheio e cubra com a outra metade da porção de arroz, dobre a folha e feche como um pacotinho, amarre com o próprio cabinho ou com barbante ou espete um palito (se quiser, prepare na véspera e guarde na geladeira). Cozinhe os pacotinhos no vapor por uns 15 minutos, até que a folha esteja macia e os bolinhos bem firmes e quentes.

MOLHINHO DE AMEIXA

(20 PORÇÕES; 1 HORA)

3 xícaras de ameixa preta sem caroço
(ou 1 1/2 xícara de geléia de ameixa)
1 xícara de vinagre de arroz
1/4 de xícara de açúcar
2 pimentas-dedo-de-moça picadinhas ou a gosto

↦ **Coloque a ameixa** numa panela, cubra com água, aqueça, deixe ferver por 5 minutos e retire do fogo. Quando esfriar, descarte a água e processe a ameixa até obter uma pasta. Coloque numa panela (comece por aqui se estiver usando a geléia) com o vinagre e o açúcar, aqueça e deixe ferver por uns 3 minutos, até encorpar. Deixe esfriar, junte a pimenta e sirva, ou guarde por até 1 semana na geladeira.

MOLHINHO AGRIDOCE

(20 PORÇÕES; 45 MINUTOS)

6 xícaras de suco de abacaxi
1 xícara de ketchup
2/3 de xícara de açúcar
1 xícara de vinagre de arroz
sal

↦ **Numa panela média**, aqueça o suco de abacaxi, o ketchup, o açúcar e o vinagre. Quando ferver, abaixe o fogo e cozinhe por uns 30 minutos, mexendo de vez em quando, até o líquido reduzir a 1/3 do volume inicial e encorpar. Ajuste o sal, coloque numa tigelinha, deixe esfriar e guarde na geladeira por uns 2 dias.

MOLHINHO CHINÊS DE PIMENTA-VERMELHA

(20 PORÇÕES; 30 MINUTOS)

250 g de pimenta-dedo-de-moça
1 colher (chá) de sal
1/4 de xícara de água
1 colher (sopa) de açúcar
2 colheres (sopa) de vinagre de arroz

↦ **Numa panela**, coloque a pimenta, o sal e a água e cozinhe em fogo baixo por 15 minutos, mexendo de vez em quando, até ficar bem macia. Junte o açúcar e o vinagre de arroz, mexa até dissolver, retire do fogo e deixe amornar. Bata no liquidificador até obter um molho liso, espere esfriar e guarde por até 1 mês na geladeira.

PANQUEQUINHA CROCANTE DE CEBOLINHA E GERGELIM

(50 UNIDADES; 2 HORAS)

7 1/2 xícaras de farinha de trigo (aproximadamente)
1 colher (sopa) de sal
1/2 xícara de óleo de amendoim ou de milho (aproximadamente)
2 xícaras de cebolinha picadinha
4 xícaras de água fervente
1/3 de xícara de óleo de gergelim (aproximadamente)
gergelim claro ou escuro para polvilhar

↔ Numa tigela média, coloque a farinha, o sal, 2 colheres (sopa) de óleo de amendoim, a cebolinha e a água e misture até obter uma massa macia, que descole das mãos (junte um pouquinho mais de farinha se ficar pegajosa). Cubra com filme plástico e deixe descansar por 30 minutos. Polvilhe uma superfície com farinha, divida a massa em 50 bolinhas e, com um rolo, abra cada uma delas até obter um disco de uns 10 cm de diâmetro. Pincele os discos com o óleo de gergelim, polvilhe com gergelim e deixe repousar por mais 30 minutos.
↔ Numa frigideira grande, aqueça o restante do óleo de amendoim e frite aos poucos as panquequinhas primeiro de um lado e depois do outro, até ficarem bem douradas e crocantes (ou faça como em alguns restaurantes: prepare panquecas grandes, do tamanho da frigideira, e corte em triângulos). Deixe secar sobre papel absorvente e sirva como entrada ou acompanhando as vieiras com molho de feijão.

CALDO DE PATO COM WONTON

CALDO DE PATO COM WONTON

(20 PORÇÕES; 3 HORAS E 30 MINUTOS, MAIS UMAS 3 HORAS NA GELADEIRA)

6 coxas grandes de pato
6 litros de água
1 pedaço de uns 5 cm de gengibre em rodelas finas
4 dentes de alho
1/2 maço de coentro
12 fios de cebolinha
1 pedaço de uns 5 cm de canela em pau
2 estrelas de anis
1 1/2 xícara de vinho de arroz (Shaoxing)
4 cogumelos secos, sem os cabinhos, bem lavados
1/2 xícara de shoyu
50 quadrados de massa de wonton
sal e óleo de gergelim para servir

↦ Coloque o pato e a água num caldeirão e aqueça. Quando ferver, descarte a espuma que se formar na superfície, junte o gengibre, o alho, o coentro, metade da cebolinha, a canela, o anis, o vinho e os cogumelos, abaixe o fogo e cozinhe por umas 2 horas, até que o caldo esteja bem saboroso e a carne do pato muito macia. Passe o caldo por uma peneira, deixe esfriar e leve à geladeira por uma 3 horas. Então, retire a camada de gordura que tiver se formado na superfície. Volte com o caldo ao fogo, espere ferver, ajuste o sal e reserve.

↦ Descarte a pele do pato, separe a carne em lascas bem miúdas (você deverá conseguir umas 6 xícaras de carne) e junte o restante da cebolinha picada e o shoyu.

↦ Para rechear, coloque um quadrado de massa sobre uma tábua e, bem no centro, ponha 1 colher (chá) de recheio, dobre ao meio formando um triângulo, dobre uma das 2 pontas opostas para dentro cobrindo a parte do recheio, faça o mesmo com a outra ponta e, por fim, dobre a ponta de cima para trás. Se quiser, monte na véspera, espalhe numa assadeira ligeiramente polvilhada com maisena, cubra com filme plástico e deixe na geladeira, ou congele por até 1 mês e descongele naturalmente antes de usar.

↦ Cozinhe os wontons no caldo fervente por uns 7 minutos, até que eles subam à superfície e a massa esteja cozida e translúcida, mas ainda resistente à mordida. Separe 20 tigelinhas e em cada uma coloque uma parte do caldo, 2 wontons, uma gotinha de shoyu e uma de óleo de gergelim e sirva (alguns chineses dizem que a farinha turva o caldo, por isso preferem cozinhar os wontons na água e depois passar para a panela do caldo).

ESPINAFRE COM MOLHO DE OSTRA

(20 PORÇÕES; 30 MINUTOS)

3 maços de espinafre (apenas as folhas e talos mais finos) ou brócolis, bok choy, cebolinha, couve, vagem, aspargo
6 colheres (sopa) de molho de ostra
3 colheres (sopa) de shoyu
óleo de amendoim ou de milho

↦ Pouco antes de servir, aqueça bem uma wok, regue com um fio de óleo de amendoim, espere esquentar bem e junte o espinafre. Mexa rapidamente por mais ou menos 1 minuto, até começar a murchar. Junte o molho de ostra e o shoyu, tampe a wok e deixe no fogo por mais uns 2 minutos, até que as folhas estejam macias mas ainda bem verdes.

VIEIRAS COM MOLHINHO DE FEIJÃO

SALADA DE REPOLHO-ROXO, CEBOLINHA
E NOZES CARAMELIZADAS

VIEIRAS COM MOLHINHO DE FEIJÃO

(20 PORÇÕES; 30 MINUTOS)

PARA O MOLHINHO
1/4 de xícara de óleo de amendoim ou de milho
2 colheres (sopa) de gengibre ralado
1 colher (sopa) de raspas de limão
1/3 de xícara de cebolinha em pedaços de 2 cm
4 dentes de alho picadinhos
1 colher (sopa) de pasta fermentada de feijão
1 colher (sopa) de vinagre de arroz
1 1/2 xícara de caldo de galinha
2 colheres (sopa) de molho de ostra
1 colher (sopa) de shoyu
1 colher (chá) de açúcar mascavo
1 1/2 colher (sopa) de maisena dissolvida em 1/4 de xícara de água

PARA AS VIEIRAS
40 vieiras bem grandes ou 80 médias
2 colheres (sopa) de vinho de arroz (Shaoxing)
óleo de amendoim ou de milho

↬ **Molhinho** Numa wok, aqueça o óleo, junte o gengibre, as raspas de limão, a cebolinha e o alho e espere perfumar. Acrescente a pasta de feijão, o vinagre de arroz, o caldo de galinha, o molho de ostra, o shoyu e o açúcar e deixe ferver por uns 2 minutos. Junte a maisena e, sempre mexendo, espere ferver e engrossar, passe para uma tigela e reserve.

↬ **Vieiras** Na mesma wok, aqueça mais um fio de óleo, junte as vieiras e, sempre mexendo, deixe no fogo até que estejam macias e ligeiramente douradas. Separe 20 tigelinhas e em cada uma delas coloque 2 vieiras grandes, ou 4 médias, e uma parte do molho.

SALADA DE REPOLHO-ROXO, CEBOLINHA E NOZES CARAMELIZADAS

(20 PORÇÕES; 1 HORA)

3 xícaras de nozes quebradas em pedaços médios
1 xícara de água
1 1/3 xícara de açúcar
1 colher (sopa) de gergelim torrado
1/3 xícara de shoyu
suco de 1 limão
1 colher (sopa) de óleo de gergelim
1/2 xícara de óleo de amendoim ou de milho
1 repolho-roxo médio em tirinhas bem finas
1 xícara de cebolinha picadinha

↬ **Numa frigideira**, aqueça as nozes, espere dourar um pouquinho e perfumar e reserve.
↬ **Unte um pedaço de mármore** com um pouco de óleo ou separe um tapete de silicone.
↬ **Numa panelinha**, coloque a água e o açúcar, mexa só até dissolver e mantenha no fogo até obter uma calda da cor de caramelo claro. Então, junte as nozes e o gergelim, misture e despeje no mármore. Deixe esfriar até endurecer e, com uma faca de lâmina grande, quebre as nozes caramelizadas em pedaços nem muito grandes nem miúdos demais (guarde num pote bem fechado por até 2 dias; depois disso, elas começam a melar).
↬ **Numa tigela grande**, misture o shoyu, o limão e os óleos de gergelim e de amendoim até conseguir um molhinho homogêneo. Junte o repolho, a cebolinha e as nozes e sirva (ou guarde na geladeira por umas 12 horas, depois disso as nozes vão perdendo o crocante).

↬ Corte as laranjas ao meio e, com cuidado para não deformar as cascas, que servirão de potinho, esprema o suco. Aqueça o suco com o açúcar e a canela mexendo só até dissolver. Deixe ferver por uns 2 minutos, retire do fogo, descarte a canela e ajuste o açúcar (o suco deve ficar bem docinho, pois gelado ele sempre ficará menos doce). Junte o ágar-ágar, mexa até dissolver de vez e deixe amornar por uns 15 minutos.

↬ Enquanto isso, com uma colher de sopa, retire todo o bagaço das cascas das laranjas e, para que elas não tombem na geladeira, apóie as metades em forminhas para muffin, xícaras ou até em caixas de ovo. Preencha as cascas com suco até a borda e leve à geladeira por pelo menos 3 ou por até 24 horas para firmar. Na hora de servir, corte cada metade ao meio.

TOFU CREMOSO GELADO COM CALDA DE GENGIBRE E CANELA

(20 PORÇÕES; 1 HORA E 30 MINUTOS, MAIS UMAS 18 HORAS PARA DESCANSAR)

PARA O CREME DE TOFU
2 kg de soja em grão
8 xícaras de água
suco de 1 limão

PARA A CALDA
1 litro de água
2 xícaras de açúcar
1 pedaço de uns 8 cm de gengibre em rodelinhas
1 pedaço de uns 10 cm de canela em pau

↬ Na véspera, coloque a soja numa tigela, cubra com a água fria e deixe de molho por umas 12 horas.

↬ Transfira para uma panela, aqueça, espere ferver e bata tudo no liquidificador ou no processador até despedaçar os grãos e surgir um caldo esbranquiçado. Passe por uma peneira forrada com um pano e esprema para conseguir o máximo possível de leite. Leve o leite ao fogo até ferver e passe para uma tigela. Deixe o leite amornar até que seja possível mergulhar sem queimar a ponta do dedo, junte o limão e deixe repousar fora da geladeira por umas 4 horas, até obter um creme espesso. Se quiser, guarde na geladeira por até 2 dias.

↬ Numa panela média, aqueça a água, o açúcar, o gengibre e a canela mexendo só até dissolver. Deixe ferver por 5 minutos, retire do fogo, espere esfriar e leve à geladeira por pelo menos 2 horas ou por até uns 15 dias. Na hora de servir, separe 20 tigelinhas, coloque um pouco do tofu cremoso bem gelado em cada uma e regue com bastante calda.

LARANJAS REFRESCANTES

LARANJAS REFRESCANTES

(20 PORÇÕES; 1 HORA, MAIS 3 HORAS PARA GELAR)

20 laranjas bem doces de casca bem alaranjada
1 xícara de açúcar (aproximadamente)
1 pedaço de uns 5 cm de canela em pau
30 g de ágar-ágar
1 1/2 xícara de água

TOFU CREMOSO GELADO COM
CALDA DE GENGIBRE E CANELA

Mandioca é bom demais

Tem muita coisa que se acha que é brasileira, mas não é, veio de algum outro canto das Américas, da África ou da Ásia tropical e acabou se adaptando tão bem à nossa terra que passa por nativa; outras coisas são nativas do Brasil, mas aparecem do mesmo jeito em outros lugares de clima semelhante. É o que acontece com o coco, o amendoim, o quiabo, o abacaxi, o maracujá, a manga, o tamarindo, a pitanga, a goiaba e as diferentes espécies de banana. Mas com a mandioca, não tem conversa, ela é brasileiríssima e ponto, ninguém duvida, e daqui foi para os outros cantos do mundo. Sempre achei meio triste a lenda da mandioca, mas o fato é que, há muito tempo, dizem que nasceu uma índia muito, mas muito branquinha, a quem deram o nome de Mani. Todo o mundo na tribo gostava da criança, embora ela fosse bem quieta e comesse muito pouco. Um dia, de repente, a menina fechou os olhos e morreu. Foi enterrada na oca onde dormiam os seus pais e, como mandava a tradição daquele povo, era sempre regada com água e com as lágrimas de quem sentia a sua falta. Até que um dia brotou ali uma folhinha verde, que foi crescendo, crescendo e virou um arbusto grande e alto. Vendo que os passarinhos gostavam de bicar aquelas folhas, os índios resolveram espiar o que havia por baixo da terra e encontraram raízes bem grossas, escuras por fora e branquíssimas por dentro. Resolveram, então, cozinhá-la, experimentaram e gostaram tanto que passaram a plantar e a comer aquela raiz no dia-a-dia, fazendo com ela farinha, pirão e beiju, que usavam para envolver carnes e frutas e, fermentando o suco, preparavam o cauim. Como a raiz foi um presente da indiazinha, deram à planta o nome de mani-oca, que depois virou mandioca. Ela já reinava entre os índios quando os portugueses chegaram por aqui, tanto que logo passou a ser conhecida como o pão da terra. Rapidinho ela conquistou os portugueses, que perceberam que não só podiam consumi-la em forma de raiz como também podiam

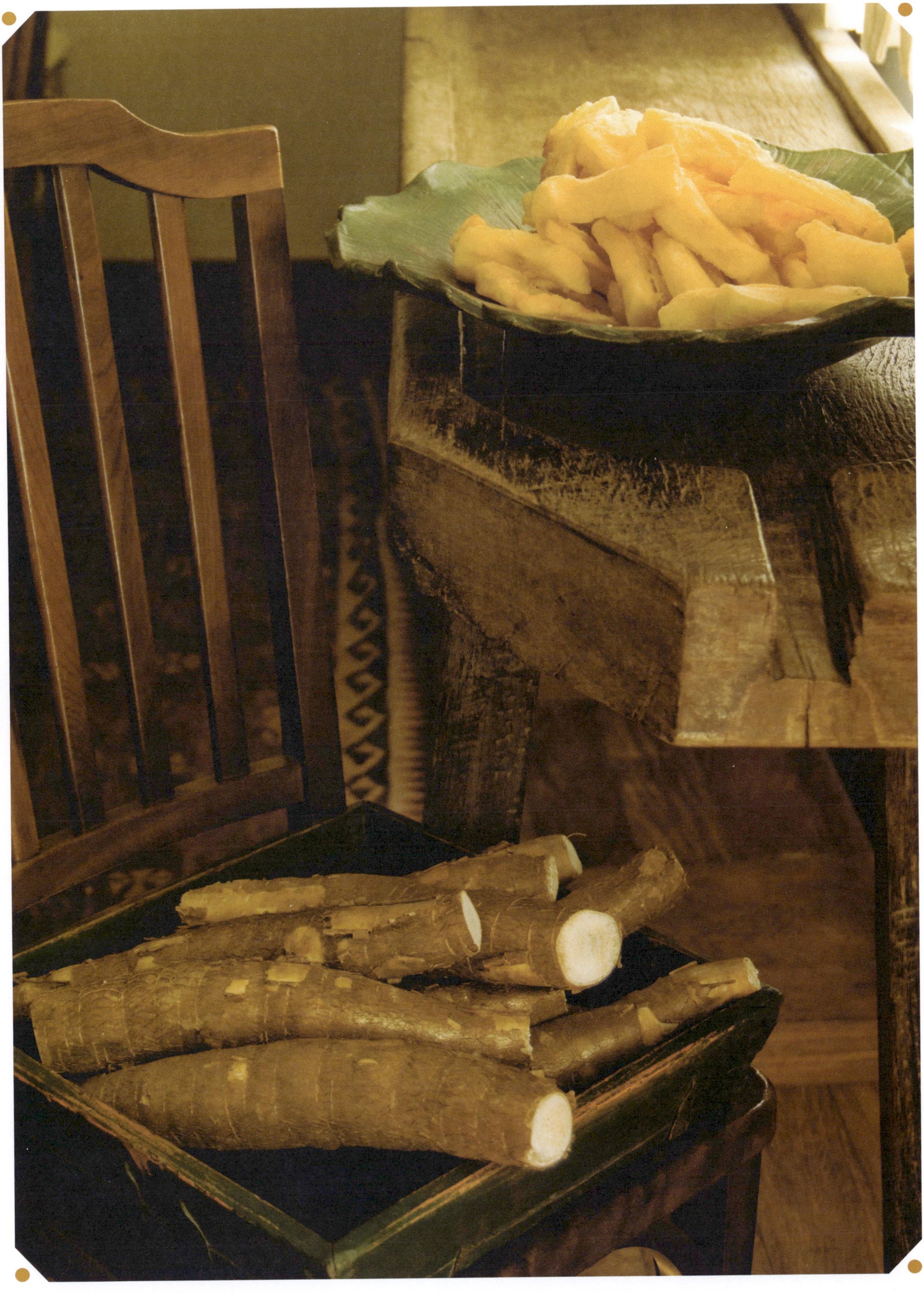

usá-la no lugar do trigo para fazer pães, bolos, biscoitos, mingaus, doces e sopas, isso sem falar de ingeri-la como farinha mesmo. A verdade é que, há mais de 500 anos, a mandioca aparece na mesa de tudo quanto é brasileiro, do mais pobre ao mais rico, nas refeições mais caseiras ou nas comemorativas, e, às vezes, como única coisa que se tem para comer, já que muita gente ainda passa o dia à base de mandioca cozida com melado, rapadura, requeijão ou manteiga e farinha com uma caneca de café bem doce ou uma tigela de polpa de açaí.

Mandioca se planta perto de casa, e plantar alguns pés, só para o gasto, não é nada complicado, basta abrir uma cova e enfiar uma rama, quer dizer, um pedaço de caule, cobrir com terra e esperar crescer por pelo menos uns oito meses, até virar um arbusto de uns dois metros de altura, com folhas bem verdes, que, se preparadas, também podem ir parar no prato (é a maniva, que vira maniçoba). Mas é a raiz que todo o mundo come e adora, porque é energética, fonte natural de carboidratos, vitaminas e minerais. Dependendo do tempo em que fica na terra — de uns oito meses a uns dois anos —, pode medir entre 20 e 60 cm de comprimento e de 2 a 15 cm de diâmetro. E cada pé pode dar de quatro a oito raízes.

Só mesmo um alimento tão especial poderia receber nomes científicos tão charmosos e cheios de significado como *Manihot dulcis pax*, *Manihot utilissima*, *Manihot esculenta*.

A mandioca-mansa — ou mandioca-doce, mandioca-de-mesa, aipim ou macaxeira —, é a que a gente come no dia-a-dia e encontra-se em tudo que é feira, mercado, quitanda ou supermercado. Além da divisão básica de branca, amarela ou manteiga, existem muitos outros tipos de mandioca, variando na cor, na quantidade e dureza das fibras, na cremosidade da polpa e no tempo de cozimento. A branca é um pouquinho mais suave que a amarela, a preferida no Norte do Brasil, e dá uma farinha deliciosa. Lá no Norte, faz-se o tucupi do suco fermentado da variedade amarela: a mandioca ralada e espremida produz um caldo forte e bem amarelo, que é temperado e serve de base para muitas receitas daquelas bandas (e como o tucupi serve de tempero — dependendo da casa, do prato e de quem estiver cozinhando —, ele ainda pode ser incrementado um pouco mais quando vai para a panela). De tudo o que leva tucupi, não dá para negar que o pato com tucupi e o tacacá são os mais conhecidos, mas existem muitos outros pratos. Lembro como se fosse hoje: foi em 1974, eu tinha acabado de completar 11 anos e fazia uma viagem de carro pelo Norte e Nordeste do Brasil com os meus pais e irmãos, quando, num fim de tarde, numa ruazinha de Belém, tomei tacacá pela primeira vez (por muito tempo, guardei de lembrança a cuia com uma faixa preta na borda, que também se chama tacacá, e hoje tenho em casa não só as mais simples, como também algumas bem desenhadas). Eu ainda era bem pequena, mas o assunto já me encantava e nunca me esqueci da tacacazeira enchendo aquela cuia com um mingau esbranquiçado, camarões secos, um caldinho amarelo e bem temperado de tucupi e jambu, que deixava a boca um pouco amortecida, gostei e fiquei intrigada com aquelas coisas tão diferentes.

Na mandioca-mansa, a quantidade de ácido cianídrico — substância tóxica que causa sono, tontura e complicações gástricas e intestinais —, é tão pequena que desaparece com o cozimento num fogão comum. Por isso, é a escolhida para comer cozida, assada, frita, em bolos, pães, biscoitos e mesmo como farinha e polvilho.

Já na mandioca-brava, ou amarga, a concentração desse ácido é tal que só com cozimentos prolongados em temperaturas bem altas se consegue eliminar o ácido e tornar o alimento inofensivo — por isso que a ingestão de mandioca causa medo em tanta gente. Dessa variedade é que se faz também o tucupi; as bolinhas úmidas ou secas de carimã ou puba com a massa espremida e começando a fermentar, que são usadas para fazer bolos, biscoitos e cuscuz; do carimã se chega à farinha-d'água, que é mais azedinha e serve para fazer farofa ou paçoca; da polpa ralada, espremida e levemente tostada se faz farinha, das mais fininhas — quase um pó — às mais grossas, das mais branquinhas — quase cruas, para fazer uma boa farofa ou um pirão — às mais torradas — daquelas que a gente polvilha sobre um feijão ou uma carne e nem precisar cozinhar; o polvilho e a goma, que é o polvilho molhado; a tapioca, que é o polvilho cozido e esfarelado até engrossar e se transformar numas bolinhas, que podem entrar numa sopa, num pudim, num cuscuz, e são bem miudinhas ou graúdas, e aí passam a ser chamadas de sagu; a farinha de tapioca, que é o polvilho peneirado e dourado num tacho quente até formar beiju, como uma placa de farinha quebrada em pedacinhos.

Para o pão de queijo, é melhor usar polvilho doce ou azedo? E qual a diferença entre eles? São duas perguntas que muita gente faz. Na verdade, o polvilho é o amido da mandioca, o pozinho muito branco que vai sedimentando no fundo do tacho com o caldo que sai da polpa lavada e espremida. Ainda bem fresco, esse pó é o polvilho doce, de sabor suave, mas após um período fermentando no caldo, vira polvilho azedo, com sabor mais forte. Dá para fazer pão de queijo e biscoito com qualquer um deles; uns preferem o doce, outros gostam do azedo, outros ainda usam uma mistura dos dois.

Já para os beijus de tapioca — aquelas panquequinhas alvíssimas, com jeitinho de travesseiro, que ficam deliciosas com manteiga, requeijão, geléia, doce de leite, coco e até com um fio de azeite —, o polvilho doce e a farinha de tapioca costumam ser os escolhidos. Não é difícil preparar o beiju: numa tigela, coloque o polvilho e, se quiser, umas pitadas de sal, junte um pouquinho de água e misture com a ponta dos dedos só até umedecer ligeiramente, ele deve continuar um pó fino; então aqueça uma frigideira pequena vazia e, segurando uma peneira com uma das mãos, coloque mais ou menos 1 colher (sopa) de polvilho na peneira e movimente levemente para o polvilho cair e formar uma camada fininha e uniforme na frigideira; abaixe o fogo, espere que os grãozinhos amoleçam e se unam como uma panqueca, vire quando firmar para cozinhar do outro lado e passe para um prato antes que ela comece a dourar (se quiser, enrole em seguida como um charutinho, pois, quando esfria, ela endurece).

Hoje em dia, o sagu é feito de polvilho umedecido, cozido e esfarelado até formar as bolinhas (antigamente usava-se o amido de outra planta). Eu acho o máximo a textura do sagu, as bolinhas ficam macias, com o grudezinho da goma, e, ainda por cima, como ficam translúcidas com o cozimento, acabam absorvendo as cores dos outros ingredientes e dão um efeito lindo ao prato. Por aqui, o sagu comum tem bolinhas miúdas, mas na China, Tailândia, Vietnã e alguns outros países do Sudeste Asiático, há um sagu de bolas bem grandes (nos mercados orientais, às vezes a gente consegue achar). Eu não me esqueço de uma tigelinha de sagu preparado com água de coco, coco ralado e pedacinhos de manga, banana e abacaxi que comi numa daquelas praias paradisíacas do sul da Tailândia. Agora, se for para preparar o sagu tradicional, com vinho tinto, cravo e canela, é a receita da minha avó Dina que ficou para mim, com aquela lembrança de criança de abrir a geladeira da casa dos meus avós nas férias, com o meu avô dizendo para não bater a porta da Frigidaire com força, e encontrar uma bandeja cheia de potinhos Colorex amarelados com sagu bem geladinho, roxíssimo, saborosíssimo e perfumadíssimo.

Por incrível que pareça a quem mora numa cidade grande, ainda tem muita gente que faz um pouco de farinha no quintal, usando uma roda de braço para ajudar a moer, um pilão e um tacho grande. Quem faz farinha em quantidades maiores costuma ter uma casa de farinha para instalar o engenho (que em São Paulo de outrora era chamado de aviamento ou tráfico), com a roda de ralar ou roda de mandioca, uma prensa de fuso, um forno, um tacho bem grande e um monjolo para socar a mandioca, além de balaios, cuias, facas de raspar, tapitis (aqui no Sul; no Norte, chama-se tipitis), cochos e peneiras. Apesar do trabalho puxado, dia de fazer farinha — ou de farinhada, ou de desmanchar mandioca — sempre foi dia quase de festa, ainda mais nas fases de lua nova ou cheia, quando se acredita que vem a melhor farinha. O ritual começa com lavar a mandioca, depois raspar com faca miúda, ralar em ralador bem grande de lata ou de ferro e espremer para extrair o suco, do qual depois se tira o polvilho. Então, chega a hora de espalhar uma camada fininha da massa de mandioca numa superfície quente, normalmente um tacho de cobre, ferro, lata ou barro, bem raso e largo, com 1 a 2 m de diâmetro, e manter essa massa no fogo não muito alto, sempre mexendo com pá para separar os grumos, ajudar a evaporar a umidade e tostar na medida certa, até obter-se uma farinha soltinha, bem seca, na cor e no gosto de cada um (como o tacho de barro esquenta de um jeito mais tranqüilo, muita gente diz que ele dá a farinha mais gostosa, dourada nem demais nem de menos). Quanto mais seca a farinha, maior sua durabilidade, às vezes um ano ou um pouco mais. É por isso que ela fez tanto sucesso entre os portugueses, que passaram a levar muita farinha nas suas viagens tanto pelo sertão do Brasil como de navio pelo mundo afora: era a farinha-de-pau, a farinha-de-guerra ou farinha-de-sustento. Era a farinha que agüentava o tranco e ganhava do tempo.

Como eu tive um avô paraibano, que não vivia sem uma coisa nem sem outra, sempre fizeram parte dos almoços e jantares da família tanto uma boa farofa como uma farinheira de madeira com farinha de mandioca torrada para polvilhar sobre o arroz, o feijão e um espetinho de carne. Eu adoro uma farofa bem temperadinha com feijão e pimenta. E o bom é que ela é superversátil, uma panela de farofa aceita quase tudo: pode começar com manteiga comum ou de garrafa, banha, bacon, azeite de oliva ou de dendê, ou a gordura da assadeira de uma carne preparada no forno; depois vêm a cebola e o alho, às vezes, cenoura, milho, azeitona, salsinha, cebolinha, coentro, frutas secas, lingüiças e lascas de carne, camarão seco moído, ovo, banana, queijo, couve e sei lá mais o que e, é claro, farinha de mandioca crua (que na verdade não é crua de vez, e sim menos torrada, mas nas embalagens ela sempre aparece como crua) ou torrada, bem fininha ou beiju.

A paçoca não deixa de ser uma prima da farofa, e, de um jeito ou de outro, aparece em vários cantos do Brasil (no Nordeste, às vezes até chamam de farófia, isso mesmo, com um *i* entre o *f* e o *a*). É a farinha de mandioca pouco torrada socada no pilão com uma carne bem refogada, temperada e molhadinha, até a gordura envolver os grãozinhos da farinha e chegar a uma espécie de farofa úmida e esfiapada. A carne pode variar bastante, desde carne-seca ou carne-de-sol, pedaços de carne bovina, suína ou de caça, até sobras de carne assada ou mesmo moída. Para rechear os farnéis, marmitas e alforjes dos bandeirantes, viajantes e tropeiros, que passavam dias em trânsito e precisavam carregar comida que durasse até o pouso seguinte, a paçoca só podia levar ingredientes que não estragassem muito rápido, por isso eram feitas quase só de farinha, carne-seca, gordura e sal. Já as paçocas preparadas para comer em casa, sem a preocupação de ter que durar, podiam ser mais temperadas, e aí vinham a cebola, o alho, a salsinha e a cebolinha. Ainda para tomar com o café e também usando farinha crua socada no pilão, os tropeiros paulistas costumavam preparar a caçuada — com bastante torresmo —, a malampança — com mais uns ovos e pedacinhos de queijo —, e a paçoca de doce de amendoim.

A maioria das receitas costuma pedir um tanto de mandioca já cozida. Se for assim, o primeiro passo é descascar: com uma faca afiada, faça um corte superficial ao longo da raiz até sentir que perfurou a pele marrom e a casca grossa abaixo dela; depois, ainda com a faca, vá levantando um dos lados cortados e soltando essas duas camadas, se possível já trazendo com elas a pele mais fina rosada ou esbranquiçada que fica abaixo destas, até chegar à polpa branca ou amarelada — como a raiz às vezes tem uns fiozinhos que não deixam a casca sair de uma vez, solte primeiro o que conseguir, depois vá tirando os pedacinhos que sobrarem com a faca (por falar em casca, já é comum encontrar nos supermercados das cidades grandes mandioca com a casca coberta por uma película de parafina, segundo dizem, isso serve para que se conserve fresquinha por mais tempo). Em seguida, corte a mandioca em cilindros de 5 a 10 cm de comprimento, dependendo da receita, lave, coloque os pedaços numa panela com água até cobrir (se quiser, junte um pouco de sal) e cozinhe até amaciar (o tempo exato vai depender do tamanho e da idade da mandioca, mas não costuma passar de 45 minutos).

A não ser que seja para usá-la num creme, num purê ou numa sopa, é importante não deixar a mandioca ficar muito mole, porque ela se desmancha mesmo. Escorra a água do cozimento, que pode entrar numa sopa, num pirão ou na massa de um pão, e use a mandioca como a receita pedir. Quando quiser servir a mandioca apenas cozida, sirva enquanto ainda estiver fumegante; é mais fácil passar a mandioca pelo espremedor de batata ou moedor de carne e até esmagar com um garfo quando ela ainda está bem quente. Mas se for fritar ou guardar os pedaços cozidos, espalhe tudo numa assadeira, deixe esfriar, depois divida longitudinalmente cada toquinho em partes menores, elas quase se separam naturalmente a partir da fibra grossa e durinha do centro.

Como congela muito bem, vale a pena aproveitar as boas mandiocas do tempo certo (diz o povo que as raízes mais macias e saborosas são as colhidas nos meses sem *r*, quer dizer, nos meses mais frios, maio, junho, julho e agosto): espalhe os pedaços já cozidos numa assadeira, leve ao freezer por umas 3 horas para firmar e endurecer, depois transfira para um saquinho de congelamento, feche e congele por até 6 meses.

E mandioca frita? Acho que, como quase todo brasileiro, eu cresci comendo e adorando mandioca frita, tanto num prato — com arroz, feijão e bife — como num boteco — com uma cerveja bem gelada. Para fritar, aqueça 1 litro de óleo numa panela ou frigideira grande, mergulhe com cuidado no máximo 10 pedaços de mandioca previamente cozida e bem seca por vez (ela pode estar quente, em temperatura ambiente, fria ou congelada), banhe com óleo usando uma escumadeira e frite até que esteja dourada e crocante (uns gostam mais clarinha; outros, como eu, preferem bem dourada, com aqueles fios crespinhos irresistíveis), escorra, seque sobre papel absorvente, polvilhe com sal e sirva.

Também vale a pena experimentar mandioca assada na brasa, que fica com um gostinho diferente, bem caipira: corte a mandioca ainda com a casca grossa e marrom em pedaços de uns 20 cm, embrulhe em papel-alumínio e coloque no meio das brasas (cuidado para não usar aqui mandioca com a casca parafinada). Deixe a mandioca assar bem devagar por mais ou menos 1 hora, até ficar com a polpa bem macia (espete com um garfo para testar). Desembrulhe os pedaços, corte ao meio no sentido do comprimento, coloque diretamente sobre a polpa pedacinhos de manteiga, ou um pouco de requeijão ou melado e coma com colher.

RECEITAS

Pensando num petisco, vai aqui a receita de um bolinho de boteco, muito gostoso, cremoso por dentro e com uma casquinha dourada por fora (se quiser, prepare a mesma receita trocando a mandioca por mandioquinha, batata, cará, inhame ou abóbora), e nada impede que ele faça parte de um prato numa refeição. Depois, vem o crisp de mandioca, com um crocantezinho que acompanha muito bem uma carne com molho bem saboroso, simples até onde pode ser, só um montinho de mandioca crua ralada com cebola, salsinha, sal e frito na manteiga até dourar. Como uma sopa cremosa e quentinha é sempre reconfortante, pensei na sopa de mandioca, que é bem aveludada e substanciosa. Aí chega a paçoca de carne-seca, numa versão bem temperadinha, pois geladeira em casa hoje não é problema e as chances de alguém preparar a paçoca pensando numa viagem bem longa pelo sertão são bem pequenas (apesar do resultado ser um pouco diferente, dei a opção do processador, pois pouca gente tem pilão em casa — eu tenho dois, um em São Paulo e um na fazenda, mas sei muito bem que isso não é mesmo comum). Como uma boa farofa é sempre bem recebida, acabei ficando com três receitas, duas das quais vão ao fogo: a farofíssima, que leva um pouco de tudo e sempre aparece nas mesas de festa e refeições especiais; a farofa de cebola tostadinha e lingüiça, supersaborosa com o dourado da cebola e o salgadinho da lingüiça; e a farofa d'água, que é a farofa molhada do Norte e Nordeste, às vezes chamada de chibé, ela não vai ao fogo, é a água ou o caldo fervente que escalda a farinha com os temperos, nada mais, e fica bem gostosa e diferente. Depois vem uma receita muito rústica, que eu sinceramente adoro, o pastel caipira de São Luiz do Paraitinga, com a massa preparada com uma mistura de farinhas de milho e de mandioca, água fervente, óleo e sal, que fica com uma casquinha como a da polenta frita e recheio de carne moída bem temperadinha com cubinhos de batata, ou pedaços de queijo-de-minas fresco ou meia-cura (em Minas chamam isso de pastel de angu, pois lá ele começa com um angu bem firme). Moldar os pasteizinhos é uma tarefa um tanto trabalhosa mesmo, pois a massa é frágil e não dá para abrir com um rolo nem cortar em discos, é preciso pegar bolinhas de massa e moldar cada pastel com a mão, mas o resultado compensa. Depois, vem mais uma receita bem de roça, caipiríssima e muito saborosa, perfeita para quando se tem um frango de verdade para cozinhar, a moqueca paulista, que não tem nada a ver com as moquecas baianas e capixabas: é uma farofa bem úmida, quase um pirão grosso de frango bem temperado, embrulhada num pacotinho de folha de bananeira e levada ao forno até dourar. Os travesseirinhos de mandioca, milho verde, couve e queijo-de-minas ficaram bons demais, com uma massa saborosa de mandioca cozida e espremida (que é fácil de trabalhar e pode ser usada em qualquer torta) e um recheio muito gostoso de milho verde, couve e queijo-de-minas. Um almoço de festa pede um bobó de camarão bem temperadinho numa sopeira funda, que chega à mesa perfumadíssimo — um creme aveludado de mandioca com o gostinho de cebola, alho, tomate, pimentão, coentro, salsinha e cebolinha envolvendo o camarão dourado no dendê (escolha camarões bem frescos e de bom tamanho, são eles que deixam o prato realmente especial e fazem a diferença). E, se quiser experimentar um bobó diferente, troque a mandioca por mandioquinha. Embora, na panela, a receita não leve mandioca nem farinha de mandioca, a farinha é fundamental para o pirãozinho que cada um prepara no próprio prato com o caldo da carne bem quente, por isso escolhi o afogado, que é comida de festa em várias cidades do vale do Paraíba e, no sabor e na finalização, lembra bastante o barreado do Paraná. Desde menina, comi muitos e muitos afogados no mercado de São Luiz do Paraitinga, que eram preparados em tachos imensos e, como eram feitos em grande quantidade, para a cidade inteira almoçar, continham basicamente carne, cebola, alho, sal, pimenta e água, mas também experimentei versões mais caseiras e caprichadas, com tomate, pimentão, bacon, ervas frescas e, na hora de servir, além da farinha e do molho de pimenta, uma banana cozida que deixava tudo mais gostoso. Daí nasceu o meu afogado no capricho (prepare na véspera, e ele ficará ainda melhor). Pensando num jantarzinho mais chique, preparei o magret com molhinho de goiabada na cachaça e purê de mandioca — o magret, que é o peito de pato sem osso com a capa de gordura, que protege e dá sabor à carne, fica bom demais, com todos os contrastes que o prato pede: a carne bem tenra e rosada, o molhinho de goiabada com um toque de cachaça e limão para equilibrar os sabores e um purê bem cremoso. O pão de mandioca, com a casca dourada e miolo muito macio, fica divino nas duas versões, tanto na lyonnaise, com uma lingüiça no meio, como na mais simples, sem nada, para comer com manteiga, requeijão, queijo ou geléia. Embora não seja a mesma coisa — pois, na versão francesa, o salsichão ou a lingüiça assam junto com a massa do pão —, o pãozinho com chouriço português, que é preparado bem rapidinho para um lanche ou um piquenique, também é gostoso: eles cortam rodelas finas de chouriço, retiram a camada da tripa, perfuram de ponta a ponta com uma faca um pãozinho pronto, fazendo uma fenda, enfiam ali o chouriço, depois levam ao forno para aquecer e deixar a gordura do chouriço dar uma derretidinha e se espalhar pelo miolo. Para acompanhar um cafezinho, nada como um pão de queijo quentinho, dourado, com a casquinha firme e crocante por fora e aquele puxa-puxa salgadinho por dentro; aqui vai uma receita bem mineira, fácil e saborosa (vale a pena experimentar, pois fica com jeito de pão de queijo caseiro, de verdade, completamente diferente dos congelados de pacotinho que aparecem em tudo quanto é canto). Com o gostinho do biscoito de polvilho, mas com textura diferente, já que bem mais fininho e crocante, perfeito para entrar numa cestinha para comer com manteiga, geléia, requeijão ou um patê na hora do lanche, ou "da quitanda", como dizem os mineiros, pensei no tareco de polvilho: experimentei, experimentei, mexi e remexi até chegar à receita escolhida, com a massa do biscoito espalhada na assadeira numa camada fina, assada até ficar dourada e crocante e depois quebrada em pedaços irregulares. Com a mesma massa do tareco, apenas diminuindo a quantidade de óleo para 1/4 de xícara, dá para preparar uma panquequinha que fica o máximo, bem saborosa, ligeiramente crocante, perfeita para montar um pacotinho com um recheio cremoso e bem temperadinho, como uma moqueca de peixe ou de camarão, um bobó de camarão ou uma carne-seca já bem refogadinha e úmida, com um pouco de couve, um purê de abóbora ou um queijo cremoso para ligar (para preparar as panquecas, aqueça uma frigideira pequena, regue com um fio de óleo, junte mais ou menos 1/3 de xícara da massa, gire a frigideira para espalhar a massa numa camada fina e uniforme, espere dourar nas bordas, vire para dourar do outro lado, passe para um prato e recheie como quiser; se preferir, prepare as panquecas com até 12 horas de antecedência, guarde na geladeira ou congele por até 1 mês, e aqueça rapidinho na frigideira antes de rechear e servir). Ainda para a hora do lanche, uma boa pedida baiana é o bolinho de estudante, que fica bem macio por dentro, dourado e crocante por fora, com o sabor do coco, da tapioca, do açúcar e da canela. Para começar o dia naquele ritmo sossegado de praia do Nordeste, nada como um cuscuz quentinho regado com leite de coco bem docinho, o problema é a preguiça de escolher entre o cuscuz só de farinha de tapioca e o que leva farinha de milho e um pouquinho de farinha de mandioca para ajudar a dar liga (na verdade, com farinha de milho bem esfarelada, ele fica bom, mas com flocos pré-cozidos de milho — a Milharina — ele fica ainda melhor). Como nem com unidunitê dá para resolver, pois os dois são totalmente diferentes e bons demais, desisti de escolher e fiquei com ambos, nas versões que sempre chegavam à mesa do café-da-manhã na casa dos meus bisavós, lá na Paraíba, moldados num prato fundo e embrulhados como uma trouxa num pano branco: o *cuscuz de tapioca e coco para o café-da-manhã*, que é mais puxa-puxa e branquinho; e o *cuscuz de milho das minhas tias*, que tem gostinho de milho e fica ainda melhor com um pouquinho de manteiga sobre a fatia quentinha. Como eu sou apaixonada por um bom bolo, tanto para o café-da-manhã, como para um lanche da tarde, escolhi o *bolo moreninho de rapadura e mandioca*, que tem o gostinho do coco e da castanha de caju e o perfume da canela, do cravo e da erva-doce e às vezes é chamado também de pé-de-moleque (se não tiver rapadura, use açúcar mascavo); e o *bombocado de mandioca*, muito macio e amarelinho — a mandioca e coco ralados dão ao bolo uma textura ligeiramente crocante. O *joão-deitado* é

uma receita bem interessante e rústica, comi quando fui visitar um dos meus irmãos, que na época morava na fazenda de Minas, em Medeiros, ao pé da serra da Canastra: dentro de um pacotinho de folha de bananeira, amarrado ao meio (por isso lembra um homenzinho), vem uma massa bem saborosa de mandioca ralada, queijo, açúcar e ovo; assado até ficar bem macio e caramelizado nas bordas (num forno a lenha, fica ainda melhor, mas dá tranqüilamente para preparar no forno a gás comum). Por último, e para refrescar, vêm duas receitas de sagu, o tradicional *sagu com vinho tinto, cravo e canela*, e o *sagu lá da praia*, com pedacinhos de abacaxi, manga, banana e hortelã.

BOLINHO DE BOTECO

(60 UNIDADES; 1 HORA E 30 MINUTOS, MAIS 30 MINUTOS PARA A MASSA GELAR)

500 g de mandioca sem casca, cozida, ainda quente
25 g de manteiga em temperatura ambiente
1 ovo
2 colheres (sopa) de queijo parmesão ralado
1/4 de xícara de farinha de trigo
1 cebola pequena em cubinhos
1/4 de xícara de salsinha picadinha
1 litro de óleo para fritar
sal e pimenta-do-reino

↬ **Passe a mandioca** ainda quente pelo espremedor, ou apenas amasse com um garfo (descarte as fibras duras). Numa tigela grande, coloque a mandioca, junte a manteiga, o ovo, o queijo, a farinha, a cebola, a salsinha, sal e pimenta e leve à geladeira por uns 30 minutos para firmar. Unte as mãos com um pouquinho de óleo, pegue porções de massa com uma colher de sopa e molde os bolinhos redondos ou compridos como um croquete (se quiser, prepare até aqui na véspera e guarde na geladeira, ou congele por até 1 mês). Pouco antes de servir, frite os bolinhos no óleo quente até que estejam dourados e com uma casquinha crocante, escorra sobre papel absorvente.

CRISP DE MANDIOCA

(4 PESSOAS; 30 MINUTOS)

500 g de mandioca crua sem casca
1 cebola pequena em cubinhos
1/4 de xícara de salsinha picadinha
50 g de manteiga
sal e pimenta-do-reino

↬ **Rale a mandioca em tirinhas**, depois esprema e descarte o caldo. Numa tigela média, coloque a mandioca, a cebola, a salsinha, sal e pimenta, misture e divida em 8 partes. Numa frigideira grande, aqueça metade da manteiga, coloque 4 montinhos da massa e pressione cada um deles com uma espátula para achatar, eles deverão ficar com mais ou menos 1 cm de altura. Mantenha os bolinhos em fogo baixo por uns 3 minutos de cada lado, até que estejam bem dourados e crocantes por fora e cozidos por dentro. Passe os crisps prontos para um prato, limpe a frigideira com papel absorvente, aqueça a outra metade da manteiga e frite os bolinhos restantes.

BOLINHO DE BOTECO

ENTRE PANELAS E TIGELAS

Mandioca é bom demais

SOPA CREMOSA DE MANDIOCA

PAÇOCA DE CARNE-SECA

SOPA CREMOSA DE MANDIOCA

(8 PESSOAS; 1 HORA)

1 kg de mandioca crua, sem casca, em pedaços de uns 5 cm
8 xícaras de caldo de galinha, de preferência, caseiro
(ou 2 tabletes dissolvidos na mesma quantidade de água)
50 g de manteiga
1 cebola em cubinhos
1 dente de alho picadinho
4 tomates bem vermelhos, sem pele e sem sementes, em cubinhos
1/3 de xícara de salsinha e cebolinha picadinhas
1 xícara de queijo-de-minas meia-cura ralado grosso
sal

↬ **Numa panela média,** coloque a mandioca e o caldo, aqueça e mantenha em fogo baixo até que esteja cozida e bem macia. Descarte as fibras duras, bata a mandioca no liquidificador com o caldo do cozimento e reserve. Na mesma panela, aqueça a manteiga e doure ligeiramente a cebola. Junte o alho, espere perfumar, acrescente o tomate e um pouquinho de sal e, mantendo o fogo forte, espere 1 minuto, até que a água liberada pelo tomate comece a secar. Junte o creme de mandioca, a salsinha e cebolinha e o queijo, deixe ferver por mais 1 minuto, acerte o sal e a pimenta e sirva bem quente (se quiser brincar com as cores e preparar uma sopa bem brasileirinha, esqueça os tomates, deixe metade do creme amarelo, bata a outra metade no liquidificador com a salsinha e a cebolinha, ou até um pouco de coentro, e, em cada prato, coloque um tanto do creme amarelo e outro tanto do esverdeado).

PAÇOCA DE CARNE-SECA

(6 PESSOAS; 2 HORAS E 30 MINUTOS, MAIS 24 HORAS PARA DESSALGAR A CARNE)

1 kg de carne-seca bem limpa em cubos de uns 2 cm
1 folha de louro
1/4 de xícara de óleo vegetal (aproximadamente)
2 cebolas grandes em cubinhos
2 dentes de alho picadinhos
1 xícara de folhas de salsinha e cebolinha picadinhas
4 xícaras de farinha de mandioca crua (aproximadamente)
sal

↬ **Na véspera, coloque a carne-seca** numa tigela, cubra com água e deixe na geladeira, trocando umas 6 vezes de água para retirar bem o sal. Passe a carne para uma panela, cubra com água limpa, junte o louro e aqueça. Quando ferver, retire a espuma e cozinhe em fogo baixo por pelo menos 1 hora, até que esteja bem macia e se desmanchando. Escorra, deixe amornar, separe a carne em lascas e descarte os nervos e gorduras. Numa frigideira, aqueça o óleo, doure ligeiramente a cebola, junte o alho, espere perfumar e acrescente a carne. Deixe a carne começar a dourar, adicione a salsinha e a cebolinha, ajuste o sal e retire do fogo (é muito importante que a carne fique bem úmida, pois só assim se consegue uma paçoca molhadinha e saborosa). Coloque a farinha e a carne refogada no pilão, misture com uma colher e soque até que a carne fique bem esfiapada, os temperos e os seus sucos envolvam e umedeçam os grãozinhos da farinha e a paçoca esteja bem homogênea e molhadinha, mas não deixe que vire uma pasta. Quem não tem pilão, pode bater a paçoca num processador, embora o resultado seja diferente, pois a lâmina acaba triturando demais a carne e a farinha, e, como a carne não solta os seus sucos da mesma forma, a paçoca costuma ficar menos úmida.

FAROFÍSSIMA
(8 PESSOAS; 30 MINUTOS)

100 g de manteiga (ou 50 g de manteiga e 1/2 xícara da gordura da assadeira de um assado)
100 g de bacon em cubinhos
1 cebola grande em cubinhos
1 dente de alho picadinho
1 cenoura ralada
2 bananas maduras em rodelas de 1 cm
1 xícara de azeitona verde em lascas
1 xícara de ameixa seca picadinha
1 xícara de milho verde em conserva
4 xícaras de farinha de mandioca crua
1 xícara de salsinha e cebolinha picadinhas
2 ovos cozidos picadinhos
sal

↬ Numa panela grande, aqueça a manteiga e o bacon. Quando o bacon começar a dourar, junte a cebola e a cenoura. Quando a cebola dourar, acrescente o alho, espere perfumar, adicione a banana, a azeitona, a ameixa e o milho. Deixe aquecer, junte a farinha, a salsinha e o ovo e misture até umedecer. Ajuste o sal e sirva.

FAROFA DE CEBOLA TOSTADINHA E LINGÜIÇA
(6 PESSOAS; 1 HORA)

4 cebolas grandes em rodelas finas
1 litro de óleo para fritar
1/2 xícara de maisena (aproximadamente)
75 g de manteiga
1 lingüiça calabresa ou portuguesa em rodelinhas bem finas
3 xícaras de farinha de mandioca crua
1/2 xícara de salsinha e cebolinha picadinhas
sal

↬ Lave as rodelas de cebola em água fria, escorra e seque bem com papel absorvente. Numa panela ou frigideira grande, aqueça o óleo para a fritura. Polvilhe ligeiramente as rodelas de cebola com maisena, depois chacoalhe para retirar o excesso. Mergulhe a cebola no óleo quente, mexa com uma escumadeira e frite até que as rodelas estejam douradas, mas não escuras demais, para não amargar, escorra e seque sobre papel absorvente. Numa panela grande, aqueça a manteiga e doure ligeiramente a lingüiça, depois junte a cebola frita, a farinha, a salsinha e a cebolinha, misture até umedecer, acerte o sal e sirva.

FAROFÍSSIMA

FAROFA DE CEBOLA TOSTADINHA E LINGÜIÇA

PASTEL CAIPIRA

FAROFA D'ÁGUA

(4 PESSOAS; 15 MINUTOS)

2 xícaras de farinha de mandioca crua ou farinha-d'água do Norte
1 cebola-roxa grande em fatias bem finas
1/2 xícara de coentro e cebolinha bem picadinhos
1/2 xícara de manteiga de garrafa
1/2 xícara de água fervente (aproximadamente)
sal

↦ **Numa tigela média,** misture bem a farinha, sal, a cebola, o coentro e a cebolinha. Junte a manteiga, misture novamente e regue com a água fervente. Mexa com um garfo para deixar tudo bem úmido, aguarde 5 minutos e sirva.

PASTEL CAIPIRA

(24 UNIDADES; 1 HORA E 30 MINUTOS, MAIS 1 HORA PARA O RECHEIO ESFRIAR)

PARA O RECHEIO
1 cebola média em cubinhos
1 dente de alho bem picadinho
500 g de carne moída (patinho ou coxão mole)
2 colheres (sopa) de polpa de tomate
1 batata grande em cubinhos
1 xícara de água
1/4 de xícara de salsinha e cebolinha picadinhas
óleo vegetal
sal e pimenta-do-reino

PARA A MASSA
1 xícara de farinha de mandioca crua
3 xícaras de farinha de milho
1 colher (sopa) de sal
1 xícara de água fervente
1/4 de xícara de óleo vegetal
1 litro de óleo para fritar

↦ **Recheio** Regue o fundo de uma panela média com um fio de óleo e doure ligeiramente a cebola. Junte o alho, espere perfumar, acrescente a carne, sal e pimenta e mexa até soltar os grumos e mudar de cor. Adicione a polpa de tomate, a batata e a água e deixe em fogo baixo até que a batata esteja macia e a carne comece a dourar. Junte a salsinha e a cebolinha, acerte o sal e a pimenta, retire do fogo e deixe esfriar.

↦ **Massa** Enquanto isso, numa tigela grande, misture as farinhas de mandioca e de milho e o sal e esfarele com a ponta dos dedos até conseguir um pozinho fino. Junte a água fervente e o óleo e, quando amornar, passe a trabalhar a massa com as mãos, até que ela esteja bem macia e lisa e descole totalmente das mãos e da tigela (junte mais um pouco de água quente se for preciso e, nesse ponto, se não for utilizar em seguida, cubra a massa com um pano bem úmido ou embrulhe em filme plástico para não ressecar). No momento de preparar os pastéis, é importante ser persistente, pois a massa é um pouco quebradiça e chata de trabalhar, não dá para abrir com um rolo e é preciso moldar cada pastelzinho na mão, mas não é difícil e vale a pena. Para facilitar o trabalho, coloque um pouco de água fria numa tigelinha (ela será usada para umedecer constantemente a massa, o que evita as rachaduras). Pegue uma porção de massa do tamanho de uma bola de pingue-pongue, unte as mãos com um pouquinho de óleo, faça uma bolinha, aperte o centro com o polegar para fazer uma cavidade e continue apertando com os dedos para alargá-la até que nela caiba 1 colher (sopa) de recheio. Então, recheie, aperte as bordas para colar, dê o formato de pastel e, se a massa começa a secar e a rachar, umedeça e alise com um pouco de água. Coloque os pastéis prontos numa assadeira e cubra com um pano bem úmido para que eles não rachem antes de fritar (se quiser, molde os pastéis com até 8 horas de antecedência e guarde na geladeira, ou congele por 1 mês e frite-os ainda congelados).

↦ **Pouco antes de servir,** numa panela ou frigideira grande, aqueça o óleo e mergulhe uns 4 ou 5 pastéis, banhe com óleo com uma escumadeira e frite até que estejam bem dourados e com uma casquinha crocante. Escorra, seque sobre papel absorvente e sirva em seguida com molhinho de pimenta (depois de fritos, os pastéis continuam gostosos por uns 30 minutos, não mais que isso).

MOQUECA PAULISTA

(12 pessoas; 3 horas)

1 frango de 1,5 kg em pedaços, se quiser, com os miúdos
2 cebolas grandes em cubinhos
4 dentes de alho picadinhos
1 folha de louro
4 xícaras de água
25 g de manteiga
4 tomates bem vermelhos, sem pele e sem sementes, em cubinhos
1/2 xícara de salsinha e cebolinha picadinhas
1/2 xícara de azeitona verde em lascas
2 xícaras de farinha de mandioca crua
4 ovos
4 folhas médias de bananeira para dividir em 24 quadrados de uns 20 cm, ou papel-alumínio untado com manteiga (não use as folhas muito novas, pois elas costumam grudar)
sal e pimenta-do-reino

↔ **Numa panela grande,** aqueça os pedaços de frango, metade da cebola e do alho, o louro, sal e a água e cozinhe por uns 40 minutos, até que a carne esteja bem macia e se soltando dos ossos. Transfira os pedaços de frango para um prato e mantenha o caldo do cozimento no fogo até reduzir a 1 xícara, então, acerte o sal e reserve. Descarte a pele e os ossos do frango e separe a carne em lascas. Com uma concha, retire um pouco da gordura do caldo, coloque numa panela com a manteiga e aqueça. Junte a cebola restante e o tomate, deixe dourar, acrescente o alho, espere perfumar, adicione as lascas do frango, sal e pimenta. Quando a carne começar a dourar, junte o caldo reservado, a salsinha, a cebolinha e a azeitona. Quando ferver, acrescente a farinha de mandioca e mexa até conseguir uma farofa bem úmida e grossa, quase um pirão. Retire do fogo e deixe amornar. Enquanto isso, coloque os ovos numa panelinha, cubra com água fria e aqueça. Quando ferver, abaixe o fogo, conte 12 minutos, escorra, resfrie, descasque e divida cada um deles em 6 rodelinhas.

↔ **Aqueça o forno a 200°C** (médio-alto) e separe uma assadeira grande. Com cuidado para não se queimar, segure as folhas de bananeira com as mãos e passe sobre a chama do fogão até elas amolecerem e se tornarem brilhantes, depois divida em 24 quadrados. Divida a moqueca em 24 partes e, no centro de cada quadrado de folha, coloque uma parte da moqueca com 1 rodela de ovo por cima, depois dobre como um pacotinho e coloque na assadeira. Leve ao forno por uns 30 minutos, até que a folha da bananeira esteja bem dourada. Sirva em seguida, cada um abre seus pacotinhos no próprio prato.

TRAVESSEIRINHOS DE MANDIOCA, MILHO VERDE, COUVE E QUEIJO-DE-MINAS

(6 PESSOAS; 2 HORAS)

PARA O RECHEIO
3 xícaras de couve em tirinhas bem finas
50 g de manteiga
1 cebola grande picadinha
1 dente de alho picadinho
1 1/2 xícara de milho verde bem macio em conserva ou congelado
1/4 de xícara de maisena
1 xícara de leite
1 1/2 xícara de queijo-de-minas fresco em cubinhos
sal e pimenta-do-reino

PARA A MASSA
1 kg de mandioca sem casca, cozida, ainda quente
1 3/4 de xícara de farinha de trigo (aproximadamente)
25 g de manteiga em temperatura ambiente
1 ovo
1 colher (chá) de sal
manteiga para untar

↔ **Recheio** Pique a couve já em tirinhas em pedacinhos miúdos, pois em fios mais longos ela se embola e não se espalha de maneira uniforme. Numa panela média, aqueça a manteiga e doure ligeiramente a cebola. Junte o alho, espere perfumar, acrescente o milho, a couve, uma pitada de sal e pimenta e mantenha em fogo baixo por uns 10 minutos, até a couve murchar e amaciar. Dissolva a maisena e o leite numa tigelinha, coloque na panela e, sempre mexendo para não empelotar, deixe no fogo por mais uns 5 minutos, até ferver e engrossar. Acerte o sal e a pimenta, retire do fogo e passe para uma tigela apoiada em outra com água com gelo para esfriar rápido.

↔ **Massa** Enquanto isso, passe a mandioca ainda quente pelo espremedor e coloque numa tigela grande. Junte a farinha, a manteiga, o ovo e o sal e misture até conseguir uma massa macia que descole das mãos (acrescente um pouquinho de farinha se for preciso).

↔ Aqueça o forno a 180°C (médio) e unte com manteiga uma assadeira grande. Polvilhe uma superfície com um pouquinho de farinha e, com um rolo, abra a massa até ficar com uns 2 mm, a espessura de uma casca de banana, e divida em 12 quadrados. Junte o queijo ao recheio e espalhe uma parte do creme no centro de cada quadrado de massa. Dobre e feche, pressionando as bordas para colarem, coloque na assadeira e asse por uns 20 minutos, até a massa firmar e dourar. Sirva os travesseirinhos ainda quentinhos.

BOBÓ DE CAMARÃO

alho, espere perfumar e junte o camarão. Quando o camarão mudar de cor, adicione a polpa de tomate e o leite de coco, espere ferver, junte o creme de mandioca, sal e pimenta e deixe ferver por mais 5 minutos. Acrescente o coentro e a cebolinha, passe para uma sopeira e sirva.

AFOGADO NO CAPRICHO

(6 PESSOAS; 3 HORAS, MAIS PELO MENOS 8 HORAS DE REPOUSO)

200 g de bacon em cubinhos
1 cebola grande em cubinhos
2 dentes de alho bem picadinhos
1 pimentão vermelho em cubinhos
4 tomates, sem pele e sem sementes, em cubinhos
1,2 kg de maminha bem limpa em cubos de uns 2 cm (normalmente umas 2 peças)
12 xícaras de água fervente
1 folha de louro
1/2 xícara de uma mistura de folhas de hortelã, manjericão, salsinha e cebolinha
6 bananas-nanicas maduras
3 xícaras de farinha de mandioca crua (aproximadamente)
óleo vegetal
sal e pimenta-do-reino
molho de pimenta-vermelha para servir

↬ **De preferência na véspera**, regue o fundo de uma panela grande com um pouco de óleo e doure ligeiramente o bacon. Junte a cebola, o alho, o pimentão e o tomate e espere murchar. Acrescente a carne, mexa até que os pedaços mudem de cor de todos os lados, adicione a água, o louro, sal e pimenta. Quando ferver, descarte com uma escumadeira toda a espuma que se formar na superfície, abaixe o fogo e cozinhe por umas 2 horas com a panela semitampada, até que a carne esteja muito macia e se separando em lascas. Deixe amornar e leve à geladeira por pelo menos 8 horas. Então, descarte a camada de gordura que se formar na superfície e, com uma escumadeira, retire os pedaços de carne do caldo e passe para um prato. Com um garfo, separe a carne em lascas e leve de volta à panela do caldo. Volte com o afogado para o fogo, deixe ferver por uns 5 minutos, acerte o sal e a pimenta e junte as ervas. Enquanto isso, faça um corte no sentido do comprimento na casca de cada banana e leve ao forno a 200°C (médio-alto) por uns 30 minutos, ou leve ao microondas em potência alta por uns 10 minutos, até que estejam bem macias.
↬ **Separe 6 pratos fundos**, coloque o afogado bem quente numa sopeira e leve à mesa. Para montar os pratos, coloque umas 3 colheres (sopa) de farinha de mandioca no fundo de cada um, regue com uma concha do caldo e misture com um garfo até virar um pirão, junte mais caldo e pedaços de carne, 1 banana e um pouquinho de molho de pimenta.

BOBÓ DE CAMARÃO

(6 PESSOAS; 1 HORA E 30 MINUTOS)

1 kg de camarão médio limpo sem casca e também as cascas bem lavadas para o caldo
2 cebolas grandes em cubinhos
2 dentes de alho picadinhos
1 folha de louro
4 xícaras de água
1 kg mandioca crua ralada grossa
4 colheres (sopa) de azeite-de-dendê
1 pimentão vermelho em cubinhos
1 xícara de polpa de tomate
1 1/2 xícara de leite de coco
1/2 xícara de coentro e cebolinha picadinhos
azeite de oliva
pimenta-vermelha em conserva para servir
sal e pimenta-do-reino

↬ **Para o caldo**, regue o fundo de uma panela média com azeite e doure metade da cebola e do alho. Junte as cascas do camarão, cubra com a água, acrescente o louro e deixe ferver por 20 minutos (depois disso, as carcaças começam a soltar um gosto de areia), então passe por uma peneira e volte com o caldo para a panela. Junte a mandioca e sal, aqueça de novo e cozinhe por uns 30 minutos, até que ela esteja bem macia e forme um creme liso e reserve.
↬ **Numa panela grande**, aqueça o azeite-de-dendê e doure ligeiramente a cebola restante e o pimentão, acrescente o

AFOGADO NO CAPRICHO

MAGRET COM MOLHINHO DE GOIABADA NA CACHAÇA E PURÊ DE MANDIOCA

(4 PESSOAS; 1 HORA E 30 MINUTOS)

PARA O PURÊ
500 g de mandioca sem casca, cozida e ainda quente
1/2 xícara de creme de leite fresco
50 g de manteiga em cubinhos
sal

PARA O MAGRET E PARA O MOLHO
50 g de manteiga
1 cebola grande em cubinhos
2 xícaras de caldo de galinha, de preferência, caseiro
(ou 1/2 tablete dissolvido na mesma quantidade de água)
3/4 xícara de goiabada pastosa
suco de 1 limão
1/2 xícara de cachaça
4 magrets (peitos de pato sem osso, com pele e capa de gordura)
sal e pimenta-do-reino

↣ **Esprema a mandioca ainda quente,** coloque numa tigela e, misturando com colher de pau, vá incorporando o creme de leite e a manteiga aos poucos, mas sem mexer demais para não virar uma cola, ajuste o sal (se não for servir em seguida, mantenha o purê aquecido em banho-maria por até 1 hora, depois disso o sabor e a textura começam a mudar).

↣ **Numa frigideira média,** aqueça a manteiga e doure a cebola. Acrescente o caldo e deixe ferver por 10 minutos, até reduzir pela metade. Então, acrescente a goiabada, o limão e a cachaça e deixe ferver por mais 1 minuto, ajuste o sal e a pimenta e reserve.

↣ **Para acertar o magret,** retire a faixa de gordura que ultrapassar as bordas da carne e, com a ponta de uma faca afiada, desenhe um quadriculado na pele, tomando cuidado para não chegar à carne. Aqueça bem uma frigideira grande, coloque os magrets com a pele voltada para baixo e doure por uns 8 minutos, banhando de vez em quando com a gordura que se soltar. Vire, polvilhe com sal e pimenta e mantenha no fogo por mais 2 ou 3 minutos (eles devem ficar bem macios e rosados por dentro). Passe para um prato com o lado da pele para baixo, cubra com outro prato e deixe descansar por 10 minutos. Descarte a gordura da frigideira, junte o molho reservado e mexa para soltar o que estiver colado ao fundo. Quando ferver, adicione o suco escorrido da carne durante o repouso e sirva com o magret e o purê.

PÃO DE MANDIOCA À LA LYONNAISE

(2 PÃES MÉDIOS, 3 HORAS, MAIS 2 HORAS PARA A MASSA REPOUSAR)

250 g de mandioca sem casca, cozida e ainda quente
1/2 xícara da água do cozimento da mandioca ainda morna
1/2 xícara de leite morno
1 tablete de fermento biológico (15 g)
1/4 de xícara de açúcar
3 1/2 xícaras de farinha de trigo (aproximadamente)
1 ovo
25 g de manteiga em temperatura ambiente
1/2 colher (sopa) de sal
2 gomos de lingüiça defumada de uns 20 cm cada
1 gema para pincelar
óleo vegetal

↔ Esprema a mandioca ainda quente (você deverá conseguir mais ou menos 1 1/2 xícara de polpa), coloque numa tigela e deixe amornar. Numa tigela grande, coloque a água do cozimento da mandioca, o leite, o fermento e o açúcar, misture até dissolver, junte 1 xícara da farinha e deixe repousar por uns 15 minutos, ou até surgirem bolhas. Então, adicione a mandioca, o ovo, a manteiga e o sal e vá acrescentando a farinha aos pouquinhos e trabalhando até obter uma massa macia que descole das mãos. Cubra com um pano limpo e deixe descansar por 1 hora ou até dobrar de volume.

↔ Enquanto isso, leve ao fogo uma panela com mais ou menos 1 litro de água, espere ferver, junte a lingüiça, aguarde 5 minutos e escorra. Regue o fundo de uma frigideira grande com um fio de óleo, doure ligeiramente a lingüiça e deixe esfriar.

↔ Polvilhe ligeiramente 1 assadeira grande com farinha. Polvilhe uma superfície com farinha e também a massa se estiver muito pegajosa. Divida a massa ao meio, achate cada metade com a palma das mãos até conseguir 1 quadrado de uns 35 cm, posicione 1 lingüiça paralelamente a uma das bordas, enrole como um rocambole, aperte as bordas para fechar e coloque na assadeira, mantendo um espaço livre entre os pães. Pincele a superfície com a gema diluída em 2 colheres (sopa) de água e deixe repousar por mais 1 hora, até os pães dobrarem de volume. Quando faltarem uns 15 minutos para completar o tempo, aqueça o forno a 200°C (médio-alto). Asse os pães por uns 45 minutos, até que estejam bem crescidos e dourados. Deixe amornar por uns 10 minutos antes de fatiar.

PÃO DE QUEIJO

(60 UNIDADES; 1 HORA E 30 MINUTOS)

2 xícaras de água
1/3 de xícara de óleo
1 colher (sopa) de sal
3 xícaras de polvilho doce (ou azedo, se gostar do pão de queijo com sabor um pouco mais forte)
4 ovos
3 xícaras de queijo-de-minas meia-cura ralado grosso

↳ Numa panela média, aqueça a água, o óleo e o sal. Quando ferver, junte de uma só vez o polvilho e, sempre mexendo, espere ferver e engrossar. Coloque a massa numa tigela e deixe amornar por uns 10 minutos. Enquanto isso, aqueça o forno a 220°C (alto) e separe 2 assadeiras grandes (não é preciso untar). Um a um, incorpore os ovos à massa e depois misture o queijo. Pegue porções de massa com uma colher de chá, faça 60 bolinhas e espalhe nas assadeiras, mantendo um espaço livre entre elas. Asse os pãezinhos por uns 20 minutos, até que estejam bem crescidos e dourados (se quiser, molde os pãezinhos, espalhe numa assadeira, leve ao freezer por umas 2 horas, depois passe para um saquinho de congelamento, congele por até 3 meses e, quando quiser, asse as bolinhas ainda congeladas).

TARECOS DE POLVILHO

(6 PESSOAS; 1 HORA E 30 MINUTOS)

1 1/2 xícara de polvilho azedo peneirado
1/3 de xícara de óleo
1 xícara de leite
1 colher (chá) de sal
2 ovos
óleo para untar

↳ Peneire o polvilho deixando-o cair numa tigela média. Aqueça o óleo, o leite e o sal, espere ferver, despeje sobre o polvilho e misture com colher de pau até conseguir uma massa homogênea. Deixe amornar por uns 15 minutos, enquanto o forno aquece a 220°C (alto) e unte 2 assadeiras grandes com um pouco de óleo. Junte os ovos à massa, misture até ficar bem lisa e homogênea, mas ainda bem líquida e mole, como massa de panqueca. Despeje metade da massa numa assadeira e metade na outra, fazendo uma camada fina, de no máximo 0,5 cm. Asse as placas por uns 20 minutos, até que estejam ligeiramente dourados e crocantes. Retire do forno, solte as placas da assadeira, quebre em pedaços médios e sirva numa cestinha (eles endurecem ainda mais quando esfriam).

CUSCUZ DE TAPIOCA E COCO PARA O CAFÉ-DA-MANHÃ

(4 PESSOAS; 30 MINUTOS, MAIS UNS 30 MINUTOS PARA DESCANSAR)

1 1/2 xícara de leite de coco
1/2 xícara de açúcar
1 1/2 xícara de farinha de tapioca
1 xícara de coco fresco ralado
sal

↔ Numa tigelinha, misture 1 xícara de leite de coco e metade do açúcar e reserve para regar o cuscuz no final.
↔ Numa tigela grande, misture o restante do leite de coco e do açúcar, uma pitada de sal, a tapioca e o coco ralado e deixe descansar por uns 30 minutos. Coloque a massa num prato fundo e acerte com as mãos para fazer um monte arredondado, mas sem apertar. Cubra com um pano de prato limpo e puxe as pontas para baixo do prato para que o pano fique bem coladinho ao cuscuz, depois torça as pontas para deixar tudo bem justo e fechadinho. Para o banho-maria, coloque uns 2 litros de água num caldeirão médio ou numa panela alta com diâmetro um pouquinho menor que o do prato e aqueça. Quando ferver, encaixe o prato na panela com o lado do cuscuz para debaixo (é isso mesmo, as pontas torcidas do pano ficam para cima e o cuscuz deve ficar a uns 5 cm de distância da água, sem encostar nela, por isso descarte um pouco de água se for preciso). Mantenha o cuscuz no fogo por uns 30 minutos (como o cuscuz está virado para baixo e enrolado no pano e, se você destorcer o pano, ele cairá do prato dentro da água, é mesmo complicado testar o cozimento, por isso é importante controlar o tempo). Desligue o fogo, retire o prato com cuidado, pois estará bem quente, desvire e deixe amornar por uns 5 minutos. Solte o pano com cuidado, regue o cuscuz com metade do leite de coco adoçado, deixe absorver por uns 2 minutos, regue de novo com o leite de coco restante e sirva em seguida, enquanto ainda estiver bem quentinho.

CUSCUZ DE MILHO DAS MINHAS TIAS
(6 PESSOAS; 30 MINUTOS)

1 3/4 de xícara de leite de coco
1 xícara de açúcar
1 1/2 xícara de flocos de milho pré-cozidos (Milharina)
1 colher (sopa) de farinha de mandioca crua
1/2 xícara de coco fresco ralado
1 colher (chá) de sal

↦ Numa tigelinha, misture metade do leite de coco e do açúcar e reserve para regar o cuscuz no final.
↦ Numa tigela grande, misture o restante do leite de coco e do açúcar, os flocos de milho, a farinha de mandioca, o coco e o sal até conseguir uma massa homogênea. Coloque a massa num prato fundo e acerte com as mãos para fazer um monte arredondado, mas sem apertar, pressionando apenas o suficiente para não desmoronar. Cubra com um pano de prato limpo e puxe as pontas para debaixo do prato para que o pano fique bem coladinho ao cuscuz, depois torça as pontas para deixar tudo bem justo e fechadinho. Para o banho-maria, coloque uns 2 litros de água num caldeirão médio ou numa panela alta com diâmetro um pouquinho menor que o do prato e aqueça. Quando ferver, encaixe o prato na panela com o lado do cuscuz para baixo (é isso mesmo, as pontas torcidas do pano ficam para cima e o cuscuz deve ficar a uns 5 cm de distância da água, sem encostar nela, por isso descarte um pouco de água se for preciso). Mantenha o cuscuz no fogo por uns 15 minutos (como o cuscuz está virado para baixo e enrolado no pano e, se você destorcer o pano, ele cairá do prato dentro da água, é mesmo complicado testar o cozimento, por isso é importante controlar o tempo). Desligue o fogo, retire o prato com cuidado, pois estará bem quente, desvire e deixe amornar por uns 5 minutos. Solte o pano com cuidado, regue o cuscuz com metade do leite de coco adoçado, deixe absorver por uns 2 minutos, regue de novo com o leite de coco restante e sirva em seguida com manteiga (o cuscuz deve chegar à mesa bem quentinho).

BOLINHO DE ESTUDANTE
(30 UNIDADES; 1 HORA)

1 1/2 xícara de farinha de tapioca
1 xícara de açúcar
1 colher (chá) de canela em pó
1 xícara de coco fresco ralado
1 xícara de água fervente
1 litro de óleo para fritar

↦ Coloque 1/4 de xícara de farinha de tapioca num prato fundo e reserve. Em outro prato fundo, coloque 1/4 de xícara de açúcar e a canela, misture e reserve. Numa tigela média, misture a farinha de tapioca e o açúcar restantes e o coco, regue com a água fervente, misture bem e deixe repousar por 10 minutos. Pegue porções de massa com uma colher de sopa, enrole dando o formato de um croquete e passe pela farinha de tapioca (se preferir bolinhos miúdos, faça bolinhas com uma colher de chá). Numa panela ou frigideira grande, aqueça o óleo e mergulhe uns 5 ou 6 bolinhos por vez. Banhe os bolinhos com óleo com uma escumadeira e frite até que estejam com uma casquinha ligeiramente dourada e crocante. Escorra, deixe secar sobre papel absorvente por alguns minutos, passe os bolinhos ainda quentes pela mistura de açúcar e canela e sirva.

↬ Aqueça o forno a 200ºC (médio-alto). Unte com manteiga uma fôrma grande para pudim.

↬ Numa panela média, aqueça a rapadura e o leite de coco até dissolver. Então, retire do fogo, junte a manteiga, a canela, o cravo e a erva doce e misture até derreter. Junte o coco ralado, a castanha, as farinhas de tapioca e de trigo, o fermento e as gemas e misture até obter uma massa homogênea. Com a batedeira, bata as claras em neve até conseguir picos firmes. Em seguida, com uma espátula, incorpore delicadamente as claras à massa. Despeje a massa na fôrma e asse o bolo por uns 45 minutos, até que esteja crescido, bem dourado e firme (ao enfiar um palito no centro, ele deverá sair limpo). Deixe o bolo esfriar, desenforme sobre um prato raso e polvilhe com açúcar e canela.

BOMBOCADO DE MANDIOCA

(8 PESSOAS; 1 HORA E 30 MINUTOS)

2 xícaras de água
4 xícaras de açúcar
100 g de manteiga
500 g de mandioca crua sem casca
1 xícara de coco fresco ralado
1 xícara de farinha de trigo
4 ovos
1 colher (sopa) de fermento em pó
1 xícara de queijo meia-cura ralado grosso
manteiga para untar e açúcar para polvilhar

↬ Numa panela média, aqueça a água e o açúcar, mexa só até dissolver e deixe ferver por uns 5 minutos, até conseguir uma calda rala. Retire do fogo, junte a manteiga e deixe amornar por uns 15 minutos. Enquanto isso, unte com manteiga e polvilhe com açúcar uma fôrma grande para pudim. Rale a mandioca e coloque numa tigela grande com o caldinho. Misture o coco, a farinha, os ovos, o fermento, o queijo e a calda, despeje na fôrma e deixe repousar por 1 hora.

↬ Quando faltarem 15 minutos para completar o tempo, aqueça o forno a 220ºC (alto), separe uma assadeira grande e ferva mais ou menos 1 litro de água para o banho-maria. Coloque a fôrma com o bombocado no centro da assadeira, despeje a água ao redor e asse por uns 45 minutos, até que esteja bem dourado, crescido e firme (ao enfiar um palito no centro, ele deverá sair limpo). Retire do forno, deixe esfriar e desenforme sobre um prato.

BOLO MORENINHO DE RAPADURA E MANDIOCA

(8 PESSOAS; 1 HORA E 30 MINUTOS)

500 g de rapadura em cubinhos ou 3 xícaras de açúcar mascavo
1 3/4 de xícara de leite de coco
100 g manteiga em cubinhos
2 colheres (chá) de canela em pó
1/4 de colher (chá) de cravo-da-índia em pó
1 colher (chá) de erva-doce
1 1/2 xícara de coco fresco ralado
1 1/2 xícara de castanha de caju torrada grosseiramente moída
1 1/4 de farinha de tapioca
2 xícaras de farinha de trigo
1 colher (sopa) de fermento em pó
4 ovos
manteiga para untar
açúcar e canela em pó para polvilhar

BOMBOCADO DE MANDIOCA

ENTRE PANELAS E TIGELAS **273** *Mandioca é bom demais*

JOÃO-DEITADO

(24 UNIDADES; 1 HORA)

1 kg de mandioca crua sem casca
75 g de manteiga derretida
1 xícara de queijo-de-minas meia-cura ralado grosso,
de preferência, da Canastra
2 ovos
3 xícaras (chá) de açúcar
1/2 colher (chá) de fermento em pó
sal
5 folhas médias de bananeira para dividir em 24 retângulos
de uns 25 x 30 cm, ou papel-alumínio untado com manteiga
(não use as folhas muito novas, pois elas costumam grudar)

↬ Aqueça o forno a 220ºC (alto), ou o forno a lenha por 1 hora, e separe uma assadeira grande.
↬ Rale a mandioca e coloque numa tigela grande com o caldinho, que dá bastante sabor. Junte a manteiga, o queijo, os ovos, o açúcar, o fermento e uma pitada de sal e reserve.
↬ Com cuidado para não se queimar, segure as folhas de bananeira, passe sobre a chama do fogão até amolecer e ficar brilhante, depois corte 24 retângulos de uns 25 x 30 cm e 24 tirinhas de mais ou menos 1 cm de largura para amarrar. No centro de cada pedaço de folha, molde uma barrinha de massa de uns 5 x 20 cm, regue com o caldinho da massa para deixar o joão-deitado bem úmido, dobre as bordas livres para dentro para fechar e, bem no meio, que seria a altura da cintura, amarre com uma tirinha de folha e dê um nó. Coloque os pacotinhos na assadeira e asse por mais ou menos 1 hora, até que as folhas estejam bem douradas, com as pontas chamuscadas. Retire do forno e sirva os bolinhos quentes ou em temperatura ambiente.

SAGU COM VINHO TINTO, CRAVO E CANELA

(6 PESSOAS; 2 HORAS, MAIS O TEMPO SUFICIENTE PARA GELAR)

2 xícaras de sagu
6 xícaras de água
6 xícaras de vinho tinto
2 pedaços médios de canela em pau
6 cravos-da-índia
3 xícaras de açúcar (aproximadamente)

↬ Coloque o sagu numa tigela, cubra com água e deixe descansar por 1 hora. Faltando 15 minutos para completar o tempo, coloque numa panela as 6 xícaras de água, o vinho, a canela, o cravo e 2 xícaras de açúcar, mexa até dissolver e aqueça. Quando ferver, experimente e acrescente mais açúcar (se achar que não está doce o suficiente), junte o sagu, abaixe o fogo e cozinhe por mais ou menos 1 hora, até que as bolinhas estejam macias e quase transparentes (mexa de vez em quando para não deixar o sagu grudar no fundo da panela e junte mais um pouco de água fervente se começar a secar). Passe para a tigela de servir, cubra quando esfriar e leve à geladeira por pelo menos 2 horas ou por até 2 dias.

SAGU LÁ DA PRAIA

(6 PESSOAS; 2 HORAS, MAIS O TEMPO SUFICIENTE PARA GELAR)

1 1/2 xícara de sagu
8 xícaras de água
2 xícaras de açúcar
3 xícaras de abacaxi em cubinhos
2 xícaras de manga em cubinhos
2 bananas nanicas em rodelinhas finas
1/4 de xícara de folhinhas de hortelã

↬ Coloque o sagu numa tigela, cubra com água e deixe descansar por 1 hora. Faltando 15 minutos para completar o tempo, coloque numa panela as 8 xícaras de água e o açúcar, mexa até dissolver e aqueça. Quando ferver, junte o sagu, abaixe o fogo e cozinhe por mais ou menos 1 hora, até que as bolinhas estejam macias e quase transparentes (mexa de vez em quando para não deixar o sagu grudar no fundo da panela e junte mais um pouco de água fervente se começar a secar). Junte, então, o abacaxi, deixe no fogo por mais 5 minutos, acrescente a manga, a banana as folhinhas rasgadas de hortelã, passe para a tigela de servir, cubra quando esfriar e leve à geladeira por pelo menos 2 horas ou por até 2 dias.

SAGU COM VINHO TINTO, CRAVO E CANELA

SAGU LÁ DA PRAIA

TUDO MUITO NATURAL

Agora é a vez do mel, dos grãos, das frutas frescas e secas, dos frutos oleaginosos, dos legumes fresquíssimos, do iogurte e de tantas outras coisas boas. É o momento de pensar no natural, no orgânico; de pensar num clima de paz, calma e tranqüilidade; de pensar que a gente come não só porque é gostoso ou para manter-se de pé, mas também para dar ao corpo e à alma tudo de que eles precisam para funcionar bem por muitos anos; é hora de pensar na saúde e em quanto menos tóxico e artificial, melhor; de pensar no meio ambiente e em quem produz o alimento. Pode parecer bobagem, mas de tanto viver na cidade e comprar tudo em supermercados, a gente às vezes se esquece de que o ovo vem da galinha e tem a impressão de que ele já surgiu na caixinha e sempre esteve na prateleira do supermercado. Este mundo está um pouco virado, por isso acho muito interessante esse caminho das mil e uma experimentações de hoje em dia, mas como bem disse a minha querida Nina Horta num dia em que falava de superchefs que desmontam e remontam ingredientes mantendo apenas o sabor, não dá para entender como a comida de verdade, que nutre e conforta, possa ficar fora de moda. Por isso, para mim, entrar no Chez Panisse, da Alice Waters, continua sendo como adentrar um templo – chegar a Berkley, caminhar um pouco pelos jardins da universidade, seguir andando devagar pela Shatuck até chegar lá, mas dando umas paradinhas nos supermercados e quitandas com aquele ar natural que ficam pelo caminho, e depois comer algo bem gostoso, sabendo que tudo foi preparado com muito cuidado e carinho, com ingredientes maravilhosos, produzidos por gente da região (há uns meses, almocei por lá umas três fatias de um pão de fermentação natural divino com uma manteiga que era manteiga mesmo, um copo de Jonathan Apple Cider, depois uma salada com minifolhas de alface rendada de duas cores, cerefólio e pedaços de queijo de cabra do Sonoma bem derretido e douradinho, um *soufflé* de milho verde com um

Tudo muito natural

refogadinho de espinafre, fava, cebola e *morilles*, uns cogumelos bem escuros e saborosos, e, para encerrar, uma fatia de uma torta de maçã divina). Sinceramente, eu adoro essa cozinha.

Na verdade, sempre me encantou esse tipo de vida mais ligada à natureza e ao feito-em-casa, ao plantar, colher e transformar a colheita em coisas bonitas e apetitosas. Quem me conhece mais de perto sabe que eu gosto demais do quintal da minha casa de São Paulo, que tem um canteiro de ervas e mais jabuticaba, pitanga, goiaba, limão, carambola e maracujá, e que eu adoro passar os finais de semana e pelo menos uma parte razoável das férias na fazenda, no maior sossego do mundo. Quando não estou escrevendo, lendo ou cozinhando (e isso inclui colher um caldeirão de amora e fazer geléia, passar horas mexendo um tacho imenso de goiabada, cristalizar frutas, fazer geléia de mocotó, separar a gordura do leite e preparar manteiga, fazer embutidos e outros defumados, muitos pães e todas aquelas outras coisas que quase todo o mundo diz que dão um trabalhão mas que eu acho divertidíssimo), estou tingindo panos e lãs com corantes naturais, como casca de romã, cebola ou jabuticaba; ou cuidando das flores dos meus canteiros ou do campo, montando e secando buquês; ou costurando ou tecendo alguma coisa no tear; ou fazendo sabão com ervas e flores; ou trabalhando com barro e fazendo pratos, tigelas e potes de cerâmica. Enfim, adoro os trabalhos manuais e amo fazer em casa o maior número possível de coisas, sempre de um jeito muito simples e artesanal. Isso tudo me deixa naturalmente feliz e me dá prazer e tranqüilidade.

Nos tempos da faculdade, e aí já se vão quase 30 anos, eu adorava o sanduíche de ricota, cenoura ralada, uva passa e salsinha que uma moça vendia numa cesta bem grande de palha. Quando passei a trabalhar no centro da cidade, sempre que podia, eu almoçava no Mel, que ficava pertinho da avenida São Luís e era uma delícia, tinha saladas e sopas superdiferentes, e num vegetariano na Quinze de Novembro, quase na esquina com a rua Direita, que tinha um pãozinho integral com grãos inesquecível.

Pouco tempo depois, fui para a França pela primeira vez e tomei um iogurte de morango que era de um rosa bem clarinho, da cor de iogurte natural apenas batido no liquidificador com morango de verdade, e com o cheirinho gostoso do morango fresco, não tinha nada a ver com aquele iogurte perfumadíssimo e *pink* que a gente encontra por aqui. Esse copinho de iogurte francês, que, aliás, era de vidro e não de plástico e que guardo até hoje, me fez pensar bastante: por que não deixar as coisas como elas são, para que serve colorir e perfumar os alimentos de jeito tão artificial?

Passei a me interessar ainda mais pelas coisas mais saudáveis para o corpo, pela natureza, pelos ingredientes produzidos com cuidado e respeito às estações do ano, já que tudo tem o seu tempo, o seu ciclo, e não dá para negar que as mangas que crescem e amadurecem no tempo certo são muito melhores do que aquelas que foram forçadas a crescer e a amadurecer de maneira totalmente artificial. Ainda bem que não param de crescer esses movimentos que lutam para deixar o mundo melhor, mais sensível e verdadeiro, com um pouco menos de plástico. Já há quem queira afastar do seu dia-a-dia o excesso de adoçantes, corantes, aromatizantes, conservantes e emulsificantes misteriosos e que estão em quase tudo e dos quais ninguém sabe dizer muito bem os efeitos do consumo no longo prazo, mas ninguém duvida que eles contribuam para distúrbios hormonais, alergias, tumores e estresse.

Chega daquele tomate lindo para os olhos, que dura um tempão na gaveta da geladeira, mas que de tomate só tem mesmo um pouquinho de perfume e de sabor, no mais, parece plástico ou isopor. Agora é a vez da cenoura meio tortinha e não muito grande, mas que vem com folhas, raiz e até um pouco de terra, que tem gosto, cheiro e cor de cenoura e, ainda por cima, transmite a emoção e a dedicação de quem plantou e colheu.

É esse o jeito orgânico de produzir, que respeita e preserva o equilíbrio ambiental, que leva em conta a saúde das pessoas, que dispensa os pesticidas e herbicidas agressivos que contaminam quimicamente os produtos, que não quer saber do delírio que representa os geneticamente modificados nem dos hormônios e estimulantes que aceleram o crescimento dos animais e que prestigia o pequeno produtor, aquela família que cria frangos, produz ovos caipiras, faz queijos de cabra e bolos divinos ou colhe morangos vermelhíssimos e suculentos e vende tudo na própria região.

Aqui, no Brasil, apesar da produção de orgânicos vir crescendo bastante a cada ano tanto em quantidade como em variedade, ainda é quase impossível dizer que alguém vive exclusivamente com orgânicos ou que um restaurante só usa ingredientes orgânicos, mas dá para dizer que se usa muita coisa orgânica. O problema é que uma coisa puxa outra: para ter uma galinha orgânica, o milho que ela come também tem de ser; para ter um bolo orgânico, tudo que entra na receita também tem de ser, e por aí vai. Mas isso não é simples, tanto que mesmo nos Estados Unidos, onde as coisas são bem mais organizadas, os produtos são classificados como 100% ou 95% orgânico, ou preparado com até 70% de orgânicos, que são os *made with organic*.

Além disso, há que se considerar o lado financeiro. É ótimo querer viver com a maior quantidade possível de orgânicos por uma questão de valores e princípios, mas o bolso nem sempre permite, pois a produção ainda é consideravelmente pequena, muita coisa é feita artesanalmente, o que torna o custo muito alto e deixa o preço dos orgânicos quase sempre muito acima do de seus equivalentes não-orgânicos, que são produzidos em grande escala. Entretanto, mesmo que seja aos pouquinhos, acho que vale a pena ir inserindo o conceito do orgânico na vida da gente.

Um maior cuidado com as embalagens dos produtos também tem sido visto — estas já muitas vezes são feitas de material reciclado —, o mesmo se percebe com relação aos pacotes usados para acondicionar as compras e levá-las para casa. Por aqui, o movimento está apenas começando, mas nos supermercados orgânicos americanos e europeus, os funcionários sempre perguntam se você precisa de saquinhos de papel reciclado ou sacolas plásticas para embalar suas compras ou se irá utilizar uma sacola de compras durável trazida de casa.

Como nas feiras orgânicas os produtos normalmente são vendidos pelo próprio produtor, a ida às compras costuma ser um passeio muito gostoso e divertido. Dá para bater papo com produtores e sentir o envolvimento deles com os produtos, isso já dá um caráter especial ao evento; também é bom para conhecer outros consumidores com os mesmos interesses.

Nos meus tempos de Paris, aos domingos, eu pegava a minha sacolinha de lona e ia feliz da vida fazer compras no *marché bio* — a feira orgânica — do boulevard Raspail com a rue de Rennes, onde tudo é bem *fermier*, quer dizer, os próprios fazendeiros vendiam os seus legumes, verduras, frutas, cogumelos, ovos, queijos, aves, frutas secas, azeitonas, pães, embutidos, mel, patês, flores e muitas outras coisas deliciosas. Quando não dava para ir até lá (embora não fosse tão longe de casa, era uma caminhada puxadinha), eu andava da avenue de la Motte Piquet, onde a gente morava, até o boulevard Grenelle e fazia as compras no *marché* do calçadão que fica sob o viaduto por onde corre o metrô (embora não fosse totalmente bio, em 1995 já tinha uma quantidade razoável de orgânicos).

Há uns 16 anos, o Rubinho, um dos meus irmãos, morava em Nova York, num apartamento que ficava a uns três quarteirões da Union Square, e, durante as minhas visitas, eu pude passear várias vezes pelo *farmer's market* que acontecia por ali e que era bem legal. Numa viagem pela Austrália, passei uns cinco dias em Melbourne, uma delícia de cidade, e fiquei encantada com o *farmer's market* grande e lindo que acontecia por lá. Aqui em São Paulo, passo, pelo menos de vez em quando, pela feira orgânica do parque da Água Branca, que acontece às terças, sextas e sábados; ela não é muito grande, mas tem boas verduras, legumes e frutas, além de mel, pães, ovos e laticínios.

Nas minhas duas últimas viagens aos Estados Unidos, passei uns dias em Los Angeles e me deliciei no *farmer's market* de Santa Monica, mas nenhum deles bate o que acontece nas manhãs de sábado ao redor do Ferry Building Market Place, de San Francisco. Para quem gosta de tudo que tenha a ver com comida e praticamente respira ingredientes e receitas, esse *market* é mesmo tudo de bom, um sonho, das melhores coisas que tem para fazer em San Francisco, e olha que aquela cidade é o máximo. As barracas são tantas e tão lindas que a gente nem sabe por onde começar. Tudo é maravilhoso — as frutas, os legumes de tamanho normal e os bem pequenos (a minicouve-flor era a coisa mais linda do mundo!), as folhas que vão do verde bem clarinho ao roxo, das superlisas às rendadíssimas, que até parecem de crochê, os brotos de tudo que é coisa, os cogumelos, os queijos, leites e manteigas, os embutidos, as carnes, os peixes, as aves e os ovos, os cereais, o mel, as geléias, as frutas secas, as azeitonas, as flores, os pães e os bolos. Comi framboesas saborosas e delicadíssimas, cerejas que eram um arraso e morangos inesquecíveis, uma tentação para quase todos os sentidos, bom de olhar, de comer, de cheirar e de tocar, tudo divino. Depois desse superpasseio pelo *market*, chegou a hora de entrar no prédio do Ferry Building Market Place, que também é demais — um antigo armazém do porto restaurado — com muitas lojas charmosíssimas, todas elas vendendo produtos orgânicos e coisas ligadas à cozinha e à mesa, mas sempre com um quê de campestre e artesanal. Uma vendia toalhas de mesa, panos de prato e aventais de algodão e tecidos mais rústicos; outra, utensílios artesanais de madeira; depois vinham uns dois açougues, a avícola, a peixaria, a loja dos queijos das Cowgirls, que é o paraíso para os *cheese lover's*, os cantos do azeite, das especiarias, das ervas secas, do café, do chá e até do caviar. Na hora do almoço, o Carlos e eu comemos ostras orgânicas maravilhosas no Logs. Na bandeja, vinham quatro tipos diferentes de ostra, todas deliciosas, mas a mais saborosa era justamente a mais feiosa e miudinha (a gente nunca deve mesmo julgar pela aparência...), e eu comi um sanduíche de pão e queijo sensacional, talvez o melhor que já tenha comido, e olha que penso entender um pouco de pão e queijo, simplesmente adoro e quase vivo disso (um queijo parecido com um Gruyère da Cowgirls entre duas fatias grossas de um pão de fermentação natural da Acme, tudo bem tostadinho e acompanhado de picles de aspargo, cenoura, rabanete e pimentão). Tudo é tão lindo e arrumado de um jeito tão gostoso que só não dá mesmo é vontade de sair de lá.

Ainda nos Estados Unidos, visitei algumas lojas das duas redes mais importantes de supermercados orgânicos que eles possuem, a WildOats e a Wholefoodsmarket, e é impossível não se apaixonar. Eles são incríveis, têm de tudo e quase tudo orgânico mesmo, desde o sabão para lavar roupa até ração do cachorro e do gato, e o que não é orgânico tem aquele aspecto mais natural, do pano de prato de algodão, aos utensílios de bambu.

As nossas lojas de produtos naturais e orgânicos ainda estão bem longe das americanas, mas elas têm coisas boas e dão conta de abastecer a despensa e a geladeira. Quem mora em São Paulo, como eu, pode ir à Bio Loja, na rua Maranhão, em Higienópolis, que é bem antiga; à Alternativa, na rua Fradique Coutinho, em Pinheiros; à Ponto Verde, na rua Estilo Barroco, em Santo Amaro, que há muitos anos traz o que há de melhor e mais orgânico; ao Empório Siriúba, na alameda Franca, nos Jardins, que tem um jeito mais moderno; e às várias lojas do Mundo Verde espalhadas pela cidade. Além destas, o Pão de Açúcar e o Santa Luzia a cada dia estão multiplicando e tornando mais variadas as suas prateleiras de orgânicos.

Outra coisa muito gostosa de fazer numa viagem de carro por estradinhas pequenas é dar umas paradinhas pelo caminho para experimentar e comprar mel, queijos, embutidos, pães e frutas de sitiantes que cuidam dos seus produtos com carinho e depois fazer um piquenique. Já fiz isso no interior da França, da Itália, da Inglaterra, da Alemanha, da Espanha, de Portugal, da Holanda e dos Estados Unidos e é sempre muito divertido e apetitoso.

Depois das compras, chega a hora de cozinhar. Com ingredientes frescos e de boa qualidade, tudo fica mais fácil, e somando-se um pouco de bom senso, com certeza sairão da cozinha muitas receitas deliciosas. Mas não basta ter o melhor ingrediente nas mãos, é preciso também dedicação e conhecimento para obter o melhor dos alimentos, preparando-os em condições adequadas e no tempo correto. É por isso que as coisas feitas em casa e com todo o cuidado do mundo ficam mais gostosas. Então, é bom tentar cozinhar num ritmo tranqüilo, bem *slow food*, evitando atalhos que podem ajudar na hora da correria mas que limitam a verdadeira integração dos ingredientes.

Para deixar a refeição ainda melhor, é preciso balancear o consumo de alimentos crus e cozidos; não abusar das frituras; ter sempre à mão legumes, verduras, frutas frescas e secas, iogurte, mel e cereais; usar muitas aves e peixes e limitar a ingestão de carnes vermelhas a apenas "de vez em quando"; preparar o alimento de maneira a aproveitar todas as suas vitaminas, proteínas e minerais, que são essenciais para o desenvolvimento e a reconstituição das células.

As carnes, os peixes, os laticínios, os frutos oleaginosos, os grãos integrais e os ovos são ricos em proteínas; as verduras, os legumes e as frutas são importantes fontes de vitaminas, fibras e minerais. Com uma combinação equilibrada de alimentos, é possível obter tudo de que o corpo precisa para uma vida longa e saudável: cálcio para os ossos, dentes, circulação e músculos; ferro para o sangue e obter mais vitalidade; fósforo, potássio, magnésio, sódio, iodo, zinco, cobre para o equilíbrio das funções do organismo; gorduras e carboidratos para ter energia (são muitas as opiniões sobre o consumo de gorduras animal e vegetal, mas, para mim, o que importa mesmo é não exagerar). E por falar em combinar, os nutricionistas costumam dizer que, mesmo que não se tenha noção dos nutrientes de cada alimento, quem montar um prato bem colorido estará, ainda que sem querer, comendo uma refeição equilibrada.

Quando se quer adoçar alguma coisa de um jeito mais natural, usa-se mel, que serve não só para adoçar mas também para dar sabor e perfume às receitas, que ganham um toque especial e ficam boas demais (quem é que não gosta de um pão-de-mel, de um bolo ou um biscoito de mel e gengibre, ou de um molho de salada com um gostinho de mel no fundo?). Eu adoro mel, aquele líquido dourado, que pode ser bem clarinho e suave ou bem escuro e forte, perfumado, espesso, às vezes tão aveludado que tem consistência de manteiga e rico em nutrientes. Acho lindo um pote bem cheio de mel, com aquela espátula de colméia na ponta, invenção genial para aproveitar até a última gota e não ficar pingando. Tem gente que acha que mel é tudo igual e pronto, mas não é nada disso. O sabor, o perfume, a cor e a textura dependem das flores que as abelhas visitaram para recolher o néctar e a época do ano em que isso ocorre. Quem gosta e aprende a apreciar o mel, coloca uma gota na ponta da língua, espera alguns segundos e já começa a entender e a perceber as diferenças sutis entre uma variedade e outra, é capaz de discernir se aquele mel veio de florzinhas de tomilho, alecrim ou sálvia, ou de flores de acácia, laranjeira ou limoeiro, ou de amora, eucalipto, figo, pinho ou girassol. O mel é talvez o único alimento que se conserva sozinho naturalmente, conforme o tempo passa ele se cristaliza, mas isso não significa que não esteja bom, muito pelo contrário, ele só está ali quietinho esperando alguém querer usá-lo, aí, é só aquecer em banho-maria ou levar ao microondas por alguns segundos que ele fica com a consistência de mel de novo. Depois do mel, para adoçar de maneira natural, há o melado, que tem sabor forte e é rico em ferro, vitamina B e sais minerais; e o açúcar mascavo e a rapadura, que, no processo de refino da cana, são produtos anteriores ao açúcar branco comum, ambos são bem gostosos e nutritivos.

O leite, o queijo, a manteiga e o iogurte são fontes de proteína, vitaminas, sais minerais e gordura animal. A ricota contém tudo isso, mas com menor teor de gordura, por isso entra em tantas receitas saudáveis. O iogurte, então, é mesmo o máximo, Jó falava dele no Antigo Testamento; além de ter tudo o que o leite tem de bom, o iogurte ajuda muito na digestão, e seu consumo regular contribui para uma vida longa e cheia de saúde, que é o que importa.

Quem quer cremosidade e uma porção extra de proteína sem ter de consumir gordura de origem animal pode passar a usar nas receitas o tofu fresco, aquele bem macio, que vem num cubo grande e se desmancha quase como clara de ovo cozida. Antes de usar, é sempre bom apertar um pouco o bloco de tofu com um pano para retirar o excesso de líquido, assim, ele absorverá melhor molhos e marinadas e ficará mais sequinho quando entrar na frigideira. Os grãos cozidos e firmes da soja dão ótimas saladas e refogados e são muito nutritivos. A farinha de soja é rica em proteína, entra em receitas de pães e bolos, mas, como não tem glúten, para dar elasticidade à massa, é preciso acrescentar um pouco de farinha de trigo.

Há milênios, os cereais alimentam muita gente neste mundo. Na sua forma mais natural e integral, em que são preservados o farelo e o gérmen, os grãos são ricos em fibras, vitaminas, proteínas e sais minerais e de fácil digestão. Quando o grão é refinado demais, o que sobra é basicamente amido, que tem pouco sabor, pouca textura e baixo valor nutricional. Os grãos integrais vão muito bem em pães, bolos, biscoitos, mingaus, saladas, sopas e bolinhos ou refogados com cebola, alho (que, além de ser um anti-séptico natural, auxilia na digestão e na defesa do organismo e dá uma forcinha na hora de resolver problemas respiratórios e de pressão arterial), salsão, alho-poró e cenoura cozidos na água com sal ou num caldo até ficarem macios mas ainda firmes no centro (eles não devem cozinhar demais para que não fiquem pastosos, a não ser que seja para usá-los numa sopa ou purê), aí é só juntar umas ervas frescas picadinhas, afofar com um garfo e servir (calcule umas 3 xícaras de água para cada xícara de grão). A maior parte dos grãos triplica de volume depois de preparada, quer dizer, 1 xícara de grão cozido em 3 xícaras de líquido rende umas 3 xícaras de grãos cozidos. O tempo de cozimento varia bastante, já que depende muito da panela, da intensidade do fogo e de o grão ser mais novo ou mais velho, mas pode levar desde cerca de 30 minutos, para a quinua, até umas 2 horas, para a cevada.

Em forma de farinha fina, farelo, gérmen e flocos (como no caso da aveia), os cereais viram bolos, pães, biscoitos, mingaus e granolas. As farinhas são muito úteis e versáteis, tanto as que são preparadas artesanalmente, em pesados moinhos de pedra e moídas a frio, sem aquecimento dos grãos, e que são mais saudáveis, como as que saem dos moinhos ultramodernos. Uma dica que vale para todas as farinhas e grãos, principalmente para os mais integrais: compre sempre aos pouquinhos, à medida que necessitar, pois o calor e a umidade as tornam rançosas em pouco tempo.

O trigo é um supercereal. Nunca me esqueço de um lindo campo de trigo, já com as espigas bem douradas e balançantes pelo vento, que vi durante uma viagem de carro pelo interior da França. O grão do trigo é rico em proteína, vitaminas e minerais e deixa qualquer pão mais saboroso (cozinhe os grãos por umas 2 horas, até ficarem bem macios, e junte à massa do pão). O gérmen é o coração do grão; e o farelo, camada mais externa, é rico em fibra; ambos facilitam muito a digestão e podem ser consumidos como sucos, vitaminas, iogurte, leite, mingaus, granolas, pães, biscoitos e bolos. Moído grosso e pré-cozido, o grão vira o trigo para quibe, que não precisa de cozimento em fogo para ficar pronto, bastando hidratar com água e deixar repousar, então ele incha e pronto (mas nada impede que ele vá ao fogo por uns 15 minutos com água ou com caldo). A mesma coisa acontece com o *couscous* marroquino, que é feito de sêmola do trigo.

Ninguém duvida de que a farinha de trigo é um dos ingredientes mais úteis na cozinha, ela pode ser encontrada nas versões integral e refinada e entra em bolos, pães, doces, biscoitos e massas e engrossa cremes e molhos. A integral é mais nutritiva, mas a branca é mais rica em glúten, que é a proteína do trigo desprovida do amido, e é o responsável pela elasticidade, maciez e crescimento uniforme das massas, principalmente das de pão. Por isso, ao preparar um pão com farinha integral, que tem baixo teor de glúten, é sempre bom juntar pelo menos um pouquinho de farinha branca (também vale a pena usar um pouco de farinha branca quando a massa leva uma quantidade maior de grãos e de sementes). A semolina é resultado do refinamento do grão de trigo duro, e, pelo alto teor de glúten, dá uma massa com boa consistência e elasticidade.

O centeio tem grão escurinho e bem nutritivo, e sua farinha é pobre em glúten, se usada isoladamente dá pães úmidos e densos, mas, combinada com um pouco de farinha de trigo, resulta em pães maravilhosos.

Já o grão da cevada, apesar de ser de fácil digestão, é bem firme e leva bastante tempo para cozinhar. Quando se retira uma parte do gérmen e da fibra externa do grão da cevada, surge a cevadinha, que é mais delicada e deliciosa, e eu adoro. A farinha de cevada é muito nutritiva, tem quantidade razoável de glúten, é bem saborosa e dá um ligeiro adocicado à massa, mas, se usada isoladamente, ela deixa o pão um pouco úmido demais, por isso é sempre bom acrescentar um tantinho de farinha de trigo branca.

Nunca vou me esquecer do tempo em que a gente plantava aveia na fazenda para alimentar as vacas leiteiras no inverno; o campo de aveia era realmente maravilhoso, de um verde lindo mesmo. A aveia é o máximo, tanto que muita gente diz que é o mais completo dos cereais. Em grão ela é bem durinha e demora umas 2 horas para cozinhar, mas prensada e transformada em flocos, fica pronta bem rapidinho (ainda mais se os flocos forem pré-cozidos). A farinha fina é pobre em glúten e precisa ser acrescida de farinha de trigo branca, mas ela é adocicada e dá pães, bolos e biscoitos muito gostosos.

O painço também é um cereal interessante, apesar de não entrar em muitas receitas. É boa fonte de proteína e vitaminas e vai bem tanto no pão sueco como no pão integral.

Há muitos e muitos anos, dois grãos bem nutritivos, ricos em proteína, vitaminas e minerais, já faziam sucesso aqui nas Américas: a quinua entre os incas; e o amaranto – que tem um gostinho de noz no fundo e estoura como pipoca –, entre os astecas. Ambos possuem grãos miúdos e amarelados, cozinham muito rápido, ficam ligeiramente gelatinosos e entram em saladas, sopas e ensopadinhos. Como o amaranto tende a ficar rançoso em pouco tempo, é sempre melhor guardá-lo na geladeira; quanto à quinua, lave-a bem para retirar a película quase transparente que deixa o sabor um pouco amargo.

Se há coisa que realmente adoro e não dispenso no meu dia-a-dia é uma boa fatia de pão integral. Nos tempos de faculdade, eu me apaixonei pelos pães integral e sueco da Pinheirense e, até hoje, adoro os dois, são os meus preferidos. Há muitos anos, meu marido e eu estávamos passeando de carro pelo interior da Alemanha e, na rua central da parte antiga de Heidelberg, encontramos uma padaria só com pães integrais, com todos os grãos e sementes possíveis, que era mesmo o máximo. Como era hora do almoço, compramos um monte de pãezinhos diferentes, suco de maçã, embutidos e queijos e fizemos um piquenique inesquecível ao lado das ruínas que ficam bem no alto da cidade e de onde se tem uma vista maravilhosa de todo o vale. Os pães eram mesmo divinos, uns mais leves e macios, outros mais pesados, mas todos saborosíssimos e muito perfumados, tanto que, uns 20 anos depois, se fecho os olhos e penso neles, o gosto ainda me vem à memória e até consigo sentir o cheirinho dos pães assando na padaria.

As sementes também fazem parte desse mundo mais integral e natural, são bem nutritivas, ricas em proteína. Tanto pelo sabor, como pelo crocante que elas dão às receitas, vale sempre a pena dar uma douradinha nas sementes de girassol e abóbora numa frigideira seca ou no forno com um pouco de sal (25 g dessas sementes bem douradas já são um aperitivo ou um lanchinho). Elas ficam deliciosas refogadas com um pouco de óleo, cebola e alguns legumes ou verdura, como vagem, brócolis ou espinafre, ou socadas com ervas e azeite num pilão para virar um pesto.

As sementes de papoula são bolas pretas bem miudinhas que contêm bastante cálcio e ferro, deixam pães, bolos e molhos bem saborosos, com uma textura incrível e um visual pintadinho que é uma graça. A semente de linhaça também é bem nutritiva e vai muito bem em biscoitos e pães. O gergelim também é uma semente miúda com formato de uma gota achatadinha; pode ser clarinha, da cor de palha, ou preta, de sabor um pouquinho mais forte; é muito nutritivo e contém bastante ferro. Douradas com um pouco de sal, as sementes de gergelim deixam qualquer salada mais gostosa; misturadas com arroz e shoyu, elas fazem um prato simples ficar com jeito de oriental e bem saboroso; são usadas para empanar filezinhos de peixe e em receitas de bolos e doces árabes. Como as sementes de papoula e gergelim ficam rançosas em pouco tempo, é sempre bom guardar num pote fechado na geladeira.

As frutas secas e as oleaginosas são fontes de energia, ricas em fibras, vitaminas, minerais e, em alguns casos, proteína, dão uma mãozinha na digestão e, se consumidas com moderação (entre 25 e 40 g por dia), algumas delas, mesmo sendo ricas em gordura, ajudam a manter em equilíbrio os níveis de colesterol. As frutas secas têm as mesmas qualidades das frescas, só que em doses mais concentradas; além disso, contam com a facilidade da conservação, duram muito tempo (como por aqui faz muito calor e eu costumo comprar frutas secas sempre em quantidades não muito pequenas quando vou ao Mercado Municipal Central, o que compensa não só pelo frescor mas também pelo preço, guardo na geladeira ou no freezer e elas levam muito tempo para ficar rançosas).

Elas vão bem em saladas, com legumes, carnes, frutas frescas, chocolate, iogurte, em mingaus, pães ou bolos e, puras, viram um lanchinho ou um aperitivo gostoso e saudável, têm realmente mil e uma utilidades. Quem lê as minhas receitas logo percebe que tenho mesmo um fraco pelas nozes comuns, que são as européias, e pelas pecãs americanas, ricas em minerais; pelas avelãs, que são muito doces e se dão muito bem com chocolate; pelas castanhas-do-pará bem carnudas; pelos pistaches verdíssimos e perfumados; pelas amêndoas, que deixam bolos, cremes e tortas irresistíveis; e também pelos pinhões, deliciosos apenas cozidos ou em sopas, purês, farofas ou bolos; pelos pinoli, que entram em tantos pratos mediterrâneos e são muito gostosos; pelas castanhas de caju, que têm o menor teor de gordura de todas e, se processadas, ficam bem cremosas; e até pelos amendoins, que botanicamente não são nozes, e sim legumes das Américas, já consumidos pelos maias e astecas há muito tempo, mas que acabam entrando nas receitas com um efeito semelhante ao das oleaginosas. Para ressaltar os sabores e perfumes, e também para deixar as nozes mais crocantes, procure sempre dar uma aquecida por uns minutinhos numa frigideira seca, ou no forno médio por uns 10 minutos.

Também adoro e acho lindo aqueles potes de vidro dos mercados cheios de frutas desidratadas, em rodelas, metades, fatias ou mesmo inteiras, algumas delas ainda com os caroços. São maçãs, peras, caquis, carambolas, morangos, ameixas, figos, damascos muito doces ou bem azedinhos, tâmaras maravilhosas, uvas passas claras e escuras, bem miúdas, daquelas que parecem uns mosquitinhos, até umas bem graúdas, bananas de vários tipos e tamanhos, umas mais e outras menos doces, além das fatias de abacaxi, papaia e melancia.

As frutas, verduras e legumes frescos são ricos em fibras, vitaminas e sais minerais, por isso use e abuse de morango, amora, framboesa, mirtilo, banana, laranja, mexerica, grapefruit, limão, mamão, melão, melancia, figo, uva, caqui, cereja, ameixa, pêssego, manga, fruta-do-conde, maracujá, banana, coco, brócolis, espinafre, escarola, mostarda, acelga, agrião, alfaces (dos mais variados tipos), endívias, couve, couve-flor, rabanete, nabo, pepino, beterraba, erva-doce, cebola, alho, cenoura, alho-poró, abobrinha, batata, batata-doce, mandioquinha, mandioca, cará, inhame, abóboras, pimentões (verde, vermelho, alaranjado e amarelo), tomates (redondos, ovalados, grandes e miúdos, vermelhíssimos, alaranjados, amarelos e verdes) e berinjelas (bem roxas e com aquele formato lindo). Sem se esquecer, é claro, dos cogumelos de vários tipos, que, embora não sejam vegetais, são preparados e consumidos como tais. Brotinhos bem leves e miúdos são gostosos e fresquinhos numa salada, sanduíche, sopa, refogado rápido e, ainda por cima, são muito saudáveis e nutritivos, costumam ter muitas vitaminas, minerais e às vezes até proteína. Quem quiser ir além do moyashi, que é o broto de feijão verde, e dos brotinhos de trevo e de alfafa que aparecem nos supermercados, pode tentar fazer uma miniplantação em casa e, em 3 dias, já terá a primeira minicolheita de brotos com cores, texturas e sabores diferentes. Qualquer semente ou grão inteiro, cru e livre de pesticidas pode dar bons brotos (aí entram grão-de-bico, lentilha, girassol, feijão-bolinha-verde japonês, centeio, rabanete e cevada-cevadinha não funciona). Das experiências que fiz, gostei bastante dos brotos de lentilha, que ficam meio adocicados; dos de feijão-bolinha, que ficam lindos e saborosos; e dos de centeio, que têm um ligeiro azedinho e uma textura bem interessante. A miniplantação rende bastante, 1 xícara de grãos ou sementes rende até 6 xícaras de brotos e não dá muito trabalho: coloque as sementes ou grãos numa tigela grande, cubra com água em temperatura ambiente, cubra a tigela com um tecido limpo e fininho, como uma gaze ou uma fralda de pano, amarre com um barbante para fechar bem e deixe repousar por 12 horas num lugar que seja fresco e pouco iluminado, assim, os brotos ficam mais clarinhos e adocicados (isso vale para as primeiras 48 horas, depois disso é até bom que, para ativar a clorofila, eles fiquem num lugar bem ensolarado). Depois desse primeiro repouso mais longo, sem retirar o pano, escorra a água do molho, molhe de novo com água limpa em temperatura ambiente e siga descartando a água e molhando com água nova 3 vezes por dia, por uns 3 dias, até que os brotinhos estejam do tamanho desejado, então escorra de novo e leve à geladeira (eles continuam saborosos e crocantes por uns 4 ou 5 dias).

Eu não resisto a uma tigela linda com uma saladinha da horta, temperada com azeite, sal e limão, que dá um gostinho delicioso à salada, ou vinagre, que pode ser de vinho tinto ou branco, ou de maçã, que é bem neutro (os de fermentação natural são ótimos para gargarejos, regulam a acidez do organismo, são um tônico para o sangue e ajudam na digestão), ou um balsâmico mais encorpado e ligeiramente adocicado. Em casa, este é o meu molhinho de salada do dia-a-dia, principalmente quando entram na tigela folhas mais picantes, como azedinha, rúcula e agrião: coloco num vidro que tenha tampa 1 colher (sopa) de mel, 1 colher (sopa) de mostarda de Dijon, mais ou menos 1 colher (sopa) de sal, 1/4 de xícara de vinagre de vinho tinto ou balsâmico e 3/4 de xícara de azeite de oliva, tampo o vidro e chacoalho bastante, até obter um molhinho bem grosso e homogêneo, então uso uma parte na salada e guardo o restante por até uma semana na geladeira e, quando quero, é só chacoalhar de novo. Uma coisa bem importante: dizem que o ideal é consumir pelo menos 2 xícaras de folhas verdes cruas ou 1 xícara de folhas cozidas por dia, e que quanto mais escura for a folha, mais rica em nutrientes ela será.

Por último vêm os óleos vegetais, feitos de sementes, frutos oleaginosos e grãos. Os óleos comuns, produzidos em grande quantidade e que aparecem na maior parte das prateleiras dos supermercados, são feitos das sementes aquecidas e prensadas, o que diminui bastante seu teor nutricional. Já os óleos obtidos por prensagem a frio mantêm o sabor e o aroma naturais e fornecem os ácidos graxos e ômega 3, 6 e 9, que fazem o organismo funcionar melhor e não aparecem com tanta freqüência em outros alimentos. Como esses óleos prensados a frio e totalmente integrais, não são aditivados de nenhum outro óleo refinado nem de conservantes, eles tendem a ficar rançosos mais rapidamente, a solução é comprá-los em pequenas quantidades e guardá-los em geladeira ou em vidros escuros em lugar fresco ao abrigo de luz.

Existe óleo de quase tudo: os de girassol e canola, bem equilibrados nos ácidos graxos, são neutros e versáteis e servem para qualquer coisa na cozinha; o de amendoim tem sabor bem pronunciado e suporta altas temperaturas, por isso é ideal para fritar; o de milho é leve, bem clarinho, muito saudável e ótimo para ser usado frio em molhos e saladas e para refogar e assar, mas não deve ser usado para fritura, já que não suporte temperaturas elevadas; o de soja também é suave e versátil; o de oliva, que é supersaudável, saborosíssimo e perfumadíssimo, bom para usar tanto frio (em saladas e molhos ou para regar uma carne, legumes, massa ou pão) como quente (para refogar, assar ou entrar num pão (não dá para viver sem ele!); o de gergelim, que é bem saboroso, bom para refogar, assar e entrar em molhinhos orientais; o de linhaça é nutritivo, mas tem um leve amarguinho no fundo; o de castanha-do-pará é muito saudável; o de babaçu; os de coco e de semente de uva são neutros; os de nozes, de avelã e de pistache são muito saborosos e perfumados e, com apenas um fiozinho, deixam uma salada ou uma carne bem especiais (existem uns franceses que são realmente maravilhosos e vêm numas garrafinhas de cerâmica que são umas graças).

Então, vamos para a cozinha?

RECEITAS

Para beber, escolhi três receitas que são gostosas, alimentam e refrescam: o *shake de tofu e framboesa*, que fica bem cremoso e, no lugar da framboesa, pode levar qualquer outra fruta; o *refresco de maçã, pepino e hortelã* é superintrigante, pois todo o mundo fica tentando descobrir o que tem de tão bom no copo, ele é verdíssimo e tem toda a cara de verão; e o *supersuco de vitamina C*, bom para dar aquele pique para fazer mil coisas. Como pão é bom demais e eu adoro fazer isso em casa — coisa que penso ter tudo a ver com esse jeito mais natural de levar a vida —, acabei escolhendo três receitas de uma vez. Revirando uns livros ingleses muito antigos, do início do século 19, com as páginas amareladas e rasgadinhas, encontrei algumas receitas de pão que levam arroz; então, experimentei, mexi daqui e dali e cheguei a um *pão de arroz* delicioso, com uma crosta crespa e crocante de grãos e uma massa muito macia, preparada com a água do cozimento do arroz. Depois vem o *pão rápido de iogurte e mel*, muito bom mesmo, com o perfume do mel e do tomilho e uma textura entre a do bolo e a do pão de fôrma, que vai bem tanto puro como com manteiga ou requeijão. Aí chega o *pão rústico de aveia*, bem nutritivo, com uma crosta apetitosa e um miolo denso e bem saboroso, que sempre agrada no café-da-manhã, no lanche ou para acompanhar uma refeição. Se há uma coisa que eu adoro é um bom *pão sueco*, por isso procurei bastante, testei e retestei sei lá quantas receitas até conseguir uma que fosse fácil e resultasse numa casquinha crocante e saborosa, fininha na medida certa, perfeita para receber alguma coisa cremosa por cima. Para acompanhar os pães, ou mesmo uns palitos de cenoura, salsão, pepino e pimentão, pensei no *dip de tofu, salsinha e manjericão*, saboroso e bem verdinho; e na *pasta de ervilha, ervas e gergelim*, que fica o máximo e é linda. A *salada de abobrinha, abóbora e quinua* fica bem delicada, mescla as cores e texturas das abobrinhas italiana e brasileira e da abóbora e o ligeiro crocante da quinua, tudo temperado com limão, azeite, um pouquinho de mel, sal e hortelã. Para aquecer, vem a *sopa de arroz selvagem e nozes-pecãs*, que é muito boa e combina dois ingredientes bem americanos. As *panquequinhas de milho verde*, inspiradas nas arepas colombianas, são bem apetitosas e vão muito bem com queijo cremoso, tanto para acompanhar numa refeição como para um lanche ou café-da-manhã (ficam divinas com milho verde bem fresquinho, mas também podem ser feitas com milho verde congelado ou em conserva, daqueles bem macios). Pensando num prato único, ou num prato principal, escolhi *arroz selvagem com lentilhas e cogumelos*, bem chique e saborosíssimo; o *curry de grão-de-bico*, com aqueles grãos lindos, que parecem avelãs amareladas com biquinhos, e um molho bem encorpado e perfumado; o *rocambole de grãos com molhinho de espinafre* é mesmo tudo de bom e está entre as minhas receitas preferidas, com a base de arroz integral, cevadinha e lentilha alaranjada — que muitas vezes desaponta, porque é muito bonita crua mas perde muito da cor depois de cozida e num minutinho amolece demais e vira uma pasta —, que entra justamente para dar consistência ao rocambole, um recheio de queijo cremoso e passas e um molho bem verdinho; o *pilaf de arroz, lentilha e amêndoa, uva passa e damasco* é sempre delicioso, com o aroma das especiarias, o sabor e o colorido apetitoso do açafrão, das frutas secas e das ervas. O *refogadinho de tofu, vagem e cenoura* é bem rapidinho, gostoso e, para virar uma refeição, só precisa de uma tigela de arroz ou de massa oriental. Para acompanhamento com um toque mais refinado, ou até para um aperitivo, pensei na *batata-doce caramelizada com laranja, azeite e alecrim*, que, se for processada, pode virar um purê; e, mais para o dia-a-dia, na *tigelinha de trigo e tomate*, um refogadinho bem simples, cremoso e delicioso preparado com trigo para quibe, tomate, cebola, alho, azeite e umas ervinhas. O *spaghetti integral com pesto de sementes de girassol e de abóbora e ervas*, bem bom, é uma forma de enriquecer um prato de massa com sementes bem nutritivas. Como tortas sempre fazem sucesso, escolhi a *torta provençal de legumes*, com uma massa preparada com azeite de oliva e um recheio saboroso e muito alegre com as cores do pimentão, da berinjela, da abobrinha, do tomate, da azeitona e da cebola; e a *torta integral de beterraba e queijo cremoso*, com uma massa crocante e quebradiça de farinha de trigo integral perfumada com alecrim e um recheio que mistura o ligeiramente adocicado da beterraba e a cremosidade do cottage. Acho um charme uma tigela de mingau bem quentinho no café-da-manhã de um dia mais frio, mas eu queria fugir do mingau clássico de aveia, que eu adoro, mas que é o "de sempre", então pensei, pensei, experimentei e cheguei a um *mingau de quinua e chocolate*, que ficou delicioso e cheio de energia, com a cremosidade diferente dos grãozinhos meio translúcidos e gelatinosos da quinua e o aveludado do chocolate (se quiser, troque a quinua em grãos por 1 xícara de quinua em flocos). Também para o café-da-manhã, que deveria ser a refeição mais importante do dia, nada como umas colheradas de *granola caseira com coalhada fresca*, duas coisas muito simples de preparar e que fazem uma diferença incrível: aveia, canela, noz-moscada, cravo-da-índia e frutas secas vão ao forno por alguns minutos e duram bastante num pote bem fechado, e a coalhada feita em casa tem sabor suave, brilho leve e textura incrível e vai rachando conforme a gente vai pegando as porções com a colher — ela fica um luxo numa tigela de louça coberta com um pano de prato bem bonito. Eu cresci comendo coalhada que a minha avó Betty preparava na fazenda e, quando a gente se acostuma com esse gostinho caseiro, os potinhos do supermercado perdem mesmo a graça (para começar a primeira coalhada, a melhor coisa é comprar um copinho de iogurte natural e, a partir dessa primeira, guardar sempre um pouquinho da coalhada pronta para servir de base para a seguinte). Para quem, como eu, adora uma fatia de bolo, são duas receitas, o *bolo de chá e uva passa*, que fica bem diferente e tem mesmo o gostinho do chá, e não leva leite nem manteiga; e o *bolo de papoula e pistache com perfume de laranjeira*, perfeito para servir enquanto alguém conta histórias das mil e uma noites, fica lindo com as pintinhas pretas da papoula, os pedaços bem verdes do pistache, o perfume das raspas da laranja e o delicioso creme de iogurte, mel e água de flor de laranjeira que vai por cima. Para terminar e para acompanhar um café, vêm o *crocante de banana*, um biscoitinho de dar água na boca, com gosto de banana mesmo; e a *geléia de mocotó*, que é uma delícia, gelatina de verdade produzida a partir do osso do boi, aromatizada com especiarias e vinho (é um pouquinho trabalhosa de fazer, mas vale realmente a pena, o sabor é o máximo e tem aquele gostinho de infância de antigamente, de casa de avó e até de bisavó).

SHAKE DE TOFU E FRAMBOESA

(4 PESSOAS; 15 MINUTOS)

400 g de tofu em cubos médios
4 xícaras de framboesa fresca ou congelada
1 xícara de cubinhos de gelo
1/3 de xícara de mel ou a gosto
1 1/2 xícara de água

↔ Coloque o tofu, a framboesa, o gelo, o mel e a água no liquidificador e bata até obter um creme liso (se quiser um creme mais liso, sem as sementinhas, passe pela peneira). Sirva em seguida ou guarde na geladeira por até 24 horas.

SHAKE DE TOFU E FRAMBOESA

REFRESCO DE MAÇÃ, PEPINO E HORTELÃ

(4 PESSOAS; 15 MINUTOS)

4 maçãs vermelhas sem casca e sem sementes
2 pepinos japoneses
16 folhinhas de hortelã
1/2 xícara de açúcar ou a gosto
2 xícaras de água gelada

↔ Bata tudo no liquidificador, passe por uma peneira e sirva em seguida.

REFRESCO DE MAÇÃ, PEPINO E HORTELÃ

Tudo muito natural

SUPERSUCO DE VITAMINA C

SUPERSUCO DE VITAMINA C

(4 PESSOAS; 15 MINUTOS)

2 cajus grandes e maduros (ou 200 g de polpa congelada)
2 xícaras de acerola madura (ou 200 g de polpa congelada)
1 xícara de folhas frescas de espinafre
1/2 xícara de açúcar ou a gosto
1/2 colher (chá) de guaraná em pó
2 xícaras de suco de laranja natural
1 xícara de água gelada

↪ Bata tudo no liquidificador, passe por uma peneira e sirva logo em seguida (em pouco tempo, a vitamina vai embora).

PÃO DE ARROZ

(6 PESSOAS; 2 HORAS, MAIS 2 HORAS PARA A MASSA DESCANSAR)

1 xícara de arroz branco lavado e escorrido
2 tabletes de fermento biológico (30 g)
2 colheres (sopa) de açúcar mascavo
6 xícaras de farinha de trigo (aproximadamente)
1 colher (sopa) de sal
50 g de manteiga em temperatura ambiente

↪ Numa panela média, coloque mais ou menos 1 litro de água e aqueça. Quando ferver, junte o arroz e cozinhe por uns 20 minutos, até que os grãos estejam macios mas ainda inteiros. Escorra o arroz numa peneira e reserve 1 1/2 xícara da água do cozimento. Coloque a água do cozimento numa tigela grande, espere amornar e dissolva o fermento. Então, misture o açúcar e 1 xícara de farinha e deixe descansar por uns 10 minutos, até surgirem bolhas. Acrescente sal e o arroz cozido e, aos poucos, vá juntando a farinha e trabalhando até conseguir uma massa macia que descole das mãos. Cubra a massa com um pano e deixe crescer por mais ou menos 1 hora e 30 minutos, até dobrar de volume. Molde um pão grande, coloque numa assadeira e deixe crescer por mais 30 minutos. Quando faltarem 15 minutos para completar o tempo, aqueça o forno a 200°C (médio-alto). Asse o pão por mais ou menos 45 minutos, até que esteja bem crescido, dourado e, ao bater na crosta, saia um som oco. Deixe o pão amornar por uns 30 minutos antes de fatiar.

PÃO DE ARROZ

PÃO RÚSTICO DE AVEIA

🍐 PÃO RÁPIDO DE IOGURTE E MEL

(4 PESSOAS; 1 HORA E 15 MINUTOS)

1 xícara de farinha de trigo
1 xícara de farinha de trigo integral
2 colheres (chá) de fermento em pó
1 colher (chá) de sal
1 colher (sopa) de folhinhas frescas de tomilho
1 xícara de iogurte natural
50 g de manteiga derretida
1/2 xícara de mel
manteiga para untar e farinha de trigo para polvilhar

↬ Aqueça o forno a 180°C (médio), unte com manteiga e polvilhe com farinha uma fôrma média para bolo inglês (de uns 20 cm). Numa tigela média, misture as farinhas de trigo comum e integral, o fermento, o sal e o tomilho. Junte o iogurte, a manteiga e o mel e misture com um batedor de arame até obter uma massa lisa e homogênea. Coloque a massa na fôrma e asse o pão por uns 45 minutos, até que esteja crescido e dourado (ao enfiar um palito no centro, ele deverá sair limpo). Aguarde uns 10 minutos, desenforme e deixe amornar sobre uma grelha. Corte em fatias com uma faca serrilhada e sirva (ou prepare na véspera e guarde bem embrulhadinho em papel-alumínio).

🍐 PÃO RÚSTICO DE AVEIA

(8 PESSOAS; 2 HORAS, MAIS 3 HORAS PARA A MASSA REPOUSAR)

2 1/4 de xícara de iogurte natural cremoso ligeiramente aquecido
2 tabletes de fermento biológico (30 g)
1/2 xícara de mel
1 xícara de batata cozida e espremida
1 ovo
1 xícara de aveia em flocos finos
1 colher (sopa) de sal
3 xícaras de farinha de trigo integral (aproximadamente)
farinha de trigo para polvilhar

↬ Numa tigela grande, misture o iogurte e o fermento até dissolver. Então, junte o mel, a batata e o ovo e mexa até obter uma mistura homogênea. Adicione a aveia, o sal e a farinha e trabalhe até conseguir uma massa macia, mas ainda pegajosa (se continuar acrescentando farinha, o pão ficará pesado). Cubra com um pano limpo e deixe crescer por umas 2 horas, até a massa dobrar de volume. Polvilhe ligeiramente com farinha uma assadeira grande, divida a massa em 4 partes, enfarinhe bem as mãos, molde 4 pães médios e coloque na assadeira. Deixe os pães crescerem por mais 30 minutos e, quando faltarem uns 15 minutos para completar o tempo, aqueça o forno a 200°C (médio-alto). Asse os pães por uns 40 minutos, até que estejam bem crescidos e dourados. Retire os pães do forno e deixe amornar por 30 minutos antes de fatiar.

🍐 PÃO SUECO

(8 PESSOAS; 1 HORA, MAIS 1 HORA PARA A MASSA DESCANSAR)

2 1/4 de xícara de farinha de trigo integral
1/2 colher (sopa) de sal
50 g de manteiga derretida
1 xícara de iogurte natural
1 colher (sopa) de semente de linhaça
1 colher (sopa) de painço
1 colher (sopa) de gergelim claro ou escuro cru
bicarbonato de sódio
farinha de trigo para polvilhar

↬ Numa tigela média, misture a farinha, o sal e uma pitada de bicarbonato. Junte a manteiga e o iogurte e trabalhe até obter uma massa macia que descole das mãos. Divida a massa em 3 partes, junte a cada uma delas a linhaça, o painço e o gergelim, envolva as 3 bolas de massa em filme plástico e deixe repousar por pelo menos 1 ou por até 3 horas na geladeira. Então, aqueça o forno a 200°C (médio-alto) e separe as assadeiras grandes que tiver (como a massa é suficiente para forrar umas 6 assadeiras e quase ninguém tem tudo isso em casa, a saída é assar uma fornada, deixar a assadeira esfriar um pouco, depois assar outras, até terminar a massa). Polvilhe ligeiramente uma superfície com farinha e, com um rolo, abra as 3 partes de massa em retângulos bem finos, até sentir que o rolo começa a quebrar os grãos. Com uma faca afiada ou uma carretilha, divida em pedaços no formato que desejar — quadrados, retângulos, tiras compridas, triângulos — e passe para as assadeiras. Asse o pão sueco por uns 15 minutos, até que esteja crocante e ligeiramente dourado. Retire do forno, deixe esfriar e guarde num pote bem fechado por até 1 semana.

🍐 DIP DE TOFU, SALSINHA E MANJERICÃO

(6 PESSOAS; 15 MINUTOS)

400 g de tofu em cubos médios
3/4 de xícara de iogurte natural
1 dente de alho
1/3 de xícara de folhas de salsinha e manjericão
1/4 de xícara de azeite de oliva
2 colheres (sopa) de mostarda de Dijon
1 colher (sopa) de suco de limão
sal

↬ Bata o tofu, o iogurte, o alho, a salsinha e o manjericão, o azeite, a mostarda e o limão no liquidificador até obter uma pasta. Ajuste o sal, passe para uma tigela, cubra com filme plástico e guarde na geladeira por até 24 horas, depois disso o verde começa a mudar.

PASTA DE ERVILHA, ERVAS E GERGELIM

SALADA DE ABOBRINHAS, ABÓBORA E QUINUA

(6 PESSOAS; 30 MINUTOS, MAIS 1 HORA PARA GELAR)

1 xícara de quinua já bem lavada e escorrida
3 xícaras de água ou caldo de legumes caseiro
1 cebola média em cubinhos
1 dente de alho bem picadinho
1 abobrinha italiana com casca, sem o miolo, ralada grossa
1 abobrinha brasileira pequena com casca, sem o miolo, ralada grossa
2 xícaras de abóbora ralada grossa
1 colher (sopa) de mel
suco de 1 limão
1/4 de xícara de azeite de oliva para temperar a salada
1/4 de xícara de folhinhas de hortelã
azeite de oliva
sal

↦ Numa panela média, aqueça a quinua e o caldo. Quando ferver, abaixe o fogo e cozinhe por uns 15 minutos, até que os grãos fiquem translúcidos e dobrem de volume. Passe por uma peneira, transfira a quinua para uma tigela e descarte o caldo. Regue o fundo de uma frigideira grande com azeite e doure ligeiramente a cebola. Então, junte o alho, espere perfumar, adicione as abobrinhas, a abóbora, uma pitada de sal e o mel, misture por uns 30 segundos, retire do fogo e passe para a tigela da quinua. Junte o suco de limão e o 1/4 de xícara de azeite, ajuste o sal e leve à geladeira por pelo menos 1 ou por até 12 horas para esfriar. Na hora de servir, acerte o sal e junte a hortelã.

PASTA DE ERVILHA, ERVAS E GERGELIM

(4 PESSOAS; 1 HORA, MAIS UMAS 2 HORAS PARA ESFRIAR)

1 xícara de ervilha seca lavada e escorrida
1 amarrado de ervas, preparado com 1 folha de louro, vários ramos de salsinha e folhas e talinhos de salsão, manjericão e tomilho
1 cebola média em cubinhos
1 dente de alho bem picadinho
1/2 xícara de folhas de salsinha e manjericão picadinhas
1 colher (chá) de gergelim torrado
azeite de oliva
sal e pimenta-do-reino

↦ Numa panela média, coloque a ervilha, o amarrado de ervas e água até ultrapassar uns 5 cm e aqueça. Quando ferver, abaixe o fogo, retire com uma concha a espuma que estiver na superfície e cozinhe por uns 40 minutos, até que os grãos estejam bem macios. Passe os grãos por uma peneira e reserve 1/2 xícara da água do cozimento. Regue o fundo da mesma panela com um fio de azeite e doure ligeiramente a cebola. Depois, junte o alho, espere perfumar, acrescente a ervilha, a água reservada, sal e pimenta e deixe ferver por 5 minutos. Adicione as ervas picadinhas, ajuste o sal e a pimenta, retire do fogo e deixe amornar. Bata no processador até obter uma pasta lisa, passe para uma tigela, misture o gergelim, cubra com filme plástico e guarde na geladeira por até 2 dias. Sirva com pão, torradinhas ou pão sueco.

SOPA DE ARROZ SELVAGEM E NOZES-PECÃS

(4 PESSOAS; 1 HORA E 30 MINUTOS)

50 g de manteiga
1 cebola grande em cubinhos
2 cenouras médias em cubinhos
2 talos grandes de salsão em cubinhos
1 1/2 xícara de arroz selvagem
2 litros de água
1 xícara de creme de leite fresco
1/2 xícara de nozes-pecãs grosseiramente picadas
sal e pimenta-do-reino

↦ Numa panela média, aqueça a manteiga, junte a cebola, a cenoura, o salsão e uma pitada de sal e espere começar a dourar. Adicione o arroz selvagem, misture bem e acrescente a água e mais um pouco de sal. Quando começar a ferver, abaixe o fogo e cozinhe por mais ou menos 1 hora, até que os grãos estejam bem macios. Junte o creme de leite, deixe ferver por uns 10 minutos, até a sopa encorpar um pouquinho, depois acerte o sal e a pimenta. Pouco antes de servir, aqueça as nozes numa frigideira seca e, sempre mexendo para não queimar, deixe dourar um pouco e retire do fogo quando perfumar. Junte as pecãs à sopa, passe para uma sopeira e sirva.

SALADA DE ABOBRINHAS, ABÓBORA E QUINUA

SOPA DE ARROZ SELVAGEM E NOZES-PECÃS

PANQUEQUINHAS DE MILHO VERDE
(4 PESSOAS; 1 HORA)

2 xícaras de milho verde fresco, congelado ou em conserva
2 colheres (sopa) de melado ou mel
2 colheres (chá) de sal
25 g de manteiga derretida
3 ovos
1/4 de xícara de leite
1 xícara de queijo-de-minas meia-cura ou mussarela ralado grosso
óleo vegetal

↣ Coloque o milho, o melado, o sal, a manteiga, os ovos e o leite no liquidificador ou no processador e bata até obter um creme bem grosso, que não precisa ficar liso. Passe para uma tigela e misture o queijo. Regue o fundo de uma frigideira grande e antiaderente com um fio de óleo, aqueça e coloque 4 porções de mais ou menos 1/3 de xícara de massa, mantendo um espaço livre entre elas (a massa é suficiente para umas 8 panquecas). Quando surgirem bolhinhas na superfície e as bordas estiverem douradas, vire com uma espátula para dourar do outro lado. Passe as panquecas prontas para um prato e deixe no forno pré-aquecido enquanto prepara as demais. Sirva com mel, melado, manteiga ou requeijão.

PANQUEQUINHAS DE MILHO VERDE

ARROZ SELVAGEM COM LENTILHAS, SHIITAKE E SHIMEJI

ARROZ SELVAGEM COM LENTILHAS, SHIITAKE E SHIMEJI

(4 PESSOAS; 1 HORA E 15 MINUTOS)

1 cebola grande em cubinhos
1 xícara de arroz selvagem
4 xícaras de água ou caldo de legumes caseiro
1 folha de louro
1 xícara de lentilha verde do Puy, ou comum, lavada e escorrida
1 dente de alho picadinho
400 g de shiitake
400 g de shimeji
1 xícara de vinho tinto
1/2 xícara de salsinha picadinha
azeite de oliva
sal e pimenta-do-reino

↬ Regue o fundo de uma panela média com azeite e doure ligeiramente a cebola. Junte o arroz selvagem, misture bem, depois acrescente o caldo e o louro. Quando ferver, abaixe o fogo, conte uns 20 minutos, até o arroz começar a amaciar, junte a lentilha e deixe no fogo por mais uns 20 minutos, até que os grãos estejam macios mas ainda firmes e inteiros e o caldo tenha praticamente secado.

↬ Numa frigideira grande, aqueça mais um fio de azeite, junte o alho, espere perfumar e acrescente os cogumelos, sal e pimenta. Quando os cogumelos estiverem macios e ligeiramente dourados, acrescente o vinho e mantenha em fogo alto por uns 5 minutos, até reduzir e formar um molhinho encorpado. Passe para a panela do arroz, acerte o sal e a pimenta, junte a salsinha, transfira para uma travessa e sirva.

CURRY DE GRÃO-DE-BICO

CURRY DE GRÃO-DE-BICO

(6 PESSOAS; 1 HORA E 30 MINUTOS, MAIS PELO MENOS 6 HORAS PARA DEMOLHAR O GRÃO-DE-BICO)

2 xícaras de grão-de-bico cru, ou 800 g de grão-de-bico cozido
50 g de manteiga ou óleo vegetal
1 cebola grande em cubinhos
2 dentes de alho bem picadinhos
1 colher (chá) de gengibre ralado
1 pimentão vermelho em cubinhos
1 colher (sopa) de curry
1/2 colher (chá) de páprica picante ou a gosto
1 colher (chá) de canela em pó
2 xícaras de polpa de tomate
1 xícara de leite de coco
1/2 xícara de folhas de coentro e de salsinha picadinhas
noz moscada
sal e pimenta-do-reino

↬ Coloque o grão-de-bico numa tigela, cubra com água até ultrapassar uns 5 cm e deixe repousar por pelo menos 6 ou por até 12 horas. Descarte a água do molho e coloque o grão-de-bico numa panela média (se quiser um resultado mais delicado, esfregue os grãos com a palma das mãos e descarte a pele grossa). Cubra com água até ultrapassar uns 5 cm e cozinhe por mais ou menos 1 hora, até que os grãos estejam macios mas ainda firmes e inteiros. Em outra panela, aqueça a manteiga e doure a cebola. Então, junte o alho e o gengibre, espere perfumar, acrescente o pimentão, o curry, a páprica, a canela e uma pitada de noz-moscada e aguarde mais ou menos 1 minuto, até que o perfume esteja bem acentuado. Junte o grão-de-bico a polpa de tomate, o leite de coco, sal e pimenta e deixe ferver por uns 10 minutos, até conseguir um molhinho encorpado. Acerte o sal e a pimenta, adicione o coentro e a salsinha, passe para uma travessa e sirva com arroz branco.

ROCAMBOLE DE GRÃOS COM MOLHINHO DE ESPINAFRE

(8 PESSOAS; 2 HORAS)

8 xícaras de água ou caldo de legumes caseiro
1 xícara de cevadinha
1 xícara de arroz integral
1 1/2 xícara de lentilha laranja
2 batatas médias (aproximadamente 400 g)
1 cebola grande em cubinhos
2 dentes de alho bem picadinhos
1/2 xícara de salsinha e cebolinha picadinhas
1 ovo
1/3 de xícara de uva passa
400 g de queijo cottage
1 maço de espinafre, somente as folhas e os talinhos mais finos
1 xícara de vinho branco
azeite de oliva
sal e pimenta-do-reino

↬ Numa panela grande, aqueça o caldo, espere ferver e junte a cevadinha, o arroz e a lentilha. Mantenha no fogo por uns 30 minutos, até que a cevadinha e o arroz estejam cozidos, mas ainda inteiros, e a lentilha esteja bem macia, quase se desmanchando. Escorra os grãos, passe para uma tigela e descarte o caldo do cozimento. Enquanto isso, numa panelinha com água, cozinhe as batatas até que estejam bem macias, escorra, descasque e passe pelo espremedor. Numa panela grande, aqueça um fio de azeite, doure ligeiramente a cebola, junte metade do alho, espere perfumar e acrescente os grãos e metade da salsinha e cebolinha, misture bem, acerte o sal e a pimenta, retire do fogo e junte a batata e o ovo.
↬ Para o recheio, numa tigela, misture o cottage, a uva passa, o restante da salsinha e da cebolinha, sal e pimenta (se quiser usar ricota, regue com um fio de azeite para ajudar a dar liga, o cottage é mais úmido).

↬ Para conseguir enrolar o rocambole com facilidade, coloque um retângulo com 50 x 30 cm de filme plástico sobre uma tábua e sobre ele molde um retângulo com a mistura de grãos, com mais ou menos 1,5 cm de espessura e uns 25 x 40 cm. Espalhe delicadamente por cima uma camada uniforme do recheio e vá enrolando com cuidado e pressionando com as mãos. Leve o rocambole ainda envolto no filme plástico à geladeira por uns 30 minutos para firmar. Quando faltarem uns 10 minutos para completar o tempo, aqueça o forno a 200°C (médio-alto) e unte uma assadeira grande com um pouco de azeite. Com cuidado, descarte o filme plástico, transfira o rocambole para a assadeira e pincele a superfície com azeite. Asse o rocambole por uns 40 minutos, até que esteja firme e dourado.
↬ Enquanto isso, para o molhinho, aqueça numa frigideira grande mais um fio de azeite, adicione o restante do alho, espere perfumar e junte o espinafre, sal e pimenta. Quando o espinafre murchar, mas ainda estiver com as folhas bem verdes, junte o vinho, espere ferver, retire do fogo, bata no liquidificador até obter um creme liso e ajuste o sal e a pimenta. Sirva o rocambole com o molhinho.

REFOGADINHO DE TOFU, VAGEM E CENOURA

PILAF DE ARROZ, LENTILHA E AMÊNDOA, UVA-PASSA E DAMASCO

(4 pessoas; 1 hora)

3 xícaras de água fervente
1 envelope de pistilos de açafrão
50 g de manteiga
2/3 de xícara de amêndoa em lascas
1/3 de xícara de uva-passa escura
8 damascos secos em tirinhas finas
1 abobrinha média de casca bem verde, sem o miolo, em cubinhos
1 cebola grande em cubinhos
1 xícara de arroz basmati ou jasmim lavado e escorrido
1/3 de xícara de lentilha verde do Puy, ou comum, lavada e escorrida
1 colher (chá) de canela em pó
1/2 colher (chá) de cominho
1/2 xícara de folhas de hortelã picadinhas
sal e pimenta-do-reino

↬ Coloque os pistilos de açafrão na água fervente e reserve. Numa frigideira média, aqueça 1/3 da manteiga, junte a amêndoa, espere começar a dourar, misture a uva-passa e o damasco, espere apenas aquecer e passe para uma tigela. Na mesma frigideira, aqueça mais 1 colher (chá) de manteiga, junte a abobrinha e um pouquinho de sal, misture e deixe no fogo por uns 2 minutos, até que os cubinhos estejam bem verdes e macios, mas ainda firmes, então transfira para a tigela da amêndoa.
↬ Numa panela média, aqueça o restante da manteiga e doure ligeiramente a cebola. Adicione o arroz e mexa até que os grãos estejam bem soltinhos e

brilhantes. Então, acrescente a lentilha, a canela e o cominho, regue com a água fervente e junte sal o bastante para deixar a água salgadinha. Quando ferver, abaixe o fogo, tampe parcialmente a panela e cozinhe por uns 25 minutos, até que os grãos estejam macios, mas ainda firmes e soltinhos. Junte as frutas secas, tampe a panela e deixe repousar por 5 minutos. Misture a hortelã, passe para uma tigela e sirva.

REFOGADINHO DE TOFU, VAGEM E CENOURA

(4 PESSOAS; 30 MINUTOS, MAIS 30 MINUTOS PARA MARINAR)

400 g de tofu
1 dente de alho bem picadinho
1 colher (sopa) de gengibre picadinho
1/3 de xícara de shoyu
1 colher (sopa) de açúcar mascavo
2 colheres (sopa) de óleo de gergelim
200 g de vagem roliça em rodelinhas bem finas
1 cenoura grande em tirinhas finas
1/4 de xícara de cebolinha picadinha
1/4 de xícara de folhinhas de hortelã
óleo vegetal
sal

↪ Corte o tofu em cubinhos de 2 cm, coloque numa tigela com o alho, o gengibre, o shoyu, o açúcar e o óleo de gergelim e deixe repousar por 30 minutos. Em seguida, numa panela média, aqueça um fio de óleo e junte o tofu com a marinada, a vagem e a cenoura. Deixe no fogo por uns 15 minutos, até que os legumes estejam cozidos mas ainda firmes, o molhinho tenha encorpado e o tofu esteja ligeiramente dourado. Ajuste o sal, acrescente a cebolinha e a hortelã, retire do fogo e sirva.

BATATA-DOCE CARAMELIZADA COM LARANJA, AZEITE E ALECRIM

(6 PESSOAS; 1 HORA E 30 MINUTOS)

1 kg de batata-doce descascada em cubinhos de 2 cm
1 ramo de alecrim
1 1/2 xícara de suco de laranja natural
azeite de oliva
sal e pimenta-do-reino

↪ Aqueça o forno a 200ºC (médio-alto). Regue o fundo de uma assadeira média com um pouco de azeite, espalhe por cima a batata, as folhinhas de alecrim, sal e pimenta e misture até deixar todas as rodelas besuntadas de azeite (junte mais um pouco se for preciso). Acrescente o suco de laranja, cubra com papel-alumínio e leve ao forno por uns 45 minutos, até que a batata esteja bem macia. Então, descarte o alumínio e deixe no forno por mais uns 20 minutos para dourar e caramelizar (se quiser transformar em purê, passe tudo por um espremedor de batata ou bata no processador e ajuste a consistência com um pouco de leite ou creme de leite). Passe a batata para uma travessa e sirva.

TIGELINHA DE TRIGO E TOMATE

🍐 TIGELINHA DE TRIGO E TOMATE
(4 pessoas; 45 minutos)

1 cebola grande em cubinhos
2 dentes de alho bem picadinhos
6 tomates bem vermelhos, sem pele e sem sementes, cortados ao meio
1 xícara de trigo para quibe
4 xícaras de água
1/2 xícara de salsinha e cebolinha picadinhas
sal e pimenta-do-reino
azeite de oliva

↔ Regue o fundo de uma panela média com azeite e doure ligeiramente a cebola. Acrescente o alho, espere perfumar, junte o tomate, sal e pimenta e misture bem. Adicione o trigo e a água. Quando ferver, abaixe o fogo e cozinhe por uns 20 minutos, até conseguir um mingau bem encorpado. Ajuste o sal e a pimenta, acrescente a salsinha e a cebolinha, coloque em 4 tigelinhas e sirva em seguida.

🍐 SPAGHETTI INTEGRAL COM PESTO DE SEMENTES DE GIRASSOL E DE ABÓBORA E ERVAS
(4 pessoas; 30 minutos)

SPAGHETTI INTEGRAL COM PESTO DE SEMENTES DE GIRASSOL E DE ABÓBORA E ERVAS

1 xícara de semente de girassol
1 xícara de semente de abóbora
3 xícaras de uma mistura de folhas de manjericão, hortelã, salsinha, coentro e cebolinha
raspas de 1 limão
2 dentes de alho inteiros sem casca
1 1/2 xícara de azeite de oliva
1/2 xícara de queijo parmesão ralado
1/2 xícara de uva-passa clara
500 g de spaghetti integral
sal

↔ Aqueça o forno a 180°C (médio). Espalhe as sementes de girassol e abóbora numa assadeira média e leve ao forno por uns 20 minutos, mexendo de 5 em 5 minutos para que dourem e sequem por igual. Retire do forno, passe para o processador, junte as ervas, as raspas de limão, o alho, um pouquinho de sal e o azeite e bata até conseguir uma pasta homogênea, mas ainda bem grossa. Transfira o pesto para a tigela em que irá servir a massa, junte o queijo e a uva-passa.
↔ Cozinhe a massa até ficar *al dente* (cozida, mas resistente à mordida) num caldeirão com uns 4 litros de água fervente e salgada. Escorra, passe para a tigela do pesto, misture bem, regue com um pouco mais de azeite se achar que a massa ainda está seca e sirva.

TORTA PROVENÇAL DE LEGUMES

(6 PESSOAS; 2 HORAS)

PARA A MASSA
3 xícaras de farinha de trigo
1/2 colher (sopa) de sal
1/3 de xícara de azeite de oliva
3/4 de xícara de água (aproximadamente)
farinha de trigo para polvilhar
1 gema para pincelar

PARA O RECHEIO
2 pimentões inteiros não muito grandes (um vermelho e um amarelo)
1 berinjela grande inteira com casca
2 abobrinhas pequenas bem verdes com casca
6 tomates bem vermelhos, sem sementes, cortados ao meio
1 dente de alho inteiro sem casca
1 xícara de folhas de manjericão
4 ramos de tomilho
4 cebolas em fatias finas
1 colher (chá) de açúcar mascavo
1/3 de xícara de azeitona preta em lascas
azeite de oliva
sal e pimenta-do-reino

↪ **Recheio** Aqueça o forno a 180°C (médio). Coloque os pimentões inteiros numa assadeira pequena e seca e leve ao forno por uns 40 minutos, até a pele escurecer e começar a soltar-se da polpa. Coloque imediatamente os pimentões num saquinho plástico, feche com um nó para abafar, deixe esfriar e depois puxe a pele, que sairá com facilidade. Corte os pimentões ao meio, descarte as sementes e os filamentos e lave se estiverem muito sujos de pele queimada.

↪ Unte 1 assadeira grande com azeite, corte a berinjela e a abobrinha em rodelas de 0,5 cm, espalhe na assadeira sem amontoar, polvilhe com sal e pimenta, regue com azeite e leve ao forno por uns 20 minutos, virando na metade do tempo, até amaciar e dourar.

↪ Coloque o tomate num refratário que abrigue tudo bem juntinho, junte o alho, 1/4 do manjericão, o tomilho, sal e pimenta, regue com azeite e leve ao forno por uns 30 minutos, até amaciar e perfumar.

↪ Numa frigideira média, aqueça um fio de azeite, junte a cebola, o açúcar e um pouco de sal e cozinhe em fogo baixo por uns 15 minutos, até que as fatias estejam bem macias, brilhantes e ligeiramente douradas.

↪ **Massa** Enquanto isso, numa tigela grande, misture a farinha e o sal, junte o azeite e esfarele com a ponta dos dedos até obter uma farofa. Aos poucos, vá acrescentando água e trabalhando até obter uma massa macia que descole das mãos, envolva em filme plástico e leve à geladeira por 15 minutos. Divida a massa em 2 partes (1/3 e 2/3) e, sobre uma superfície enfarinhada, abra 2 discos finos, com a espessura de uma casca de banana. Com o disco maior, forre o fundo e as laterais de uma fôrma de fundo removível de uns 20 cm de diâmetro. Alternando as cores, preencha a cavidade com os legumes, a azeitona, sal e pimenta, depois tampe com o disco menor de massa, feche as bordas, decore com as sobras de massa, pincele com a gema já dissolvida em 2 colheres (sopa) de água e leve à geladeira por 10 minutos, enquanto o forno aquece a 200°C (médio-alto). Asse a torta por mais ou menos 1 hora, até que a massa esteja bem dourada e crocante. Retire do forno, deixe amornar por uns 10 minutos, desenforme e sirva.

TORTA INTEGRAL DE BETERRABA

MINGAU DE QUINUA E CHOCOLATE

🍐 TORTA INTEGRAL DE BETERRABA

(8 PESSOAS; 1 HORA E 30 MINUTOS)

PARA O RECHEIO

4 beterrabas médias, sem casca, em cubinhos
4 raminhos de tomilho
1 ramo de alecrim
4 ramos de manjericão
1 dente de alho inteiro sem casca
400 g de queijo cottage
azeite de oliva
sal e pimenta-do-reino

PARA A MASSA

1 1/2 xícara de farinha de trigo integral (aproximadamente)
1 colher (chá) de sal
1 colher (sopa) de folhas de alecrim bem picadinhas
1 colher (sopa) de semente de papoula
100 g de manteiga gelada, em cubinhos
1 gema

↬ Recheio Aqueça o forno a 200°C (médio-alto). Regue o fundo de uma assadeira pequena com azeite, espalhe por cima a beterraba, os ramos das ervas, o alho, sal e pimenta e misture até deixar os cubinhos besuntados de azeite (junte mais um pouco se for preciso). Cubra com papel-alumínio e leve ao forno por uns 45 minutos, até que a beterraba esteja bem macia. Retire do forno, descarte as ervas murchas, esprema o dente de alho, junte à beterraba e deixe esfriar.
↬ Massa Enquanto isso, numa tigela, misture a farinha, o sal, o alecrim e a papoula. Junte a manteiga e esfarele com a ponta dos dedos até obter uma farofa. Acrescente a gema e trabalhe até conseguir uma bola macia que se solte das mãos (junte 1 ou 2 colheres (sopa) de água gelada se estiver muito seca, ou um pouquinho de farinha se continuar pegajosa). Embrulhe a massa em filme plástico e leve à geladeira por pelo menos 30 minutos ou por até 2 dias. Sobre uma superfície ligeiramente enfarinhada, abra a massa com um rolo até obter um disco de uns 35 cm de diâmetro e a espessura de uma casca de banana e com ele forre o fundo e as laterais de uma fôrma de fundo removível de uns 25 cm, ou 8 forminhas individuais. Na cavidade, espalhe metade da beterraba, o queijo, sal e pimenta, o restante da beterraba e por fim um fio de azeite. Leve a torta à geladeira por 15 minutos, enquanto o forno aquece a 180°C (médio). Asse a torta por uns 40 minutos, até que a massa esteja crocante e dourada. Deixe amornar por 10 minutos, desenforme sobre um prato e sirva.

🍐 MINGAU DE QUINUA E CHOCOLATE

(4 PESSOAS; 15 MINUTOS)

3 xícaras de leite
1/3 de xícara de açúcar mascavo
1 xícara de quinua
1/2 colher (chá) de canela em pó
200 g de chocolate meio amargo em cubinhos

↬ Numa panela, coloque o leite, o açúcar, a quinua e a canela e aqueça. Quando ferver, abaixe o fogo e, mexendo de vez em quando, cozinhe por uns 15 minutos, até que os grãozinhos da quinua estejam macios e ligeiramente translúcidos e o leite tenha engrossado. Então, junte o chocolate, mexa até derreter, passe para uma tigela e sirva bem quente (se quiser, prepare na véspera, guarde na geladeira e, na hora de servir, junte mais 1 xícara de leite e aqueça).

GRANOLA CASEIRA COM COALHADA FRESCA

(12 PESSOAS; 45 MINUTOS)

PARA A GRANOLA
2 1/2 xícaras de aveia em flocos
1/2 xícara de gérmen de trigo
1 xícara de coco fresco ralado
3/4 de xícara de castanha-do-pará grosseiramente picada
1/2 xícara de gergelim claro
1 colher (chá) de canela em pó
1/2 colher (chá) de noz-moscada ralada
1/2 xícara de mel
1/4 xícara de óleo vegetal
1/2 xícara de damasco grosseiramente picado
1/2 xícara de uva-passa
1 xícara de banana passa grosseiramente picada
1 xícara de maçã seca ou pêra picadinha
cravo-da-índia em pó

PARA A COALHADA
2 litros de leite A integral pasteurizado (que não seja longa vida)
3/4 de xícara de iogurte natural

↝ **Granola** Aqueça o forno a 180°C (médio). Numa assadeira média, misture a aveia, o gérmen de trigo, o coco, a castanha-do-pará, o gergelim, a canela, a noz-moscada e uma pitada de cravo. Junte o mel e o óleo, misture até umedecer tudo e leve ao forno por mais ou menos 20 minutos, mexendo de 5 em 5 minutos para não queimar. Retire do forno assim que a granola estiver ligeiramente dourada e bem perfumada, misture o damasco, a uva-passa, a banana, a maçã ou a pêra, deixe esfriar e guarde num pote bem fechado por até 1 semana.

↝ **Coalhada** Prepare a coalhada na véspera, ou com umas 6 horas de antecedência. Aqueça o leite, espere ferver e passe para uma tigela média. Assim que for possível manter a ponta do dedo mergulhada no leite por uns 10 segundos (para testar, transfira um pouco de leite com uma concha para um copinho), misture o iogurte e cubra com um pano limpo. Deixe descansar em temperatura ambiente por pelo menos 2 horas, até firmar e coalhar (o tempo varia bastante, depende da temperatura ambiente, do vento, da acidez do iogurte, do leite etc.). Guarde a coalhada na geladeira por até 2 dias e sirva com a granola.

BOLO DE PAPOULA E PISTACHE
COM PERFUME DE LARANJEIRA

BOLO DE PAPOULA E PISTACHE COM PERFUME DE LARANJEIRA

(8 PESSOAS; 1 HORA E 30 MINUTOS, MAIS UNS 30 MINUTOS PARA ESFRIAR)

3 xícaras de farinha de trigo
1 1/2 colher (chá) de bicarbonato de sódio
1/2 colher (chá) de sal
1 3/4 de xícara de açúcar
4 ovos
1 xícara de azeite de oliva
1 1/2 xícara de creme de leite espesso (em lata ou caixinha)
1 xícara de pistache sem casca torrado
1/3 de xícara de semente de papoula
raspas da casca de 1 laranja bem alaranjada
1 1/2 xícara de iogurte natural
2 colheres (sopa) de mel
1/4 de xícara de água de flor de laranjeira
manteiga para untar e farinha de trigo para polvilhar

↬ Aqueça o forno a 180°C (médio), unte com manteiga e polvilhe com farinha uma fôrma média para bolo inglês de uns 25 cm. Numa tigela grande, misture a farinha, o bicarbonato, o sal e o açúcar. Junte os ovos, o azeite e o creme de leite e misture com um batedor de arame até obter uma massa lisa e homogênea. Acrescente o pistache, a semente de papoula e as raspas de laranja, coloque a massa na fôrma e asse o bolo por mais ou menos 1 hora, até que esteja crescido, dourado e se soltando das bordas da fôrma (ao enfiar um palito no centro, ele deverá sair limpo). Aguarde uns 10 minutos, desenforme e deixe amornar sobre uma grelha. Enquanto isso, coloque o iogurte, o mel e a água de flor de laranjeira numa tigela e misture até obter um creme liso. Sirva o bolo em fatias com colheradas do iogurte (guarde o bolo embrulhado em papel-alumínio por até 2 dias).

BOLO DE CHÁ E UVA-PASSA

(8 PESSOAS; 2 HORAS, MAIS 6 HORAS PARA AS PASSAS DESCANSAREM NO CHÁ)

3 xícaras de chá preto forte bem quente
(uns 6 saquinhos para 3 xícaras de água fervente)
1 1/2 xícara de uva-passa escura
3 3/4 de xícara de farinha de trigo
1 1/4 de xícara de açúcar mascavo
1 colher (sopa) de fermento em pó
1 colher (chá) de canela em pó
1 ovo
manteiga para untar e farinha de trigo para polvilhar

↬ Coloque o chá e as passas numa tigela média, cubra com filme plástico e deixe repousar por pelo menos 6 ou por até 12 horas fora da geladeira.
↬ Aqueça o forno a 180°C (médio), unte com manteiga e polvilhe com farinha uma assadeira redonda de uns 20 cm de diâmetro. Numa tigela grande, misture a farinha, o açúcar, o fermento e a canela. Junte o chá com as passas e o ovo, misture apenas o suficiente para obter uma massa homogênea e coloque na fôrma. Asse o bolo por mais ou menos 1 hora e 15 minutos, até que esteja bem crescido e dourado (ao enfiar um palito no centro, ele deverá sair limpo). Retire do forno, deixe amornar por uns 30 minutos. Desenforme sobre um prato e sirva em fatias.

CROCANTE DE BANANA

(6 PESSOAS; 1 HORA, MAIS 1 HORA PARA A MASSA REPOUSAR)

1/2 xícara de açúcar mascavo
1 xícara de farinha de trigo (aproximadamente)
1/4 de colher (chá) de bicarbonato de sódio
1/4 de colher (chá) de canela em pó
75 g de manteiga
1/2 xícara de castanha de caju grosseiramente picada
1 banana-nanica madura amassada com garfo
100 g de chocolate meio amargo em cubinhos

↬ Numa tigela média, coloque o açúcar, a farinha, o bicarbonato, a canela e a manteiga e esfarele com a ponta dos dedos até conseguir uma farofa. Junte a castanha e a banana e trabalhe até obter uma massa macia que descole das mãos (junte mais um pouquinho de farinha se for preciso). Acrescente o chocolate, molde um cilindro de uns 3 cm de diâmetro, envolva em filme plástico e leve à geladeira por 30 minutos. Em seguida, divida o cilindro nuns 12 discos de mais ou menos 0,5 cm, espalhe numa assadeira grande mantendo um espaço livre entre eles e leve à geladeira por mais 15 minutos, enquanto o forno aquece a 200°C (médio-alto). Asse os biscoitos por uns 20 minutos, até que estejam bem dourados nas bordas (eles saem do forno ainda macios, mas ficam crocantes quando esfriam). Aguarde uns 5 minutos, solte os biscoitos da assadeira com uma espátula, coloque sobre uma grade para esfriar e guarde num pote bem fechado por até 3 dias.

GELÉIA DE MOCOTÓ

(6 PESSOAS; 5 HORAS, MAIS PELO MENOS 9 HORAS PARA O CALDO DESCANSAR E A GELÉIA FIRMAR E GELAR)

1 mocotó de boi ou 2 de vitelo (aproximadamente uns 2 kg) bem limpo em rodelas de 3 cm
6 litros de água
4 claras
1 pedaço de 10 cm de canela em pau
4 cravos-da-índia
1 folha de louro
1 colher (sopa) de semente de erva-doce
1 1/2 xícara de vinho tinto ou vinho do Porto
suco de 1 limão
4 xícaras de açúcar ou a gosto

→ Num caldeirão ou panela grande, coloque o mocotó e a água e aqueça. Quando ferver, abaixe o fogo (é fundamental que ele cozinhe bem devagar), vá retirando com uma escumadeira toda a espuma e a gordura que surgirem na superfície e cozinhe por umas 4 horas, até que o mocotó esteja muito macio, se desmanchando e se soltando totalmente dos ossos. Retire do fogo, passe por uma peneira forrada com um pano, deixe esfriar e leve à geladeira por pelo menos 6 horas. Então, descarte toda a camada de gordura da superfície e coloque o caldo numa panela limpa (você deverá conseguir uns 2 litros de caldo). Bata as claras em neve, coloque na panela do caldo sem misturar e aqueça. Quando ferver, faça um buraco na crosta de claras que se formou para a saída do vapor, deixe no fogo por mais 15 minutos, até a clara firmar, e passe novamente pela peneira forrada com um pano limpo. Coloque o caldo, que deverá estar límpido, numa panela limpa, junte a canela, o cravo, o louro, a erva-doce, o vinho, o limão e o açúcar, aqueça de novo, mexa até dissolver e deixe ferver por uns 30 minutos. Retire do fogo, espere amornar, passe mais uma vez pela peneira, coloque a geléia em potinhos e leve à geladeira por pelo menos 3 horas para firmar e gelar.

BOLO DE CHÁ E UVA-PASSA

GELÉIA DE MOCOTÓ

OVOS, OVOS E MAIS OVOS... TEM COISA MAIS LINDA?

Cocoricó... É mais uma galinha contando para todo o mundo que botou um ovo. Então, eu vou até o galinheiro, pego uns ovos ainda quentinhos de dentro dos jacás, coloco na cestinha de arame, volto para a cozinha e preparo um bolo ou uma crème caramel com claras fresquíssimas e gemas muito, mas muito amarelas. Que delícia! Sempre gostei de galinhas, tanto das de mentira como das de verdade. De mentira, tenho prateleiras com galinhas de tudo quanto é jeito e de tudo quanto é canto (sem querer, acabou virando uma coleção, pois vivo juntando, comprando e ganhando galinhas de presente). Mas eu sonhava com um galinheiro de verdade, para acordar com o cantar do galo, colher ovos fresquíssimos e, de vez em quando, mandar os frangos carnudos e saborosos para a panela. Montei um supergalinheiro na fazenda, bem atrás da minha casa, com todas as galinhas e os galos criados soltos, comendo milho, capim e ciscando durante o dia. Como eu queria galinhas rústicas, mas também lindas, com penas coloridas e bem gorduchas, resolvi estudar um pouco o assunto, fui procurar e encontrei galinhas americanas e inglesas maravilhosas, que, apesar de serem todas de raça, acabaram se adaptando muitíssimo bem aos ares mais caipiras de São Luiz do Paraitinga. Como eu me encantei com umas cinco raças diferentes e não consegui escolher uma só, decidi ficar com alguns espécimes de cada uma e com uns quatro galos diferentes, coloquei tudo junto no galinheiro e deixei acontecer, ou seja, ficou um galinheiro bem mundo mix, com todo o jeito de Brasil, tudo meio misturado e lindo. Não me esqueço de uma cozinheira que trabalhou na casa da minha mãe quando eu era menina e que, virava e mexia, antes mesmo de dizer bom dia, falava "dona Heloisa, não tenho ovos" (com isso, além de comunicar que não tinha realmente ovos, ela também estava avisando que a despensa estava quase vazia). Dizer que o ovo é simples e complexo é contraditório — e até parece poesia do Caetano —, mas é isso mesmo, ninguém

Ovos, ovos e mais ovos...

ENTRE PANELAS E TIGELAS

307

pode negar. Ele é frágil e poderoso. É barato, é nutritivo, é a perfeição no estado mais puro. A embalagem é incrível, ganha qualquer prêmio de design na natureza. Também é incrível tudo o que se pode fazer com ele. Além das 1001 utilidades, pode ficar pronto bem rapidinho, como se fosse mágica: ovos mexidos e omeletes; ovos fritos; ovos quentes e cozidos; ovos batidos e emulsificados que viram molhos, como maionese e as superfrancesas sauces hollandaise e béarnaise; ovos que dão estrutura e leveza ou engrossam receitas; ovos com o leite ou creme que se transforma num creme inglês, ou com um pouco de farinha ou maisena para encorpar e não perder a estrutura, que vira um creme de confeiteiro; com um pouquinho mais de farinha pode virar crêpe e, com mais um pouco ainda, pode passar a ser um bolo; com um pouco de creme e mais alguma coisa para dar sabor, assado dentro de uma massa crocante, dá uma quiche; e das claras batidas, surgem merengues, mousses e soufflés. Ou seja, o ovo é mesmo o máximo, e cozinhar sem ele é difícil.

Como o ovo vai bem com leite, queijo, manteiga, azeite, ervas, carnes vermelhas, aves, peixes e frutos do mar, frutas, verduras, legumes, enfim, quase tudo, ele entra em qualquer refeição. No café-da-manhã, há quem não viva sem um ovo quente ou mexido; e, no almoço ou no jantar, as opções são quase infinitas, desde um simples ovo frito ou um ovo com ervilha até um ovo quente com caviar ou um ovo cozido picado para incrementar uma salada, uma farofa ou um picadinho. Num lanche, além de entrar num bolo ou pão, pode fazer parte do recheio dos sanduíches (experimente misturar ovos cozidos picadinhos com espinafre refogado, abacate, tomate, anchova, pepino, salsinha, queijo; ou, como fazem os portugueses, esmague ovos cozidos com azeite, azeitona picada, salsinha e sal; ou junte cebola picadinha e tenha uma salada judaica bem gostosa). Quando chega a hora da sobremesa, o ovo reina, não dá nem para pensar em confeitaria sem ele – são os sorvetes, mousses, bolos e cremes.

É um alimento cheio de simbolismos. Na China, quando o bebê completa um mês de vida, ele ganha um ovo como símbolo de boa sorte e de que está pronto para o mundo. Na páscoa cristã, ele predomina. Quando alguém diz que não sabe nem quebrar um ovo, é porque não sabe nadinha de nada de cozinha. Quebrar o primeiro ovo é quase um ritual de iniciação no mundo das panelas e tigelas. Perdi a conta de quantas vezes, nas minhas aulas no

Atelier Gourmand, eu disse que o primeiro passo de certa receita era quebrar um ovo e que, se alguém precisasse de ajuda, poderia me chamar. Aí, passado um tempinho, vinha um aluno meio sem graça e dizia baixinho que queria tentar. Então, eu mostrava, ele quebrava o ovo e pronto. Se você tem dúvida sobre como fazer isso, experimente segurar o ovo com uma das mãos, apoiando o polegar numa extremidade e o indicador na outra; imagine uma linha que divide o ovo ao meio na horizontal e, bem nessa altura, comece a dar batidinhas sobre uma superfície dura e firme, até conseguir rachar o ovo em toda a volta; então segure cada metade do ovo com uma das mãos e pressione a rachadura com a ponta dos polegares para alargá-la; com cuidado, deixe o ovo escorregar para uma tigelinha, ou, se precisar separar, deixe a clara cair num recipiente enquanto mantém a gema numa das metades da casca, depois passe a gema para outra tigelinha. Como um ovo estragado faz a receita inteira ir por água abaixo, por prudência, nunca quebre um ovo diretamente sobre o que estiver preparando, mas sempre numa tigelinha e depois transfira para onde quiser.

Apesar de achar que ovo é maravilhoso, confesso que nunca fui muito fã do gosto da gema meio mole e crua, sempre olhei meio torto para o ovo quente, o ovo poché e para aquele ovo frito em cima do arroz, com a gema desmanchando e deixando tudo amarelinho, e que tanta gente ama, inclusive o meu marido e as minhas filhas, mas, de vez em quando, como um ovo mexido com uns cogumelos e um queijo saboroso. Sendo assim, dá para imaginar como eu tive que respirar fundo e tomar coragem para comer um ovo de mil anos num mercado de um vilarejo lá do norte da Tailândia, das mãos de uma velhinha chinesa que tinha preparado aquele ovo respeitando toda a tradição e com toda a rusticidade possível (para completar o clima de esquisitisses, bem ao lado dela outra senhorinha tinha um tabuleiro forrado de rãs imensas, todas empilhadas). A oportunidade era única, e eu comi. Preservar os ovos na terra, ou nas cinzas, é uma técnica antiga até onde pode ser; na China, usa-se uma mistura de cinzas, louro e ervas aromatizantes.

Não me esqueço de quando vi pela primeira vez, há mais de 20 anos, na França, caixinhas de ovo que traziam informações sobre a alimentação e a vida das galinhas, ou seja, na embalagem estava escrito que aqueles ovos amarelos eram de galinhas criadas soltas e alimentadas com milho. Fiquei encantada! Também achei lindos os *oeufs en gelée* e os *oeufs mayo*, perfeitos, nas vitrines dos *traiteurs* de Paris.

Há milhares de anos, os ovos fazem parte da alimentação dos homens, que muito antes de pensar em criar galinhas e patos já comiam ovos de tudo que é ave que encontrassem pela frente. Muita criança cresceu comendo gemada para ficar forte. Mas tem muita gente que, quando escuta falar em ovo, só pensa em colesterol e salmonela, não lembra do seu lado bom, que é muito maior.

Hoje, aqui no Brasil, os ovos de galinha são os mais comuns e fáceis de encontrar, são as aves que mais botam. Um ovo pequeno de galinha costuma pesar entre 50 e 60 g; um médio, de 60 a 65 g; o grande ou extra, de 65 e 70 g; e o jumbo, mais de 70 g (a gema pesa de 20 a 30 g e a clara de 30 a 40 g). Um ovo grande tem em média entre 75 e 80 calorias, proteínas, gordura, vitaminas – principalmente a A e a D –, ferro, zinco e cálcio. A gema corresponde a mais ou menos 1/3 do ovo, representa 75% das calorias, contém toda a gordura, as vitaminas, sais minerais e metade das proteínas, ficando a clara com os outros 2/3 do peso do ovo e a outra metade das proteínas. Na verdade, a clara é quase proteína pura sob a forma de albumina, e é essa albumina que, quando batida, incorpora e retém o ar, dando leveza e consistência de espuma às receitas. A cor da casca do ovo depende da raça da galinha, nada tem a ver com valor nutritivo, por isso, teoricamente, não há diferença entre os ovos brancos e os vermelhos (mas, sempre que posso, escolho os vermelhos, acho que são mais charmosos). Quanto ao tamanho, acho mais prático trabalhar com ovos médios e grandes, pois os extragrandes e os muito pequenos podem exigir mudanças nas receitas (no meu dia-a-dia, eu vivo fazendo ajustes, já que as minhas galinhas vivem botando ovos de cores e tamanhos bem variados, numa caixinha de 12 unidades tem um pouco de tudo, desde o bem pequeno até o extragrande).

Os ovos de codorna são lindinhos e muito nutritivos, pesam de 15 a 20 g, são delicados para uso em canapés e para o dia-a-dia, além do mais, as crianças adoram. Os ovos de pata são supernutritivos e pesam por volta de 90 g; os de gansa são ainda maiores, mas são difíceis de achar.

Um ovo fresco faz a diferença, tem a gema bem centrada e a clara viscosa. Se ele chacoalha e faz qualquer barulhinho, já está velho. Conforme o ovo envelhece, a clara vai ficando cada vez mais líquida, a gema vai se achatando e não consegue mais ficar no centro, mas, embora perca muito em consistência, ainda mantém muitas de suas propriedades nutritivas. Descascar um ovo muito fresco é sempre um tiquinho mais trabalhoso, pois a membrana fica grudada à casca, mas isso não é problema. Se o ovo é fresco, a bolsa de ar que se forma dentro dele ainda é bem pequena e por isso ele quase não flutua, afundando num copo com água. Depois de uma semana, à medida que a bolsa de ar cresce, ele passa a boiar na água, com a parte mais arredondada para cima. Passadas duas ou três semanas, a umidade quase desaparece e a bolsa de ar aumenta tanto que o ovo passa a flutuar na vertical, com a parte mais pontuda para baixo.

Na geladeira, um ovo leva uma semana para envelhecer o que, em temperatura ambiente, envelheceria em um dia, por isso armazenar na geladeira é a melhor solução, ainda mais em época de calor. Para protegê-los da umidade e de aromas variados, mesmo na geladeira, é bom guardá-los na caixinha de papelão com a parte mais pontuda para baixo, para, assim, manter a gema no centro (nunca molhe ou lave a casca, que perde a proteção e permite que o ovo absorva o sabor e o aroma de qualquer coisa que esteja por perto). Não se esqueça também de tirar os ovos da geladeira 1 ou 2 horas antes de usar, principalmente quando for preparar bolos ou bater claras em neve, pois elas crescem mais e com mais estrutura se estiverem em temperatura ambiente.

Quem gosta de omelete, crêpe e ovo frito deve pensar em ter umas duas frigideiras antiaderentes, uma de uns 20 cm e outra de uns 30 cm, pois são realmente úteis, permitem que se prepare qualquer coisa com quantidades mínimas de gordura, não deixam o alimento grudar e tornam fácil virar qualquer coisa para dourar do outro lado.

Muita gente adora ovo frito, mas ninguém quer saber de ovo queimado por baixo, cru na parte de cima, duro ou borrachento. Fazer um bom ovo frito requer algumas manhas. O primeiro passo é escolher uma frigideira adequada à quantidade de ovos que se pretende fritar; existem umas bem pequenininhas, de uns 10 cm, feitas para 1 ovo; as de 18 a 20 cm, ideais para 2 ou 3; e as de 30 cm, boas para fritar 4 ou 5 de uma só vez. Aqueça a frigideira vazia, junte um pouquinho de manteiga, óleo ou azeite, gire a frigideira para espalhar e, com a gordura ainda não muito quente, acrescente o ovo. Como o calor só vem de baixo, para que o ovo cozinhe por igual, ou se rega a parte de cima com um pouco de gordura, ou se tampa a frigideira por mais ou menos 1 minuto (ou um pouco mais para quem gosta da gema mais durinha). Polvilhe o ovo com sal somente depois de pronto, pois antes disso ele deixa a gema toda manchada, e sirva em seguida. Tem gente que gosta de virar o ovo para dourá-lo dos dois lados, isso pode ser feito com uma espátula ou com um movimento rápido na frigideira para fazer o ovo voar e virar, mas nos dois casos a gema fica achatada e perde aquela textura molinha e macia.

Quando ainda não se falava tanto em consumo excessivo de gordura e hábitos mais saudáveis, muita gente fritava ovos em frigideira com uns 2 ou 3 cm de óleo ou azeite, ou seja, por imersão mesmo, por 1 ou 2 minutos, até ficar com a clara ligeiramente crocante e dourada e a gema cremosa no centro. Mas, por mais que se seque o ovo sobre papel toalha, é fritura até onde pode ser. O método também exige um pouco de prática, pois, ao mergulhar o ovo na gordura, é preciso tentar envolver bem rapidinho a gema com a clara para que ela não endureça.

O princípio dos ovos quentes e cozidos é exatamente o mesmo, a diferença é a consistência final da clara e da gema, que depende do tempo de cozimento. O processo leva de 3 a 12 minutos — no início, são ovos simplesmente quentes, com a clara bem molinha, apenas começando a firmar e a gema totalmente mole, e, no final, ovos cozidos bem firmes (é difícil dar um tempo exato, pois tudo depende do tamanho e da idade do ovo). Um ovo quente costuma ser bem recebido no café-da-manhã, num lanche da noite, ou como uma entrada de um almoço ou jantar, é só apoiar o ovo ainda com casca num copinho ou tacinha, quebrar a parte de cima da casca com uma faca, polvilhar sal e pimenta e comer com uma colher de chá, acompanhado de torradas ou *mouillettes* (tirinhas de pão de fôrma torradas com um pouco de manteiga e, para quem gosta, alho picadinho, para molhar na gema), pontas de aspargos, caviar, shoyu, *zathar* ou o que mais quiser. Um ovo cozido vai bem apenas com um pouquinho de sal, picadinho ou em rodelas, em receitas quentes ou frias, ou com um molho de tomate ou de queijo, ou com um refogado de cebola, alho, tomate, pimentão, presunto e ervas, ou com um molho indiano (doure uma cebola e um dente de alho num pouco de manteiga, junte um pouco de curry, cúrcuma, umas 2 xícaras de leite de coco e sal e deixe reduzir por uns 10 minutos).

É fundamental usar ovos frescos, ainda mais quando se quer rechear e a gema precisa ficar bem no centro. Não se esqueça de tirar os ovos da geladeira com pelo menos 1 hora de antecedência para que as cascas não rachem com o choque de temperatura (também para evitar rachaduras, use uma panela espaçosa para que eles não fiquem se batendo e deixe em fogo médio para a água não borbulhar, o ovo cozinhar mais devagar e a clara não ficar borrachenta). Para cozinhar, ou coloque o ovo numa panelinha com água fria até cobrir, aqueça, espere ferver, abaixe o fogo e passe a contar o tempo; ou aqueça a água, espere ferver, diminua o fogo e então mergulhe o ovo na água e passe a contar os minutos. Quando o ovo e a água aquecem ao mesmo tempo, não existe choque térmico, por isso o risco da casca rachar é menor, mas, como há que se prestar bastante atenção ao exato momento em que a água começa a ferver para calcular o tempo de cozimento, muitos preferem mergulhar o ovo na água já fervente.

Um ovo poché, ou escalfado (como se diz em Portugal), é sempre chique e fica delicioso com uma manteiguinha derretida com ervas, um molho especial, uma salada, um peixe defumado, aspargos, cogumelos ou uma fatia de pão. É bonito ver aquela gema muito amarela escorrendo de dentro da clara muito branca. Para que a clara envolva a gema e o ovo fique bem redondinho, é essencial trabalhar com ovos muito frescos, usar uma panela larga, evitar escalfar mais de 4 por vez para a temperatura da água não baixar demais e dar conta de cozinhar todos eles ao mesmo tempo, além de, principalmente, não deixar a água ferver e borbulhar, mantendo-se apenas em fervura leve, com umas bolhas miúdas nas laterais. Para ajudar, ainda vale a pena agitar a água em movimentos circulares e juntar 1/2 xícara de vinagre de vinho branco para cada litro de água.

Na maior parte das vezes, os ovos são escalfados em água, mas muitas receitas mais antigas e rústicas falam em usar caldo ou vinho, que depois é engrossado com uma mistura de manteiga e farinha — o *beurre manié* — e já vira um molhinho.

Ou seja: aqueça uns 2 litros de água numa panela média, espere ferver, junte 1 xícara do vinagre e 1 colher (sopa) de sal, abaixe o fogo para não borbulhar e gire a água com a escumadeira. Um a um, quebre os ovos num pires, deixe escorregar na água e, rapidamente, banhe com uma escumadeira para envolver a gema com a clara (não se assuste com os pedacinhos rebeldes de clara que se espalham pela água). Espere o ovo afundar e subir de novo, conte 1 minuto e retire da panela com a escumadeira (o ovo leva uns 4 ou 5 minutos para ficar pronto, com a clara bem firme e a gema já cozida, mas ainda bem cremosa). Mergulhe o ovo numa tigela com água fria para estancar o cozimento, escorra de novo, deixe secar sobre um pano limpo e, se quiser, apare as rebarbas de clara com uma tesoura ou uma faca. Para ganhar tempo, principalmente quando estiver trabalhando com quantidades maiores, prepare os ovos na véspera e mantenha-os numa tigela com água na geladeira para não ressecarem, ou, por até umas 4 horas, deixe os ovos sobre um pano seco e cubra com outro em temperatura ambiente, e, na hora de servir, mergulhe por no máximo 1 minuto numa panela com água fervente para aquecê-los.

Se quiser servir um ovo de um jeito simples, bonitinho e com muitas possibilidades, uma boa saída é preparar no forno, en cocotte, quer dizer,

Mergulhando os ovos na água fervente e, a partir daí, passando a contar o tempo, você terá em 2 minutos um ovo de clara muito mole, apenas começando a firmar e gema quase crua; em 3 minutos, um ovo já ligeiramente cozido, mas ainda bem mole; em 4 minutos, uma gema mais cremosa; em 5 minutos, um ovo quase firme; em 6 minutos, um ovo já firme, mas ainda bem úmido e cremoso; em 9 ou 10 minutos, já será possível cortar em 4 ou em rodelas perfeitas; em 11 ou 12 minutos, terá um ovo bem durinho, mas gostoso e nada borrachento, ideal para rechear, e esse é o limite, a partir daí, a gema começa a ficar clara demais e com um aro esverdeado ao redor e o ovo perde em sabor e textura. Se o ovo tiver ido para a panela com a água fria, em 4 minutos a partir da fervura a gema começa a firmar, e em 6 minutos estará bom para cortar. Para estancar o cozimento e manter o ponto desejado, escorra os ovos imediatamente, descarte a água fervente e mergulhe os ovos numa tigela com água fria ou passe-os sob a água fria corrente. Para descascar, quebre a casca batendo com o cabo de uma colher, ou pressione o ovo com a palma da mão e role sobre uma superfície firme até a rachar, depois puxe e solte a casca e a membrana esbranquiçada que fica entre esta e a clara.

o ovo com mais alguma coisa para dar sabor e um pouquinho de creme, dentro de um potinho, ou mesmo de um pão redondinho, como um brioche ou um minitaliano, sem o miolo. Unte um potinho com manteiga, espalhe no fundo o que quiser (legumes já cozidos ou refogados e picadinhos, presunto ou salmão defumado), regue com 1/4 de xícara de creme de leite fresco ou de leite, coloque um ovo por cima com um pedacinho de manteiga, salpique com ervas picadinhas, polvilhe a clara com sal e pimenta, regue a clara com mais 1 colher (sopa) de creme para não ressecar e asse em banho-maria no forno a 160°C (médio-baixo) por uns 10 minutos, até firmar, mas ainda mantendo uma consistência bem cremosa.

Ovos mexidos e omeletes sempre caem bem e quebram bons galhos na hora da pressa, ou quando geladeira e despensa estão meio vazias, pois quase tudo pode virar recheio (ervas picadinhas, queijo ralado, fatiado ou em pedaços, cubinhos de tomate e cebola, azeitona, tirinhas de presunto ou salmão defumado, legumes e verduras cozidos ou refogados, batata cozida, camarão miudinho). Dá para pensar numa omelete quase como um sanduíche recheado com folhas verdes, como uma saladinha (para manter o verde e o frescor, coloque as folhas no instante final, dobre e sirva). Nada impede que se faça uma omelete para a sobremesa, juntando um pouco de açúcar e baunilha aos ovos e espalhando por cima algumas frutas vermelhas.

Para conseguir um ovo mexido nota 10, coloque numa tigela os ovos (normalmente uns 3 por pessoa), o creme de leite (que dá um resultado mais saboroso e cremoso, mas nada impede que se use leite ou água no lugar), sal e pimenta, mexa com um garfo para quebrar as gemas e a clara e obter uma mistura amarelada, depois junte o que tiver escolhido para dar sabor. Numa frigideira antiaderente, aqueça a manteiga, junte os ovos, dê uma ou duas voltas com uma colher de pau para incorporar a manteiga, pare de mexer e abaixe o fogo para que os ovos fiquem cremosos (tem gente que prepara em banho-maria para conseguir mais cremosidade, porque, em fogo alto, os ovos coagulam mais rápido, é preciso mexer mais, e eles acabam ficando secos e esfarelados). Quando os ovos começarem a coagular e a grudar nas bordas da frigideira, solte com a colher de pau, dê mais uma ou duas voltas para fazer com que a parte líquida fique em contato com a base da frigideira e pare de mexer. Repita quando as beiradas começarem a firmar de novo, retire do fogo assim que o líquido secar, mas enquanto os ovos ainda estiverem bem úmidos e brilhantes e sirva. Se, para adiantar a vida, precisar preparar os ovos mexidos com antecedência, siga a receita usando 3/4 dos ovos e, no momento de aquecer, junte o 1/4 restante, que deixará tudo cremoso e brilhante de novo.

Uma omelete fininha, mas não achatada, ligeiramente dourada por fora e macia por dentro — *baveuse*, como dizem os franceses —, com ervas picadinhas e parmesão, para dar sabor e um leve colorido, e um queijo derretido no centro, sempre agrada e, ao lado de uma salada, já é uma refeição.

Uma omelete para uma pessoa leva uns 3 ovos, uma pitada de sal, 10 a 15 g de manteiga, alguma coisa para rechear e uns 2 ou 3 minutos para ficar pronta e requer uma frigideira de uns 20 cm de diâmetro e de borda um pouco inclinada. Antes de acender o fogo, separe e pique o necessário para o recheio, pois tudo acontece muito rápido e, se ele não entrar no momento certo, com a base ainda bem molinha, não irá incorporar-se aos ovos e ficará solto. Numa tigela, misture os ovos, sal e pimenta apenas até obter um creme homogêneo, sem bater demais para a omelete não ficar achatada. Aqueça a frigideira, junte a manteiga ou o azeite e espere esquentar. Então, com um fogo médio — nem forte demais para não queimar por fora, nem muito baixo para não demorar muito a cozinhar e acabar ficando firme por dentro —, acrescente os ovos e movimente rapidamente a frigideira para espalhar. Passados alguns segundos, incline ligeiramente a frigideira para que a parte líquida escorra para baixo e se espalhe também. Quando começar a firmar nas bordas, coloque o recheio no centro, e, com uma espátula, dobre para fazer uma meia-lua ou um charuto. Espere a omelete terminar de firmar por fora e o recheio se aquecer, principalmente se houver queijo para derreter, passe para um prato e sirva.

Ainda falando de omelete, não me esqueço de um passeio na divisa entre a Bretanha e a Normandia. Começou com uma volta em Villedieu-les-Poêles, o paraíso das panelas e dos tachos de cobre, e, logo depois, na viela de entrada do Mont Saint-Michel, parando no La Mère Poullard para assistir ao espetáculo dos cozinheiros batendo muitos ovos em tigelões de cobre, depois passando tudo para uma frigideira de cabo bem comprido, cozinhando a omelete num fogaréu até ficar bem estufada, leve como uma espuma e dourada, uma verdadeira omelete-soufflé e, é claro, se deliciar com ela. Se quiser preparar uma omelete-soufflé, bata as claras em neve até obter picos firmes, depois incorpore as gemas, sal e pimenta com bastante delicadeza, coloque na frigideira aquecida com manteiga derretida e mantenha em fogo forte até inflar e firmar por fora (como ela cresce e fica difícil dobrar, a solução é dar uma inclinadinha na frigideira para fazê-la escorregar um pouco e aí dobrá-la).

Fritatta para os italianos e *tortilla* para os espanhóis, é a omelete um pouco mais firme e servida normalmente em temperatura ambiente, ou quente, em triângulos, losangos ou quadradinhos com palitinhos. Não me esqueço de uma fritatta divina que comi na Itália, com espinafre, pistache, passa, tomate, azeite, cebola e queijo e das tantas tortillas com batata e cebola que experimentei na Espanha (para ficar como manda o figurino, corte umas 2 batatas e 1 cebola grandes em rodelas finas, coloque numa panelinha com 1/2 xícara de azeite e deixe em fogo baixo até que estejam bem macias, passe para uma frigideira grande, junte uns 6 ovos batidos com sal e pimenta e mantenha no fogo até firmar por baixo e por cima).

Bater claras em neve é uma coisa importante, pois, se forem mal batidas, elas acabam com o bolo, a mousse, o merengue ou o soufflé. Bem batidas, elas aumentam até 8 vezes em relação ao volume inicial, dão estrutura e leveza a muitas receitas. Bater claras com um batedor de arame pode parecer coisa de antigamente, mas, usando uma tigela grande de cobre e sem haver pressa, é uma coisa que eu gosto de fazer de vez em quando, mas, na maior parte das vezes, é a minha queridíssima superbatedeira Kitchen Aid que entra em ação e faz o trabalho com perfeição. De todo modo, para conseguir claras com o máximo de volume e estrutura, o importante é que elas estejam em temperatura ambiente; que a tigela esteja muito seca e limpa (livre de qualquer resquício de água, gordura ou gema); que sejam batidas sem interrupção, inicialmente em velocidade baixa e depois, quando as claras começarem a espumar, em velocidade mais alta até conseguir picos firmes (mas, tão logo isso aconteça, pare imediatamente de bater, pois, a partir desse ponto, elas começam a secar, como se estivessem se esfarelando, e desmontam com facilidade); e, por fim, que sejam incorporadas muito delicadamente ao que quer que seja (sempre comece juntando 1/3 da clara batida à mistura mais densa para dar leveza a esta, depois com muito cuidado incorpore os 2/3 restantes, sempre cortando e levantando com uma espátula, jamais fazendo movimentos circulares e bruscos). Para ajudar a estabilizar as claras batidas e assadas (ou melhor, para que levem um pouco mais de tempo para baixar), uma pitada de sal ou de cremor de tártaro, 1 colher (chá) de suco de limão ou de vinagre branco funcionam bem.

Se quiser preparar um merengue, aquele suspiro branquíssimo, macio, que se dissolve na boca e acompanha maravilhosamente bem uma porção de morangos bem vermelhos, doces e suculentos, ou cobre de um jeito lindo um bolo leve recheado de baba-de-moça, existem basicamente duas opções. A primeira é o merengue comum, bem rápido e simples de fazer, mas que não se mantém firme por muitas horas, logo começando a se desmanchar e a se separar, formando fragmentos sequinhos e esbranquiçados e desprendendo uma baba quase esverdeada, por isso é bom apenas para consumo imediato: comece a bater as claras devagar; quando se formar uma espuma branca, junte 1 colher (sopa) de açúcar (ele ajuda a dar estrutura) e vá aumentando a velocidade e batendo até que as claras comecem a firmar; então passe a juntar o restante do açúcar também aos poucos e pare de bater quando o merengue estiver firme e consistente, sem cair da pá da batedeira (calcule usar umas 3 colheres (sopa) de açúcar por clara). A segunda opção é o chamado merengue italiano, que não é difícil de preparar, mas exige que se faça primeiro uma calda de açúcar, e fica perfeito e bem saboroso por até 24 horas: aqueça 1/4 de xícara de água, 1 1/2 xícara de açúcar e 1 colher (sopa) de glicose de milho (Karo), mexa até dissolver, conte 5 minutos da fervura e retire do fogo; enquanto isso, bata 6 claras em neve até conseguir picos firmes e aí, sem parar de bater, despeje a calda aos pouquinhos sobre as claras e bata até esfriar e firmar.

Algumas outras coisas importantes sobre gemas e claras: quando as duas tiverem de ir juntas para a panela, sempre misture antes com um garfo ou batedor de arame apenas até conseguir uma mistura homogênea, assim, elas cozinharão de maneira uniforme (quando separadas, gemas e claras coagulam em temperaturas diferentes, e uma passa do ponto enquanto a outra ainda não está pronta). Se a receita pedir para começar por açúcar e gema, coloque os dois numa tigela e misture imediatamente até obter um creme homogêneo, pois o açúcar parado sobre a gema resulta numa espécie de cozimento, fazendo com que ela endureça e encaroce. Se estiver preparando uma receita com muitas gemas e sobrarem claras, coloque todas elas num pote de vidro com tampa e guarde na geladeira por até 1 semana (1 xícara costuma ter umas 7 ou 8 claras, o que corresponde a uns 250 g) ou congele por até 1 mês, deixe descongelar naturalmente e use como quiser. Gemas sozinhas ficam na geladeira por uns 2 dias e não congelam bem.

Um soufflé é aquele mix de alquimia, sofisticação e surpresa. É o creme muito leve por dentro com uma casquinha fina por cima, que cresce como um sonho bom. Desde o final do século 18, ele vem impressionando as pessoas. Já em 1829 foi definido pelos franceses como um prato salgado ou doce que cresce com o cozimento no forno; com o tempo, emprestou o nome ao *soufflé glacé*, uma preparação normalmente doce, com frutas vermelhas ou cítricas, ou chocolate e claras em neve, para dar leveza e volume, mas que, diferentemente do convencional, se firma no freezer, e não no forno.

Chegar à mesa com um soufflé perfeito é o máximo, mas, como desmonta muito rápido, ele tem que ir do forno à mesa assim que ficar pronto, ou seja, o soufflé não espera por ninguém, as pessoas é que esperam por ele. Como é muito frágil, mesmo os mais experientes se perguntam se ele irá crescer e dar certo, se não cairá a caminho da mesa. Por isso, se você ainda não tiver muita segurança, simplesmente não conte para ninguém os seus planos, assim, se o soufflé desmontar, sirva-o como um creme fofo dentro de uns potinhos, enfeitando com umas ervinhas, sem mesmo precisar explicar que não deu muito certo, pois o sabor estará ótimo. Tente deixar de lado aquela pontinha de medo e experimente seguir a receita, que não é tão complicada assim, dá tranqüilamente para aprender a técnica e, a partir daí, fazer mil soufflés. É verdade que bater as claras em neve e assar são duas etapas que só podem acontecer perto da hora de servir, mas a base pode ficar pronta com antecedência, o refratário pode estar preparado, as claras podem até ficar na tigela da batedeira e, aí, com tudo engatilhado, a finalização fica menos complexa, dá para encarar.

O soufflé tradicional costuma ter como base um creme béchamel preparado com manteiga, farinha, leite, gema, alguma coisa que quiser para dar sabor e perfumar e as claras em neve. Esse "o que quiser para dar sabor" é o que quiser mesmo, vale quase tudo, do queijo branco fresco ao curado – parmesão, Gruyère, Roquefort, Camembert, Cheddar –, legumes cozidos ou refogados, ervas, cogumelos, azeitonas, defumados, carnes vermelhas, aves, peixes e crustáceos, frutas, chocolate e especiarias. E, se quiser preparar um soufflé mais rápido e simples, deixando de lado o béchamel, escolha uma base cremosa, como um queijo pastoso, um creme ou molho mais grosso, geléias, compotas e outros doces (doce de leite, por exemplo), patês ou uma pasta (tapenade, por exemplo) e simplesmente misture claras em neve e leve ao forno.

Para chegar a um bom béchamel, é importante usar uma caçarola de fundo grosso e manter o fogo baixo para o creme ter tempo de cozinhar. Coloque na panela a manteiga e a farinha, aqueça e, sempre mexendo com colher de pau ou batedor de arame e fazendo um 8 para raspar todo o fundo da panela, misture até obter uma pasta amarelada e borbulhante (que é o *roux*), junte o leite aos pouquinhos e mexa por mais uns 10 ou 15 minutos, até ferver e engrossar, mas sem empelotar (não se desespere: se isso acontecer, bata tudo no liquidificador para alisar). Deixe amornar, junte as gemas e o que tiver escolhido para dar sabor ao soufflé (se quiser, prepare até aqui na véspera).

Enquanto espera o creme amornar, aqueça o forno a 220°C (alto) e cuide do recipiente onde irá assar e servir o soufflé, que pode ser um refratário grande, ou vários individuais com capacidade para mais ou menos 1 xícara de creme, desde que as paredes internas sejam bem lisas, retas e altas (mas nada impede que se asse o soufflé em copinhos, quentinhas, vasinhos, tomates, abobrinhas ou pimentões). Pincele as paredes com manteiga derretida, espere uns 5 minutos, pincele de novo, polvilhe com farinha de trigo ou de rosca, parmesão ou açúcar (que não só ajudam o creme a aderir às paredes, a subir reto e a não cair tão rápido como ainda dão sabor e textura à casquinha do soufflé), e deixe na geladeira até o momento de utilizar.

Claras batidas em neve da forma correta são o terceiro passo para o sucesso, já que é o ar que nelas fica aprisionado que se expande no forno e faz tudo crescer. Pare de bater quando as claras estiverem firmes, sem cair das pás. Para dar mais leveza ao soufflé, alguns preferem usar uma quantidade de claras pouco maior que a de gemas – umas 6 claras para 4 gemas, por exemplo.

Então, chega o momento de incorporar as claras à base. Como elas são muito leves e o creme é encorpado, se a mistura for feita de qualquer jeito, as claras irão desmontar e o soufflé ficará pesado e não crescerá. Primeiro coloque 1/3 das claras na tigela do creme e misture com uma espátula para deixar a base mais leve. A seguir, delicadamente, fazendo movimentos com a espátula como se estivesse cortando o creme até o fundo da tigela e levantando, jamais mexendo em círculo, e sem se preocupar em conseguir um creme totalmente liso, pois não há problema em ficar com uns montinhos de clara aparecendo, incorpore os 2/3 restantes (há quem guarde um pouco de clara em neve e espalhe uma camada na superfície para fazer uma crostinha mais leve que demora mais para cair).

Em seguida, transfira cuidadosamente a preparação para o recipiente escolhido, chegando no máximo a 3/4 da altura, depois limpe a borda com papel-toalha para que o creme suba reto, sem nada que o impeça.

Aí é a hora de assar. O ideal é colocar o recipiente na grade mais baixa do forno, do meio para o fundo, nunca na beirada, assim, sem correr muito risco de o vento fazer tudo desmontar, dá até para abrir a porta do forno 1 ou 2 vezes, dar uma espiadinha e verificar se o soufflé está pronto. Deixe no forno a 220ºC (alto) por 10 minutos para formar uma crosta que protege o interior e ajuda o soufflé a subir retinho, então, abaixe para 180ºC (médio) e continue a assar por mais uns 30 minutos, ou uns 10 para os individuais, até que esteja cozido por dentro e firme, além de bem dourado na superfície e nas bordas.

Uma boa maionese é uma delícia e não tem absolutamente nada a ver com o que chamam de maionese e vendem em vidros nos supermercados. Vai bem com folhas, legumes crus ou cozidos, batata, frango, peixe e camarão. Bater uma maionese foi das primeiras coisas que aprendi a fazer na cozinha com a minha avó Betty. Lembro-me perfeitamente de, com uns oito ou nove anos, subir num banquinho para conseguir despejar o óleo pela abertura do copo do liquidificador, que era lindo, de vidro grosso em formato de gomos. A maionese é emulsão que se forma quando o óleo, incorporado lenta e constantemente aos outros ingredientes, vai se quebrando em partículas que se juntam aos ovos e ao limão ou vinagre e se transformam num molho muito cremoso e encorpado. Os óleos de milho, girassol e canola dão boas maioneses, já o azeite de oliva lhe dá um sabor muito forte, por isso, se quiser o gostinho delicioso do azeite, use 1/4 de azeite e 3/4 de óleo vegetal. Para que tudo dê certo, é fundamental que todos os ingredientes estejam em temperatura ambiente. Se a maionese engrossar muito, junte 1 colher (sopa) de água quente e misture; se ela se separar, acrescente 1 colher (chá) de água fria e bata, pode ser que dê para corrigir, mas se o molho continuar separado, passe 1 colher (chá) da maionese desandada para uma tigelinha e misture a 1 colher (chá) de mostarda ligeiramente aquecida, bata até emulsificar, volte para o liquidificador e bata novamente, muitas vezes dá certo. Outra forma de tentar consertar é colocar outra gema numa tigela e, aos poucos, a ela incorporar a maionese desandada, mexendo sem parar. A sauce hollandaise é outra emulsão, que combina perfeitamente com peixes, ovos pochés e legumes, em especial com aspargos cozidos, daqueles imensos, verdes, brancos ou arroxeados (eu sempre me lembro de uns sensacionais que, no início de uma primavera, comi no Bistro Benoit, em Paris): derreta 150 g de manteiga e descarte toda a espuma que se formar na superfície com uma escumadeira; aqueça uma panelinha com água para um banho-maria; coloque 1 colher (sopa) de vinagre branco, 2 colheres (sopa) de água, 4 gemas, sal e pimenta numa tigela e, sobre a panela do banho-maria, vá incorporando a manteiga aos pouquinhos, mexendo com batedor de arame, até conseguir mais ou menos 1 xícara de um molho encorpado, junte por fim o suco de 1 limão e sirva em seguida (é um molho que se mantém estável por apenas uns 15 minutos).

No mundo do açúcar, os ovos poderiam encher ainda páginas e mais páginas. Acho que não dá para deixar de lado o bom e velho pão-de-ló, a *génoise* dos franceses e *sponge cake* dos americanos e ingleses. Cresci saboreando os rocamboles de chocolate da minha mãe, que logo me ensinou que o bolo era muito simples, só levava ovos, açúcar e farinha. Eu achava o máximo quando ela dizia, por exemplo, que faria um pão-de-ló 6,6,6 ou 8,8,8, quer dizer, 6 ovos, 6 colheres (sopa) de açúcar e 6 de farinha de trigo. Ela batia as claras em neve e incorporava as gemas, o açúcar e a farinha com bastante cuidado. Mas há quem bata claras e gemas junto até conseguir um mistura muito leve, fofa e amarelinha, e depois junte o açúcar e a farinha; há também receitas francesas que, para conseguir um bolo com mais estrutura, mandam bater os ovos numa tigela em banho-maria (algumas massas levam um pouco de manteiga derretida). Ovos bem batidos são realmente importantes, pois o bolo não leva fermento (apesar de ter gente que coloca uma pitadinha para garantir que ele cresça). Também é fundamental untar muito bem a assadeira com manteiga, polvilhar com farinha e, se der, até forrar o fundo com papel-manteiga também untado. Como é muito leve, num forno a 180°C (médio-alto), o pão-de-ló assa em 20 a 30 minutos ou até um pouco menos se for bem fininho, até ficar dourado, crescido e firme no centro, produzindo um chiado quando se aperta de leve com a ponta do dedo. Retire a assadeira do forno, vire o pão-de-ló sobre um pano limpo, que retém vapor e deixa o bolo macio e fácil de enrolar, descole o papel se for o caso e espere amornar por uns 5 minutos. Se estiver preparando um rocambole, espalhe sobre o pão-de-ló uma camada uniforme do recheio, que pode ser um creme de confeiteiro de baunilha ou chocolate, uma goiabada, um doce de leite, uma geléia ou um creme de leite batido em chantilly e frutas frescas ou em conserva, enrole com a ajuda do pano e pressione bem com as mãos para firmar, depois polvilhe com açúcar comum ou de confeiteiro, com chocolate em pó ou canela (minha mãe, caprichando ainda mais um pouco, aquecia um espetinho de ferro na chama do fogo e fazia um quadriculado de açúcar queimado por cima do rocambole).

Ovos, ovos e mais ovos...

RECEITAS

Como sempre, a escolha das receitas não foi das tarefas mais fáceis, pois coisas gostosas não faltam. Primeiro vem a avgolémono, *uma sopa grega que leva caldo de galinha, arroz, legumes e fica cremosa e azedinha quando entram na panela as gemas e o limão-siciliano; às vezes aparece com ervas, especiarias, iogurte e outro cereal no lugar do arroz (como entradinha, ela vai muito bem numa xícara de chá ou num potinho). Depois vem a receita de uma* maionese *de verdade, já que ela faz mesmo a diferença e vai bem numa salada, num sanduíche ou acompanhando um grelhado. Os* potinhos cremosos de aspargo e Brie, *além de bons, ficam graciosos num prato grande com uma saladinha ao lado, uma boa opção de entrada. O* creme cantonês de ovos, shiitake e frango *surpreende sempre, é fácil de fazer, fica com consistência de flan e tem aquele sabor oriental que sempre agrada. Os* ovos mexidos com salmão defumado e cebolinha *ficam úmidos, cremosos e ligeiramente salgadinhos e caem bem num brunch ou num jantarzinho rápido. Tem receita que a gente gosta e pronto, e a dos* oeufs en meurette *é uma dessas; por isso não pude deixá-la de fora: são ovos pochés servidos sobre fatias douradas de pão e regados com um molho de vinho tinto divino, perfumado com legumes e ervas e enriquecido com cogumelos, cebolinhas miúdas caramelizadas e bacon (é bastante vinho mesmo, mas ele reduz a um terço depois de quase 2 horas de fogo). Chega a vez dos soufflés, o primeiro deles um clássico* soufflé au fromage, *aqui preparado com Gruyère e um pouquinho de mostarda de Dijon, mas você pode usar qualquer outro queijo firme no lugar. O segundo é um delicioso* soufflé de azeitona e ervas frescas, *interessante por ser muito simples de preparar, pois é apenas a mistura de um queijo macio, azeitona, ervas e gemas, que ganha leveza com as claras em neve; e o terceiro é o* soufflé da roça, *um purê amarelinho de mandioquinha, com bacon douradinho, queijo-de-minas e o verde da salsinha e da cebolinha, uma tentação caipira e bem brasileira. Aí vem o* clafoutis de cebola caramelizada e Roquefort, *um creme consistente, preparado no forno, que mistura o adocicado da cebola e o salgadinho do queijo na medida certa e acompanha muito bem uma carne assada num jantar especial. Como é difícil encontrar quem não goste de uma torta de massa crocante e recheio cremoso, achei que uma quiche não podia faltar, pensei muito no sabor e acabei ficando com a mais tradicional possível, uma* quiche de alho-poró, *pois todo o mundo gosta e vira e mexe tem gente me pedindo a receita (e, se quiser variar, é só manter as proporções e trocar o alho-poró por outra coisa). A* couronne oeuf jambon *é aquela saída mágica para um jantarzinho caseiro de última hora, os poucos ingredientes — ervilha, cebola, ovos, salsinha, cebolinha e presunto — vão ao forno dentro de uma fôrma por mais ou menos 30 minutos, aí se desenforma e pronto. Ainda pensando numa refeição bem caseira e rapidinha, vem a* frittata de tomate, mussarela e manjericão, *com ingredientes saborosos e coloridos. Como sempre acho que um bom pão não pode faltar, trouxe de Portugal um* folar, *que é lindo, costuma ser um presente de Páscoa e dá água na boca, com uma massa bem macia graças aos ovos e aquele saborzinho especial do azeite — muitas vezes, ele aparece recheado com bacalhau ou lingüiça refogados com cebola. Para adoçar a boca, a primeira sugestão é dos* ovos queimados, *uma receita de antigamente, daquelas que ficam lindas dentro de uma compoteira de cristal, e que, na verdade, são ovos mexidos doces, preparados com uma calda de açúcar e vinho do Porto. Há muitos anos, numa noite muito fria, comi um inesquecível* pudim abade de Priscos *num restaurantezinho em Braga, depois disso, experimentei muitas versões, até escolher a que vai aqui e vale a pena experimentar (e se achar estranha demais a idéia do toucinho, que ajuda a dar cremosidade e um perfume muito leve ao pudim, use manteiga no lugar). Ainda de Portugal, que é o paraíso dos doces com ovos, trouxe um* toucinho do céu, *que além do nome superbonitinho, tem a consistência de um bolo bem cremoso com amêndoa e um sabor dos céus. Uma* crème caramel *— ou pudim de leite feito apenas com ovos, açúcar, leite e baunilha de verdade, numa fôrma com um caramelo bem dourado, nem muito claro, para não ficar muito doce e aguado, nem muito escuro, para não amargar, é aquela sobremesa de todo dia, mas que também enfeita qualquer mesa mais arrumada, tão gostosa que é difícil encontrar quem recuse uma fatia. O* soufflé de nozes *é chique e delicioso, perfeito para um jantar mais requintado de outono ou de inverno. Os* pots de crème au chocolat *me fazem lembrar das férias na casa da minha avó Dina quando eu era bem pequena, ela preparava logo cedo uma bandeja com muitos potinhos de creme de baunilha ou chocolate e deixava na geladeira para a hora do lanche, e a criançada adorava. A* pêra em crosta de mel e amêndoa *dá um ar sofisticado a qualquer refeição, é muito simples e rapidinha de fazer e fica deliciosa com uma bola de sorvete de creme (se quiser, troque a pêra por maçã, pêssego, banana ou abacaxi). Aí vem a receita do* bolinho de chuva, *que nos cadernos antigos às vezes também aparece como bolinho de sinhá, ou como filhó, que é o nome português (em Portugal, eles fritam os bolinhos no azeite). Um bolinho de chuva é uma solução quentinha e gostosa para a hora da chuva, quando não se tem nada para fazer, a não ser comer, ou para a hora da pressa, ou quando não se tem pão fresco (eu mesma, cansei de fazer e de comer na fazenda, pois a padaria mais próxima fica a uns 14 quilômetros, era só sair pelo quintal atrás dos ovos, preparar tudo e, em pouco tempo, servir uma pratada de bolinhos polvilhados com açúcar e canela). Como um bolinho de chuva só leva ingredientes que quase todo o mundo tem em casa, como farinha, leite, ovo, sal, açúcar, óleo e mais alguma coisa para dar sabor, como raspas de limão ou de laranja, essência de baunilha, sementes de erva-doce, canela ou noz-moscada, ninguém tem desculpa para deixar de fazer (é só usar a imaginação, já fiz com leite de coco e coco ralado num dia em que não havia leite; e retirando o açúcar e juntando um pouquinho de sal e 1/2 xícara de queijo ralado ou pitadas de curry, preparei bolinhos salgados). Para terminar, vem o* sorvete cremoso de banana, *que começa com um creme inglês clássico, com várias gemas, creme de leite, leite, açúcar, pedacinhos bem macios de banana passa e rum (e ficou bom demais!).*

AVGOLÉMONO

POTINHOS CREMOSOS DE ASPARGO E BRIE

AVGOLÉMONO
(4 PESSOAS; 30 MINUTOS)

*4 xícaras de caldo de galinha, de preferência, caseiro
(ou 1 tablete dissolvido na mesma medida de água)
1 talo de salsão em cubinhos
1 cenoura em cubinhos
1/2 xícara de arroz lavado e escorrido
raspas e suco de 1 limão-siciliano
6 gemas
1/4 de xícara de salsinha bem picadinha
sal e pimenta-do-reino branca*

↬ Numa panela média, aqueça o caldo, o salsão e a cenoura. Quando ferver, junte o arroz e um pouco de sal, abaixe o fogo e cozinhe por uns 15 minutos, até que os grãos estejam macios, mas ainda firmes. Com um batedor de arame, misture numa tigelinha o suco de limão e as gemas por alguns segundos, apenas até encorpar. Junte 1/2 xícara do caldo fervente, passe para a panela e, sempre mexendo, deixe no fogo até surgirem bolhinhas nas bordas e a sopa engrossar e cobrir o dorso da colher, mas sem ferver. Retire do fogo, junte as raspas de limão e a salsinha, acerte o sal e a pimenta e sirva.

MAIONESE
(1 XÍCARA, 15 MINUTOS)

1 ovo
1 gema
1 colher (chá) de mostarda de Dijon
suco de 1 limão
1 colher (sopa) de cebola picadinha
1/3 de xícara de azeite
2/3 de xícara de óleo de milho, canola ou girassol
sal e pimenta-do-reino

↬ Coloque o ovo, a gema, a mostarda, o limão, a cebola, o azeite, sal e pimenta no liquidificador e bata até misturar. Pela abertura da tampa do copo, sem parar de bater, vá acrescentando aos poucos o óleo em fio até conseguir um molho encorpado e cremoso. Nesse ponto, se quiser, junte 1 ou 2 dentes de alho ou 1 xícara de folhas de ervas frescas e bata até esverdear, ou ainda alguns tomates secos ou umas 2 colheres (sopa) de ketchup para ter maionese rosada. Ajuste o sal e a pimenta, passe para uma tigela, cubra com filme plástico e guarde por até 3 dias na geladeira.

POTINHOS CREMOSOS DE ASPARGO E BRIE
(4 PESSOAS; 1 HORA E 30 MINUTOS)

1 1/4 de xícara de creme de leite fresco
1/3 de xícara de manjericão
1 maço grande de aspargo verde fresco limpo
100 g de queijo Brie ou Camembert em cubinhos
2 ovos
sal, pimenta-do-reino branca e noz-moscada
manteiga para untar

↬ Aqueça o forno a 160°C (médio-baixo), separe e unte com manteiga 4 refratários individuais de uns 8 cm, reserve uma assadeira pequena e ferva um pouco de água para o banho-maria.

↬ Leve ao fogo uma panela com mais ou menos 1 litro de água. Quando ferver, junte 1 colher (sopa) de sal e o aspargo e cozinhe por uns 10 minutos, até que esteja macio, mas ainda firme. Escorra, mergulhe numa tigela de água com gelo para esfriar e manter o verde e escorra de novo. Corte as pontas do aspargo, distribua entre os potinhos e por cima coloque os cubinhos de queijo. Pique o restante dos talos em pedacinhos, coloque no liquidificador com o creme de leite, o manjericão, os ovos, sal e pimenta e bata até obter um creme liso. Despeje nos potinhos, coloque na assadeira com água fervente ao redor e asse em banho-maria por uns 15 minutos, até o creme firmar nas bordas, mas ainda continuar tremendo no centro.

MAIONESE

CREME CANTONÊS DE OVOS, SHIITAKE E FRANGO

(6 pessoas; 45 minutos)

600 g de peito de frango sem pele em filés grossos
1 colher (sopa) de saquê mirin (licoroso)
1 colher (chá) de sal
1 cebola em cubinhos
1 dente de alho picadinho
12 shiitakes médios em tirinhas
4 xícaras de água
6 ovos
2 colheres (sopa) de shoyu
1 colher (sopa) de óleo de gergelim
1 colher (sopa) de molho de ostra
suco de 1 limão
1/3 de xícara de cebolinha picadinha
1/4 de xícara de folhas de coentro picadinhas

↬ **Numa panela média,** aqueça o peito de frango, o saquê, o sal, a cebola, o alho, o shiitake e a água. Quando ferver, abaixe o fogo e cozinhe por uns 20 minutos, até a carne ficar bem macia. Retire só o peito de frango da panela, espere amornar, separe em lascas do tamanho de uma mordida e ponha de volta na panela.

↬ **Aqueça o forno a 160°C** (médio-baixo), separe um refratário fundo com capacidade para 1 litro e 1 assadeira média, coloque água para ferver para o banho-maria (se preferir cozinhar no vapor, como fazem na China, separe uma cesta e 6 potinhos individuais).

↬ **Aqueça de novo o caldo** com o frango. Numa tigela média, bata ligeiramente os ovos com um batedor de arame. Despeje 1 xícara de caldo fervente sobre os ovos, misture, passe para a panela e, sem parar de mexer, deixe no fogo apenas até o creme encorpar e surgirem bolhinhas nas bordas, mas sem deixar ferver. Retire do fogo, junte o shoyu, o óleo de gergelim, o molho de ostra, o limão, a cebolinha e o coentro e transfira para o refratário. Coloque no centro da assadeira com a água fervente ao redor, cubra com papel-alumínio e asse por uns 25 minutos, até firmar (ou cozinhe por uns 12 minutos no vapor com a cesta tampada).

OVOS MEXIDOS COM SALMÃO E CEBOLINHA

(6 pessoas; 15 minutos)

18 ovos
3/4 de xícara de creme de leite fresco
300 g de salmão defumado em tirinhas bem finas
1/2 xícara de cebolinha-francesa em rodelinhas bem finas
50 g de manteiga
pimenta-do-reino

↬ **Numa tigela,** coloque os ovos, o creme de leite e pimenta e mexa com um garfo para quebrar as gemas e a clara e obter uma mistura amarelada, depois junte o salmão, que já é salgadinho. Numa frigideira antiaderente grande e de fundo grosso, derreta a manteiga, junte os ovos, dê uma ou duas voltas com uma colher de pau para incorporar a manteiga, pare de mexer e abaixe o fogo para que os ovos fiquem cremosos (em fogo alto, os ovos coagulam muito rápido, a gente precisa mexer mais, e eles acabam ficando secos e esfarelentos). Quando os ovos começarem a firmar e a grudar nas bordas da frigideira, solte essa camada com a colher de pau, dê mais uma ou duas voltas para fazer com que a parte líquida fique em contato com a base da frigideira e pare de mexer. Repita quando as beiradas começarem a firmar de novo, retire do fogo assim que o líquido secar, mas enquanto os ovos ainda estiverem bem úmidos e brilhantes, e sirva em seguida.

OUEFS EN MEURETTE
(6 PESSOAS; 3 HORAS)

1 cebola grande

1 cenoura grande

3 talos de salsão

1 talo grande de alho-poró

100 g de manteiga

2 dentes de alho inteiros sem casca

2,1 litros de vinho tinto encorpado (normalmente 3 garrafas)

1 tablete de caldo de carne

1 amarrado de ervas preparado com 1 folha de louro, vários ramos de salsinha, manjericão e tomilho e folhas e talinhos de salsão

1/4 de xícara de farinha de trigo

1/2 xícara de salsinha picada

250 g de cebola-pérola bem miúda (cerca de 36 unidades)

600 g de cogumelo fresco

300 g de bacon em cubinhos

1/2 xícara de vinagre de vinho branco

12 ovos bem frescos

12 fatias grandes de pão rústico (tipo italiano)

sal, pimenta-do-reino e açúcar

↪ **Comece a preparar o molho** de vinho pelo menos 3 horas antes de servir, ou até na véspera. Corte a cebola, a cenoura, o salsão e o alho-poró em fatias finas. Numa panela média, aqueça 20 g de manteiga, junte os legumes fatiados e uma pitada de sal, espere murchar e acrescente o alho, o vinho, o tablete de caldo e o amarrado de ervas. Quando ferver, abaixe o fogo e deixe reduzir por umas 2 horas, até chegar a 1/3 do volume inicial, então passe por uma peneira fina, esprema bem e ponha de volta na panela. Numa tigelinha, faça uma pasta com a farinha e 20 g de manteiga, depois junte ao molho e, sempre mexendo, deixe no fogo até ferver e engrossar, ajuste o sal e a pimenta e corrija a acidez com um pouco de açúcar (é difícil dizer se será uma pitada ou 1 colher (sopa), pois cada vinho é um vinho). Junte a salsinha na hora de servir.

↪ **Para descascar as cebolinhas** com facilidade, ferva 1 litro de água, junte as cebolinhas inteiras com casca, conte 2 minutos, escorra, mergulhe numa tigela com água fria por 1 minuto, escorra de novo e esfregue com a ponta dos dedos para soltar a casca. Passe para uma frigideira, acrescente 20 g manteiga, 1 colher (chá) de açúcar e sal, cubra com água e cozinhe em fogo baixo até que as cebolinhas estejam macias e brilhantes, depois junte ao molho.

↪ **Para o cogumelo,** aqueça 20 g de manteiga na mesma frigideira média, junte o cogumelo inteiro ou, se for grande, cortado ao meio, uma pitada de sal e pimenta e deixe no fogo até que esteja macio e ligeiramente dourado e junte ao molho.

↪ **Doure os cubinhos de bacon** na mesma frigideira até que estejam bem crocantes, escorra sobre papel absorvente e junte ao molho.

↪ **Para os ovos,** aqueça uns 2 litros de água numa panela média, espere ferver, junte o vinagre e 1 colher (sopa) de sal e abaixe o fogo para não borbulhar. Um a um, quebre os ovos num pires, deixe escorregar para a água e, rapidamente, banhe com uma escumadeira para tentar envolver a gema com a clara (não se preocupe com os pedaços de clara que se espalharem pela água). Espere o ovo afundar e emergir de novo, conte 1 minuto, retire com uma escumadeira e deixe secar sobre um pano (se quiser, prepare os ovos 3 horas antes e depois mergulhe em água fervente para aquecer).

↪ **Para a torrada,** aqueça o forno a 200°C (médio-alto). Besunte as fatias de pão com a manteiga restante, polvilhe com sal, espalhe na assadeira e leve ao forno para dourar. Coloque em cada prato uma fatia de pão com um ovo por cima e regue com bastante molho.

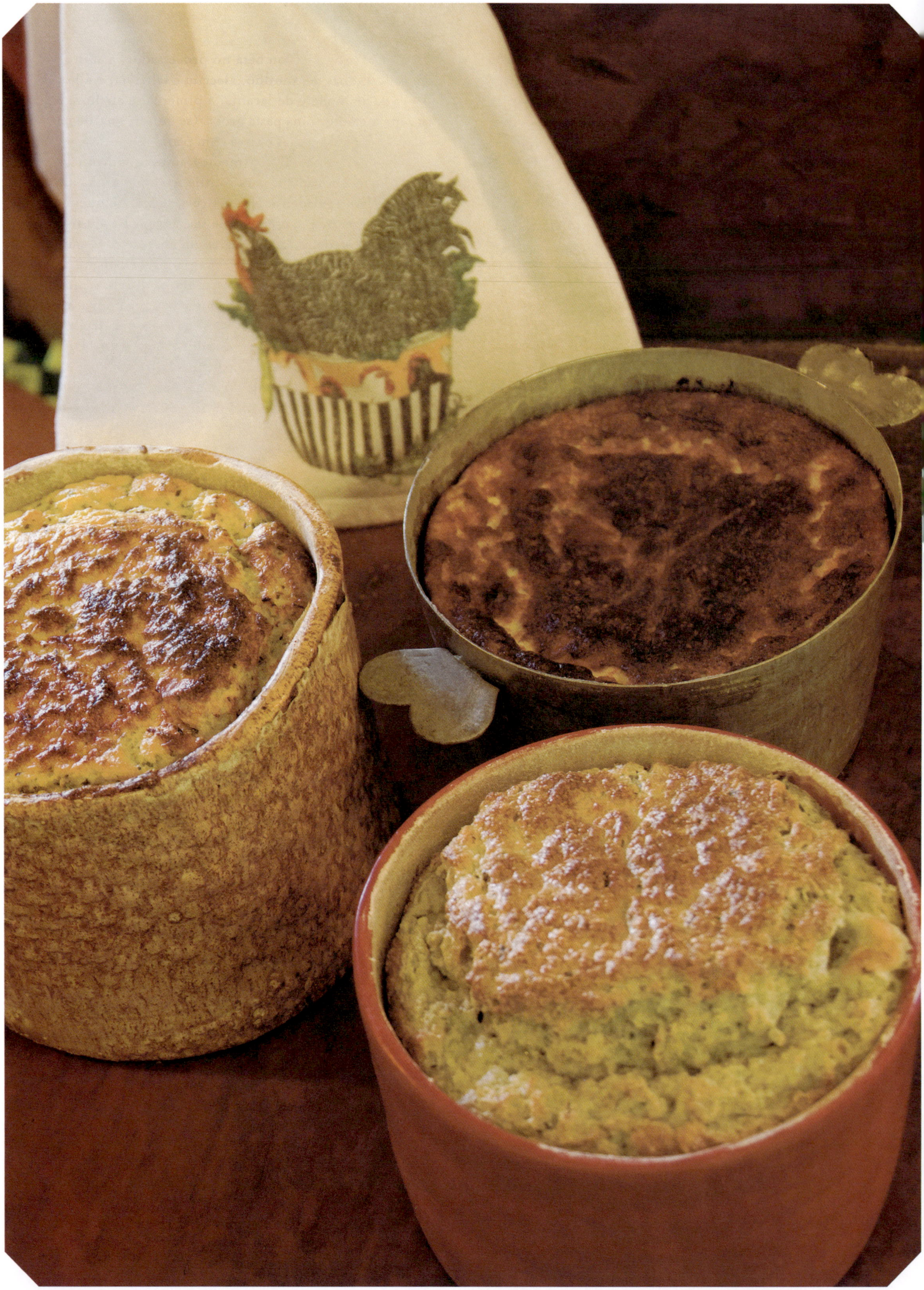

SOUFFLÉ AU FROMAGE

(4 PESSOAS; 2 HORAS)

50 g de manteiga
1/3 de xícara de farinha de trigo
2 xícaras de leite
1 colher (chá) de mostarda de Dijon
2 colheres (sopa) de cebolinha-francesa
300 g de queijo Gruyère ralado grosso
4 gemas
6 claras
sal e pimenta-do-reino branca
manteiga em temperatura ambiente para untar

↬ Numa panela média, aqueça a manteiga e a farinha e, sempre mexendo com batedor de arame ou colher de pau e fazendo um 8 para raspar todo o fundo, misture até obter uma pasta amarelada e borbulhante. Junte o leite aos poucos e mexa por mais uns 10 ou 15 minutos, até ferver e engrossar. Passe para uma tigela grande, espere amornar, junte a mostarda, a cebolinha, 3/4 do queijo, sal, pimenta e as gemas.

↬ Aqueça o forno a 220°C (alto), pincele com manteiga um refratário para soufflé de uns 20 cm de diâmetro, aguarde 5 minutos, pincele de novo, polvilhe com o queijo restante e leve à geladeira por 10 minutos.

↬ Com a batedeira, bata as claras em neve até obter picos firmes. Coloque 1/3 das claras na tigela do creme e misture com uma espátula para deixar mais leve; em seguida, fazendo movimentos com a espátula como se estivesse cortando o creme até a base da tigela e levantando, incorpore delicadamente os outros 2/3. Passe para o refratário, preenchendo até 3/4 da altura, limpe a borda e coloque no centro da grade do meio do forno. Aguarde 10 minutos, abaixe a temperatura para 180°C (médio) e asse por mais uns 35 minutos, até que o soufflé esteja cozido por dentro, firme e bem dourado por fora. Retire do forno e sirva.

SOUFFLÉ DE AZEITONA E ERVAS FRESCAS

(6 PESSOAS; 1 HORA)

250 g de azeitona verde em lascas
1 colher (chá) de folhinhas de tomilho
1 colher (chá) de folhinhas de alecrim
1/2 xícara de salsinha
1 dente de alho
1 colher (chá) de raspas de laranja
raspas de 1 limão
1/2 colher (chá) de pimenta-vermelha seca
1 colher (sopa) de filé de anchova picadinho
1/4 de xícara de azeite
200 g de cream cheese ou ricota
1/2 xícara de creme de leite fresco
4 ovos
sal e pimenta-do-reino
manteiga para untar

↬ Soque num pilão, ou bata no processador, a azeitona, as folhinhas de tomilho, alecrim e salsinha, o alho, as raspas de limão e de laranja, a pimenta, a anchova e o azeite até obter uma pasta grossa (se quiser, guarde na geladeira por até 3 dias e sirva com pão).

↬ Aqueça o forno a 180°C (médio), unte com manteiga 6 refratários individuais para soufflé, coloque numa assadeira e leve à geladeira. Numa tigela, misture o queijo, a pasta de azeitona, o creme de leite e as gemas e ajuste o sal. Com a batedeira, bata as claras em neve até conseguir picos firmes. Coloque 1/3 das claras na tigela da pasta de azeitona e misture com uma espátula para deixar mais leve; em seguida, fazendo movimentos com a espátula como se estivesse cortando o creme até a base da tigela e levantando, incorpore delicadamente os outros 2/3. Distribua entre os potinhos, limpe bem as bordas, coloque a assadeira no centro da grade do meio do forno e asse por uns 20 minutos, até que os soufflés estejam crescidos, firmes e bem dourados. Retire do forno e sirva.

SOUFFLÉ DA ROÇA

(6 PESSOAS; 1 HORA E 30 MINUTOS)

1 kg de mandioquinha descascada em rodelas finas
100 g de bacon em cubinhos
1 cebola grande em cubinhos
1/2 xícara de salsinha e cebolinha picadinhas
4 ovos
1/2 xícara de queijo-de-minas não muito fresco em cubinhos
sal e pimenta-do-reino
manteiga para untar
parmesão ralado para polvilhar

↬ Numa panela, coloque a mandioquinha e acrescente água até cobri-la. Junte um pouco de sal e cozinhe por uns 20 minutos, até que esteja macia. Escorra, passe pelo espremedor e deixe cair numa tigela média.

↬ Enquanto isso, numa panelinha, aqueça e doure o bacon na própria gordura, depois junte a cebola, deixe dourar um pouco e despeje sobre a mandioquinha. Junte sal, pimenta, a salsinha e cebolinha, as gemas e o queijo.

↬ Aqueça o forno a 180°C (médio), unte um refratário grande para soufflé com manteiga, polvilhe com parmesão ralado e leve à geladeira por 10 minutos. Com a batedeira, bata as claras em neve até conseguir picos firmes. Coloque 1/3 das claras na tigela da mandioquinha e misture com uma espátula para deixar mais leve; em seguida, fazendo movimentos com a espátula como se estivesse cortando o creme até a base da tigela e levantando, incorpore delicadamente os outros 2/3. Passe para o refratário, limpe bem as bordas, coloque no centro da grade do meio do forno e asse por uns 30 minutos, até que o soufflé esteja cozido, firme e bem dourado. Retire do forno e sirva.

CLAFOUTIS DE CEBOLA CARAMELIZADA E ROQUEFORT

QUICHE DE ALHO-PORÓ

↳ Numa frigideira média, aqueça 2/3 da manteiga, junte a cebola e uma pitada de sal e espere murchar. Adicione o vinho e o tomilho, abaixe o fogo e cozinhe por uns 15 minutos, até que a cebola esteja macia, bem dourada e brilhante (se começarem a secar e ainda estiverem firmes, junte um pouquinho de água). Ajuste o sal e a pimenta e reserve.

↳ Aqueça o forno a 200ºC (alto). Unte um refratário médio com manteiga, espalhe no fundo a cebola e, por cima, o queijo. Com um batedor de arame, misture numa tigela o creme de leite, os ovos, a farinha, o restante da manteiga já derretida, sal e pimenta e despeje sobre a cebola. Asse por uns 30 minutos, até dourar e firmar (ao enfiar um palito no centro, ele deverá sair limpo).

QUICHE DE ALHO-PORÓ
(8 PESSOAS; 2 HORAS)

PARA O RECHEIO
4 talos grandes de alho-poró
50 g de manteiga
1 3/4 de xícara de creme de leite fresco
4 ovos
100 g de queijo Gruyère ou parmesão ralado grosso
sal e noz-moscada

PARA A MASSA
3 xícaras de farinha de trigo (aproximadamente)
1/2 colher (chá) de sal
200 g de manteiga gelada em cubinhos
1/4 de xícara de água gelada (aproximadamente)

↳ Recheio Descarte as folhas verdes e a base dura do talo do alho-poró, corte em rodelinhas finas, lave e escorra. Numa panela média, aqueça a manteiga, junte o alho-poró e uma pitada de sal e, mantendo o fogo baixo, cozinhe por uns 10 minutos no próprio líquido, até amaciar e secar. Ajuste o sal, junte um pouco de noz-moscada e deixe esfriar.

↳ Massa Misture a farinha, o sal e a manteiga e esfarele com a ponta dos dedos até obter uma farofa. Junte a água aos poucos e trabalhe até obter uma massa macia que descole das mãos. Embrulhe em filme plástico e leve à geladeira por pelo menos 15 minutos, ou por até 24 horas. Abra a massa com um rolo até conseguir um disco de uns 40 cm, forre o fundo e as laterais de 1 fôrma para quiche bem grande, de uns 30 cm, ou 2 médias, e leve à geladeira por 10 minutos, enquanto o forno aquece a 180ºC (médio).

↳ Numa tigela média, misture o creme de leite, os ovos, o queijo e sal. Espalhe o alho-poró na base da torta, regue com a mistura cremosa e mexa de leve com um garfo para o creme descer até o fundo. Asse a quiche por uns 45 minutos, até que o recheio esteja firme, e a massa, bem dourada e crocante. Deixe amornar por 10 minutos, desenforme e sirva quente ou em temperatura ambiente.

CLAFOUTIS DE CEBOLA CARAMELIZADA E ROQUEFORT
(4 PESSOAS, 45 MINUTOS)

4 cebolas grandes em fatias finas
50 g de manteiga
1 colher (chá) de folhinhas de tomilho
1/4 de xícara de vinho do Porto
1 xícara de creme de leite fresco
3 ovos
1/4 de xícara de farinha de trigo
100 g de queijo Roquefort em pedaços miúdos
sal e pimenta-do-reino branca
manteiga para untar

COURONNE OEUF JAMBON

(4 PESSOAS; 40 MINUTOS)

250 g de presunto em fatias finas
300 g de ervilhas frescas ou congeladas (ou em conserva)
50 g de manteiga
1 cebola pequena em cubinhos
1/3 de xícara de salsinha e cebolinha picadinhas
8 ovos
sal e pimenta-do-reino
manteiga para untar

↔ Aqueça o forno a 180°C (médio). Unte com manteiga uma fôrma média para pudim e forre o fundo e as laterais com o presunto, tendo o cuidado de sobrepor as beiradas das fatias para não deixar espaços vazios. Separe 1 assadeira e aqueça um pouco de água para o banho-maria.

↔ Numa panela média, aqueça mais ou menos 1 litro de água, espere ferver, junte uma colher (sopa) de sal e a ervilha fresca ou congelada e cozinhe por uns 5 minutos, até que esteja macia, mas firme. Escorra, mergulhe numa tigela com água gelada para esfriar e escorra de novo (pule essa etapa se estiver usando ervilha em conserva). Na mesma panela, aqueça a manteiga, doure ligeiramente a cebola, junte a ervilha, sal e a salsinha, misture e transfira para a fôrma, espalhando bem para conseguir uma camada uniforme. Coloque os ovos, sal e pimenta por cima, cubra a fôrma com papel-alumínio, coloque na assadeira com a água fervente ao redor. Asse por uns 30 minutos, até que os ovos estejam cozidos, mas com as gemas ainda macias. Retire do forno, desenforme sobre um prato e sirva.

FRITTATA DE TOMATE, MUSSARELA E MANJERICÃO

FRITTATA DE TOMATE, MUSSARELA E MANJERICÃO
(4 PESSOAS; 30 MINUTOS)

1 cebola pequena em cubinhos
1 dente de alho picadinho
4 tomates maduros, sem sementes, em cubinhos
8 ovos
1/3 de xícara de queijo parmesão ralado
1/2 xícara de folhas de manjericão
250 g de mussarela de búfala em cubinhos
azeite de oliva
sal e pimenta-do-reino

↬ Numa frigideira antiaderente grande, aqueça um fio de azeite e doure ligeiramente a cebola. Junte o alho, espere perfumar, acrescente o tomate e uma pitada de sal e mantenha em fogo alto por uns 5 minutos, até secar a água que o tomate soltar. Numa tigela, misture os ovos, o parmesão, o manjericão, a mussarela, sal e pimenta e despeje sobre o tomate. Abaixe o fogo e aguarde uns 3 minutos, até a frittata firmar na parte de baixo e as bordas começarem a dourar. Então, vire cuidadosamente sobre um prato grande e faça com que deslize na frigideira para dourar e firmar do outro lado. Espere mais uns 2 ou 3 minutos, retire a frittata do fogo, passe para um prato e sirva quente ou morna (se quiser, corte em quadradinhos ou losangos e sirva com palitinhos).

FOLAR
(10 PESSOAS; 3 HORAS, MAIS 2 HORAS PARA A MASSA REPOUSAR)

2 tabletes de fermento biológico (30 g)
1 1/2 xícara de água morna
1 colher (sopa) de açúcar
7 xícaras de farinha de trigo (aproximadamente)
1 1/2 colher (sopa) de sal
1/2 xícara de azeite de oliva
8 ovos

↬ Numa tigela média, misture o fermento, a água, o açúcar e 1 xícara da farinha até dissolver e deixe repousar por uns 15 minutos, ou até surgirem bolhas. Junte o sal, o azeite e os ovos e vá acrescentando aos poucos a farinha e trabalhando até obter uma massa macia que descole das mãos. Sobre uma superfície ligeiramente enfarinhada, amasse a massa com as mãos por uns 5 minutos, depois coloque numa tigela bem grande e limpa, cubra com um pano e deixe descansar por 1 hora, ou até dobrar de volume. Polvilhe uma superfície com farinha e também a massa se esta estiver muito pegajosa. Divida a massa ao meio e molde um pão grande e arredondado com cada parte, coloque os pães numa assadeira (não é preciso untar) e deixe repousar por mais 1 hora, até dobrar de volume novamente. Quando faltarem uns 15 minutos para completar o tempo, aqueça o forno a 200°C (médio-alto). Asse os pães por uns 45 minutos, até que estejam bem crescidos e dourados. Deixe amornar por uns 10 minutos e sirva em fatias.

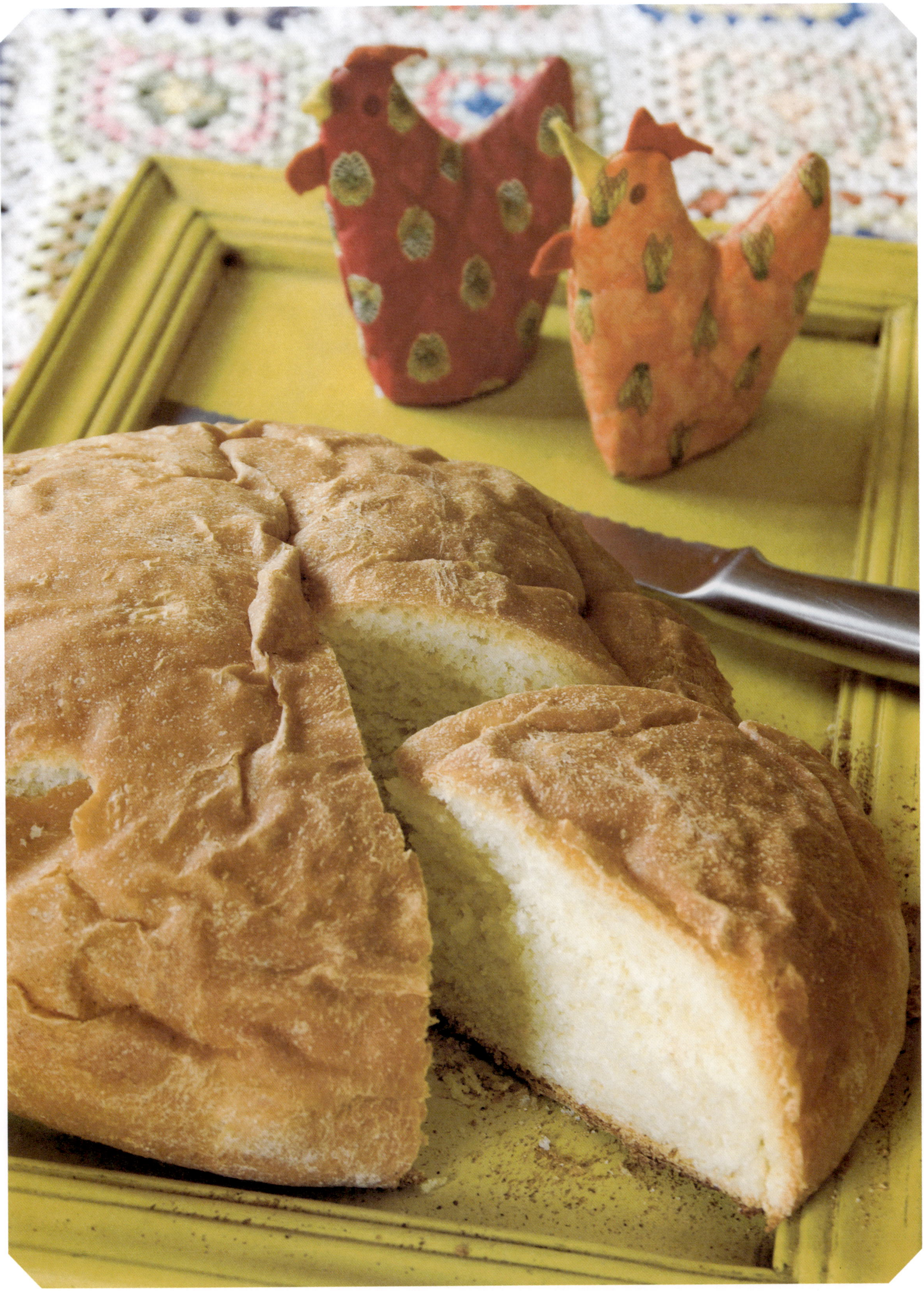

OVOS QUEIMADOS

(6 PESSOAS; 30 MINUTOS, MAIS 1 HORA PARA GELAR)

6 ovos
1 xícara de água
3 xícaras de açúcar
1 colher (chá) de suco de limão
1/4 de xícara de vinho do Porto
1/4 de xícara de leite
canela em pó para polvilhar

↔ Numa tigela média, misture ligeiramente os ovos e reserve. Numa panela média, aqueça a água, o açúcar e o limão e mexa só até dissolver. Quando a calda começar a dourar nas bordas da panela, junte os ovos e, sem mexer, espere firmar, o que acontece bem rapidinho. Então, com colher de pau, quebre os ovos em pedaços não muito pequenos, retire a panela do fogo e, com uma escumadeira, transfira só os pedaços para uma compoteira, mantendo a calda na panela. Acrescente o vinho do Porto e o leite à calda, aqueça de novo, deixe ferver por uns 2 minutos, até a calda engrossar um pouquinho, e despeje sobre os ovos. Deixe esfriar, leve à geladeira e polvilhe com canela na hora de servir.

PUDIM ABADE DE PRISCOS

(10 PESSOAS; 1 HORA E 30 MINUTOS, MAIS 6 HORAS PARA GELAR)

2 xícaras de água
4 1/3 de xícaras de açúcar
50 g de toucinho fresco (ou banha ou manteiga)
1 tira larga de casca de limão
1 pedaço de uns 5 cm de canela em pau
15 gemas
1/3 de xícara de vinho do Porto

↔ Numa panela média, aqueça a água, 3 1/4 de xícara de açúcar, o toucinho, a casca de limão e a canela, mexendo só até dissolver. Deixe ferver por uns 5 minutos, até obter uma calda rala e brilhante, retire do fogo e espere amornar.
↔ Aqueça o forno a 160°C (médio-baixo), separe uma assadeira, coloque no fundo umas 2 ou 3 folhas de papel absorvente para a fôrma não pular e ferva um pouco de água para o banho-maria.
↔ Enquanto isso, coloque o açúcar restante numa fôrma média para pudim, de uns 22 cm de diâmetro. Com muito cuidado, pois é realmente muito quente, aqueça a fôrma diretamente sobre a chama do fogão e espere surgir um caramelo bem dourado, nem muito claro, para não ficar muito doce, nem muito escuro, para não amargar. Segure a fôrma com a ajuda de 1 ou 2 panos bem secos e, conforme o caramelo for escurecendo nas bordas, misture com uma espátula até ficar uniforme.

Então, retire do fogo e gire a fôrma para espalhar e cobrir totalmente as paredes internas com o caramelo.

↔ Apóie uma peneira sobre uma tigela média, passe por ela a calda para descartar o toucinho, a casca de limão e a canela, depois passe as gemas, junte o vinho do Porto, misture tudo e despeje na fôrma. Coloque a fôrma na assadeira com a água fervente ao redor e asse em banho-maria por mais ou menos 1 hora, até que a superfície do pudim esteja bem dourada (ao enfiar um palito no centro, ele deverá sair limpo). Espere esfriar, leve à geladeira por pelo menos 6 horas e desenforme sobre um prato de bordas altas.

TOUCINHO DO CÉU
(8 PESSOAS; 1 HORA E 30 MINUTOS, MAIS 2 HORAS PARA ESFRIAR)

1 xícara de água
3 1/3 de xícaras de açúcar
100 g de manteiga em cubinhos
1 1/4 de xícara de amêndoa moída
2 ovos
4 gemas
3/4 de xícara de farinha de trigo
1 colher (chá) de fermento em pó
1 colher (chá) de canela em pó
manteiga para untar e farinha de trigo para polvilhar
açúcar e canela para polvilhar o bolo

↔ Numa panela média, aqueça a água e o açúcar, mexendo só até dissolver. Deixe ferver por uns 5 minutos, até obter uma calda rala e brilhante, retire o fogo, passe para uma tigela, junte a manteiga e a amêndoa e espere amornar.

↔ Aqueça o forno a 180°C (médio), unte com manteiga uma fôrma média de fundo removível, de uns 20 cm, forre o fundo com papel-manteiga também untado, polvilhe com farinha e coloque a fôrma sobre uma assadeira vazia (apenas para evitar problemas no caso de vazar um pouco de massa).

↔ Em outra tigela, misture a farinha, o fermento e a canela. Acrescente os ovos e a calda e mexa com um batedor de arame até obter uma massa homogênea. Despeje na fôrma e asse por uns 30 minutos, até que o bolo esteja dourado, crescido (ao enfiar um palito no centro, ele deverá sair limpo). Retire do forno, passe imediatamente uma faca na lateral para desgrudar das bordas, aguarde 5 minutos, desenforme, vire sobre um prato e descole o papel com cuidado. Espere esfriar e polvilhe com açúcar e canela.

CRÈME CARAMEL

CRÈME CARAMEL
(6 PESSOAS; 2 HORAS, ALÉM DE UMAS 6 HORAS PARA GELAR)

8 ovos
1 litro de leite
3 xícaras de açúcar
2 favas de baunilha ou 1 colher (sopa) de essência

↦ Aqueça o forno a 160°C (médio-baixo), separe uma assadeira, coloque no fundo umas 2 ou 3 folhas de papel absorvente para a fôrma não pular e ferva um pouco de água para o banho-maria.

↦ Numa fôrma para pudim de uns 22 cm, coloque 1 xícara de açúcar. Com muito cuidado, pois é muito quente, aqueça a fôrma diretamente sobre a chama do fogão e espere surgir um caramelo bem dourado, nem muito claro, para não ficar muito doce, nem muito escuro, para não amargar. Segure a fôrma com uma luva e um pano bem secos e, conforme o caramelo for escurecendo nas bordas, vá misturando com uma espátula até ficar uniforme. Retire do fogo e gire a fôrma para espalhar e cobrir totalmente as paredes internas com o caramelo.

↦ Apóie uma peneira sobre uma tigela média e passe por ela os ovos. Junte o leite, o açúcar restante e a baunilha, mexa com um batedor de arame até conseguir um creme liso e despeje na fôrma (se estiver usando a fava de baunilha, aqueça primeiro o leite com a fava cortada ao meio e as raspas, espere ferver e deixe em infusão por 1 hora, depois descarte a fava). Coloque a fôrma dentro da assadeira com a água fervente ao redor e asse em banho-maria por mais ou menos 1 hora, até que o pudim esteja bem dourado (ao enfiar um palito no centro, ele deverá sair limpo). Espere esfriar, leve à geladeira por umas 6 horas e desenforme sobre um prato de bordas altas.

SOUFFLÉ DE NOZES
(4 PESSOAS; 1 HORA)

50 g de manteiga
1/4 de xícara de farinha de trigo
1 xícara de leite
1 colher (chá) de essência de baunilha
1 xícara de nozes grosseiramente moídas
1/2 xícara de açúcar
1/4 xícara de vinho do Porto
3 ovos
sal
manteiga para untar e açúcar para polvilhar o refratário
açúcar de confeiteiro para polvilhar o soufflé

↦ Numa panela média, aqueça a manteiga e a farinha e, sempre mexendo com batedor de arame ou colher de pau e fazendo um 8 para raspar todo o fundo, misture até obter uma pasta amarelada borbulhante. Adicione o leite e mexa por mais uns 5 minutos, até ferver e engrossar. Acrescente a baunilha, as nozes, o açúcar, um pitada de sal e o vinho e passe para uma tigela grande. Quando amornar, misture as gemas.

↦ Aqueça o forno a 200°C (médio-alto), pincele com manteiga um refratário de uns 18 cm para soufflé, aguarde 5 minutos, pincele de novo, polvilhe com açúcar e leve à geladeira por 10 minutos.

↦ Com a batedeira, bata as claras em neve até obter picos firmes. Coloque 1/3 das claras na tigela do creme e misture com uma espátula para deixar mais leve; em seguida, fazendo movimentos com a espátula como se estivesse cortando o creme até a base da tigela e levantando, incorpore delicadamente os outros 2/3. Passe para o refratário, preenchendo até 3/4 da altura, limpe a borda e coloque no centro da grade do meio do forno. Aguarde 10 minutos, abaixe a temperatura para 180°C (médio) e asse por mais uns 30 minutos, até que o soufflé esteja cozido por dentro e firme e bem dourado por fora. Polvilhe com açúcar de confeiteiro e sirva.

SOUFFLÉ DE NOZES

POTS DE CRÉME AU CHOCOLAT

(8 PESSOAS; 1 HORA, MAIS 2 HORAS PARA GELAR)

200 g de chocolate meio amargo em cubinhos
1 ovo
4 gemas
2/3 de xícara de açúcar
1 colher (chá) de essência de baunilha
2 1/4 de xícara de creme de leite fresco

↣ Aqueça o forno a 160°C (médio-baixo), separe uma assadeira, coloque no fundo umas 2 ou 3 folhas de papel absorvente para a fôrma não pular, separe 8 refratários individuais, e ferva um pouco de água para o banho-maria.
↣ Numa tigela, coloque o chocolate e reserve. Em outra tigela, misture o ovo, as gemas, o açúcar e a baunilha e reserve. Aqueça o creme de leite, espere ferver, despeje sobre o chocolate e misture com um batedor de arame até derreter e conseguir um creme liso, depois junte o creme de ovo. Despeje nos potinhos e coloque na assadeira com a água fervente ao redor. Asse por uns 25 minutos, até o creme firmar nas bordas, mas continuar tremendo um pouco no centro. Deixe esfriar e leve à geladeira por pelo menos 2 ou por até 48 horas.

PÊRA EM CROSTA DE MEL E AMÊNDOA

(6 PESSOAS; 45 MINUTOS)

50 g de manteiga
1/2 xícara de mel
1 xícara de creme de leite fresco
4 ovos
4 pêras maduras mas firmes
1 xícara de amêndoa com pele grosseiramente picada
sal
manteiga para untar

↬ Aqueça o forno a 160°C (médio-baixo) e unte um refratário médio com manteiga. Derreta a manteiga no fogo ou no microondas e passe para uma tigela média. Misture o mel, o creme de leite, uma pitada de sal, os ovos e a amêndoa. Descasque e corte as pêras em 4, descarte as sementes, espalhe no refratário e regue com o creme. Asse por uns 30 minutos, até firmar e formar uma crosta dourada. Sirva quente ou frio com sorvete.

BOLINHO DE CHUVA

(35 BOLINHOS, 45 MINUTOS)

3 xícaras de farinha de trigo
1/2 xícara de açúcar
1 colher (sopa) de fermento em pó
raspas de 1 limão
1 1/3 de xícara de leite
3 ovos
1 litro de óleo para fritar
1 colher (sopa) de canela em pó

↬ Numa tigela grande, misture a farinha, 1/2 xícara de açúcar, o fermento e as raspas de limão. Junte o leite, os ovos e misture apenas até obter uma massa lisa e homogênea, pois quando se mexe demais os bolinhos ficam pesados (existem receitas com uma proporção menor de ovos em relação à farinha, mas eu acho que os que levam 1 ovo por xícara de farinha ficam mais leves e macios; há quem bata as claras em neve para conseguir bolinhos ainda mais leves).
↬ Numa frigideira grande, aqueça o óleo e, quando ele começar a borbulhar, abaixe o fogo para evitar que os bolinhos escureçam muito rápido por fora e fiquem crus por dentro, mas cuide para que o óleo não esfrie demais, pois aí os bolinhos ficam encharcados. Pegue 1/2 colher (sopa) ou 1 colher (chá) bem cheia de massa e deixe cair na panela (bolinhos maiores demoram mais para fritar, às vezes ficam crus por dentro, os menorzinhos ficam mais bonitos e gostosos). Com uma escumadeira, vá banhando os bolinhos com o óleo até que estejam crescidos, macios por dentro e dourados por fora (frite, no máximo, uns 8 por vez). Retire os bolinhos da panela, escorra sobre papel absorvente, passe para um prato e polvilhe com açúcar e canela enquanto ainda estiverem mornos.

SORVETE CREMOSO DE BANANA

(6 PESSOAS; 1 HORA, MAIS UMAS 3 HORAS PARA O SORVETE GELAR E FIRMAR)

200 g de banana-passa
2 xícaras de água
8 gemas
1 xícara de açúcar
2 3/4 de xícara de leite
3/4 de xícara de creme de leite
1/4 de xícara de rum

↔ Numa panelinha, coloque a banana-passa e a água, aqueça e mantenha em fogo baixo por uns 30 minutos, até que esteja bem macia. Escorra, descarte a água, pique a banana em pedacinhos miúdos e reserve.
↔ Numa tigela, misture as gemas e o açúcar e reserve. Numa panela média, aqueça o leite e o creme de leite. Quando ferver, despeje na tigela das gemas, misture bem, volte com tudo para a panela, leve novamente ao fogo, sempre mexendo, e cozinhe até engrossar, mas sem deixar ferver, apenas até surgirem bolhinhas miúdas nas laterais. Retire do fogo imediatamente, passe para uma tigela limpa, junte a banana e o rum, coloque sobre outra tigela com água e gelo para esfriar. Bata o creme numa sorveteira, ou leve ao freezer por 30 minutos, retire do freezer e bata com a batedeira por 5 minutos, volte ao freezer e repita a operação mais 3 vezes (guarde o sorvete no freezer por até 1 mês).

NA PATAGÔNIA ARGENTINA

Finisterre é uma palavra francesa que significa "o fim da terra", onde teoricamente tudo termina. Para quem, como eu, sempre teve fascínio por livros e histórias de viajantes intrépidos e piratas e tem espírito aventureiro, essa sensação de estar no fim de mundo é instigante. Eu já havia sentido isso quando passei pelo estreito de Magalhães, lá na pontinha da Patagônia chilena, e andei por aqueles campos vazios, desertos, lugares perfeitos para pensar na vida, na grandeza do mundo e em como a gente é só uma coisinha miúda em meio a imensidão da natureza. Dessa vez, para comemorar o aniversário da Bebel, minha filha mais velha, a família toda foi para a Patagônia argentina, em pleno verão, com o céu sempre muito azul, um friozinho gostoso pela manhã e à noite e uma temperatura bem agradável, beirando os 20°C, na hora do almoço. A viagem foi bárbara, com direito a glaciares e montanhas com vistas deslumbrantes, flores silvestres, lagos muito azuis, caminhadas inesquecíveis, hotéis deliciosos, comida gostosa e bons vinhos. De São Paulo, fomos a Buenos Aires, onde pegamos um vôo direto para El Calafate, uma cidadezinha com apenas uma rua central com algumas lojas de artesanato, uns restaurantes e uns hotéis, mas que é o ponto de partida para os passeios pelos parques nacionais dos glaciares. De carro, cruzamos uns 90 quilômetros de campos patagônicos para, no final da tarde, chegarmos ao Parque Nacional Perito Moreno. Logo de cara, avistamos o glaciar, um paredão imenso de gelo no fundo de um lago lindo, onde fica o hotel Los Notros (o nome vem de uma árvore da região), que é uma graça, bem aconchegante, e tem uma vista fenomenal. Passamos três dias deliciosos por lá, com muitos passeios e bastante tempo livre para simplesmente bater papo e sentar numa das espreguiçadeiras do hotel, com um xale bem quentinho de lã de lhama nas costas, olhando o glaciar que fica bem em frente e tomando um chá, um café ou um chocolate (ou um submarino, como eles dizem, na verdade, uma barrinha

Na Patagônia argentina

338   ENTRE PANELAS E TIGELAS   *Na Patagônia argentina*

de chocolate em forma de submarino que vem mergulhada num copo bem alto e estreito de leite fervente para derreter aos pouquinhos). Apesar de não ser o maior deles, o Parque Perito Moreno tem uma localização privilegiada, com acesso bem fácil, dá até para fazer uma caminhada sobre a geleira (até eu, que sou meio boboca para essas coisas, consegui — os grampões que os guias colocam nas nossas botas dão firmeza —, a sensação e o visual são incríveis). Os cafés-da-manhã, almoços e jantares no Los Notros eram tão variados, saborosos e caprichados que eu acabei escolhendo vários pratos para comer, captar idéias, dar umas adaptadinhas e passar aqui as receitas (como éramos 11, além do meu próprio, eu tinha mais dez pratos para beliscar e podia experimentar de tudo. Além do mais, sempre acontece de alguém dizer: "Ai, Helô, come um pouquinho disso aqui, o que será que é, não é bom? Como será que se faz? Será que depois você tentaria fazer de novo isso para mim?"). Nessa etapa da viagem, comemos bastante cordeiro, às vezes como *puchero* ou *guiso*, um cozido bem gostoso e hiperclássico, perfeito para o tempo de frio, fica bastante tempo no fogo e termina com um caldo encorpado e muito perfumado, leva também batata e abóbora e vem dentro da própria abóbora, às vezes, num prato com três ou quatro preparações diferentes, com toques mais modernos. Mas as coisas boas eram muitas, risottos de *centolla*, saladas bem tenras com queijos da região, ensopadinhos de cogumelos do bosque e, principalmente, ravióli de cogumelos, que era tão bom que eu pedi duas vezes.

De lá, cruzamos de barco o lago Argentino, passamos ao lado de muitos icebergs azulíssimos, avistamos o imenso glaciar Upsala e chegamos à Estância Cristina, um lugar encantador. É um hotel bem pequeno, só com uns dez apartamentos, instalado numa antiga fazenda de ovelhas que por quase cem anos foi explorada por uma família inglesa. Ela fica no meio de um campo a perder de vista, onde correm muitas lebres e raposas, oferece uma visão estontante de montanhas imensas ao fundo. As caminhadas e os passeios a cavalo são imperdíveis, acompanhados de gaúchos com bombachas e boinas, que não largam as cuias de mate, uma mais linda que a outra, algumas na cor natural da cabaça, outras tingidas de vermelho, verde, amarelo ou marrom, lisas ou desenhadas, forradas de couro ou com aplicações, e bombilhas de prata chiquérrimas. A acolhida na Estância é demais, são aquelas pequenas atenções que fazem todo o mundo se sentir bem e já sair de lá com vontade de voltar. O jantar da noite da chegada foi uma delícia, começando com uma *provoleta* bem caprichada, com azeitona e cogumelo do bosque, depois, cogumelos recheados maravilhosos e um salmão dali mesmo, do rio Catarina, que cruza a Estância, acompanhado de um purê de cenoura e batata e um de fava verde e muitas outras coisas gostosas. E o café-da-manhã, então? É servido em outra casa, cheia de louças e objetos antigos de cozinha espalhados por tudo quanto é canto, com uma mesa de guloseimas que é pura tentação, tudo feito lá mesmo, um pãozinho mais gostoso que o outro, bolos macios e saborosos, biscoitinhos bem crocantes e perfumados, geléias e mais geléias de frutas da região e muitos queijos. Na hora do almoço, chega à mesa uma grelha de ferro com vários pedaços de um *cordero* patagônico que passou a manhã sendo assado bem devagar num espeto que gira sobre o fogo, com uma tigela de legumes também assados, um purê de batata e outro de batata-doce, tudo excelente. De sobremesa, como não podia deixar de ser, uma taça de um doce de leite muito leve, quase uma mousse. Voltamos para El Calafate e, para fazer um almoço bem rapidinho, paramos no La Lechuza, um lugar bem rústico e descontraído, que oferece uma tábua apetitosa com empanadas de carne, frango, milho, Roquefort e alho-poró, verduras e queijo e presunto, com uma massa mais macia e pouco mais grossa que a do nosso pastel (estas eram assadas, mas também as comemos em versões fritas, com massa mais crocante ou folhada).

No outro dia, seguimos para o supertradicional hotel Llao Llao, em Bariloche, que fica em frente ao lago Nahuel Huapi, cuja vista para o Cerro Tronador é de tirar o chapéu. Nesses cinco dias em Bariloche, fizemos passeios de barco pelos lagos e caminhadas por bosques pitorescos (o de Arrayanes é um sonho, com as árvores de tronco meio rajado e cor de canela), tudo na maior tranqüilidade, já que verão é baixa temporada. Eu adoro a sensação de me encantar com um jantar chiquérrimo, com tudo lindo, receitas e ingredientes requintados e, às vezes no mesmo dia, me encantar com alguma coisa supersimples, como aconteceu com o *choripan* que a gente comeu durante um passeio de barco: um sanduíche de pão com lingüiça grelhada e uma *salsa* de tomate, cebola e salsinha, bem parecido com um que comi no Chile, com um pão de casca ligeiramente entre os melhores que já comi na vida). Também do ladinho do hotel – quem gosta de defumados pode visitar e se deliciar – há o Ahumadero Weiss, com os filés de truta e salmão, os *jamóns* e os salames de cervo, javali e porco, tudo preparado com o maior capricho e de um jeito bem artesanal.

Como se já não bastasse tamanha comilança, o friozinho do final da tarde insistia em pedir uma coisinha para aquecer, e a solução era ceder aos encantos da mesa de *té montañes*, com café, chá, *medias lunas* (os *croissants* pincelados com uma caldinha de açúcar que os argentinos tanto amam), geléias – ou *mermeladas* – de laranja, cereja, morango, pêssego e *calafate* (uma frutinha miúda bem redondinha e arroxeada que tinge toda a boca, mas dá uma geléia gostosa e azedinha), mel de flores silvestres, sanduichinhos de *pan de miga* – aquele pão de fôrma branco ou escuro fatiado fininho e que é ótimo para rechear –, fatias de tortas de pêra, maçã, pêssego, frutas vermelhas e, para terminar, um *alfajor* caseiro, daqueles que não se esquece jamais. Acho que é impossível pensar na Argentina sem lembrar dos alfajores, que são mesmo um caso à parte, divinos para quem ama chocolate e aquele *dulce de leche* cremoso, lisinho, brilhante e marrom-escuro (conversando e pesquisando, vi que a grande diferença entre o doce deles e o nosso é que eles costumam começar caramelizando uma parte do açúcar na panela, nele dissolvem o leite, o restante do açúcar e a baunilha, daí cozinham até chegar a um ponto bem pastoso, por isso o sabor e a cor de caramelo mais intensos). E, para completar, à noitinha, como um aperitivo ou uma refeição mais leve e descontraída, eles ofereciam um monte de coisinhas gostosas sobre umas tábuas maravilhosas de madeira, algumas com entalhes lindos, acompanhadas de facas – *cuchillos* – de cabos de prata, chifre ou osso bem trabalhados, um arraso de lindos. Nas tábuas, além do pão, vinham fatias de defumados; azeitonas suculentas; queijos patagônicos ultracremosos e saborosos, além do Roquefort, que eu adoro, cremoso e forte quanto deve ser; cachos de uva muito doces; *empanaditas* com recheios variados; e, algumas vezes, *las humitas*, pequenas pamonhas salgadas bem suaves, feitas com milho verde bem fresco, tomate, pimentão, cebola, azeite, pimenta, pedacinhos de queijo fresco, lascas de frango e azeitona.

crocante e miolo macio o bastante para absorver o molho e o caldinho da lingüiça bem caseira e apimentada na medida certa.

Num dos dias, visitamos bem rapidinho, já que não tínhamos muito tempo, a Villa la Angostura, uma cidadezinha bem simpática, com restaurantes que servem trutas divinas, algumas prateadas, outras marrons ou furta-cor, de carne muito branca ou rosada, mas sempre delicadíssimas. As trutas chegaram dos Estados Unidos, do Canadá e da Europa no início do século 20, espalharam-se pelos lagos de águas muito frias que banham tudo por ali e aparecem de muitas formas nos cardápios, além da hiperclássica manteiguinha com amêndoa.

Bem pertinho do Llao Llao, jantamos em dois restaurantes que valem a visita: o A 4 Leguas – *asador* que serve carnes realmente especiais numa casa toda de madeira bem aconchegante – e o Il Gabbiano – com uma comida italiana nota-dez num espaço bem acolhedor (de tudo que eu belisquei dos pratos da nossa mesa, acho que a mussarela de búfala da salada, que era deliciosa e se desmanchava na boca, o rigatoni com ragu de cordeiro, que era saborosíssimo, e o ravióli com cogumelos secos e manteiga de sálvia, que era mesmo especial, estão

Na Patagônia argentina

RECEITAS

Depois de conversar bastante, experimentar muita coisa, ler muito, testar e ajustar, cheguei às receitas que vão aqui e que ficaram bem próximas das que comi por lá. Como aperitivo ou entradinha, vêm a provoleta con salame, hongo y alfabaca, um pouco de provolone derretido numas tigelinhas com salame, cogumelo e manjericão (o fundamental é usar um provolone gostoso, que tenha sabor e não seja só uma borrachinha amarelada, e, para não ficar enjoativo, servir porções não muito grandes), e a maçã verde recheada com truta defumada, muito fácil de preparar, que pode ser feita também com salmão e maçã vermelha azedinha. Aí chega o trio de empanadas: carne, milho, Roquefort e alho-poró, aquele salgadinho superargentino que sempre cai bem. O risotto de centolla de Ushuaia e maçã do rio Negro ficou muito saboroso, com a cremosidade do arroz, os pedaços carnudos do caranguejo gigante e o azedinho doce e levemente crocante das maçãs (faça com um caranguejo mais carnudo, já que por aqui centollas custam uma fortuna). Como me encantei com os dois raviólis de cogumelo que comi na viagem, decidi brincar com as duas receitas e dar as duas de uma vez, pois são totalmente diferentes: o ravióli de cogumelo fresco e molhinho de salsinha e tomilho do Los Notros é bem contemporâneo, preparado com massa oriental de guioza, que fica com um ligeiro crocante depois de ir ao forno para gratinar, e vem com um molho bem verdinho com pinoli; e o ravióli de cogumelo do bosque e manteiga de sálvia do Il Gabbiano, que é mais tradicional, mas não menos gostoso, com a massa fresca aromatizada pelo cogumelo e um recheio muito bom. A receita do salmão ao forno com purês de favas, batata e cenoura é simples, mas sempre agrada, e tem um colorido bonito. A cazuela de humita, que ficou deliciosa, é uma versão mais moderna e prática das pamonhas salgadas embrulhadas na palha do milho verde — tudo é assado num refratário grande ou em vários individuais —, que fica bem como entrada, ao lado de folhas verdes ou acompanhando uma carne. Não dava para deixar de lado o molhinho chimichurri, o grande companheiro das carnes grelhadas, que fica pronto em poucos minutos (se der, tente preparar na véspera para ficar ainda mais saboroso). Para adoçar, escolhi uma torta rústica de pêra, servida no próprio refratário, sem desenformar, com massa bem gostosa e crocante, principalmente pela farofinha que vai por cima de tudo, e um recheio que é quase fruta pura (ela também fica ótima com maçã, pêssego, ameixa, banana e abacaxi) e, como não poderia deixar de ser, o dulce de leche argentino, que fica divino, e vai bem com pães e torradas, com uma bola de sorvete, como recheio da panqueque, que sempre faz sucesso, e do irresistível alfajor, receitas que ficam realmente especiais. A media luna é um pouquinho trabalhosa, mas o resultado compensa. Para a hora do chá, ou para uma festa, vale a pena servir os sanduichinhos em pão de fôrma fininho, branco ou escuro, recheados com pastas variadas, que aqui aparecem como enroladinhos especiais de pão preto e queijos, que são lindinhos e muito bons, e sanduichinho de salmão defumado com chips de beterraba, que mescla o salgadinho do peixe, o cremoso do queijo, o azedinho do pepino e o crocantezinho leve e adocicado da beterraba, que ainda dá cor ao prato.

PROVOLETA CON SALAME, HONGO Y ALFABACA (PROVOLETA COM SALAME, COGUMELO E MANJERICÃO)

(6 pessoas; 30 minutos)

300 g de queijo provolone sem casca em cubinhos
6 cogumelos grandes e frescos em fatias finas
12 rodelas finas de salame de cervo ou de javali,
ou 6 fatias finas de presunto cru em tirinhas
12 folhas de manjericão

↳ Aqueça o forno a 220°C (alto), separe uma assadeira média e nela espalhe 6 tigelinhas refratárias pequenas. Em cada uma, coloque uma parte do provolone e um cogumelo, 2 rodelinhas de salame e 2 folhinhas de manjericão. Leve ao forno por uns 10 minutos, até o queijo derreter e a superfície começar a dourar. Sirva em seguida com pão ou torradinhas.

MAÇÃ VERDE RECHEADA COM TRUTA DEFUMADA

(6 pessoas; 30 minutos)

1 ovo
1 colher (sopa) de mostarda de Dijon
1 colher (sopa) de cebola picadinha
1/4 de xícara de vinagre de vinho branco
2 colheres (sopa) de azeite
1 colher (sopa) de mel
3/4 de xícara de óleo vegetal
1/2 xícara de salsinha picadinha
6 maçãs verdes não muito grandes
suco de 1 limão
6 fatias de truta ou salmão defumado
sal e pimenta-do-reino

↔ Coloque o ovo numa panelinha, cubra com água, conte 10 minutos a partir da fervura, retire do fogo, passe pela água fria para esfriar, depois descarte a casca e a clara. Bata a gema no liquidificador com a mostarda, a cebola, o alho, o vinagre, o azeite, o mel, sal e pimenta até virar uma pasta (não coloque muito sal, pois a truta já é salgadinha). Então, sem parar de bater, comece a juntar o óleo em fio pela abertura da tampa e bata até conseguir um molho cremoso. Adicione a salsinha, bata até esverdear e leve à geladeira por até 2 dias.

↔ Pouco antes de servir, pique a truta em tirinhas miúdas e junte ao molho. Corte uma tampinha no topo de cada maçã, escave com uma colher para conseguir uma cavidade grande e regue com o suco de limão para evitar que escureçam muito rápido. Pique a polpa retirada em pedacinhos, junte ao molho e recheie as maçãs. Sirva com folhas verdes apenas polvilhadas com sal e regadas com um fio de azeite.

TRIO DE EMPANADAS: CARNE, MILHO, ROQUEFORT E ALHO-PORÓ

(12 pessoas; 2 horas e 30 minutos)

PARA A MASSA
9 xícaras de farinha de trigo (aproximadamente)
300 g de manteiga
1 1/2 xícara de água gelada
1 1/2 colher (chá) de sal
pimenta-do-reino

PARA O RECHEIO DE CARNE
50 g de manteiga
1 cebola grande em cubinhos
1 dente de alho bem picadinho
750 g de carne moída, coxão mole ou patinho
1/2 colher (chá) de cominho em pó
canela em pó
2 tomates médios, sem pele e sem sementes, em cubinhos
1/2 xícara de uva-passa escura
1 xícara de água
1 colher (sopa) de maisena
1/2 xícara de azeitona verde ou preta em lascas
canela em pó
sal e pimenta-do-reino

PARA O RECHEIO DE MILHO
25 g de manteiga
1 cebola pequena em cubinhos
300 g de milho verde cru fresco ou congelado, ou em conserva
1 1/4 de xícara de leite
1 pimentão vermelho, sem pele e sem sementes, em cubinhos
1 colher (sopa) de maisena
2 ovos cozidos picadinhos
sal

PARA O RECHEIO DE ROQUEFORT E ALHO-PORÓ
25 g de manteiga
4 talos grandes de alho-poró, só a parte branca, em rodelinhas finas
1 xícara de creme de leite fresco
100 g de queijo Roquefort
sal e noz-moscada

↔ Massa Numa superfície lisa, coloque a farinha formando um vulcão e no centro coloque a manteiga derretida, a água, o sal e uma pitada de pimenta. Trabalhando no início com um garfo e depois com as mãos, misture os ingredientes até obter uma massa homogênea. Continue amassando com as mãos por uns 10 minutos, até que a massa esteja bem lisa e macia. Cubra com um pano limpo e deixe descansar por 30 minutos.
↔ Recheio de carne Numa panela média, aqueça a manteiga e doure ligeiramente a cebola. Junte o alho, espere perfumar, acrescente a carne e misture até separar os grumos e mudar de cor. Adicione o cominho, uma pitada de canela, sal, pimenta, o tomate e a uva-passa, misture bem e abaixe o fogo. Cozinhe por uns 30 minutos, até o líquido secar e a carne começar a dourar. Dissolva a maisena na água, coloque na panela e, sem parar de mexer, mantenha no fogo até engrossar (o objetivo é apenas ligar os ingredientes para não ter um recheio esfarelento, daqueles que caem da empanada logo na primeira mordida). Junte a azeitona, acerte o sal e a pimenta e deixe esfriar.
↔ Recheio de milho Numa panela média, aqueça a manteiga e doure ligeiramente a cebola. Junte o milho, 1 xícara de leite e sal, abaixe o fogo e cozinhe por uns 10 minutos, até que os grãos estejam macios. Dissolva a maisena no leite restante, coloque na panela e, sem parar de mexer, deixe no fogo até engrossar. Acrescente o pimentão e os ovos, ajuste o sal e deixe esfriar.
↔ Recheio de Roquefort e alho-poró Numa panela média, aqueça a manteiga, junte o alho-poró, sal e noz-moscada, deixe murchar em fogo baixo por uns 10 minutos, até amaciar, depois acrescente o creme de leite e espere encorpar por uns 2 minutos. Adicione o queijo, a noz-moscada, acerte o sal e deixe esfriar.
↔ Aqueça o forno a 200°C (médio-alto) e separe 2 assadeiras grandes (não é preciso untar). Com um rolo, sobre uma superfície enfarinhada, abra 1/3 da massa até obter um retângulo com uns 3 mm de espessura, como uma casca de banana, e corte uns 20 discos de uns 18 cm de diâmetro. Coloque umas 2 colheres (sopa) de um dos recheios no centro de cada disco, pincele a borda livre com água para ajudar a colar, feche como uma meia-lua e, para conseguir o efeito pregueado, vá virando e dobrando a borda aos pouquinhos, mais ou menos a cada 1 cm. Faça o mesmo com a massa e os recheios restantes, depois passe as empanadas para as assadeiras e asse por uns 40 minutos, até ficarem bem douradas e crocantes.

RISOTTO DE CENTOLLA DE USHUAIA
E MAÇÃ DO RIO NEGRO

RISOTTO DE CENTOLLA DE USHUAIA E MAÇÃ DO RIO NEGRO

(6 pessoas; 45 minutos)

100 g de manteiga
1 dente de alho bem picadinho
300 g de carne de centolla ou de caranguejo bem carnudo
1 cebola média em cubinhos
2 xícaras de arroz italiano para risotto
1 xícara de vinho branco seco
6 xícaras de caldo de legumes fervente (ou 1 tablete dissolvido na mesma quantidade de água, aproximadamente)
2 maçãs vermelhas e ácidas com casca em cubinhos
1/3 de xícara de folhas de manjericão
sal

↬ Numa panela grande e larga, aqueça 1/3 da manteiga, junte o alho, espere perfumar, acrescente a centolla e uma pitada de sal, aguarde mudar de cor e passe para um prato. Junte mais 1/3 da manteiga à panela e doure ligeiramente a cebola, depois acrescente o arroz, misture e aguarde 1 minuto. Regue com o vinho, deixe secar, junte aproximadamente 1 colher (chá) de sal e 1 concha de caldo, espere absorver e, mexendo de vez em quando, vá juntando mais 1 concha de caldo sempre que secar. Depois de uns 15 minutos, coloque a centolla novamente na panela, junte os cubinhos de maçã e mantenha no fogo por mais uns 5 minutos, até que o arroz esteja cozido, mas firme, *al dente*. Desligue o fogo, acrescente o restante da manteiga e as folhinhas rasgadas de manjericão, acerte o sal e sirva.

RAVIÓLI DE COGUMELO DO BOSQUE E MANTEIGA DE SÁLVIA

(6 pessoas; 2 horas)

PARA A MASSA FRESCA

15 g de cogumelo seco bem lavado
1/4 de xícara de água fervente
1 1/4 de xícara de farinha de trigo (aproximadamente)
1 ovo
1 colher (chá) de sal

PARA O RECHEIO DE COGUMELO

30 g cogumelo seco bem lavado
1 1/2 xícara de água
25 g de manteiga
1 cebola pequena em cubinhos
1 dente de alho picadinho
1/2 xícara de vinho branco seco
1 colher (sopa) de salsinha picadinha
1/2 xícara de queijo mascarpone ou outro queijo cremoso
sal e pimenta-do-reino

PARA A MANTEIGA DE SÁLVIA

150 g de manteiga
15 folhas de sálvia
queijo Parmigiano Reggiano para servir
sal

RAVIÓLI DE COGUMELO DO BOSQUE
E MANTEIGA DE SÁLVIA

↔ **Massa fresca** Numa tigelinha, coloque o cogumelo da massa e a água e deixe repousar por 15 minutos, então, escorra e esprema bem com as mãos para descartar o excesso de água. No processador, bata o cogumelo com o ovo até conseguir uma pasta.

↔ **Numa superfície lisa,** forme um vulcão com a farinha e o sal, coloque a pasta de cogumelo no centro e, com um garfo, em movimentos giratórios, vá incorporando os ingredientes aos poucos. Quando a massa ficar uma pouco mais consistente, passe a trabalhar com as mãos e amasse por uns 5 minutos, até ficar bem lisa, brilhante e macia. Embrulhe em filme plástico e deixe repousar por 30 minutos.

↔ **Recheio de cogumelo** Enquanto isso, coloque o cogumelo do recheio em outra tigela, cubra com a água e deixe de molho por pelo menos 30 minutos ou por até 1 hora. Escorra o cogumelo, reservando a água, e pique em pedaços miúdos. Numa panela média, aqueça a manteiga, doure ligeiramente a cebola, depois junte o alho, espere perfumar e acrescente o cogumelo e o vinho. Deixe ferver por 1 minuto, adicione a água do molho, sal e pimenta, abaixe o fogo e cozinhe por uns 15 minutos, até que o cogumelo esteja muito macio e o líquido tenha secado. Junte a salsinha, acerte o sal e a pimenta, retire do fogo, deixe esfriar, depois acrescente o mascarpone e reserve.

↔ **Com um rolo** ou um cilindro, abra a massa até ficar bem fininha, então, divida em tiras de uns 6 cm de largura. Imaginando que um ravióli, que é um quadradinho de 3 cm recheado com um pouco de cogumelo no centro, é preciso um retângulo de 6 x 3 cm de massa. Então, visualize uma linha imaginária vertical que divide a tira de massa ao meio no sentido do comprimento, lembrando que ao redor de cada montinho de recheio deve haver uma borda livre de massa. Assim, distribua as porções de recheio bem no centro do que seria a metade esquerda de cada retângulo de 6 x 3 cm, depois levante a metade livre da direita e dobre para cobrir aquela que contém os montinhos de recheio. Em seguida, pressione bem com os dedos ao redor de cada montinho para eliminar bolhas de ar e fechar bem, por fim, corte com uma carretilha para separar os raviólis. Passe os raviólis prontos para uma assadeira ligeiramente polvilhada com farinha, cubra com um pano úmido ou com filme plástico para não ressecar (se quiser, prepare na véspera, coloque sobre uma assadeira forrada com filme plástico, cubra também com filme e guarde na geladeira). Pouco antes de servir, cozinhe os raviólis em água fervente por uns 3 minutos, até que flutuem e estejam al dente, depois escorra e passe para uma travessa. Enquanto isso, derreta a manteiga em fogo baixo, junte a sálvia e sal, retire do fogo, despeje sobre os raviólis e sirva com parmesão.

RAVIÓLI DE COGUMELO FRESCO E MOLHINHO DE SALSINHA E TOMILHO

(6 PESSOAS; 1 HORA E 30 MINUTOS)

PARA O RAVIÓLI

600 g de cogumelos frescos variados
25 g de manteiga
1 cebola pequena em cubinhos
1 dente de alho picadinho
1/2 xícara de vinho tinto
1/2 colher (chá) de folhinhas de tomilho
60 folhas quadradas ou redondas de massa para guioza ou wonton
1 clara levemente batida
sal e pimenta-do-reino

PARA O MOLHO E A FINALIZAÇÃO

3 colheres (sopa) de pinoli
2 1/4 de xícara de creme de leite fresco
1/2 xícara de salsinha bem picadinha
3 ramos de tomilho
óleo vegetal e manteiga para untar
1/2 xícara de queijo Parmigiano Reggiano
sal

↳ Ravióli Descarte os talos mais firmes dos cogumelos e corte em fatias finas. Numa frigideira grande, aqueça a manteiga e doure ligeiramente a cebola. Junte o alho e, quando perfumar, acrescente os cogumelos, sal e pimenta. Quando começarem a murchar, adicione o vinho e o tomilho e mantenha em fogo alto até que eles estejam macios e o líquido tenha secado. Ajuste o sal e a pimenta, retire do fogo e deixe esfriar.
↳ Molho Numa frigideira seca, doure ligeiramente os pinoli e reserve. Numa panela média, aqueça o creme de leite, deixe ferver por 5 minutos, junte um pouco de sal e as ervas, bata no liquidificador até esverdear e reserve.
↳ Ravióli Espalhe metade das folhas de massa sobre uma assadeira e pincele as bordas com a clara. Com uma colher de chá, coloque uma parte do recheio no centro de cada folha, cubra com outra folha de massa e pressione bem as bordas para eliminar bolhas de ar e fechar. Passe os raviólis prontos para uma assadeira untada com óleo (se quiser, prepare até aqui na véspera, cubra com filme plástico e guarde na geladeira). Trinta minutos antes de servir (ou com até 6 horas de antecedência), coloque uma panela grande com água para ferver, aqueça o forno a 220°C (alto) e unte um refratário grande com manteiga. Quando a água ferver, junte um pouco de sal e os raviólis e cozinhe por uns 2 minutos, até que subam à superfície e estejam al dente, depois escorra e transfira para o refratário. Cubra com o molho, espalhe por cima os pinoli e o parmesão e leve ao forno por 5 minutos, apenas para aquecer e gratinar um pouco. Sirva em seguida.

SALMÃO AO FORNO COM PURÊS DE FAVA, BATATA E CENOURA

(6 PESSOAS; 1 HORA E 30 MINUTOS)

PARA O PURÊ DE FAVA

500 g de fava fresca ou congelada (250 g já sem a pele grossa)
1 cebola em cubinhos
1 dente de alho picadinho
1 xícara de creme de leite, de preferência, fresco
1/3 de xícara de salsinha
azeite de oliva
sal

PARA O PURÊ DE BATATA E CENOURA

1 colher (chá) de gengibre fresco ralado
2 colheres (sopa) de mel
2 cenouras grandes sem casca em rodelas finas (aproximadamente 500 g)
1 batata grande sem casca em cubinhos (aproximadamente 250 g)
1 xícara de creme de leite, de preferência, fresco
azeite de oliva
sal e noz-moscada

PARA O SALMÃO

1,2 kg de filé de salmão sem pele e sem espinhas
1 xícara de vinho branco
1 colher (chá) de folhinhas de tomilho
azeite de oliva
sal

↦ **Purê de fava** Numa panela grande, aqueça uns 2 litros de água, espere ferver, junte 1 colher (sopa) de sal e a fava e cozinhe por uns 15 minutos, até que esteja macia, mas ainda bem verde. Escorra, resfrie em água com gelo e esfregue a fava com a ponta dos dedos para descartar a pele grossa. Numa panela média, aqueça um fio de azeite, junte a cebola, espere começar a dourar e acrescente o alho. Quando perfumar, acrescente a fava, sal, pimenta e o creme de leite e deixe ferver por 1 minuto. Junte a salsinha e mais um fio de azeite, acerte o sal, deixe amornar por 5 minutos, bata no liquidificador até obter um creme liso e reserve.

↦ **Purê de batata e cenoura** Numa panela média, aqueça um fio de azeite, junte o gengibre e espere perfumar. Adicione o mel e a cenoura, misture e aguarde 1 minuto. Acrescente a batata, água apenas o bastante para cobrir, sal e noz-moscada, espere ferver, abaixe o fogo e cozinhe por uns 15 minutos, até que tudo esteja bem macio. Deixe amornar por uns 5 minutos e passe pelo espremedor (o processador e o liquidificador fazem a batata virar cola). Volte com tudo para a panela, junte o creme de leite e leve ao fogo por mais uns 5 minutos, até ferver e encorpar. Acerte o sal e reserve.

↦ **Salmão** Unte com azeite um refratário grande que acomode o peixe numa só camada. Coloque o salmão no refratário, polvilhe com sal e pimenta, regue com o vinho, espalhe por cima o tomilho, besunte com azeite e aguarde 10 minutos, enquanto o forno aquece a 200°C (médio-alto). Leve o peixe ao forno por uns 25 minutos, até que esteja macio, se separando em lascas (espete com um garfo para testar) e ligeiramente dourado. Sirva o salmão com os purês bem quentinhos ao lado.

CAZUELA DE HUMITA
(CAÇAROLA DE MILHO VERDE)

(6 PESSOAS; 2 HORAS)

6 xícaras de milho verde, de preferência, fresco (cerca de 8 espigas médias), também pode ser congelado ou em conserva
1 xícara de leite
50 g de manteiga
2 cebolas médias em cubinhos
1 dente de alho picadinho
2 tomates, sem sementes, em cubinhos
1 pimentão vermelho em cubinhos
1 colher (chá) de açúcar
1/4 de xícara de cebolinha picadinha
250 g de queijo fresco em cubinhos
2 ovos
manteiga para untar
sal, pimenta-caiena e noz-moscada

↔ Aqueça o forno a 160ºC (médio-baixo) e unte um refratário médio ou 6 individuais com manteiga. No liquidificador, bata o milho e o leite até obter uma pasta quase lisa e reserve. Numa panela média, aqueça a manteiga, doure ligeiramente a cebola e depois junte o alho.

↔ Quando perfumar, acrescente o tomate, o pimentão, o açúcar, sal, pimenta-caiena, noz-moscada e aguarde 1 minuto. Junte a pasta de milho, deixe ferver por 5 minutos, ajuste o sal e a pimenta, acrescente a cebolinha e o queijo e retire do fogo. Junte os ovos e despeje no refratário. Asse a humita por mais ou menos 1 hora e 30 minutos, até que esteja bem firme, dourada, se soltando das laterais do refratário (ao enfiar um palito no centro, ele deverá sair limpo). Com milho verde em conserva congelado a humita fica pronta em menos tempo, mas não dá para negar que, com o milho verde, ainda cru, ela fica mais saborosa. Sirva bem quentinha.

MOLHINHO CHIMICHURRI

(8 PESSOAS; 30 MINUTOS, MAIS 2 HORAS DE REPOUSO)

1/2 xícara de azeite de oliva
1 xícara de água morna
1 xícara de vinagre de maçã
1 colher (chá) de sal
2 dentes de alho picadinhos
1/3 de xícara de salsinha picadinha
1 cebola em cubos bem miúdos
1 tomate pequeno, sem sementes, em cubinhos
1 pimentão vermelho, sem sementes e sem filamentos, em cubinhos
1 colher (chá) de páprica doce
1/2 colher (chá) de cominho
2 colheres (chá) de orégano
2 folhas de louro bem secas e esmigalhadas em pedacinhos bem pequenos
1 colher (chá) de açúcar
pimenta-do-reino

↝ Coloque tudo numa panelinha e aqueça. Quando ferver, retire do fogo e deixe o molhinho repousar por pelo menos 2 horas, ou por até 2 dias na geladeira, antes de servir.

TORTA RÚSTICA DE PÊRA

(8 PESSOAS; 1 HORA E 30 MINUTOS)

PARA A MASSA
2 1/2 xícaras de farinha de trigo
1 xícara de açúcar
1 colher (chá) de fermento em pó
1 colher (chá) de canela em pó
150 g de manteiga gelada em cubinhos
1 xícara de nozes grosseiramente moídas
1 gema
sal

PARA O RECHEIO
6 pêras grandes maduras
1 colher (sopa) de suco de limão
1/2 xícara de açúcar
1/2 colher (chá) de canela em pó

↝ Massa Numa tigela, misture a farinha, o açúcar, o fermento, a canela e o sal. Junte a manteiga e, com a ponta dos dedos, misture até obter uma farofa grossa. Passe 1/3 da farofa para outra tigela, junte as nozes, misture com cuidado para não perder o jeito esfarelento, cubra com filme plástico e leve à geladeira. Junte a gema aos 2/3 da farofa e misture até ligar e obter uma massa homogênea e que se solte das mãos (se necessário, adicione mais um pouquinho de farinha), depois embrulhe em filme plástico e leve à geladeira por uns 30 minutos.

↝ Recheio Descasque e corte as pêras em cubinhos, coloque numa tigela com o limão, o açúcar e a canela, misture e reserve.

↝ Aqueça o forno a 180°C (médio). Retire a bola de massa da geladeira, abra com um rolo sobre uma superfície enfarinhada até obter um disco de uns 30 cm e forre o fundo e as laterais de um refratário médio. Preencha a cavidade com as pêras, sem se preocupar em deixar a superfície lisa, e por cima espalhe a farofa de massa. Asse a torta por uns 40 minutos, até que a massa e a superfície estejam bem douradas e crocantes. Sirva com sorvete.

DULCE DE LECHE ARGENTINO
(DOCE DE LEITE ARGENTINO)

(6 PESSOAS; 2 HORAS, MAIS TEMPO SUFICIENTE PARA ESFRIAR)

3 1/2 xícaras de açúcar
2 litros de leite
2 favas de baunilha

↪ Numa panela grande, coloque 1/2 xícara de açúcar e aqueça. Movimentando apenas levemente a panela, deixe o açúcar chegar ao ponto de caramelo claro (só até começar a subir uma fumacinha esbranquiçada). Com cuidado, pois é muito quente e pode espirrar, despeje o leite sobre o caramelo e mexa com uma colher de pau até dissolver. Divida as favas de baunilha ao meio no sentido do comprimento, raspe bem as sementinhas com uma faca e coloque tanto as favas, como as sementes, na panela. Adicione o açúcar restante, misture bem, coloque um pires com o lado côncavo virado para baixo no fundo da panela (como o pires não deixa o leite borbulhar muito forte, o leite não sobe e não derrama). Quando ferver, abaixe o fogo e deixe o doce apurar por mais ou menos 1 hora e 30 minutos, até engrossar e ficar cor de caramelo claro (é difícil estimar o tempo exato, que depende muito do fogo e da panela). Retire o doce do fogo e deixe esfriar (se, depois de frio, o doce perder um pouco do brilho e parecer encaroçado, misture rapidamente com um batedor de arame e ele voltará a ficar liso e brilhante). Guarde na geladeira por até 1 semana.

PANQUEQUE CON DULCE DE LECHE
(PANQUECA COM DOCE DE LEITE)

(6 PESSOAS; 1 HORA)

PARA A MASSA
1 xícara de leite
2 ovos
2/3 de xícara de farinha de trigo
1/4 de xícara de açúcar
50 g de manteiga (aproximadamente)
sal

PARA O RECHEIO
3 xícaras de doce de leite pastoso
açúcar de confeiteiro para polvilhar

↪ Massa Bata no liquidificador o leite, os ovos, a farinha, o açúcar e uma pitada de sal, passe para uma tigela, cubra e leve à geladeira por pelo menos 30 minutos (ou faça até na véspera). Enquanto isso, derreta metade da manteiga na frigideira em que irá preparar as panquecas, descarte a espuma que surgir na superfície, retire do fogo quando começar a dourar e surgir um perfume que lembra o de avelã e transfira para uma tigelinha. Na hora de preparar as panquecas, junte a manteiga derretida à massa. Aqueça 1/2 colher (chá) de manteiga na frigideira, junte 1/4 de xícara de massa e movimente a frigideira bem rápido para espalhar e conseguir uma panqueca fininha e uniforme. Espere as bordas ficarem douradas, vire para dourar do outro lado, passe para um prato e prepare as demais, aquecendo mais manteiga só se a massa começar a grudar e, de vez em quando, limpando a frigideira com papel absorvente (se quiser, prepare as panquecas na véspera e guarde na geladeira).

↪ Pouco antes de servir, espalhe 2 colheres fartas de doce de leite no centro do lado mais claro de cada panqueca, dobre como um pacotinho e passe para um refratário. Antes de servir, aqueça rapidamente no forno ou no microondas e polvilhe com o açúcar de confeiteiro. Se quiser, sirva com sorvete.

PANQUEQUE CON DULCE DE LECHE

Na Patagônia argentina

ALFAJOR DE DOCE DE LEITE E CHOCOLATE

(12 PESSOAS; 2 HORAS)

PARA A MASSA
1 xícara de maisena
3 1/3 de xícara de farinha de trigo
2 colheres (chá) de fermento em pó
2 1/2 xícaras de açúcar de confeiteiro
200 g de manteiga em temperatura ambiente
3 ovos
2 gemas
1 colher (sopa) de essência de baunilha
manteiga para untar e farinha de trigo para polvilhar

PARA O RECHEIO E A COBERTURA
3 xícaras de doce de leite pastoso
800 g de chocolate ao leite

↔ Misture a maisena, a farinha e o fermento, peneire e reserve. Na batedeira, bata o açúcar, a manteiga, os ovos, as gemas e a baunilha até obter um creme homogêneo. Junte 1/3 dos secos, bata até incorporar, depois acrescente os 2/3 restantes e bata por mais 1 minuto, até obter uma massa macia. Leve à geladeira para descansar por 15 minutos.

↔ Aqueça o forno a 180°C (médio), unte uma assadeira grande com manteiga e polvilhe com farinha. Sobre uma superfície enfarinhada, abra a massa com um rolo formando um retângulo com 0,5 cm de espessura. Com um cortador redondo, ou com a borda de um copo, divida a massa em 48 discos de 5 cm de diâmetro. Coloque os discos na assadeira e asse por uns 8 minutos, até que estejam firmes e crescidos, mas ainda clarinhos. Retire do forno, solte os discos da assadeira com uma espátula e deixe esfriar.

↔ Espalhe uma camada farta de doce de leite sobre metade dos discos e cubra com os outros.

↔ Para facilitar o banho de chocolate, apóie uma grelha sobre uma assadeira. Derreta o chocolate em banho-maria ou por 1 ou 2 minutos no microondas. Com um garfo, mergulhe um alfajor no chocolate, dê uma chacoalhadinha para escorrer um pouco do excedente e coloque na grelha para escorrer e firmar (se estiver muito quente, leve à geladeira por alguns minutos, apenas até o chocolate endurecer). Guarde o alfajor num pote fechado por até 3 dias.

MEDIAS LUNAS

(8 PESSOAS; 3 HORAS, MAIS 12 HORAS PARA A MASSA REPOUSAR)

PARA A MASSA
2 tabletes de fermento biológico fresco (30 g)
1/4 de xícara de açúcar
1/3 de xícara de água morna
6 xícaras de farinha de trigo (aproximadamente)
1/4 de xícara de óleo vegetal
2 colheres (chá) de sal
1 xícara de leite
1 ovo
400 g de manteiga em temperatura ambiente
1 gema para pincelar

PARA A CALDINHA
1/4 de xícara de água
1 xícara de açúcar

Massa Numa tigela grande, dissolva o fermento e o açúcar na água, junte 1/2 xícara de farinha e deixe descansar por uns 10 minutos, ou até surgirem bolhas. Forre com filme plástico uma assadeira retangular de 20 x 35 cm e uma de 16 x 18 cm. Junte à massa fermentada o óleo, o sal, o leite, o ovo e 4 xícaras de farinha e misture apenas o suficiente para ligar os ingredientes e conseguir uma massa mole e pegajosa. Despeje na assadeira maior, acerte com a ponta dos dedos para fazer uma camada uniforme, cubra com filme plástico e leve à geladeira por 1 hora. Misture a manteiga e 1/2 xícara de farinha, espalhe na assadeira pequena, cubra com filme plástico, alise bem a superfície com o dorso de uma colher e leve à geladeira por uns 45 minutos para firmar. Passado esse tempo, descarte os filmes que cobrem as assadeiras, solte a placa de manteiga e posicione sobre uma das metades do retângulo de massa, deixando apenas uma bordinha livre. Dobre a parte livre da massa sobre a placa de manteiga, pressione as bordas com os dedos para fechar bem e colar, cubra com filme e leve à geladeira por mais 15 minutos. Transfira para uma superfície polvilhada com farinha e abra com um rolo, apenas no sentido do comprimento, até triplicar de tamanho, depois dobre em 3 como uma carta, gire 1/4 de volta para deixar uma das laterais abertas virada para você, abra mais uma vez até triplicar de tamanho, dobre de novo em 3, embrulhe em filme plástico e leve à geladeira por 30 minutos. Repita mais 2 vezes a seqüência abrir-dobrar-abrir-dobrar-embrulhar-gelar, aumentando apenas o último descanso na geladeira para pelo menos 6 horas ou até 2 dias. Umas 3 horas antes de servir, polvilhe o mármore com farinha e divida a massa em 4 partes iguais. Sempre apenas no sentido do comprimento, abra com um rolo uma parte de massa até obter uma tira de uns 60 x 10 cm e com a espessura da casca de uma banana. Com uma faca afiada, corte a tira em 8 triângulos com uns 7 cm de base, enrole cada triângulo a partir da base larga até chegar à pontinha e passe para a assadeira, deixando a ponta virada para baixo e uns 2 cm livres entre os pãezinhos, e curve um pouco os pãezinhos para dar o formato de meia-lua. Cubra com um pano e deixe crescer por mais 2 horas (ou cubra com filme plástico, deixe por até 12 horas na geladeira e retire 1 hora antes de assar). Dez minutos antes de assar, aqueça o forno a 180ºC (médio) e pincele as medias lunas com a gema já diluída em 2 colheres (sopa) de água. Asse as medias lunas por uns 20 minutos, até que elas estejam douradas e bem crescidas. Enquanto isso, numa panelinha, aqueça a água e o açúcar da calda, mexa só até dissolver, deixe ferver por 1 minuto, retire do fogo e reserve. Retire do forno, transfira as medias lunas para uma grade, pincele com a calda, deixe amornar e sirva.

ENROLADINHOS ESPECIAIS DE PÃO PRETO E QUEIJOS

(8 pessoas; 30 minutos, mais 2 horas para firmar)

3 queijos Camembert (cerca de 600 g)
1 1/2 xícara de damasco seco
125 g de manteiga em temperatura ambiente
200 g de queijo Roquefort
1 xícara (chá) de pistache torrado sem casca
20 fatias finas de pão preto

↪ **Sem se importar** em conseguir pastas totalmente lisas, pois é interessante manter pedacinhos de damasco e pistache, bata primeiro no processador o Camembert, o damasco e 25 g de manteiga e passe para uma tigela; depois bata o Roquefort, a manteiga restante, o pistache e coloque em outra tigela.

↪ **Uma a uma,** cubra as fatias de pão com filme plástico e abra com um rolo para reduzir um pouco a espessura. Sobre um pedaço de uns 30 x 40 cm de filme plástico, monte um retângulo com 10 fatias de pão, ligeiramente sobrepostas para não haver espaços vazios. Espalhe um dos recheios sobre esse retângulo de pão, enrole como um rocambole, embrulhe em filme plástico e pressione com as mãos para apertar e conseguir um cilindro uniforme. Faça o mesmo com o restante do pão e o outro recheio e leve à geladeira por pelo menos 2 ou até 24 horas. Pouco antes de servir, com uma faca serrilhada, divida os rocamboles em rodelas de 0,5 cm e passe para um prato.

SANDUICHINHO DE SALMÃO DEFUMADO COM CHIPS DE BETERRABA

(6 PESSOAS; 30 MINUTOS)

200 g de queijo cremoso (cream cheese, cottage ou ricota)
100 g de salmão defumado bem picadinho
1/3 de xícara de azeitona verde bem picadinha
1/2 xícara de pepino miúdo em conserva em fatias bem finas
1 colher (chá) de suco de limão
2 colheres (sopa) de endro (dill) picadinho
1 colher (sopa) de cebolinha-francesa picadinha
16 fatias de pão de fôrma integral
2 beterrabas médias
1 litro de óleo para fritar
sal

↔ Numa tigela, misture o queijo, o salmão, a azeitona, o pepino, o limão, o endro e a cebolinha (se quiser, guarde na geladeira por até 2 dias em pote bem fechado). Para montar os sanduichinhos, espalhe o recheio sobre metade das fatias de pão, cubra com as outras metades, divida cada sanduíche em 4 quadradinhos (se preferir, faça com até 6 horas de antecedência, cubra com filme plástico para o pão não ressecar e guarde na geladeira).

↔ Prepare os chips com 1 hora de antecedência, depois disso as fatias começam a murchar. Aqueça o óleo numa panela média e, enquanto isso, corte a beterraba em rodelas bem finas, de no máximo uns 2 mm. Frite as rodelas até que estejam crocantes, escorra sobre papel absorvente e polvilhe com sal na hora de servir.

PICADINHOS E ENSOPADINHOS DE TUDO QUANTO É CANTO

Picadinhos sempre caem bem, e todo o mundo gosta, é comida de boteco arrumadinho ou de restaurante caseiro, de *trattoria*, de *bistro*, de restaurante chique que coloca no cardápio um prato mais descontraído, ou de casa mesmo. Aprendemos a gostar deles com os portugueses, que aprenderam com os romanos, que adoravam os tais minutais. Na maior parte das vezes, é uma carne bem picadinha, como o próprio nome diz, cozida num molho bem saboroso e encorpado. Normalmente, já tem tanta coisa gostosa na panela que o acompanhamento de um picadinho costuma ser arroz branco, purê, batata frita em palitos bem fininhos — em rodelas ou palha —, mandioca frita, angu ou polenta, massa só passada na manteiga ou regada com azeite ou óleo de gergelim, ou apenas um pedaço de pão. E aí, para completar a refeição, é só preparar uma saladinha de folhas para refrescar o paladar, uma sobremesa e um café. Como os picadinhos e ensopadinhos — que em alguns lugares chamam de guisados — são pratos de cozimento rápido, as carnes que entram nas receitas costumam ser bem macias — filé-mignon, miolo de alcatra ou coxão mole de boi; filé-mignon ou lombo de porco ou de cordeiro; peito de frango ou de pato; filé de peixe, camarões ou lulas miúdas. Sendo assim, aqui eu deixei de lado os ensopados mais encorpados, feitos com carnes que precisam de mais tempo no fogo. Dos cortes bovinos, o filé-mignon é o mais macio e cozinha num piscar de olhos, por isso costuma aparecer na maioria das receitas. Como não é dos cortes mais baratos, muitas vezes vale a pena comprar uma peça inteira, usar a parte central para um rosbife e deixar as pontas, tanto a fininha, como a mais grossa, para o picadinho. Mas nem só de filé-mignon vivem os picadinhos, com um pedaço de alcatra, de coxão mole ou de patinho dá para fazer de tudo, e até com mais sabor, só demora um pouquinho mais. Outros cortes mais duros também podem ser usados, mas aí o fogo não pode ser tão forte e tudo tem de cozinhar bem devagar.

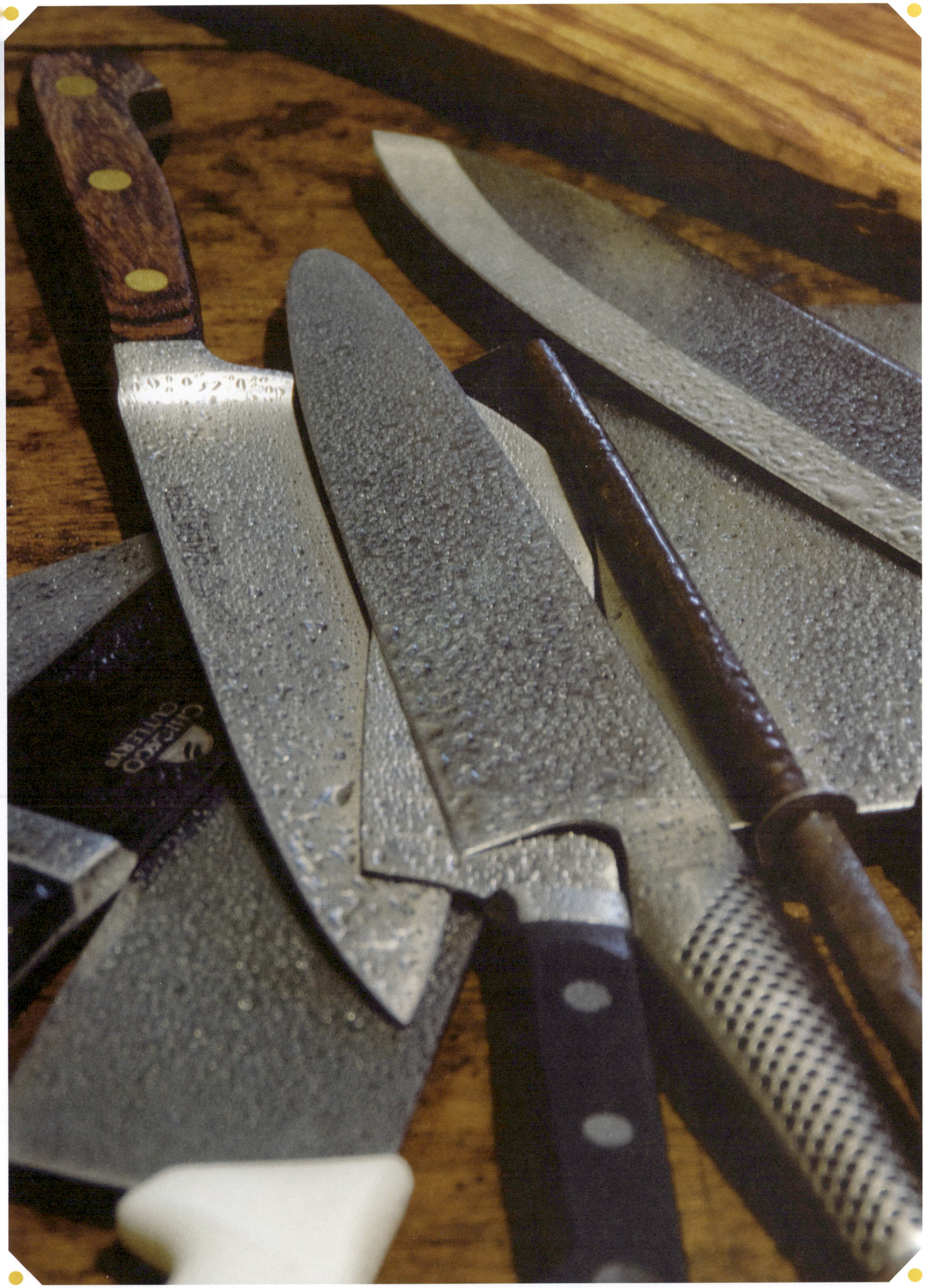

Mas tanto faz se for boi, cordeiro, porco, frango, peixe ou camarão, o que importa é que os cubinhos, tirinhas ou pedacinhos tanto da carne como dos legumes, ou de qualquer outra coisa que componha o prato, sejam bocados do tamanho de uma mordida, cortados na ponta da faca, ou até moídos, mas sempre livres de nervos, gorduras, ossos, cartilagens, espinhas e cascas, pois ninguém gosta de encontrar e morder coisas duras ou borrachentas no meio de um molho. Como nem todos os fornecedores são tão cuidadosos, acho que picar, limpar e preparar em casa é sempre mais seguro.

Por tudo isso, não dá para negar que um bom picadinho começa mesmo é com uma boa faca. Na verdade, não dá para cozinhar direito sem uma faca que corte mesmo e que seja adequada ao tipo de corte e ao ingrediente que se quer cortar. Uma boa faca dura uma vida e vale o investimento. Existem lâminas de tamanho, formato e espessura diferentes, para as mais variadas tarefas. O importante é ter 1 faca de chef, bem versátil, com lâmina de 20 a 25 cm; 1 faca pequena, para as miudezas, com uns 10 cm de lâmina; 1 faca com lâmina bem fina e flexível, para trabalhar com peixe e cortar fruta; 1 faca serrilhada; e 1 chaira, pois de nada adianta ter uma faca sensacional que esteja sempre cega (e não tem cabimento pensar em comprar uma faca nova quando a antiga perde o fio, como eu já ouvi gente dizer que faz!). É muito mais fácil aprender os movimentos e a inclinação correta da faca em relação à chaira vendo alguém fazer; mas, se você quiser tentar, segure o cabo da chaira com a mão esquerda e a faca com a direita e movimente a faca com cuidado e rapidez, como se descascasse um pedaço de cana, primeiro de um lado e depois do outro.

Para cortar a carne para um picadinho, a faca de chef é que vai entrar em ação. É muito mais fácil ensinar a afiar e a cortar fazendo junto, mas vou tentar passar algumas dicas, que podem até parecer bobas ou óbvias, mas o fato é que são superimportantes e fazem a diferença, tanto pela eficiência como pela segurança. Uns movimentos e cuidados com a faca parecem difíceis ou trabalhosos no começo, porque é preciso ficar pensando neles durante o ato de cortar, mas, aos poucos, vai-se pegando o jeito, e eles se tornam habituais e passam a fazer parte da vida na cozinha de forma quase que automática.

O primeiro passo é apoiar uma tábua sobre uma bancada, com umas duas folhas de papel umedecido por baixo para que ela não se movimente durante o corte. Segure firme o cabo de uma faca de chef, de lâmina grande, com a mão direita – ou com a esquerda, se for canhoto. Para cortar uma fatia de carne, que é o primeiro passo para conseguir tiras finas ou cubinhos, segure o pedaço de carne com a mão esquerda inclinando as pontas dos dedos para dentro, como se estivesse a escondê-las (aí entra o óbvio: deixar as pontas dos dedos mais longe do ponto por onde a lâmina da faca irá passar diminui consideravelmente as chances de a faca encontrar as pontas dos dedos no caminho e, portanto, de você se machucar). Calcule a espessura da fatia – que, para um picadinho, deve ter no máximo 1 cm –, apóie a lâmina da faca no lugar escolhido e risque para marcar, então, faça o primeiro corte, trazendo a lâmina em sua direção (ou seja, corte apenas puxando a faca, e não empurrando e puxando de volta, como se fosse serrar um pão), levante a faca acima da superfície da carne, leve-a de novo para a frente e depois para trás, cortando até chegar embaixo e separando assim uma primeira fatia. Siga fatiando a carne até terminar. Em seguida, para fazer cubinhos ou tirinhas, você terá primeiro que dividir as fatias em tiras longas de mais ou menos 1 cm de largura e depois virar essas tiras na horizontal e dividi-las em cubos ou tiras menores.

Quando a gente pensa num picadinho, imagina aquele molhinho bem saboroso, aveludado, que cobre o dorso da colher e envolve o arroz de um jeito delicioso. Para conseguir esse resultado, o melhor é polvilhar a carne com farinha logo no início do preparo, depois dourá-la na gordura escolhida e deixar que o líquido do cozimento vá engrossando aos pouquinhos. É claro que, se lá no final, o molho ainda ficar ralo, dá para dar um jeito juntando uma mistura de farinha e manteiga – que em francês se chama *beurre manié* – e mexendo até ferver e engrossar. Tem gente que prefere usar um pouco de maisena, mas, sinceramente, acho que ela pode ser boa para o recheio de uma torta ou outra coisa mais pesada, mas, num ensopado ou picadinho, ela deixa o molho mais grosso, com uma textura e um brilho diferentes.

Para conseguir um molhinho bem saboroso, nada como caprichar nos legumes aromatizantes. Cebola e alho são tão básicos e indispensáveis que parece que vão sozinhos para a panela, mas não há por que ficar apenas nos dois: o alho-poró, o salsão, o tomate, a cenoura e o pimentão também são saborosíssimos e transformam um molho simples em algo diferente. As ervas, as especiarias e alguns molhos e condimentos, como ketchup, mostarda, molho inglês, shoyu, nam pla e molho de ostra, também podem deixar o picadinho mais emocionante.

Dourar bem a carne e os aromatizantes em óleo vegetal – neutro ou de sabor bem pronunciado, como gergelim ou dendê –, manteiga, azeite de oliva – puro ou com um pouco de manteiga – ou na gordura do bacon é uma etapa muito importante para o sucesso da maior parte dos picadinhos e ensopados. Outro passo que sempre deixa tudo mais apetitoso é a deglaçagem da panela com um líquido, que pode ser uma bebida alcoólica – como vinho branco ou tinto, conhaque, uísque, saquê ou cachaça – ou suco, caldo ou mesmo um pouco de água: quando se doura a carne e os legumes numa gordura, os açúcares naturais dos alimentos se caramelizam e se grudam ao fundo da panela, então, para conseguir trazer para o picadinho todo esse sabor, que é muito rico e concentrado, basta manter tudo no fogo, regar com o líquido escolhido e raspar o fundo do recipiente com uma colher de pau até dissolver tudo isso.

É isso, agora é só picar tudo o que quiser, levar ao fogo procurando extrair o melhor de sabor, textura e aroma de cada ingrediente e, em pouco tempo, ter um picadinho delicioso no prato.

Picadinhos e ensopadinhos

ENTRE PANELAS E TIGELAS

362

RECEITAS

Lá vão as receitas que escolhi, algumas bem brasileiras, ou abrasileiradas, e outras tantas do resto do mundo, mas todas bem apetitosas e com tudo bem picadinho. Para começar, o picadinho brasileiro, para servir com arroz, feijão, farofa, ovo frito e banana, e que é muito bom (o do Antiquarius é perfeito, o do Astor é bem gostoso, mas esse aqui não deixa nada a desejar). Depois, vem o picadinho mineiro com angu de queijo, um ensopado caseiríssimo, com cebola, alho e pimentão, mais o gostinho do bacon e o alaranjado do colorau, acompanhado de angu de queijo, feito só com fubá, água e queijo-de-minas meia-cura. Ainda com todo jeitinho de Brasil, vem a carne-seca ensopadinha com banana-da-terra, com o sabor da cebola, do alho, do coentro e do leite de coco e o adocicado da banana caramelizada, que fica divina e, acompanhada só de arroz branco, já faz a refeição. Eu, sinceramente, nunca fui muito fã de chuchu — não que ache ruim, mas ele não é mesmo a coisa mais saborosa do mundo, não é? —, mas de tanto ouvir a Carmen Miranda e o meu querido Caetano cantarem "enquanto houver Brasil, na hora das comidas, eu sou do camarão ensopadinho com chuchu", acabei me rendendo aos seus encantos e decidi incluir aqui uma receita. Um bom strogonoff nem sempre é fácil de encontrar, já que, normalmente, as receitas e preparações que costumam aparecer por aí ou não têm muito sabor ou não passam de tirinhas borrachentas de carne nadando num molho bege e sem graça, com aquela cara de comida de hospital. Na verdade, ele é um picadinho clássico inventado por um chef francês que cozinhava para uma família russa no final do século 18, feito com tiras bem miúdas de filé-mignon ou contrafilé salteadas bem rapidinho na manteiga com cebola, flambado com conhaque ou uísque, temperado com páprica, enriquecido com um molho cremoso e servido com arroz branco. Mas como eu queria agradar e sabia que a receita original decepcionaria muita gente, pois fica um pouco distante do que se acostumou a gostar por aqui, me decidi pela versão que a minha mãe aprendeu a preparar quando se casou, bem no comecinho dos anos 1960, e eu cresci comendo. Além de ser muito saborosa, ela é exatamente o que se espera receber quando se quer um strogonoff, aí só ficam faltando o arroz branco e a batata palha. O ensopadinho de lombo com molho barbecue é uma boa solução para quando bate a vontade de comer uma costelinha com molho barbecue, mas o tempo é curto, já que, com o lombo em tirinhas miúdas, o preparo é rapidinho. Há bastante tempo, vi uma receita parecida numa revista Gourmet, experimentei, dei umas mexidinhas e cheguei a uma versão bem fácil e apetitosa, e que vai muito bem com pão de milho, milho verde passadinho na manteiga ou batata assada. A torta grega com picadinho de carne saiu do forno num dia em que eu estava com muita vontade de comer torta, mas queria um recheio diferente, então abri a geladeira e a despensa, juntei uns ingredientes que eu adoro, como tomate, espinafre, azeitona, salsinha, orégano, hortelã, canela, uva passa e pinoli, mais alho, cebola e azeite, usei uma carne moída como base e ficou tudo de bom (eu usei carne bovina, mas se quiser um toque de Grécia ou Turquia, troque por cordeiro, e aproveite para trocar a manteiga por azeite). As três receitas mais perfumadas vêm em seguida: o mussamam de carne e batata é um curry, quer dizer, um picadinho tailandês bem tradicional que chegou lá com os muçulmanos vindos da Índia, daí as tantas pitadas de canela, cominho, coentro em pó, cravo-da-índia e cardamomo, perfeito para servir com uma tigela perfumadíssima de arroz de jasmim ou basmati; o colombo caribenho de cordeiro fica bem substancioso com os pedaços de batata-doce e abóbora, com o aroma e o gostinho do leite de coco, do curry e do rum, e só pede um arroz branco para acompanhar; e o picadinho indiano de frango, tomate e canela com pão dourado, embora leve um pouco de curry e tenha aquele gostinho delicioso bem de Índia, é bem diferente da maior parte das receitas de frango ao curry que a gente vê por aí, e com o pão amanteigado e bem douradinho fica irresistível. Para aquelas noites em que bate um friozinho e dá vontade de comer uma coisa mais quente com uma fatia bem dourada de pão italiano, ou com uma polenta cremosa, pensei no ensopadinho de vitelo, tomate e alcachofra, que fica muito gostoso, e no ragù de cogumelos e vinho tinto com polenta ao parmesão, um picadinho saborosíssimo de cogumelos frescos variados (usei uma fôrma de porquinho que pertenceu à minha bisavó Mira — que nela enformou angus e polentas por uma vida — e é mesmo uma graça). Da França, eu trouxe duas receitas que são chiques e rústicas ao mesmo tempo e podem tanto compor um jantarzinho mais refinado como podem deixar mais gostoso o dia-a-dia e que vão bem com purê de batata, batata frita ou arroz branco: a cocotte de boeuf aux olives é um picadinho bem francês com vinho branco, azeitona e tomilho; e o ensopadinho francês de carne, cebola e cerveja, uma receita bem de casa de vó do norte da França, mas que também aparece bastante na Bélgica — lá chamado carbonnade à la flamande —, muito saboroso mesmo, com um molho encorpado pela cebola e pela cerveja. O picadinho chinês das formiguinhas, que leva carne suína moída — ou bovina, se preferir — ficou conhecido no Ocidente pelo nome bem divertido de ants climbing up trees, ou melhor, formiguinhas subindo em árvores: os pedacinhos de carne são as formigas que sobem e ficam agarradas aos fios de massa de arroz (é o máximo, não é?). E, com toda a cara de verão, vem o picadinho thai de lula, que mistura o picante e o refrescante do gengibre, do limão, do alho, da pimenta-vermelha, do coentro, da hortelã e do capim-limão com o macio e o colorido do tomatinho e o crocante do amendoim e das tirinhas de papaia verde, do pepino e da cenoura. Por último, vai uma receita muito caseira de pão recheado que sempre aparece nos livros portugueses mais antigos e que, quando criança, era motivo de festa para mim, pois eu adorava ver a minha mãe trazer para a mesa na hora do jantar o pão com picadinho: um filão de pão escavado como uma canoa, preenchido com um picadinho com molho de tomate, ovos fritos ou cozidos e queijo e levado ao forno para aquecer e dourar (nada impede que se troque o picadinho de carne por um de frango, lingüiça ou qualquer outra coisa).

PICADINHO BRASILEIRO

PICADINHO BRASILEIRO

PICADINHO BRASILEIRO

(6 PESSOAS; 1 HORA E 30 MINUTOS)

PARA O PICADINHO

1 kg de filé-mignon ou alcatra em tiras miúdas e finas
2 colheres (sopa) de farinha de trigo
25 g de manteiga
100 g de bacon em cubinhos
1 cebola grande em cubinhos
1 dente de alho picadinho
1 colher (sopa) de mostarda
2 colheres (sopa) de ketchup
1 colher (sopa) de molho inglês
1 1/2 xícara de polpa de tomate
1 xícara de caldo de carne
1 folha de louro
2 colheres (sopa) de salsinha bem picadinha
sal e pimenta-do-reino

PARA A FAROFA

50 g de manteiga
1 cebola média em cubinhos
2 xícaras de farinha de mandioca crua
1/2 xícara de salsinha e cebolinha picadinhas
sal

PARA A BANANA

6 bananas-nanicas começando a amadurecer
1 1/2 xícara de farinha de rosca
2 ovos
1 litro de óleo para fritar

↬ Picadinho Numa tigela, misture a carne e a farinha e reserve. Numa panela grande, aqueça a manteiga e o bacon. Quando os cubinhos começarem a dourar, acrescente a cebola, espere dourar um pouquinho e junte o alho. Quando perfumar, adicione a carne e mexa até dourar de todos os lados. Acrescente a mostarda, o ketchup, o molho inglês, sal, pimenta, o suco do limão, a polpa de tomate, o caldo de carne e o louro e cozinhe em fogo baixo por uns 20 minutos, até que a carne esteja bem macia. Acerte o sal e a pimenta, junte a salsinha e retire do fogo.

↬ Farofa Numa panela média, aqueça a manteiga e doure a cebola. Junte a farinha, a salsinha, a cebolinha e um pouco de sal, misture até umedecer e retire do fogo.

↬ Banana Uns 20 minutos antes de servir, aqueça o óleo numa panela ou frigideira grande. Corte a banana em tiras ou rodelinhas de 0,5 cm. Coloque a farinha de rosca num prato fundo e os ovos em outro e bata ligeiramente com um garfo. Passe a banana pelo ovo e depois pela farinha de rosca e frite no óleo quente até que os pedaços estejam dourados e com uma casquinha crocante, escorra sobre papel absorvente.

↬ Sirva o picadinho com a farofa, a banana, ovo frito, arroz branco e feijão.

PICADINHO MINEIRO
COM ANGU DE QUEIJO

PICADINHO MINEIRO COM ANGU DE QUEIJO

(6 PESSOAS; 1 HORA, MAIS 1 HORA PARA O ANGU ESFRIAR, SE QUISER DESENFORMAR)

PARA O PICADINHO

1 kg de alcatra em cubinhos
2 colheres (sopa) de farinha de trigo
200 g de bacon em cubinhos
2 cebolas grandes em cubinhos
1 pimentão verde em cubinhos
2 dentes de alho bem picadinhos
1 colher (chá) de colorau
2 xícaras de água fervente
1 folha de louro
1 xícara de salsinha e cebolinha picadinhas
óleo vegetal
sal e pimenta-do-reino

PARA O ANGU

4 xícaras de fubá
4 xícaras de água
250 g de queijo meia-cura ralado grosso

↬ Picadinho Numa tigela, misture a carne e a farinha e reserve. Numa panela grande, aqueça um fio de óleo e o bacon. Quando os cubinhos começarem a dourar, acrescente a cebola, o pimentão e um pouco de sal e espere murchar. Junte o alho e, quando perfumar, adicione a carne e mexa até dourar de todos os lados. Acrescente o colorau, a água e o louro e cozinhe em fogo baixo por uns 30 minutos, até que a carne esteja bem macia. Acerte o sal e a pimenta, junte as ervas e retire do fogo.

↬ Angu Numa panela grande, coloque o fubá e a água, mexa bem até dissolver e aqueça. Misturando sempre, cozinhe em fogo baixo por uns 30 minutos, até o angu engrossar e o gosto de milho cru desaparecer. Junte o queijo, retire do fogo, transfira para uma tigela e sirva com o picadinho (ou coloque numa fôrma, deixe esfriar para firmar bem e desenforme sobre um prato raso para servir com o ensopadinho ao redor).

ENSOPADINHO DE CARNE-SECA COM BANANA-DA-TERRA

(6 PESSOAS; 3 HORAS, MAIS 24 HORAS PARA DESSALGAR A CARNE)

1,5 kg de carne-seca em cubos médios bem limpos de nervos e gorduras
1/2 xícara de manteiga de garrafa
2 cebolas grandes em fatias finas
2 dentes de alho bem picadinhos
1 1/2 xícara de leite de coco
3 bananas-da-terra maduras em rodelinhas de uns 2 cm
1/3 de xícara de melado
1/3 de xícara de coentro picadinho, ou salsinha e cebolinha
1 pimenta-dedo-de-moça sem as sementes, bem picadinha ou a gosto
sal

↔ **Na véspera,** coloque a carne-seca numa tigela, cubra com água e deixe na geladeira, trocando a água umas 6 vezes para retirar bem o sal. Passe a carne para uma panela, cubra com água limpa, aqueça, espere ferver, retire a espuma que se formar na superfície e cozinhe em fogo baixo até que esteja bem macia e se desmanchando. Escorra, deixe amornar, separe a carne em lascas pequenas e descarte os nervos e gorduras.

↔ **Numa panela média,** aqueça a manteiga e doure ligeiramente a cebola. Junte o alho, espere perfumar, acrescente a carne e misture bem. Adicione a banana, o melado e um pouco de sal, mexa para envolver os pedaços de banana com a cebola refogada, a carne e o melado e deixe dourar por uns 5 minutos. Acrescente o leite de coco, abaixe o fogo e cozinhe por uns 15 minutos, até o molhinho encorpar e cobrir o dorso da colher. Ajuste o sal, acrescente o coentro e a pimenta e sirva com arroz branco.

CAMARÃO ENSOPADINHO COM CHUCHU

(6 PESSOAS; 45 MINUTOS)

1 kg de camarão miúdo bem limpo e sem casca
suco de 1 limão
4 chuchus maduros
1 cebola grande em cubinhos
1 dente de alho bem picadinho
4 tomates bem vermelhos, sem pele e sem sementes, em cubinhos
1/3 de xícara de salsinha e cebolinha picadinhas
(quem gosta de coentro pode colocar um pouquinho)
azeite de oliva
sal e pimenta-do-reino

↔ Coloque os camarões numa tigela média, regue com o limão e deixe repousar por 5 minutos. Enquanto isso, descasque os chuchus, corte cada um deles ao meio e depois em 4, descarte o miolo esbranquiçado e depois corte em cubinhos. Regue o fundo de uma frigideira grande com azeite e doure ligeiramente a cebola. Junte o alho e, quando perfumar, acrescente o camarão, sal e pimenta e misture. Assim que o camarão mudar de cor, junte o chuchu, o tomate e mais um pouquinho de sal, tampe parcialmente a frigideira, abaixe o fogo e deixe cozinhar abafadinho por uns 15 minutos, até que o chuchu esteja macio. Acerte o sal e a pimenta, acrescente a salsinha e a cebolinha, retire do fogo e sirva com arroz branco.

STROGONOFF
(6 PESSOAS; 1 HORA E 30 MINUTOS)

1 kg de filé-mignon em tirinhas finas
2 colheres (sopa) de farinha de trigo
50 g de manteiga
1 colher (chá) de açúcar
1 cebola média em cubinhos
1 colher (sopa) de mostarda
2 colheres (sopa) de ketchup
1 colher (sopa) de molho inglês
1 colher (chá) de páprica doce
suco de 1 limão
250 g de cogumelo em conserva
1 xícara de caldo de carne
1 colher (sopa) de uísque ou conhaque
1 1/4 de xícara de creme de leite espesso (em lata ou em caixinha)
2 colheres (sopa) de salsinha bem picadinha
sal e pimenta-do-reino

↔ Numa tigela, misture a carne e a farinha e reserve.
↔ Numa panela grande, aqueça metade da manteiga e doure as tirinhas de carne de todos os lados. Com uma escumadeira, transfira a carne da panela para um prato e reserve. Na mesma panela, derreta a manteiga restante, junte o açúcar e a cebola e deixe dourar. Volte com a carne para a panela e junte a mostarda, o ketchup, o molho inglês, a páprica, sal, pimenta, o suco de limão, os cogumelos já escorridos do líquido da conserva e o caldo de carne. Cozinhe em fogo baixo por uns 20 minutos, até que a carne esteja bem macia. Junte o uísque, deixe ferver por mais 5 minutos, depois acerte o sal e a pimenta (se quiser, prepare até aqui na véspera, deixe esfriar e guarde na geladeira). Acrescente o creme de leite, espere aquecer, mas sem deixar ferver, junte a salsinha e sirva com arroz branco e batata palha.

ENSOPADINHO DE LOMBO COM MOLHO BARBECUE

(6 PESSOAS; 1 HORA E 30 MINUTOS)

PARA O ENSOPADINHO
25 g de manteiga
1 cebola grande em cubinhos
2 dentes de alho bem picadinhos
1 kg de lombo de porco em tirinhas bem finas
1 xícara de suco de laranja
1 xícara de ketchup
2 colheres (sopa) de molho inglês
2 colheres (sopa) de shoyu
1 colher (sopa) de suco de limão
1/4 de xícara de vinagre de maçã
1/4 de xícara de açúcar mascavo
1/4 de xícara de mel
1 colher (sopa) de mostarda
1 colher (sopa) de molho de pimenta-vermelha ou a gosto
óleo vegetal
sal

PARA O PÃOZINHO DE MILHO
100 g de manteiga
1 1/3 de xícara de farinha de trigo
1 1/2 xícara de fubá
2 colheres (chá) de sal
1/3 de xícara de açúcar
1 1/2 colher (sopa) de fermento em pó
5 ovos
3/4 de xícara de leite
3/4 de xícara de creme de leite
manteiga para untar

↬ **Ensopadinho** Numa panela média, aqueça a manteiga e um fio de óleo e doure ligeiramente a cebola. Acrescente o alho e, quando perfumar, acrescente a carne e mexa até mudar de cor. Então, junte o suco de laranja, o ketchup, o molho inglês, o shoyu, o limão, o vinagre, o açúcar, o mel e a mostarda. Quando ferver, abaixe o fogo e cozinhe por uns 30 minutos, até que a carne esteja bem macia e um molho saboroso e encorpado tenha se formado. Adicione o molho de pimenta, acerte o sal e retire do fogo.

↬ **Pãozinho** Derreta a manteiga e deixe esfriar. Aqueça o forno a 200°C (médio-alto) e unte com manteiga 30 forminhas médias para muffin. Peneire a farinha, o fubá, o sal, o açúcar e o fermento numa tigela. Em outra tigela, misture os ovos, o leite, o creme de leite e a manteiga. Despeje sobre os ingredientes secos e mexa com colher de pau apenas o bastante para ligar tudo, sem se preocupar com os grumos. Coloque a massa nas forminhas sem encher demais e asse por uns 30 minutos, até que os pãezinhos estejam bem crescidos e dourados. Retire do forno, aguarde 5 minutos, desenforme e sirva com o ensopadinho.

TORTA GREGA COM PICADINHO DE CARNE

(8 pessoas; 3 horas)

PARA A MASSA
2 1/2 xícaras de farinha
1 colher (chá) de sal
2/3 de xícara de azeite de oliva
1 colher (sopa) de orégano seco
1 ovo
1 colher (sopa) de água fria (aproximadamente)
1 gema para pincelar

PARA O RECHEIO
1/3 de xícara de pistache sem casca
1/4 de xícara de pinoli
1 cebola grande em cubinhos
2 dentes de alho bem picadinhos
500 g de carne moída (patinho ou coxão mole)
1 colher (sopa) de mel
1 colher (chá) de canela em pó
1/2 colher (chá) de cominho em pó
2 xícaras de polpa de tomate
2 xícaras de folhas frescas de espinafre rasgadas em pedaços médios
1/3 de xícara de maisena
2 xícaras de leite
1/3 de xícara de uva passa escura
1/3 de xícara de azeitona preta em lasca
1/3 de xícara de azeitona verde em lasca
1/2 xícara de queijo parmesão ralado
1/3 de xícara de salsinha picadinha
1/4 de xícara de orégano fresco ou manjerona
1/4 de xícara de folhinhas de hortelã rasgadas na hora
azeite de oliva
sal e pimenta-do-reino

↬ Recheio Numa frigideira, coloque o pistache e os pinoli, aqueça, deixe dourar um pouquinho e perfumar, então, retire do fogo e reserve. Regue o fundo de uma panela grande com azeite e doure a cebola. Junte o alho, espere perfumar, adicione a carne, sal e pimenta e mexa até soltar os grumos e mudar de cor. Acrescente o mel, a canela e o cominho e misture bem. Adicione a polpa de tomate e deixe em fogo baixo até a carne secar e começar a dourar. Junte o espinafre, um pouquinho de sal e espere murchar. Dissolva a maisena no leite, coloque na panela e, sem parar de mexer, mantenha no fogo até ferver e engrossar. Então, acrescente o pistache, os pinoli, a uva passa, a azeitona, o queijo, a salsinha, o orégano e a hortelã, acerte o sal e a pimenta, retire do fogo, passe para uma tigela para esfriar mais rápido e coloque sobre uma bacia de água com gelo.
↬ Massa Numa tigela grande, coloque a farinha, o sal e o azeite, esfarele com a ponta dos dedos até obter uma farofa, junte o orégano, o ovo e, aos poucos e na medida do necessário, vá acrescentando água gelada e trabalhando até formar uma massa macia, que descole das mãos. Envolva em filme plástico e leve a geladeira por 30 minutos ou por até 2 dias. Divida a massa em duas partes (1/3 e 2/3) e, com um rolo, abra 2 discos sobre uma superfície enfarinhada. Com o disco maior, forre o fundo e as laterais de uma fôrma de fundo removível. Espalhe o recheio na cavidade, cubra com o disco menor e pressione as bordas para colar. Decore a superfície com sobras de massa, pincele com a gema diluída em 2 colheres (sopa) de água e leve a torta à geladeira por 15 minutos, enquanto o forno aquece a 180ºC (médio). Asse a torta por uns 40 minutos, até que a massa esteja bem dourada e crocante. Retire do forno, aguarde 10 minutos e desenforme sobre um prato raso (se quiser, prepare a torta na véspera e aqueça na hora de servir, ou congele por até 1 mês).

MUSSAMAM DE CARNE E BATATA

(4 PESSOAS; 1 HORA)

1 colher (sopa) de gengibre ralado
2 dentes de alho picadinhos
2 cebolas-roxas médias em fatias finas
1 raiz de coentro
3 pimentas-dedo-de-moça
1/2 colher (chá) de coentro em pó
1/2 colher (chá) de cominho
1/2 colher (chá) de canela em pó
1/4 de colher (chá) de cardamomo moído
500 g de filé-mignon em tirinhas finas
2 xícaras de batata em cubinhos de 1 cm
1 xícara de água
2 1/4 de xícara de leite de coco
1 folha de louro
1/2 xícara de suco de tamarindo
1 colher (chá) de açúcar mascavo
3 colheres (sopa) de nam pla (molho de peixe)
suco de 1 limão
1 talo de capim-limão em rodelinhas finas
1/2 xícara de amendoim torrado sem pele
1/4 de xícara de folhas de coentro
cravo-da-índia em pó
óleo vegetal
sal

↔ **Soque num pilão,** ou bata no processador, o gengibre, o alho, metade da cebola, a raiz de coentro, 1 pimenta, o coentro em pó, o cominho, a canela, o cardamomo e uma pitada de cravo até virar uma pasta. Regue o fundo de uma wok ou frigideira grande com um pouco de óleo, junte a pasta de temperos e aqueça. Quando começar a dourar e perfumar, acrescente a cebola restante e a carne e mexa até mudar de cor. Adicione a batata, a água, 2/3 do leite de coco, o louro e o suco de tamarindo e deixe ferver por uns 15 minutos, até que a carne e a batata estejam macias, o leite de coco tenha encorpado e o óleo natural tenha subido à superfície. Junte o açúcar, o nam pla, o suco de limão, o capim-limão, o restante do leite de coco e deixe ferver por mais 1 minuto. Ajuste o sal, adicione o amendoim, as folhas de coentro e o restante da pimenta, retire do fogo e sirva com arroz de jasmim.

COLOMBO CARIBENHO DE CORDEIRO

(6 PESSOAS; 1 HORA E 30 MINUTOS)

600 g de lombo de cordeiro em cubinhos de 1 cm
2 colheres (sopa) de farinha de trigo
1 cebola grande em cubinhos
2 dentes de alho bem picadinhos
1 colher (sopa) de extrato de tomate
1 1/2 colher (sopa) de curry
1/2 colher (sopa) de gengibre ralado
1/3 de xícara de rum
suco de 1 limão
500 g de batata-doce em cubos de uns 2 cm
500 g de abóbora em cubos de uns 2 cm
4 xícaras de caldo de legumes fervente
(ou 1 tablete dissolvido na mesma medida de água)
3/4 de xícara de leite de coco
1 colher (sopa) de açúcar mascavo
1 xícara de folhas de salsinha, cebolinha e coentro picadinhas
óleo vegetal
sal e pimenta-do-reino

↔ **Polvilhe a carne** com a farinha e reserve. Regue o fundo de uma panela grande com um pouco de óleo e aqueça. Junte a carne, mexa até dourar de todos os lados e depois transfira para uma tigela. Coloque mais um pouco de óleo na mesma panela e doure ligeiramente a cebola. Junte o alho, espere perfumar e adicione o extrato de tomate, o curry e o gengibre. Quando perfumar, acrescente o rum, mexa com colher de pau para soltar o que estiver grudado ao fundo da panela e deixe ferver por 1 minuto. Volte com a carne para a panela, junte o limão, sal, pimenta, a batata-doce, a abóbora e o caldo. Quando ferver, abaixe o fogo, tampe parcialmente a panela e cozinhe por uns 30 minutos, até que a carne, a batata-doce e a abóbora estejam macias. Acrescente o leite de coco e o açúcar e deixe ferver por mais uns 5 minutos, até o molho encorpar. Ajuste o sal, a pimenta, junte as ervas picadas e sirva com arroz branco.

PICADINHO INDIANO DE FRANGO, TOMATE, CANELA E PÃO DOURADO

(6 PESSOAS; 45 MINUTOS)

PARA O PICADINHO
1 colher (chá) de canela em pó
1 1/2 colher (chá) de cúrcuma
1 1/2 colher (sopa) de curry
1/2 colher (chá) de pimenta-de-caiena
1 1/2 xícara de iogurte natural
suco e raspas da casca de 1 limão
1 kg de peito de frango em tirinhas finas
2 cebolas grandes em fatias finas
2 dentes de alho picadinhos
1 colher (sopa) de gengibre ralado
8 tomates vermelhos, sem pele e sem sementes, em cubinhos
1/3 de xícara de folhas de hortelã rasgadas na hora
óleo vegetal
sal

PARA O PÃO
2 xícaras de farinha de trigo (aproximadamente)
1/2 colher (chá) de sal
2 colheres (sopa) de açúcar
1 ovo
50 g de manteiga derretida
1 colher (sopa) de leite condensado
1 xícara de água

↦ **Pão** Numa tigela média, misture a farinha, o sal e o açúcar. Junte os ovos, a manteiga derretida, sal, o leite condensado e a água. Trabalhe até obter uma massa macia que descole das mãos (junte um pouquinho mais de farinha se a massa estiver pegajosa), cubra e deixe descansar por uns 30 minutos. Divida a massa em 24 bolinhas e deixe descansar por mais 30 minutos ou por até 3 horas. Abra cada bolinha com um rolo até obter um disco bem fino com uns 10 cm de diâmetro. Doure os discos numa frigideira seca até que estejam bem dourados e crocantes dos 2 lados.

↦ **Picadinho** Numa tigela, misture a canela, a cúrcuma, o curry, a pimenta-de-caiena, o iogurte, o suco do limão, 1 colher (chá) de sal e o frango e deixe descansar por pelo menos 1 ou por até 12 horas. Em seguida, regue o fundo de uma frigideira grande com óleo, aqueça e doure ligeiramente a cebola. Junte o alho e o gengibre, espere perfumar e adicione o frango com a marinada. Misture bem e mantenha em fogo forte por uns 5 minutos, até que os pedacinhos de frango comecem a firmar e a mudar de cor. Junte o tomate e mais um pouco de sal e cozinhe por mais uns 10 minutos, até que a carne esteja bem macia e o molho tenha encorpado. Ajuste o sal, acrescente a hortelã e as raspas de limão e sirva com o pão ou arroz branco.

PICADINHO INDIANO DE FRANGO, TOMATE, CANELA E PÃO DOURADO

COLOMBO CARIBENHO DE CORDEIRO

ENSOPADINHO DE VITELO, TOMATE E ALCACHOFRA

e o molho, bem saboroso (se secar demais durante o cozimento, junte um pouco de água). Ajuste o sal e a pimenta, descarte os ramos das ervas, acrescente o manjericão e retire do fogo.

↬ Pouco antes de servir, aqueça um fio de azeite numa frigideira grande e doure as fatias de pão dos 2 lados. Coloque uma fatia de pão em cada prato, cubra com uma parte do ensopadinho, espalhe um pouco do queijo por cima e sirva.

RAGÙ DE COGUMELOS E VINHO TINTO COM POLENTA AO PARMESÃO

(4 PESSOAS; 1 HORA E 15 MINUTOS)

PARA O RAGÙ

50 g de manteiga
1 cebola média em cubos miúdos
1 kg de cogumelo fresco variado
(cogumelo-de-paris, shiitake, shimeji, pleurotus)
1 dente de alho picadinho
1 1/2 xícara de vinho tinto
1/2 colher (chá) de folhinhas de tomilho
1 colher (sopa) de farinha de trigo
1/4 de xícara de salsinha bem picadinha
azeite de oliva
sal e pimenta-do-reino

PARA A POLENTA

6 xícaras de água fria
1 1/2 xícara de fubá bem fino
2 colheres (chá) de sal
1 ramo pequeno de alecrim
50 g de manteiga
200 g de queijo Parmigiano Reggiano em lascas finas

↬ Ragù Descarte os talos mais firmes dos cogumelos e corte em fatias finas. Numa panela grande, aqueça metade da manteiga e um fio de azeite e doure ligeiramente a cebola. Junte o alho, espere perfumar e acrescente o cogumelo, sal e pimenta. Quando começar a murchar, adicione o vinho e o tomilho, abaixe o fogo e cozinhe por uns 20 minutos, até que o cogumelo esteja bem macio, e o vinho, reduzido à metade. Numa tigelinha, faça uma pastinha com a farinha e a manteiga restante, depois junte ao molho e, sempre mexendo, deixe no fogo até ferver e engrossar. Ajuste o sal e a pimenta, adicione a salsinha e, se for preciso, corrija a acidez com um pouco de açúcar (é difícil dizer se será uma pitada ou 1 colher (sopa), pois cada vinho é um vinho) e retire do fogo.

↬ Polenta Numa panela média, aqueça a água, o fubá e o sal e mexa sem parar até dissolver e começar a engrossar. Tampe a panela e, mexendo a cada 10 minutos com uma colher de pau, deixe no fogo por mais 30 minutos, até que a polenta esteja lisa e cremosa, se solte da panela e perca o gosto de fubá cru. Acrescente o queijo e transfira para uma travessa, cubra com o ragù e sirva.

ENSOPADINHO DE VITELO, TOMATE E ALCACHOFRA

(6 PESSOAS; 2 HORAS)

6 fundos grandes de alcachofra, frescos ou congelados, já bem limpos
suco de 1 limão
1 cebola média em cubinhos
2 dentes de alho picadinhos
100 g de presunto cru em tirinhas finas
500 g de pernil de vitelo em cubinhos ou moído
6 tomates vermelhos, sem pele e sem sementes, em cubinhos
2 ramos de alecrim
2 ramos de tomilho
1/4 xícara de folhas de manjericão
6 fatias grandes de pão italiano
200 g de queijo Parmigiano Reggiano ou Granna Padano ralado grosso
azeite de oliva
sal e pimenta-do-reino

↬ Divida os fundos de alcachofra em triângulos do tamanho de uma mordida, regue com o suco do limão e reserve. Regue o fundo de uma panela média com azeite e doure ligeiramente a cebola. Junte o alho, espere perfumar e acrescente o presunto. Quando murchar, adicione a carne e mexa para separar bem os pedacinhos e dourar de todos os lados. Então junte a alcachofra e uma pitada de sal, misture bem e acrescente o tomate, o alecrim e o tomilho. Quando ferver, abaixe o fogo, tampe parcialmente a panela e cozinhe por mais ou menos 1 hora, até que a carne e a alcachofra estejam macias,

↔ **Polvilhe a carne** com a farinha e reserve. Numa panela grande, aqueça um fio de azeite, junte metade da carne e mantenha em fogo forte para dourar e não juntar água. Transfira os pedaços dourados para um prato, aqueça mais um pouco de azeite, doure a carne restante e transfira também para o prato. Na mesma panela, coloque a manteiga e o bacon, misture bem e deixe dourar por uns 5 minutos. Acrescente então a cebola, a cenoura, o salsão, o alho-poró e uma pitada de sal. Espere murchar, adicione o tomate e o alho e mais uma pitada de sal, espere perfumar, junte o vinho e deixe ferver por 5 minutos, mexendo com colher de pau para soltar tudo que estiver grudado ao fundo da panela. Volte com a carne para a panela, adicione o amarrado de ervas, o caldo, sal e pimenta, abaixe o fogo quando ferver, descarte com uma escumadeira a espuma que se formar na superfície, tampe parcialmente a panela e cozinhe por mais ou menos 40 minutos, mexendo de vez em quando, até que a carne esteja bem macia e o molho tenha encorpado. Junte a azeitona, acerte o sal e a pimenta e, se for preciso, ajuste a acidez com um pouquinho de açúcar, acrescente a salsinha e sirva com arroz branco ou purê de batata.

ENSOPADINHO FRANCÊS DE CARNE E CERVEJA
(4 PESSOAS; 2 HORAS)

75 g de manteiga
1 kg de maminha bem limpa em cubos de 2 cm
2 colheres (sopa) de farinha de trigo
4 cebolas grandes em fatias finas
2 colheres (sopa) de açúcar
2 colheres (sopa) de mostarda de Dijon
1 litro de cerveja forte
1 amarrado de ervas preparado com 1 folha de louro, vários ramos de salsinha e folhas e talinhos de salsão e tomilho
2 xícaras de caldo de carne
2 fatias de pão branco sem casca em migalhas
1/3 xícara de salsinha picadinha
sal e pimenta-do-reino

↔ **Polvilhe a carne** com a farinha e reserve. Numa panela grande, aqueça 1/3 da manteiga, junte metade da carne e mantenha o fogo forte para dourar e não juntar água. Transfira os pedaços dourados para um prato, aqueça mais 1/3 da manteiga, doure a carne restante e transfira também para o prato. Coloque a manteiga restante na mesma panela, acrescente a cebola, o açúcar e sal e espere murchar e dourar. Volte com a carne para a panela, junte a mostarda e a cerveja e deixe ferver por 5 minutos, mexendo com colher de pau para soltar tudo o que estiver grudado ao fundo da panela. Acrescente o amarrado de ervas e o caldo, abaixe o fogo quando ferver, descarte a espuma que se formar na superfície com uma escumadeira, tampe parcialmente a panela e cozi-

COCOTTE DE BOEUF AUX OLIVES
(6 PESSOAS; 1 HORA E 15 MINUTOS)

1 kg de filé-mignon em cubinhos de 1 cm
2 colheres (sopa) de farinha de trigo
50 g manteiga
100 g de bacon em cubinhos
1 cebola grande em cubinhos
1 cenoura em cubos miúdos
2 talos de salsão em cubos miúdos
1 talo de alho-poró em rodelinhas bem finas
8 tomates vermelhos, sem pele e sem sementes, em cubinhos
1 dente de alho bem picadinho
2 xícaras de vinho branco seco
1 amarrado de ervas preparado com 1 folha de louro, vários ramos de salsinha e folhas e talinhos de salsão, manjericão e tomilho
2 xícaras de caldo de carne
1 xícara de azeitona verde em lascas
1/2 xícara de salsinha picadinha
azeite de oliva
sal e pimenta-do-reino

nhe por mais ou menos 1 hora e 30 minutos, mexendo de vez em quando, até que a carne esteja bem macia. Junte o pão, deixe ferver por mais uns 5 minutos, até o molho encorpar, acerte o sal e a pimenta e, se for preciso, ajuste a acidez com um pouquinho de açúcar. Por fim, acrescente a salsinha e sirva com purê de batata, batata frita ou arroz branco.

PICADINHO CHINÊS DAS FORMIGUINHAS
(4 PESSOAS; 1 HORA)

8 cogumelos chineses secos lavados e sem os cabinhos
500 g de talharim de arroz
2 colheres (sopa) de óleo de gergelim
1/3 de xícara de óleo vegetal
1 colher (sopa) de gengibre ralado
2 dentes de alho bem picadinhos
300 g de carne de porco moída (pernil ou lombo)
1/2 xícara de vinho de arroz (Shaoxing)
1 colher (sopa) de açúcar mascavo
2 colheres (sopa) de molho de ostra
1/4 de xícara de shoyu
2 xícaras de caldo de carne
1 colher (sopa) de molho de pimenta-vermelha ou a gosto
1 xícara de cebolinha picadinha
1 pimenta-dedo-de-moça em rodelinhas finas ou a gosto
sal

↔ Coloque os cogumelos numa tigela, regue com água fervente e deixe hidratar por uns 30 minutos. Depois escorra, corte em tirinhas finas e reserve. Enquanto isso, cozinhe a massa em água fervente por uns 3 minutos, até que esteja macia, mas ainda firme, escorra, passe para uma tigela, regue com o óleo de gergelim e reserve.
↔ Aqueça bem uma wok ou uma frigideira grande, até que possa sentir forte calor ao colocar uma das mãos a uns 15 cm da panela. Mantendo o fogo sempre bem alto, junte o óleo, o gengibre e o alho e espere perfumar. Acrescente a carne, mexa até soltar os grumos e começar a dourar, junte o cogumelo, o vinho de arroz, o açúcar, o molho de ostra, o shoyu e o caldo e deixe ferver por uns 5 minutos, até formar um molhinho. Acerte o sal, adicione o molho de pimenta, a cebolinha, a pimenta e a massa de arroz, misture bem e sirva.

ENSOPADINHO FRANCÊS DE CARNE E CERVEJA

PICADINHO CHINÊS DAS FORMIGUINHAS

PICADINHO THAI DE LULA

(4 PESSOAS; 45 MINUTOS)

1 kg de lula pequena inteira e limpa
2 pepinos não muito grossos com casca, bem lavados
1 papaia ainda verde
1 cenoura média sem casca
2 cebolas-roxas pequenas em fatias finas
2 colheres (sopa) de óleo de gergelim
1 colher (sopa) de gengibre ralado
2 dentes de alho picadinhos
1 colher (sopa) de açúcar mascavo
2 colheres (sopa) de nam pla (molho de peixe)
2 colheres (sopa) de shoyu
1 colher (sopa) de molho de ostra
1 talo de capim-limão em rodelinhas finas
suco de 2 limões
1/2 xícara de amendoim torrado sem pele
2 pimentas-dedo-de-moça em rodelinhas finas ou a gosto
20 tomates-cereja bem vermelhos e firmes cortados ao meio
1 xícara de uma mistura de folhas de salsinha, coentro, hortelã e manjericão
óleo vegetal

↔ Para conseguir pedacinhos ultramacios e charmosos de lula, abra os cones de comprido formando um triângulo, descarte as abas laterais e a pele arroxeada. Com uma faca muito afiada, faça um quadriculado miúdo e superficial do lado interno de cada lula, mas sem deixar a lâmina da faca afundar muito para não perfurar, depois divida em quadradinhos de uns 2 cm.
↔ Descasque o papaia, corte ao meio e descarte as sementes. Passe no ralador grosso o papaia, o pepino e a cenoura, fazendo tirinhas grossas e reserve.
↔ Aqueça bem uma wok ou uma frigideira grande, até sentir bastante forte o calor ao colocar uma das mãos a uns 15 cm da panela. Mantendo o fogo sempre bem alto, regue o fundo da wok com um pouco de óleo, junte a cebola e espere começar a dourar. Então, acrescente a lula, misture bem rápido até enrolar e esbranquiçar. Adicione o gengibre e o alho, espere perfumar, junte o açúcar, o nam pla, o shoyu, o molho de ostra, o capim-limão e deixe ferver por uns 30 segundos, até formar um molhinho. Adicione o suco de limão, o amendoim, a pimenta, o papaia, o pepino, a cenoura, o tomate e as ervas, retire do fogo e sirva com arroz de jasmim.

PÃO COM PICADINHO

(6 PESSOAS; 2 HORAS)

1 filão de pão de uns 60 cm ou 6 pães franceses
75 g de manteiga
1 cebola grande em cubinhos
1 cenoura em cubinhos
2 talos de salsão em cubinhos
1 dente de alho inteiro
1 kg de carne moída (patinho ou coxão mole)
2 xícaras de leite
2 xícaras de vinho branco seco
600 g de polpa de tomate ou de tomate fresco, sem pele e sem sementes, em cubinhos
6 ovos
300 g de queijo mussarela em fatias finas
óleo vegetal
sal, pimenta-do-reino e noz-moscada

↠ Numa panela média, aqueça 50 g de manteiga e um fio de óleo e doure ligeiramente a cebola. Junte o salsão, o alho e uma pitada de sal e espere murchar. Acrescente a carne, 1 colher (chá) de sal e pimenta e misture separando os pedaços até a carne mudar totalmente de cor. Adicione o leite e a noz-moscada, deixe em fogo alto até evaporar, junte o vinho, deixe ferver por um minuto e acrescente a polpa de tomate. Assim que levantar fervura, abaixe o fogo e cozinhe com a panela semitampada por mais ou menos 1 hora, mexendo de vez em quando e adicionando um pouco de água se secar demais (cozinhar bem devagar é fundamental para que a carne fique macia). Quando a água evaporar e surgir na superfície uma bolha de gordura, acerte o sal, a pimenta e a noz-moscada, descarte o dente de alho e retire do fogo.

↠ Enquanto isso, aqueça mais ou menos 1 litro de água numa panela média, espere ferver, reduza o fogo, mergulhe os ovos na água, conte 10 minutos, escorra, resfrie passando sob água fria, descasque e divida cada um deles em 6 rodelas (ou, se preferir, frite os ovos num pouquinho de manteiga ou de óleo para pães individuais).

↠ Corte uma tampa do pão e reserve. Escave um pouco o centro para tirar parte do miolo, passe um pouco de manteiga no miolo da cavidade e pincele com o leite. Preencha a cavidade com 3/4 do picadinho, espalhe por cima as rodelas de ovo cozido, cubra com a mussarela e ponha a tampa do pão de volta no lugar. Coloque o pão num refratário ou numa assadeira e espalhe por cima o restante do molho e o parmesão. Leve ao forno por uns 20 minutos, até que o pão esteja bem quente e com a casca crocante.

SOPAS PARA AS NOITES MAIS FRIAS (E PARA AS MAIS FRESQUINHAS TAMBÉM)

Quem resiste a um prato de sopa quando bate aquele friozinho gostoso? Sinceramente, acho que quase ninguém. Não dá para negar que uma sopa aquece, conforta e alimenta tanto quando se está bem como quando não se está tão bem assim, pois, depois do chá, da bolacha de água e sal e da maçã, é sempre uma sopa que se oferece a quem está apenas indisposto ou mesmo doente. Uma tigela de sopa faz todo o mundo se sentir melhor. Confesso que, quando criança, eu só fazia festa para canja, creme de mandioquinha ou sopa de feijão com macarrão miúdo, estrelinhas ou letrinhas, com que eu brincava de escrever na borda do prato. Talvez a idéia me incomodasse um pouco porque, apesar de adorar passar férias na casa dos meus avós paternos, em Araçatuba, cidade do interior de São Paulo que é um forno, eu não me conformava com o prato de sopa quase fervente que abria todos os 365 jantares do ano e que a gente tomava "para ficar forte". Elas eram gostosas, mas a cada colherada eu derretia um pouquinho. Com o tempo, fui percebendo que o mesmo acontecia na casa de outros avós, dos primos, dos amigos e de quase todo o mundo. Era mesmo comum servir um prato de sopa quentíssimo no início do jantar sem se importar com o calor ou com o frio. O tempo foi passando e, desde que não estivesse tão quente, comecei a tomar novas sopas sem torcer tanto o nariz, até começar a enxergar uma sopeira com olhos mais apetitosos, sem aquela carga de obrigação e sem vê-la como comida de doente, e, com uns 20 anos, já achava sopa o máximo. Não importa se é sopa, *soupe*, *soup*, *zuppa* ou qualquer outra forma, aquela imagem antiga de um caldeirão fumegante no fogo tem tudo a ver com ela. Na Idade Média, *potage* era o alimento cozido no *pot*, o caldeirão que às vezes ficava perdido no meio das cinzas e brasas e que era alto e estreito o bastante para que a sopa fervesse e se evaporasse na medida certa. Até o século 17, o termo *soupe* designava os pedaços de pão que engrossavam o caldo quente; depois disso, passou a significar

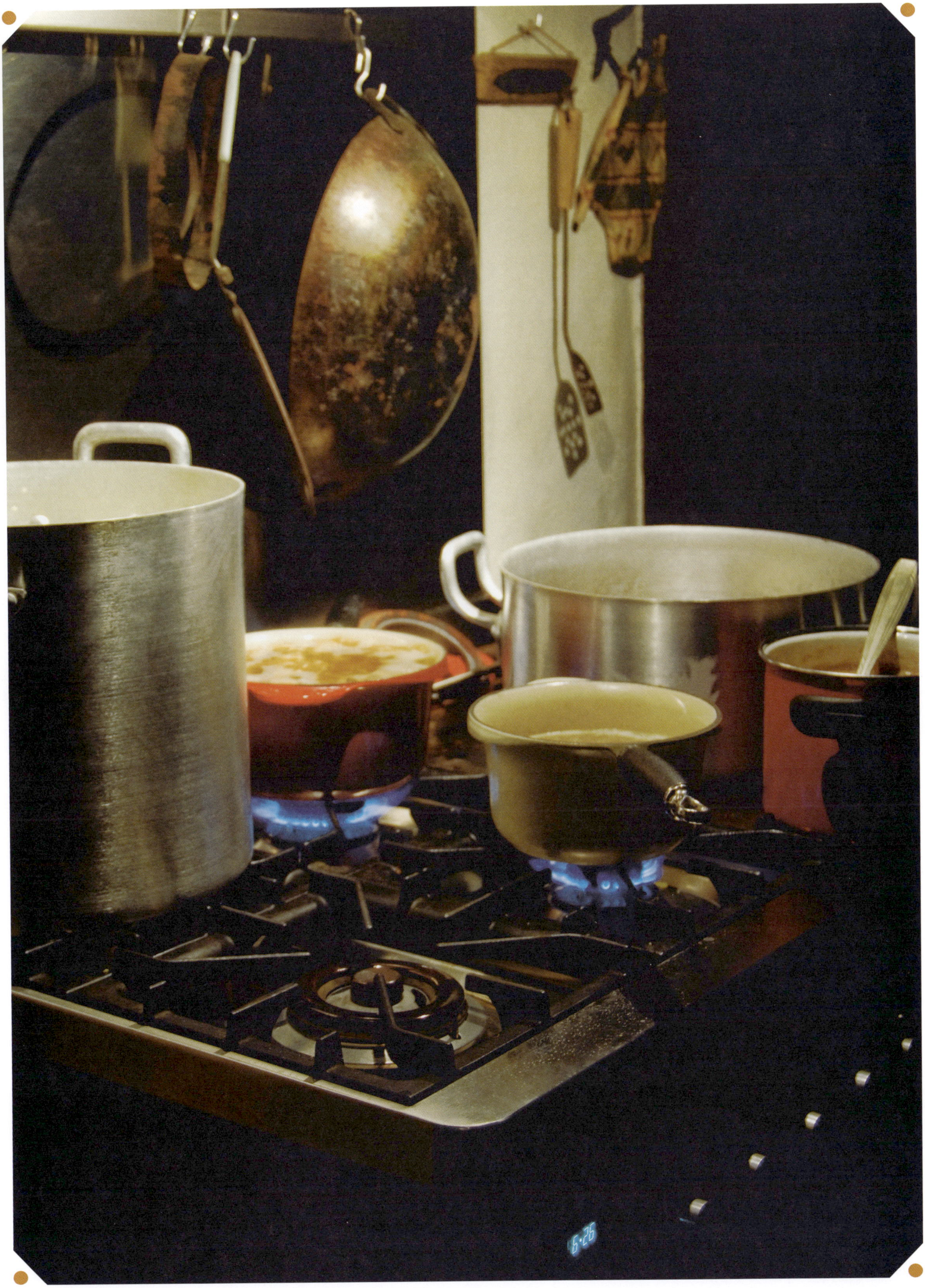

uma mistura de caldo, pão ou outro alimento passado ou não por peneira fina e às vezes acrescido de grãos ou massa.

Na Escócia, diz-se "afervente pedrinhas com manteiga que o caldo ficará bom". Os portugueses também pensam assim, tanto que, quando não têm quase nada na cozinha, preparam as chamadas sopas de pobre ou de pedra, só com água, pão, coentro, azeite, sal e, quando dá, uma batata.

O caldeirão aceita qualquer coisa, do mais simples ao sofisticado, podem ser metades de cebola, rodelas de cenoura, o último tomate da geladeira, lascas do frango assado do almoço, pedaços de queijo que tenham sobrado da festa da véspera ou ingredientes comprados especialmente para aquela supersopa. Tudo bem usar pedacinhos e sobras da geladeira na sopa, mas é importante, como sempre, usar ingredientes de boa qualidade: uma sopa de cenoura não terá muito gosto de cenoura se esta estiver murcha, seca ou cheia de brotos, sem sabor, sem perfume e sem cor. Uma sopa sem graça fica mesmo com cara de comida de doente e não dá prazer a ninguém.

Se, ainda por cima, entrar na panela um daqueles caldos concentrados fortes e artificialíssimos, irá mesmo parecer uma dessas horríveis sopas de pacotinho, por isso vale mais começar uma sopa de cebola ou um minestrone com água pura, deixar apurar e conseguir naturalmente um caldo saboroso no final.

Uma sopa feita com um caldo de verdade — tecnicamente chamado de fundo — fica mesmo muito mais gostosa, e os caldos são muito fáceis de fazer. Escolha um dia tranqüilo, compre ou aproveite pedaços de carne, ossos, carcaças e legumes, prepare tudo bem devagar (para que a sopa fique mais leve e bonita, deixe o caldo descansar na geladeira por pelo menos umas 4 horas e depois descarte a camada de gordura que se formar na superfície) e congele para quando precisar.

Para um caldo escuro de carne, espalhe numa assadeira 2 kg de ossobuco de vitelo e leve ao forno pré-aquecido a 240°C (muito alto) para dourar e caramelizar por 30 minutos, virando na metade do tempo. Depois, lambuze os ossos com 1 colher (sopa) de concentrado de tomate e deixe mais 10 minutos no forno. Passe o ossobuco para um prato, descarte a gordura da assadeira e coloque-a sobre a chama do fogão com 1 xícara de vinho branco seco. Raspe com uma colher de pau para soltar o fundo, deixe ferver por 2 minutos e reserve. Numa panela grande, aqueça um fio de óleo e doure ligeiramente 1 cenoura, 1 talo de salsão e 1 talo de alho-poró cortados em pedaços médios, com uma pitada de sal. Junte o ossobuco, 1 cebola inteira descascada (com 2 cravos-da-índia espetados, 2 tomates sem pele e sem sementes cortados ao meio, 2 dentes de alho inteiros descascados, 1 amarrado de ervas (1 folha de louro, vários ramos de salsinha e folhas e talinhos de manjericão e tomilho), 1 colher (chá) de pimenta-do-reino em grão e o líquido da assadeira. Cubra com 4 litros de água fria e cozinhe por 3 horas, descartando a espuma que se formar na superfície, até ficar saboroso. Passe por uma peneira sem apertar, deixe esfriar e congele.

Quando escolho galinha, uso uma versão que, embora rápida, dá um caldo gostoso. Aqueça um fio de óleo numa panela média, junte 1 cebola picada e 1,5 kg de asa de frango cortada em pedacinhos, deixe suar por uns 5 minutos, tampe e deixe em fogo baixo por 15 minutos, até começar a secar. Junte 1 litro de água fria e 2 folhas de louro e cozinhe por mais 30 minutos, descartando a espuma que se formar. Passe por uma peneira sem apertar, deixe esfriar, congele e retire a camada de gordura na hora de usar.

Se quiser um caldo de peixe ou camarão, deixe de molho em água fria por 30 minutos 1 kg de carcaças de camarão ou de peixe de carne branca em pedaços médios, trocando a água 2 vezes. Aqueça 25 g de manteiga e doure ligeiramente 2 cebolas médias, 1 cenoura, 1 xícara de cogumelo fresco em fatias finas e uma pitada de sal. Junte 1 xícara de vinho branco seco e deixe reduzir à metade. Acrescente 2 rodelas de limão, 1,5 litro de água fria, 1/2 colher (chá) de pimenta-do-reino em grão e 1 amarrado de ervas (1 folha de louro, vários ramos de salsinha e folhas e talinhos de manjericão e tomilho). Deixe ferver por 20 minutos, retirando a espuma que se formar. Passe por uma peneira, descarte as carcaças, volte ao fogo e deixe ferver por mais 10 minutos. Espere esfriar e congele.

Um bom caldo de legumes pode quebrar mil galhos e é uma forma de usar aqueles vários pedacinhos que sobram na gaveta da geladeira: coloque num caldeirão 1 kg de legumes variados em pedaços médios (alho-poró, cenoura, cogumelo, salsão, erva-doce, nabo, abóbora, brócolis, vagem, ervilha, abobrinha e pimentão), 4 cebolas cortadas em 4, 4 dentes de alho, 1 tomate sem pele e sem sementes cortado em cubinhos, 1 amarrado de ervas (1 folha de louro, vários ramos de salsinha e folhas e talinhos de manjericão e tomilho), uma pitada de sal, 1/2 colher (chá) de pimenta-do-reino em grão, e 2 litros de água fria. Quando ferver, abaixe o fogo e cozinhe por 1 hora, até ficar saboroso. Passe por uma peneira sem apertar, deixe esfriar e congele.

Músculo, alcatra, maminha, coxão mole e patinho são cortes bovinos excelentes para sopa, dão caldos saborosos e a carne chega ao final do cozimento se desmanchando. No caso do frango em pedaços, a sobrecoxa dá uma sopa mais gostosa que o peito, que é mais seco. Não deixe de preparar também sopas com peixes ou camarão e outros crustáceos, pois os resultados são sempre de dar água na boca.

Use e abuse dos cogumelos, legumes e grãos, que resultam em sopas maravilhosas. Qualquer sopa fica mais apetitosa, perfumada e visualmente mais atraente se você aquecer um pouquinho de óleo, manteiga ou azeite numa panela, dourar ligeiramente os legumes aromatizantes (cebola, alho-poró, salsão, cenoura, alho) e depois juntar os demais ingredientes como a receita sugerir, acrescentar o líquido escolhido, cozinhar em fogo baixo pelo tempo que for preciso, reduzir o líquido, concentrar e mesclar os sabores.

As sopas feitas com legumes assados ou grelhados ficam com um gostinho bem especial. Lá na fazenda, no tempo das abóboras, eu costumo colocar muitos pedaços numa assadeira com alho, cebola, ervas, azeite, sal, pimenta, cubro com papel-alumínio e deixo no forno médio por umas 2 horas, até que ela esteja bem macia, saborosa e ligeiramente caramelizada, depois uso essa base para muitas receitas, entre elas uma sopa simplesmente batida no liquidificador com um pouco de caldo ou mais aveludada, se acrescida de um pouco de leite, creme ou requeijão ou com leite de coco (às vezes, ainda junto umas folhas de espinafre, gengibre, algumas especiarias ou um pouco de carne-seca cozida e desfiadinha). Uma sopa de tomate assado também fica uma delícia e sempre vai bem: eu corto os tomates ao meio, descarto as sementes, coloco num refratário médio com alho, azeite, sal, pimenta e os ramos inteiros de algumas ervas e asso por mais ou menos 1 hora no forno baixo, a uns 160°C, até o tomate amaciar e perfumar, deixo esfriar e guardo na geladeira por umas 2 horas ou por até 2 dias, depois descarto as ervas murchas e a pele do tomate, bato o restante no liquidificador até obter uma pasta lisa, passo por uma peneira, junto água o bastante para conseguir a consistência de sopa, acerto o sal, a pimenta e a acidez (com um pouquinho de açúcar), acrescento ervas frescas, às vezes um toque de vinho adocicado e sirvo quente ou bem geladinha (com um pouco de coalhada seca, ela fica boa demais).

A sopa pode chegar à mesa com pedaços de um ou mais ingredientes mergulhados no caldo saboroso do cozimento, ou mais pastosa, quando passada por um passa-legumes, uma peneira, um liquidificador ou um processador. E as mais pastosas podem ser mais ou menos cremosas, dependendo do ingrediente utilizado para aveludá-la. Por exemplo, sopas com grãos, leguminosas, batata, mandioca, mandioquinha, cará e abóbora são por si só cremosas, ao passo que as de verdura e de legumes podem precisar de alguma liga no final, e aí podem entrar leite, creme de leite, ovos, alguns grãos e cereais.

Agora, falando da chegada da sopa à mesa, é importante respeitar a temperatura escolhida para servi-la, não dá para ser mais ou menos, quer dizer, se for servir sopa quente, ela terá que estar bem quente mesmo, fumegante — e para mantê-la assim durante toda a refeição, vale a pena aquecer a sopeira em banho-maria; e, se for servir sopa gelada, ela terá que estar bem gelada.

Existem, é claro, sopas que dependem de um cozimento mais lento e precisam de mais cuidados, mas muitas ficam prontas bem rapidinho e são perfeitas tanto para os jantares do dia-a-dia como para ocasiões especiais ou imprevistas. No preparo das sopas asiáticas, por exemplo, tudo acontece num piscar de olhos, a combinação dos sabores é importante, mas cada elemento continua mantendo suas características de um jeito bem marcante.

Além disso, as sopas são muito versáteis, podem ser o prato único de uma refeição, a entrada (servida numa tigelinha pequena, num potinho, numa xícara de chá ou de café ou num copo), o primeiro prato, o prato principal (nesse caso, 1,5 litro costuma servir umas 4 pessoas) ou até a sobremesa.

Dá para pensar em sopa sem falar numa canja? Muita gente acha que canja é uma sopa bem brasileira, ou que é uma herança portuguesa. Mas não é bem assim, canja é uma sopa muito, mas muito antiga. Na China, falam de *congee* ou *jook* há mais de 2 mil anos e sempre dizem que ela faz bem para a saúde dos sãos e dos doentes, dos bebês, das crianças, dos moços, dos adultos e dos mais velhos, enfim, para qualquer um que esteja precisando de colo. Na Índia, essa mesma *congee* aparece há séculos como *kanji*. Uma *congee* chinesa – que vai bem no café-da-manhã, no almoço ou no jantar e que pode ser tanto salgadinha como adocicada – começa com o cozimento de uma galinha, pato, porco ou peixe na água até a carne ficar muito macia, desmanchando-se, depois acrescentam-se os cereais mais variados ou uma mistura de diferentes tipos de arroz, que engrossam a sopa até chegar a um mingau bem nutritivo, um caldinho grosso com os grãos no meio, nem um líquido leve com grãos boiando soltos, nem uma papa. Antes de servir, os chineses ainda colocam no caldeirão um pouco de cebolinha, coentro, amendoim, castanha, nozes, picles, casquinha de tofu, ovos, aspargo, cenoura, batata-doce, gengibre, espinafre, cravo-da-índia, canela, casca de laranja ou mexerica, tâmara e ovo de mil anos em rodelas. Devia ser mesmo irresistível, pois os portugueses se encantaram com ela e logo trouxeram a idéia para o Brasil.

O fato é que, quem tem um frango ou uma galinha, um caldeirão, água e fogo já tem meio caminho andado para uma boa sopa. Neste mundo, não faltam mesmo versões de sopa de frango ou de galinha com legumes e grãos, às vezes também com ovos e ervas. Cada povo prepara a sopa de um jeito, com mais isso ou mais aquilo, mas com resultados muito saborosos e quase sempre dizendo que nada como uma sopa de galinha para sarar de uma gripe, dos males do pulmão ou de uma anemia ou para se fortalecer depois de uma doença qualquer ou de um parto. Os escoceses capricham no alho-poró, na cevadinha e nas ameixas secas na sua *cock-a-leekie*. Os belgas adoram a sua *waterzoï*. Os americanos e ingleses acham o máximo as suas *chicken soups*, mais ou menos cremosas. Os franceses preparam tanto sopas mais encorpadas como *consommés* levíssimos (na verdade, a *poule-au-pot* de Henrique IV não era mais que uma boa sopa). Gregos, turcos e iranianos engrossam suas sopas com ovos. Para coreanos e japoneses, arroz, gengibre, alho e cebolinha não podem faltar. Nas sopas filipinas e tailandesas e na *mulligatawny* indiana também entram na panela o leite de coco, as especiarias e o capim-limão. Os escandinavos, os alemães e quase todos na Europa Oriental cozinham no caldo da sopa uns bolinhos feitos de farinha, batata ou pão velho. Já os italianos usam massas miúdas ou recheadas, como cappelletti ou *stracciatelle*, que é uma misturinha de semolina, ovos e parmesão. Os portuguesas enriquecem a sopa com lingüiças, e assim vai. Ou seja, sopa de galinha aparece no mundo inteiro e sempre de um jeito apetitoso.

Por isso, quando estou na fazenda e o tempo começa a esfriar, logo escolho uma galinha gordinha ou um frango de mais ou menos 1,2 kg do meu galinheiro, ponho no caldeirão com uns 2 litros de água, mais cebola, alho, cenoura, louro, salsinha e cebolinha e cozinho por umas 2 horas no fogão de lenha, até a carne ficar bem macia, e o caldo, muito saboroso. Então, eu separo a carne em lascas, junto ao caldo e deixo a canja descansar por umas 3 horas na geladeira para encorpar (se quiser, esse é o momento de descartar o excedente da gordura, que forma uma camada grossa na superfície, mas há muita gente que gosta e acha que a canja é milagrosa justamente por conter toda essa gordura). Como o arroz parece que não se cansa de absorver o caldo, deixo sempre para colocar no caldeirão os grãos (normalmente 1 colher (sopa) por pessoa), 1 pedaço de canela em pau e 1 tira de casca de laranja pouco antes de servir, já que levam apenas uns 20 minutos para cozinhar (se preparar com antecedência e deixar a canja repousar, verá que ela firma bastante quando esfria, pois o amido do arroz engrossa tudo, deixa o caldo gelatinoso e, na hora de aquecer, provavelmente será preciso acrescentar um pouco de água), aí acerto o sal e a pimenta, junto folhas de salsinha, cebolinha e hortelã picadinhas e sirvo uma canja maravilhosa no jantar.

Para deixar a sopa ainda mais apetitosa, ressaltando cores, sabores e texturas, finalize acrescentando na sopeira ou em recipientes individuais (que pode ser um prato fundo, uma tigela, uma tigelinha, uma xícara de chá ou de café, um copinho ou um potinho) ervas frescas em folhas inteiras ou picadinhas; uma ligeira polvilhada de alguma especiaria; um pouco de mimosa, quer dizer, ovo cozido passado pela peneira; cubinhos de tomate ou algum legume; uma colherada de iogurte, requeijão cremoso, coalhada seca, creme de leite espesso, puro ou com algumas gotinhas de limão; algum queijo ralado grosso, em lascas finas ou em cubinhos; cubinhos dourados de bacon ou presunto; croutons clássicos (misture cubinhos de pão amanhecido, alho picadinho, azeite e ervas frescas ou secas e doure no forno ou na frigideira) ou diferentes (use curry, canela, páprica ou noz-moscada, mas sem exagero para não ficarem picantes demais), e, na falta de pão, use bolachas salgadas esmigalhadas e até biscoito de polvilho; biscoitos salgados cortados em formatos miúdos (para crianças, use e abuse dos cortadores divertidos e das letrinhas). O fundamental é manter um contraste coerente entre a sopa em si e o que vai por cima, pensando tanto no paladar como na textura e no tamanho dos cubinhos ou pedacinhos, que sempre deverão caber na colher, que, dependendo do tamanho da porção, poderão ser de sopa, de chá ou até de café (quer dizer, para uma miniporção de sopa numa xícara de café, os cubinhos de tomate terão que ser bem miudinhos).

Uma última coisa, que pode parecer bobagem mas não é: se quiser congelar uma sopa, escolha um recipiente que acomode tudo com uma boa folga, pois ela se expande uns 25% no freezer e, se estiver apertada, estourará tudo quando inchar, arrebentando tampas e potes de plástico ou vidros.

RECEITAS

Tem tanta sopa gostosa que receita é o que não falta. Muitas delas são bem simples, já que uma sopa não precisa de muita coisa para acontecer na panela. Como os nossos invernos não têm sido muito frios, escolhi também algumas receitas que podem tranqüilamente entrar numa refeição de um dia mais fresco ou mesmo de verão. A sopa cremosa de brócolis *é uma receita básica de sopa de legumes com leite ou creme de leite fresco para o dia-a-dia ou para ocasiões especiais, é superprática e permite muitas variações com ervas, especiarias e queijos (substitua os brócolis pelo que quiser). Depois, vem a* sopa de batata, *que já fica bem cremosa e aveludada apenas com a própria batata, sem precisar de leite ou creme de leite, com uma receita que também serve para mandioquinha, abóbora, cará, inhame e batata-doce. A* sopa de cenoura com laranja e especiarias *mistura os sabores ligeiramente adocicado da cenoura e o azedinho da laranja com o perfume das especiarias e vai bem tanto numa noite mais quente como numa mais fresquinha e tanto num prato fundo como num potinho pequeno, como uma entrada num jantar mais arrumado. Quem, como eu, adora cogumelos, não vai resistir ao* mix cremoso de cogumelos, *que é substancioso e tem aquele sabor bem "da terra". Também não dá para resistir à* cumbuca de abóbora, *que começa com a abóbora assada no forno até ficar bem macia e o gostinho pronunciado das ervas e fica divina; e à* panelinha de banana-da-terra, *que fica uma graça, bem brasileira e muito saborosa, eu realmente adoro (só não vale a pena preparar com antecedência, pois perde muito em sabor e textura). Então chegam as duas canjas, a* canja de galinha da vovó *e a* canja chique de pato e cevadinha; *a primeira delas bem tradicional e caseira, e a segunda uma opção diferente e requintada, próxima das congee chinesas. Bem para o dia-a-dia, vêm a* sopa caseirinha de feijão, *que alimenta e conforta, que tanto as crianças como os adultos adoram e que pode ser preparada com o feijão que você tiver em casa, inclusive sobras de feijão já refogado, e, para ficar mais rica, além do macarrãozinho, pode levar pedacinhos de carne, lingüiça ou bacon; e o* caldo verde, *a sopa portuguesa que leva batata, couve e paio, sempre faz bem e não cansa. Há muitos anos, numa noite muito fria, o meu marido e eu estávamos andando por uma ruazinha que beirava um canal em Amsterdã quando vimos uma taverna com um ar de antigamente, com mesas de madeira bem rústicas, uma quadradinha pequena, outra retangular bem grande, outra redonda, então entramos, pedimos a sopa do dia e logo chegaram à mesa duas tigelas antigas lindíssimas com um* creme de ervilha *inesquecível, de um verde esmaecido, com uns cubinhos de bacon bem torradinhos por cima, foi nele que pensei quando decidi incluir aqui a receita, com ervilhas secas, manteiga, cebola, alho-poró, salsão, louro, água e bacon (se preferir, troque o bacon por cubinhos de presunto, que podem ir para o caldeirão logo no início do preparo e deixam a sopa bem saborosa). Nos jantares do dia-a-dia na casa da avó do meu marido sempre tinha sopa e a de aveia era das preferidas — muito simples, rápida, gostosa e não muito diferente de uma versão que tomei num jantar na Escócia, que levava umas rodelinhas bem macias de alho-poró no meio e outras douradas e sequinhas por cima, daí veio a* sopa de aveia e alho-poró *que vai aqui. Pensei em duas sopas lá da Itália: o* minestrone, *que é um daqueles pratos clássicos que aceitam o que se tem na cozinha, até um pedaço de casca ou da parte mais grossa de um bom parmesão para deixar a sopa mais gostosa; e a* sopa italiana de feijão-branco e aspargo, *que fica bem cremosa por causa do feijão e tem o gostinho e a cor especiais dos aspargos, bem parecida com uma que, há muito tempo, eu tomei num restaurantezinho em Perugia, na Úmbria. Da França, vieram a* sopa francesa de cebola, *supertradicional, perfeita para uma noite bem fria e que fica linda num potinho com a fatia de pão por cima e um pouco do caldo derramando e do queijo escorrendo pelas paredes (é assim mesmo que ela costuma chegar à mesa num bistrô parisiense); e a* sopa provençal de legumes, *que nasceu num dia em que abri a geladeira, vi que não tinha nada de muito emocionante para o jantar, além de um potinho com um pouco de ratatouille que eu tinha preparado no final de semana, então aqueci a ratatouille com um tanto de água, deixei ferver até encorpar e formar um caldinho grosso e consegui uma sopa bem interessante. Depois vêm duas opções para quem gosta daquele saborzinho do coco: a* sopa de frango e curry, *com o picante da pimenta e do gengibre e a cremosidade do leite de coco e do iogurte; e o* creme de camarão e coco, *que tem a mesma base de uma bisque tradicional, mas com um toque tropical. A* sopa com almôndegas levemente picantes *ficou bem saborosa, com um caldo de vinho muito perfumado. Já a* Japanese noodle soupe *é aquela sopa rápida, perfeita para a hora da pressa, mas que encanta pelo colorido do prato e pela mistura de sabores. Por fim, chega o* caldeirão do mar, *que sempre impressiona pelo camarão, a lula, o marisco e os pedaços de peixe e fica com um caldo riquíssimo e delicioso. Para acompanhar, prepare os* biscoitinhos crocantes para sopa, *que, para alegrar os pratos das crianças, podem ser coloridos de verde com folhas de espinafre, couve ou salsinha, ou de laranja com colorau. Como uma boa sobremesa sempre faz bem, decidi incluir duas receitas doces bem fáceis de fazer: a* tigelinha de doce de leite, laranja e queijo-de-minas, *que fica interessante e nem é tão doce assim, já que o creme de leite e a laranja diluem e refrescam a sopa e os cubinhos de queijo dão um bom contraste com um ligeiro salgadinho; e o* creme de três chocolates e frutas vermelhas, *uma mistura de chocolate meio amargo, ao leite e branco, com uma caldinha de frutas vermelhas, que agrada os chocolate lovers's, que literalmente preferem "jantar" a sobremesa.*

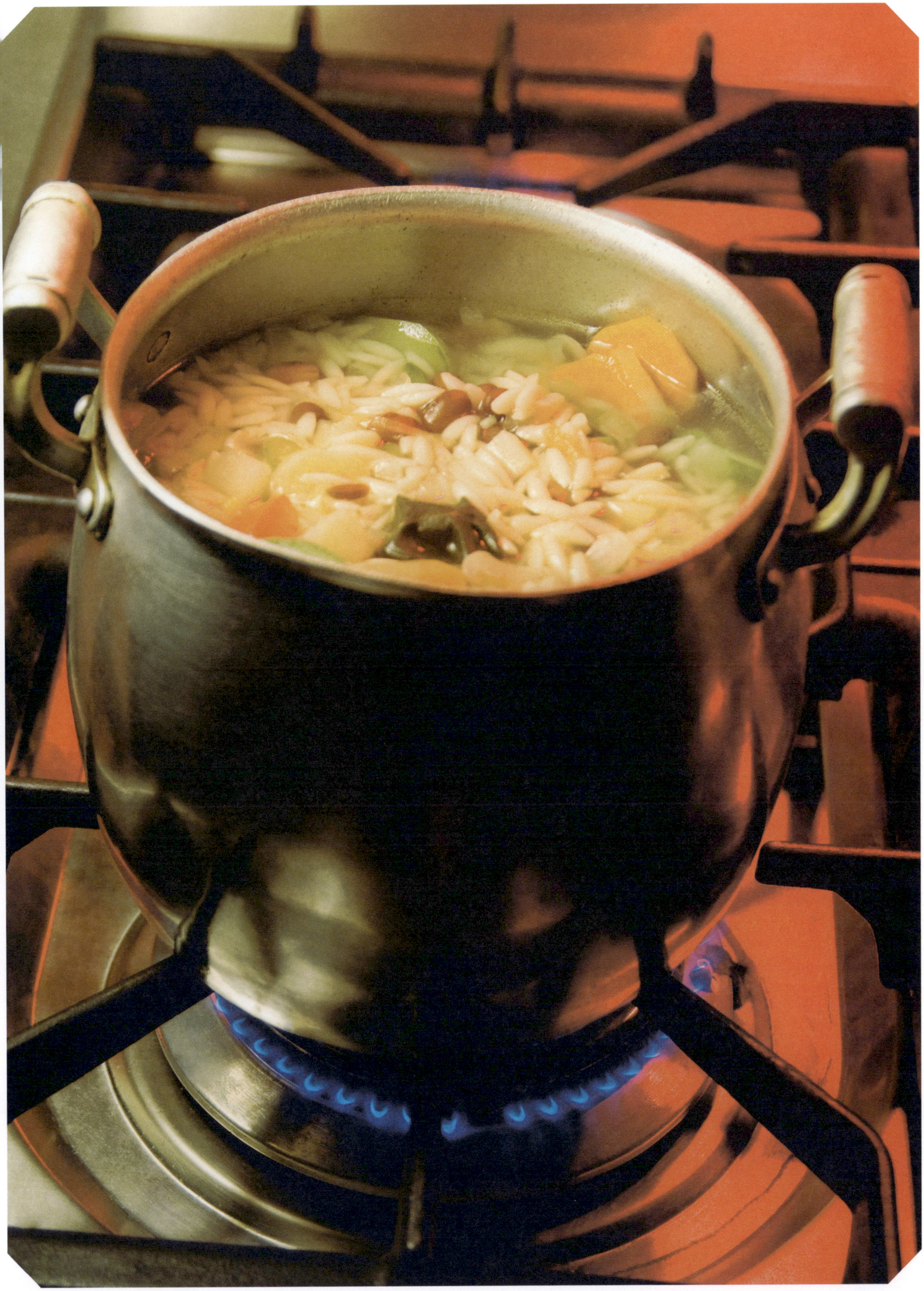

SOPA CREMOSA DE BRÓCOLIS

(4 pessoas; 45 minutos)

25 g de manteiga ou azeite
1 cebola em fatias finas
1 dente de alho bem picadinho
2 xícaras de floretes de brócolis miúdos (ou cenoura, aspargo, alcachofra, espinafre, abobrinha, tomate, couve-flor)
3 xícaras de água ou caldo de legumes
1 amarrado de ervas preparado com 1 folha de louro, vários ramos de salsinha e folhas e talos de salsão, manjericão e tomilho
1 xícara de leite ou, se preferir uma sopa mais cremosa, creme de leite fresco
sal e pimenta-do-reino branca

↔ Aqueça a manteiga e doure ligeiramente a cebola. Junte o alho e, quando perfumar, acrescente os brócolis e uma pitada de sal. Aguarde uns 2 ou 3 minutos, até começar a suar, e então junte a água e o amarrado de ervas. Espere ferver, abaixe o fogo e cozinhe até que os brócolis estejam macios. Junte o leite, deixe levantar fervura e retire do fogo. Descarte o amarrado de ervas, bata a sopa no liquidificador, ajuste o sal e a pimenta e sirva.

SOPA DE BATATA

(4 pessoas; 45 minutos)

25 g de manteiga
2 talos de alho-poró ou 1 cebola grande em rodelas finas
800 g de batata em cubos médios (ou abóbora, mandioquinha, batata-doce, cará, inhame etc.)
4 xícaras de água ou caldo de galinha
1 amarrado de ervas preparado com 1 folha de louro, vários ramos de salsinha e folhas e talos de salsão, manjericão e tomilho
2 colheres (sopa) de cebolinha-francesa picadinha
sal, pimenta-do-reino branca e noz-moscada

↔ Aqueça a manteiga e doure ligeiramente o alho-poró. Acrescente a batata e uma pitada de sal, aguarde uns 2 ou 3 minutos, até começar a suar, e então junte a água e o amarrado de ervas. Espere ferver, abaixe o fogo e cozinhe até que a batata esteja macia. Retire do fogo, descarte o amarrado de ervas, bata o restante no liquidificador, ajuste o sal, a pimenta, a noz-moscada, junte a cebolinha e sirva.

SOPA DE BATATA

SOPA CREMOSA DE BRÓCOLIS

loque a trouxinha e o caldo na panela. Quando ferver, abaixe o fogo e cozinhe com a panela destampada por 30 minutos, mexendo de vez em quando, até que a cenoura esteja bem macia. Descarte a trouxinha de condimentos, bata a sopa no liquidificador, volte tudo para a panela e leve ao fogo. Junte o suco de laranja, deixe ferver por 1 minuto, acerte o sal, corrija a acidez com um pouquinho de açúcar e sirva.

MIX CREMOSO DE COGUMELOS
(4 PESSOAS; 1 HORA E 30 MINUTOS)

1 kg de cogumelos variados (cogumelo-de-paris, shiitake, shimeji etc.)
25 g de manteiga
1 cebola média em cubinhos
1 dente de alho bem picadinho
1/4 de xícara de vinho tinto
4 xícaras de água ou caldo de legumes
1 amarrado de ervas preparado com 1 folha de louro, vários ramos de salsinha, manjericão e tomilho e folhas e talos de salsão
1 xícara de creme de leite fresco
1/4 de xícara de salsinha e cebolinha-francesa picadinhas
sal e pimenta-do-reino branca

↭ Descarte os cabinhos mais duros dos cogumelos e corte o restante em fatias finas. Doure a cebola na manteiga, junte o alho e deixe perfumar. Adicione os cogumelos e espere murchar. Acrescente o vinho, deixe ferver por 1 minuto, depois junte a água e o amarrado de ervas e cozinhe por uns 15 minutos, até amaciar. Descarte as ervas, ajuste o sal e a pimenta e separe 1/4 dos cogumelos para a finalização. Coloque o creme de leite na panela, deixe a sopa ferver por mais 1 minuto e depois bata no liquidificador até obter um creme liso. Sirva a sopa bem quente com as fatias de cogumelo reservadas, a salsinha e a cebolinha por cima (se quiser, prepare na véspera, guarde na geladeira e aqueça na hora de servir).

SOPA DE CENOURA COM LARANJA E ESPECIARIAS
(4 PESSOAS; 1 HORA)

25 g de manteiga
1 cebola grande em cubinhos
4 cenouras médias em rodelas grossas
1 colher (sopa) de açúcar
1/2 colher (chá) de cúrcuma
3 xícaras de caldo de galinha
(ou 1 tablete dissolvido na mesma quantidade de água)
2 cravos-da-índia
1/2 colher (chá) de coentro em grão
1/2 colher (chá) de semente de cominho
1/2 colher (chá) de semente de erva-doce
1 pedaço de uns 5 cm de canela em pau
1 pimenta-dedo-de-moça, sem sementes, cortada ao meio
2 sementes de cardamomo
4 rodelas finas de gengibre
2 xícaras de suco de laranja natural
sal

↭ Numa panela média, aqueça a manteiga e doure ligeiramente a cebola. Junte a cenoura, uma pitada de sal, o açúcar e a cúrcuma, misture bem e espere começar a dourar e a caramelizar.

↭ Enquanto isso, envolva numa trouxinha feita de gaze o cravo, o coentro, o cominho, a erva-doce, a canela, a pimenta, o cardamomo e o gengibre, feche bem e co-

CUMBUCA DE ABÓBORA
(4 PESSOAS; 1 HORA E 30 MINUTOS)

1 kg de abóbora bem limpa, sem casca, em cubos de 2 cm
2 dentes de alho inteiros com casca
1 cebola grande em cubos médios
1 folha de louro
1 ramo de alecrim
4 ramos de tomilho
16 folhas de sálvia
1 colher (sopa) de mel
6 xícaras de caldo de galinha ou legumes
(ou 1 1/2 tablete dissolvido na mesma quantidade de água)
100 g de presunto cru em tirinhas finas
azeite de oliva
sal e pimenta-do-reino

↬ Aqueça o forno a 200ºC (médio-alto). Numa assadeira média, coloque a abóbora, o alho, a cebola, o louro, o alecrim, o tomilho, 4 folhas de sálvia, o mel, sal e pimenta, regue com azeite, misture e asse por mais ou menos 1 hora, até que a abóbora esteja bem macia e dourada. Descarte o louro, o alecrim, o tomilho e a casca do alho. Esmague a polpa do alho com a lâmina da faca, coloque no liquidificador com a abóbora e todo o caldo da assadeira e bata até obter um creme liso. Passe para uma panela média, junte o caldo, deixe ferver por uns 5 minutos, acerte o sal e a pimenta, se não a sopa fica muito doce.

↬ Enquanto isso, aqueça as tirinhas de presunto numa frigideira seca e mantenha no fogo até que estejam bem sequinhas e crocantes. Então junte as folhas restantes da sálvia, espere perfumar e reserve. Separe 4 cumbucas de cerâmica ou tigelas, coloque uma parte da sopa em cada uma delas e, por cima, espalhe um pouco do presunto e da sálvia.

PANELINHA DE BANANA-DA-TERRA
(4 PESSOAS; 45 MINUTOS)

1 cebola média em cubos miúdos
1 dente de alho bem picadinho
3 bananas-da-terra ou bananas-nanicas maduras mas ainda firmes
1 colher (sopa) de melado ou açúcar mascavo
1 colher (chá) de colorau
3/4 de xícara de leite de coco
2 xícaras de água
1/3 de xícara de salsinha e cebolinha ou coentro picadinhos
óleo vegetal
sal

↬ Regue o fundo de uma panela média com um pouco de óleo e doure ligeiramente a cebola. Junte o alho e espere perfumar. Acrescente a banana, o melado, o colorau e uma pitada de sal, misture bem e deixe a banana dourar de todos os lados. Então, adicione o leite de coco e a água. Quando ferver, abaixe o fogo e cozinhe por uns 30 minutos, até que a banana se desmanche e forme um creme encorpado. Ajuste o sal (pois o creme é adocicado, mas não é sobremesa), acrescente a salsinha e a cebolinha e sirva em seguida em panelinhas individuais ou em potinhos (não vale a pena preparar com antecedência, pois o sabor e a textura da banana mudam muito em pouco tempo).

MIX CREMOSO DE COGUMELOS

CUMBUCA DE ABÓBORA

PANELINHA DE BANANA-DA-TERRA

e, com uma concha, descarte a espuma que se formar na superfície. Cozinhe por mais ou menos 1 hora e 30 minutos, até que a carne esteja bem macia, soltando-se dos ossos. Então, desligue o fogo, mantenha o caldo com os legumes no caldeirão, descarte o amarrado de ervas e transfira os pedaços de galinha para um prato. Quando amornarem, descarte a pele, os ossos e as cartilagens, separe a carne em lascas, ponha de volta no caldeirão e leve à geladeira por pelo menos 3 horas para descansar (se possível, prepare na véspera). Uns 45 minutos antes de servir, retire o caldeirão da geladeira e, se quiser, descarte a camada de gordura da superfície. Aqueça a canja, espere ferver, abaixe o fogo, junte a canela, a casca de laranja, o arroz e um pouco de sal e cozinhe por uns 20 minutos, até que os grãos estejam bem macios. Acerte o sal, descarte a canela e a casca de laranja, junte a salsinha, a cebolinha e a hortelã e sirva.

CANJA CHIQUE DE PATO E CEVADINHA

(6 PESSOAS; 3 HORAS, MAIS PELO MENOS 3 HORAS PARA A CANJA DESCANSAR)

1 pato grande inteiro bem limpo
1 amarrado de ervas bem farto, preparado com 1 folha de louro, bastante salsinha, cebolinha, manjericão e tomilho e 1 ramo de alecrim
3 dentes de alho (2 inteiros sem casca e 1 bem picadinho)
2 talos de salsão em pedaços grandes
1 talo de alho-poró em rodelas grossas
2 cebolas grandes (1 cortada em 4 e 1 em cubinhos)
1 colher (chá) de pimenta-do-reino em grão
12 xícaras de água
25 g de manteiga
1/2 xícara de vinho do Porto
1 1/2 xícara de cevadinha
1/2 xícara de folhas de salsinha, cebolinha e manjericão picadinhas
sal

↠ Num caldeirão grande, coloque o pato, o amarrado de ervas, os dentes de alho inteiros, o salsão, o alho-poró, a cebola cortada em 4, a pimenta-do-reino, a água e 1 colher (chá) de sal e aqueça. Quando ferver, retire a espuma que se formar na superfície, tampe parcialmente a panela, abaixe o fogo e cozinhe por umas 2 horas, até que a carne esteja muito macia, soltando-se dos ossos. Transfira o pato para um prato, deixe amornar, descarte a pele, os ossos e as cartilagens e separe a carne em lascas. Passe o caldo do cozimento por uma peneira e reserve. No mesmo caldeirão, aqueça a manteiga e doure ligeiramente a cebola. Junte o alho e espere perfumar. Acrescente a carne do pato e o vinho do Porto e deixe ferver por 1 minuto. Então, adicione o caldo do cozimento e a cevadinha e cozinhe por uns 40 minutos, até que os grãos estejam bem macios. Acerte o sal, junte as ervas picadinhas e sirva.

CANJA DE GALINHA DA VOVÓ

(6 PESSOAS; 2 HORAS E 30 MINUTOS, MAIS PELO MENOS 3 HORAS PARA A CANJA DESCANSAR)

1 galinha de cerca de 1,2 kg em pedaços com a pele
1 cebola grande em cubos miúdos
2 dentes de alho picadinhos
2 tomates, sem pele e sem sementes, em cubinhos
2 talos de salsão em cubinhos
1 cenoura média em cubinhos
1 amarrado de ervas preparado com 1 folha de louro, vários ramos de salsinha e folhas e talos de salsão, manjericão e tomilho
1/2 colher (chá) de pimenta-do-reino em grão
8 xícaras de água (aproximadamente)
1 pedaço de uns 5 cm de canela em pau
1 tira grossa de casca de laranja
1 xícara de arroz branco lavado e escorrido
1/2 xícara de salsinha, cebolinha e hortelã picadinhas
óleo vegetal
sal

↠ Regue o fundo de um caldeirão médio com um fio de óleo, aqueça e doure ligeiramente os pedaços da galinha. Junte a cebola, o alho, o tomate, a cenoura e um pouco de sal e misture bem. Quando os legumes estiverem murchos, acrescente o amarrado de ervas, a pimenta e a água (se for preciso, junte mais água até ultrapassar tudo em uns 5 cm). Quando ferver, abaixe o fogo

CANJA CHIQUE DE PATO E CEVADINHA

SOPA CASEIRINHA DE FEIJÃO

SOPA CASEIRINHA DE FEIJÃO

(6 PESSOAS; 1 HORA)

4 xícaras de feijão-rosinha, roxinho, mulatinho ou jalo já cozido e com o caldo do cozimento
100 g de bacon em cubinhos
1 cebola grande em cubinhos
1 dente de alho picadinho
1/2 xícara de massa miúda (argolinhas, letrinhas ou estrelinhas)
1/2 xícara de salsinha e cebolinha picadinhas
óleo vegetal
sal e pimenta-do-reino

↔ Bata o feijão no liquidificador com o caldo do cozimento e, se necessário, com água o bastante para completar um 1,5 litro de líquido, depois passe por uma peneira e reserve. Numa panela grande, aqueça um fio de óleo, junte o bacon e a cebola e espere começar a dourar. Acrescente o alho, espere perfumar e adicione a pasta de feijão. Quando ferver, abaixe o fogo, junte a massa e deixe cozinhar por mais uns 10 minutos, até que esteja macia. Ajuste o sal e a pimenta, adicione a salsinha e sirva.

CALDO VERDE

CREME DE ERVILHA E SOPA DE AVEIA E ALHO-PORÓ

CALDO VERDE

(4 PESSOAS; 1 HORA)

1 cebola em cubos bem miúdos
2 dentes de alho picadinhos
2 batatas grandes em cubinhos de 0,5 cm (cerca de 500 g)
6 xícaras de água
1 paio em rodelas finas
1 maço grande de couve, sem os talos grossos, em tiras bem fininhas
azeite de oliva
sal e pimenta-do-reino

↬ Numa panela média, aqueça um fio de azeite e doure ligeiramente a cebola. Depois junte o alho, espere perfumar e misture a batata. Acrescente a água, espere ferver, abaixe o fogo e cozinhe por uns 30 minutos, até que a batata esteja bem macia, desmanchando-se. Adicione o paio e deixe ferver por mais 5 minutos (tem gente que, antes de colocar o paio na panela da sopa, prefere dourar um pouco as rodelas na frigideira). Ajuste o sal, acrescente a couve e desligue o fogo. Aguarde 5 minutos, regue com um fio de azeite e sirva com pão de milho ou broa de fubá.

CREME DE ERVILHA

(4 PESSOAS; 1 HORA)

50 g de manteiga
1 cebola grande em cubinhos
2 talos de alho-poró em rodelinhas finas
2 talos de salsão em tirinhas finas
2 xícaras de ervilha seca lavada e escorrida
1 folha de louro
6 xícaras de água
200 g de bacon em cubinhos
sal

↬ Num caldeirão médio, aqueça a manteiga, junte a cebola, o alho-poró, o salsão e uma pitada de sal. Espere murchar, acrescente a ervilha, o louro e a água. Quando ferver, retire com uma concha a espuma que se formar na superfície, abaixe o fogo e cozinhe por uns 40 minutos, até que os grãos estejam bem macios.
↬ Enquanto isso, coloque os cubinhos de bacon numa frigideira e mantenha no fogo até que estejam bem dourados e crocantes, retire com uma escumadeira, escorra sobre papel absorvente e reserve. Bata a sopa no liquidificador, ponha de volta na panela e leve ao fogo. Deixe ferver por 1 minuto, acerte o sal, junte os cubinhos de bacon e sirva.

MINESTRONE

(6 PESSOAS; 1 HORA E 30 MINUTOS)

1 cebola grande em cubinhos
1 talo de alho-poró em rodelinhas finas
1 talo grande de salsão em cubinhos
1 cenoura grande em rodelas de 0,5 cm
1 dente de alho bem picadinho
1 xícara de feijão cru bem lavado
(rosinha, bolinha, rajado, roxinho ou branco)
12 xícaras de água (se quiser, junte 1 tablete de caldo de legumes)
1 folha de louro
6 ramos de tomilho
1 batata grande em cubinhos de 1 cm
1 1/2 xícara de floretes pequenos de couve-flor
1 xícara de vagem em rodelinhas finas
400 g de cogumelos frescos em fatias grossas
1 abobrinha pequena em rodelinhas finas
1/2 xícara de massa miúda (argolinhas, letrinhas, estrelinhas, risoni etc.)
1 1/2 xícara de folhas de espinafre com os talinhos mais finos, rasgadas em pedaços médios
4 tomates maduros, sem pele e sem sementes, em cubinhos
1/2 xícara de salsinha picadinha
2 colheres (sopa) de folhas de manjericão
1/2 xícara de parmesão ralado grosso
azeite de oliva extravirgem
sal

↦ Regue com azeite o fundo de um caldeirão com capacidade para uns 5 litros e aqueça. Junte a cebola, o alho-poró, o salsão e a cenoura, espere murchar e acrescente o alho. Quando perfumar, adicione o feijão, a água, o louro e o tomilho e, se quiser, junte um pedaço de casca de parmesão. Assim que ferver, abaixe o fogo, descarte com uma escumadeira a espuma que se formar na superfície e cozinhe por uns 45 minutos, até o feijão começar a amaciar. Junte a batata e 1 colher (chá) de sal e cozinhe por mais uns 30 minutos, até que o feijão e a batata estejam bem macios. Adicione a couve-flor, a vagem, o cogumelo, mais um pouquinho de sal e cozinhe por mais uns 10 minutos, até que estejam quase macios. Então acrescente a abobrinha, a massa, o espinafre e deixe ferver por mais 5 minutos, até que a massa esteja cozida. Junte o tomate, a salsinha, o manjericão e o parmesão ralado grosso, misture bem, ajuste o sal e regue com um fio de azeite. Retire do fogo e sirva em seguida com pão e, se quiser, mais um pouco de parmesão.

SOPA DE AVEIA E ALHO-PORÓ

(4 PESSOAS; 30 MINUTOS)

50 g de manteiga
4 talos de alho-poró em rodelinhas bem finas
8 xícaras de caldo de carne, de preferência, caseiro
(ou 2 tabletes dissolvidos na mesma quantidade de água)
2 xícaras de aveia em flocos instantânea
2 xícaras de óleo para fritar
sal

↦ Numa panela média, aqueça a manteiga, junte 3/4 do alho-poró e um pouquinho de sal e, mexendo de vez em quando, deixe no fogo até que as rodelinhas estejam ligeiramente douradas. Então, adicione a aveia e o caldo de carne e, sem parar de mexer, mantenha no fogo por mais uns 10 minutos, até ferver e engrossar. Acerte o sal e passe para uma sopeira. Enquanto isso, aqueça o óleo numa panela média, junte o alho-poró restante e espere dourar. Retire as rodelas com uma escumadeira, escorra sobre papel absorvente, espalhe os crisps de alho-poró sobre a sopa e sirva em seguida.

SOPA ITALIANA DE FEIJÃO-BRANCO E ASPARGO

(4 PESSOAS; 1 HORA)

2 maços de aspargo verde
6 xícaras de água
2 talos de alho-poró em rodelinhas finas
2 talos de salsão em tirinhas finas
1 dente de alho bem picadinho
480 g de feijão-branco tipo canellini em conserva (2 latas)
1/2 xícara de queijo parmesão em lascas finas
azeite de oliva
sal e pimenta-do-reino branca

↦ Corte as pontas dos aspargos para obter pedaços de uns 5 cm e reserve. Corte o restante dos talos em rodelinhas e reserve.

↦ Numa panela média, aqueça a água, espere ferver, junte 1 colher (chá) de sal e as pontas dos aspargos e deixe no fogo por uns 5 minutos, até que estejam cozidas, mas ainda firmes e bem verdes. Reserve o líquido do cozimento, retire os aspargos da panela com uma escumadeira, mergulhe numa tigela com água e gelo para esfriar, escorra de novo e reserve.

↦ Numa panela média aqueça um fio de azeite e doure ligeiramente o alho-poró e o salsão. Junte o alho, espere perfumar e acrescente as rodelinhas de aspargo, o feijão com o caldo da conserva, sal e o líquido do cozimento das pontas de aspargos e deixe ferver por uns 5 minutos. Bata a sopa no liquidificador, volte para a panela e leve ao fogo, junte as pontas de aspargos, deixe ferver por 1 minuto, acrescente o parmesão, acerte o sal, regue com um fio de azeite e sirva.

SOPA FRANCESA DE CEBOLA

(8 pessoas; 2 horas e 30 minutos)

8 cebolas grandes em fatias bem finas
10 xícaras de água ou caldo de carne ou de galinha
1 amarrado de ervas preparado com 1 folha de louro, vários ramos de salsinha, manjericão e tomilho e folhas e talinhos de salsão
75 g de manteiga
1/2 xícara de vinho do Porto
8 fatias grossas de pão rústico em filão
1/2 xícara de queijo Gruyère ralado grosso
sal, pimenta-do-reino e noz-moscada

↳ Numa panela média, aqueça 3/4 da cebola, a água e o amarrado de ervas. Quando ferver, abaixe o fogo e cozinhe por pelo menos 1 hora e 30 minutos, até que as fatias estejam se desmanchando. Então descarte as ervas, retire do fogo e deixe na própria panela.

↳ Enquanto isso, numa frigideira média, aqueça 2/3 da manteiga, junte o restante da cebola e uma pitada de sal e espere murchar. Regue com o vinho do Porto e mantenha em fogo alto até que as fatias estejam macias e bem douradas. Transfira tudo para a panela do caldo, ajuste o sal e a pimenta e coloque a noz-moscada (se quiser, prepare até aqui na véspera e deixe na geladeira).

↳ Uns 20 minutos antes de servir, aqueça o forno a 220°C (alto). Unte com manteiga 8 refratários individuais e coloque numa assadeira. Distribua a sopa entre os potinhos (se ela estiver grossa demais, complete com um pouquinho de água), coloque por cima uma fatia de pão besuntada com manteiga (com o lado da manteiga para cima) e termine com o queijo. Leve ao forno por uns 10 minutos para aquecer a sopa, dourar o pão e derreter o queijo e sirva em seguida.

SOPA PROVENÇAL DE LEGUMES

(4 pessoas; 1 hora e 30 minutos)

1 pimentão amarelo pequeno
1 pimentão vermelho pequeno
6 tomates maduros sem pele e sem sementes
1 cebola
1 abobrinha italiana média
1 berinjela média
1 dente de alho inteiro sem casca
1 amarrado de ervas preparado com 1 folha de louro, vários ramos de salsinha, manjericão e tomilho e folhas e talinhos de salsão
4 xícaras de água
1/4 de xícara de folhas de salsinha e manjericão picadinhas
1 colher (chá) de folhinhas frescas de tomilho
azeite de oliva
sal e pimenta-do-reino

↦ Corte os pimentões, os tomates, a cebola, a abobrinha e a berinjela em cubinhos de 1 cm, mantendo tudo separado (polvilhe a berinjela com sal para não escurecer muito rápido e coloque numa peneira).
↦ Numa panela média, aqueça um fio de azeite e doure ligeiramente a cebola. Acrescente o alho e espere perfumar. Adicione os pimentões, os tomates, o amarrado de ervas e uma pitada de sal e cozinhe em fogo baixo, com a panela semitampada, por uns 30 minutos, até amaciar e secar. Enquanto isso, aqueça um fio de azeite numa frigideira, doure rapidamente a abobrinha e passe para a panela dos pimentões. Depois, faça o mesmo com a berinjela. Destampe a panela, junte a água e cozinhe em fogo baixo por mais uns 20 minutos, até que os legumes estejam bem macios e tenha se formado um caldo encorpado e saboroso. Ajuste o sal e a pimenta, acrescente a salsinha, o manjericão, o tomilho e mais um fio de azeite, descarte o amarrado de ervas e sirva (ou espere esfriar, guarde na geladeira por até 3 dias e depois aqueça ou, se preferir, sirva a sopa gelada).

SOPA PROVENÇAL DE LEGUMES

SOPA DE FRANGO E CURRY

SOPA DE FRANGO E CURRY

(6 pessoas; 1 hora)

800 g de peito de frango, sem pele, em cubinhos de 1 cm
2 dentes de alho picadinhos
1 talo de capim-limão em rodelinhas finas
1 colher (chá) de gengibre fresco picadinho
1 cebola grande em fatias finas
1 colher (sopa) de curry
1 colher (sopa) de açúcar mascavo
1 1/2 xícara de leite de coco
2 xícaras de caldo de galinha (ou 1/2 tablete dissolvido na mesma quantidade de água)
1 3/4 de xícara de iogurte natural
1 pimenta-dedo-de-moça em rodelinhas finas ou a gosto
1/2 xícara de folhas de salsinha, manjericão e hortelã picadinhas
óleo vegetal e sal

↬ Numa tigela grande, coloque o frango, metade do alho, do capim-limão e do gengibre, regue com um fio de óleo e deixe repousar por 30 minutos.

↬ Regue o fundo de uma wok, ou de uma frigideira grande, com um pouco de óleo e aqueça bem. Para que a sopa fique não só mais saborosa, mas também mais bonita, doure primeiro metade dos cubos, passe para um prato e depois faça o mesmo com o restante. Aqueça mais um fio de óleo na frigideira vazia, junte a cebola e uma pitada de sal e deixe começar a dourar. Adicione o restante do alho e do gengibre e o curry e espere perfumar. Ponha o frango de volta na frigideira, junte o açúcar, o leite de coco, o caldo e mais um pouco de sal e mantenha em fogo alto por mais uns 10 minutos, até que a carne esteja bem macia e o caldo tenha encorpado. Acrescente o iogurte, acerte o sal, ajuste a acidez com pitadas de açúcar, junte a pimenta e as ervas e sirva.

SOPA COM ALMÔNDEGAS LEVEMENTE PICANTES

(4 PESSOAS; 1 HORA)

PARA AS ALMÔNDEGAS

1 pão francês amanhecido ou 2 fatias de pão de fôrma sem casca
1/4 de xícara de água
250 g de patinho ou coxão mole moído
1 cebola pequena em cubinhos
1 dente de alho bem picadinho
1 tomate maduro, sem pele e sem sementes, em cubinhos
1 pimenta dedo-de-moça em rodelinhas finas ou a gosto
1 colher (sopa) de uva passa escura
1/4 xícara de salsinha picadinha
1/4 xícara de queijo parmesão ralado
2 ovos
azeite de oliva
sal e pimenta-do-reino

PARA O CALDO

1 cebola em cubinhos
1 dente de alho inteiro sem casca
3 xícaras de caldo de carne, de preferência, caseiro (ou 1 tablete dissolvido na mesma quantidade de água)
1 1/2 xícara de vinho tinto seco
1 amarrado de ervas preparado com 1 folha de louro, vários ramos de salsinha, manjericão e tomilho e folhas e talinhos de salsão
1/4 de xícara de folhinhas inteiras de salsinha ou coentro
1 pimenta-dedo-de-moça em rodelinhas bem finas ou a gosto
4 tomates maduros, sem pele e sem sementes, em cubos miúdos
sal e pimenta-do-reino

↬ Almôndegas Esfarele o pão, coloque numa tigela grande com a água e deixe descansar por 5 minutos. Junte a carne, a cebola, o alho, o tomate, a pimenta, a uva passa, a salsinha, o queijo, o ovo, 2 colheres (sopa) de azeite, sal e pimenta e misture apenas o bastante para incorporar os ingredientes (quanto menos se trabalhar a mistura, mais macias ficarão as almôndegas). Molde umas 60 almôndegas miúdas, com no máximo 1,5 cm de diâmetro (elas ficarão no meio da sopa, por isso devem ter o tamanho de uma mordida), e espalhe numa assadeira grande untada com azeite. Aqueça o forno a 180°C (médio) por uns 10 minutos, asse as almôndegas por uns 15 minutos, até que estejam douradas (se quiser, guarde na geladeira por até 24 horas e aqueça no forno antes de servir).

↬ Caldo Enquanto isso, numa panela média, coloque a cebola, o alho, o caldo, o vinho e o amarrado de ervas e deixe ferver por uns 15 minutos. Ajuste o sal e a pimenta e, se for preciso, acerte a acidez com um pouquinho de açúcar. Passe por uma peneira, ponha novamente na panela e leve ao fogo. Junte as almôndegas, deixe ferver por 1 minuto, acrescente a salsinha, a pimenta, os cubinhos de tomate e sirva.

JAPANESE NOODLE SOUP

JAPANESE NOODLE SOUP
(4 PESSOAS; 30 MINUTOS)

4 ovos
1 colher (sopa) de óleo de soja ou de amendoim
1 colher (sopa) de óleo de gergelim
1 dente de alho bem picadinho
1 colher (chá) de gengibre fresco ralado
4 xícaras de caldo de galinha, de preferência, caseiro
(ou 1 tablete dissolvido na mesma quantidade de água)
2 colheres (sopa) de shoyu
1 colher (sopa) de açúcar
2 xícaras de folhas cruas de espinafre
160 g de massa para yakissoba instantânea, já cozida e escorrida
200 g de miniespiga de milho em conserva
300 g de tofu fresco em cubos de 1 cm
1 colher (sopa) de gergelim torrado
1 pimenta-dedo-de-moça fresca em rodelinhas finas ou a gosto
sal

↦ Coloque os ovos numa panelinha, cubra com água e aqueça. Conte 3 minutos a partir da fervura, retire do fogo, passe os ovos pela água fria e descasque. Separe 4 pratos fundos e coloque 1 ovo em cada prato.

↦ Numa wok ou frigideira grande, aqueça o óleo de soja e o de gergelim, junte o alho e o gengibre e espere perfumar. Adicione o caldo de galinha, o shoyu e o açúcar e espere ferver. Acrescente as folhas de espinafre, a massa já cozida e escorrida, as espigas e o tofu, aguarde 1 minuto e retire do fogo. Divida a sopa entre os 4 pratos, espalhe por cima um pouquinho de gergelim e pimenta e sirva.

CALDEIRÃO DO MAR
(6 PESSOAS; 1 HORA)

1 cebola grande em cubinhos
1 cenoura em cubinhos
1 talo de salsão em cubinhos
1 talo de alho-poró em fatias finas
1 dente de alho bem picadinho
500 g de camarão médio limpo e 500 g de carcaça já bem lavada e seca
500 g de filé de peixe de carne branco, bem limpo, em tiras finas, e a carcaça do próprio peixe
2 xícaras de vinho branco seco
3 xícaras de água
1 amarrado de ervas preparado com 1 folha de louro, vários ramos de salsinha, manjericão, tomilho, folhas e talinhos de salsão
1 envelope de pistilos de açafrão
2 tomates bem vermelhos, sem pele e sem sementes, em cubinhos
200 g de marisco limpo
200 g de lula limpa em anéis
1/4 de xícara de folhas frescas de manjericão
1 colher (sopa) de raspas de laranja
azeite de oliva
sal e pimenta-do-reino

↦ Numa panela grande, aqueça um fio de azeite, junte metade da cebola, a cenoura, o salsão, o alho-poró e uma pitada de sal e deixe murchar. Acrescente metade do alho e as carcaças de camarão e de peixe e espere mudar de cor. Adicione o vinho e aguarde ferver. Junte a água e o amarrado de ervas e cozinhe por 20 minutos (não mais do que isso, porque as carcaças começam a soltar um gosto de areia). Passe por uma peneira, espremendo bem, e volte com o caldo para o fogo. Junte o açafrão e o tomate, deixe ferver mais 1 minuto e reserve.

↦ Em outra panela, aqueça mais um fio de azeite e doure ligeiramente a cebola restante. Então junte o camarão, o peixe, o marisco e a lula e mantenha no fogo apenas até que estejam cozidos e mudem de cor, no máximo uns 10 minutos. Transfira tudo para a panela do caldo, deixe ferver por mais 1 minuto, acrescente o manjericão e as raspas de laranja, ajuste o sal e a pimenta, regue com um fio de azeite e sirva.

CREME DE CAMARÃO E COCO

CREME DE CAMARÃO E COCO

(6 PESSOAS; 1 HORA)

75 g de manteiga
1 cebola grande em cubinhos
1 talo pequeno de salsão em cubinhos
2 dentes de alho bem picadinhos
1 kg de camarão médio limpo e 500 g de carcaça já bem lavada e seca
1/4 de xícara de conhaque
1/4 de xícara de vinho branco seco
2 xícaras de água
1 amarrado de ervas preparado com 1 folha de louro, vários ramos de salsinha, manjericão e tomilho e folhas e talinhos de salsão
6 tomates bem vermelhos, sem pele e sem sementes, em cubinhos
1 colher (sopa) de farinha de trigo
3/4 de xícara de leite de coco
1/4 de xícara de salsinha e cebolinha-francesa picadinhas
azeite de oliva
sal e pimenta-de-caiena

↔ Numa panela grande, aqueça um fio de azeite e 1/3 da manteiga. Junte metade da cebola e do salsão e uma pitada de sal e deixe murchar. Acrescente metade do alho e as carcaças e espere mudar de cor. Adicione o conhaque e metade do vinho e aguarde ferver. Junte a água e o amarrado de ervas e cozinhe por 20 minutos (não mais do que isso, porque as carcaças começam a soltar um gosto de areia). Descarte as carcaças com uma escumadeira, junte os tomates ao caldo e deixe ferver por mais 10 minutos. Bata tudo no liquidificador, passe pela peneira e volte ao fogo. Misture a farinha e mais 1/3 da manteiga até obter uma pasta e junte à sopa. Acrescente o leite de coco e, sempre mexendo, mantenha no fogo até ferver e engrossar. Então, ajuste o sal e a pimenta e reserve.

↔ Em outra panela grande, doure ligeiramente o restante da cebola e do salsão no 1/3 restante da manteiga. Acrescente o alho e aguarde perfumar. Adicione os camarões, sal e pimenta e espere mudar de cor. Junte o restante do vinho e deixe ferver por 1 minuto. Junte o creme pronto e espere ferver de novo. Ajuste o sal e a pimenta, retire do fogo e sirva (ou prepare na véspera, guarde na geladeira e aqueça na hora de servir).

BISCOITINHOS CROCANTES PARA SOPA

(12 PESSOAS; 1 HORA E 30 MINUTOS)

2 xícaras de farinha de trigo (aproximadamente)
1 colher (chá) de sal
1/2 xícara de queijo parmesão ralado
150 g de manteiga gelada em cubinhos
1 ovo

↔ Numa tigela média, misture a farinha, o sal e o queijo ralado. Junte a manteiga e trabalhe com a ponta dos dedos até conseguir uma farofa (se quiser biscoitinhos

BISCOITINHOS CROCANTES PARA SOPA

TIGELINHA DE DOCE DE LEITE, LARANJA E QUEIJO-DE-MINAS

verdes, bata a farinha com 1 xícara bem cheia de folhas lavadas e bem secas de espinafre, couve-manteiga ou salsinha no processador até obter um pó esverdeado; e, para biscoitinhos alaranjados, simplesmente junte 1 colher (sopa) de colorau). Então, junte o ovo e trabalhe até obter uma massa macia, que descole das mãos (junte um pouco mais de farinha se a massa estiver muito pegajosa). Embrulhe em filme plástico e leve à geladeira por pelo menos 30 minutos ou por até 12 horas. Sobre uma superfície ligeiramente enfarinhada, abra a massa com um rolo até ficar com uns 3 mm de espessura, como uma casca de banana. Corte os biscoitos em formatos miúdos com a ajuda de cortadores bem pequenos, transfira para uma assadeira grande (não é preciso untar) e deixe descansar na geladeira por 10 minutos, enquanto o forno aquece a 180ºC (médio). Asse os biscoitinhos por uns 15 minutos, até que estejam dourados nas bordas. Deixe esfriar e guarde num pote fechado por até 3 dias.

TIGELINHA DE DOCE DE LEITE, LARANJA E QUEIJO-DE-MINAS
(6 PESSOAS; 15 MINUTOS)

300 g de doce de leite cremoso
1 1/2 xícara de creme de leite fresco
suco e raspas de 1 laranja de casca bem alaranjada
1 1/2 xícara de queijo-de-minas fresco em cubinhos de 1 cm

↬ Numa panela média, coloque o doce de leite, o creme de leite e o suco da laranja, aqueça e, sempre mexendo, deixe no fogo apenas até conseguir um creme liso e quentinho, mas sem chegar a ferver. Junte as raspas da laranja e transfira a sopa para 6 potinhos ou pratinhos não muito grandes, espalhe por cima os cubinhos de queijo e sirva (se preferir a sopa gelada, prepare com pelo menos 2 ou até 12 horas de antecedência e guarde na geladeira).

CREME DE TRÊS CHOCOLATES E FRUTAS VERMELHAS
(8 PESSOAS; 1 HORA)

PARA A CALDA
2 xícaras de uma mistura de framboesa, morango, amora e groselha frescos ou congelados
1 colher (sopa) de açúcar
1 colher (sopa) de suco de limão

PARA O CREME
200 g de chocolate meio amargo em pedacinhos
200 g de chocolate ao leite em pedacinhos
200 g de chocolate branco em pedacinhos
2 1/2 xícaras de creme de leite fresco

↬ Calda Simplesmente bata no liquidificador as frutas com o açúcar comum até obter um creme liso, passe por uma peneira e guarde por até 8 horas na geladeira.
↬ Creme Coloque cada um dos chocolates numa tigela média e reserve. Aqueça o creme de leite, espere ferver, despeje 1/3 em cada tigela, mexa até o chocolate derreter e se tornar um creme bem liso e leve à geladeira por pelo menos 2 ou por até 24 horas (se preferir a sopa quentinha, aqueça no microondas ou em banho-maria antes de servir). Separe 8 potinhos médios e coloque em cada um, sem misturar, um pouquinho de cada um dos cremes de chocolate, um pouco da calda de frutas vermelhas.

DUAS GELADEIRAS, UMA BEM CHIQUE...

Há muito, muito tempo, nos lugares muito frios, onde havia gelo por perto, as pessoas guardavam os alimentos em tinas cobertos com um tanto de gelo e, às vezes, com um pouco de serragem por cima para que durassem mais. Depois, vieram as caixas de madeira forradas de zinco que conservavam a temperatura baixa por mais tempo. Esse objetos foram se difundindo e se sofisticando até virarem armários, com lugar para o gelo e prateleiras para os alimentos. E, por volta de 1875, um alemão inventou a geladeira, que proporcionava um ambiente bem geladinho sem que fosse preciso abastecê-lo com blocos de gelo. 🧊 No início do século 20, duas fábricas americanas começaram a produzir geladeiras em grande escala, e desde então esses utensílios foram se tornando cada vez mais populares. Nos anos 1950, as geladeiras começaram a fazer parte das cozinhas e das copas brasileiras, era um luxo ter em casa uma Frigidaire, Electrolux, General Electric, Westinghouse, Gibson, Philco, Alasca e, mais tarde, uma Brastemp ou Prosdócimo. Nunca vou me esquecer da geladeira que ficava no final do corredor da casa dos meus avós paternos. O meu avô tinha todo o cuidado do mundo com ela, vivia dizendo para não bater a porta da Frigidaire — que era, na verdade, uma General Electric — e, se pegava alguém no pulo, fazia questão de mostrar que, para abrir, o certo era puxar a alavanca de metal para baixo e, para fechar, era só voltar com a porta para o lugar com muuuuuuuiiiiiiiitttta delicadeza e suspender de novo a alavanca. 🧊 De lá para cá, ter pelo menos uma geladeira em casa passou a ser essencial, ainda mais com o calor que faz por aqui. Eu, como faço mil coisas e sou mesmo um pouco exagerada, tenho três geladeiras na minha cozinha: uma Frigidaire da década de 1950, reformada e pintada de verde, que foi presente de casamento dos pais do meu marido; uma Brastemp bem tradicional; e um balcão refrigerado bem espaçoso, como aqueles das mercearias e restaurantes antigos.

Duas geladeiras

403

Para a casa da fazenda, como eu não queria uma geladeira moderna na cozinha, comprei uma White Star dos anos 1950, que não é muito grande, mas é linda e funciona direitinho, e coloquei uma Brastemp na área de serviço. Mas nem sempre foi assim, a energia elétrica só chegou por lá em 1983, e ninguém tinha gerador. Apesar dos 14 quilômetros de estrada de terra, que naquele tempo era bem ruinzinha, eram inevitáveis algumas idas à cidade nas férias e nos feriados prolongados para comprar carne, sorvete e outros alimentos mais perecíveis, mas, mesmo assim, minha mãe vivia fazendo malabarismos para tentar manter tudo fresquinho. Como quem não tem cão caça com gato, a gente colocava manteiga, queijo, algum prato pronto acondicionado num potinho, frutas e até refrigerantes e cerveja dentro de um saco plástico reforçado, fechava bem com um nó e amarrava com uma corda no tronco de uma árvore que ficava na beirada do riachinho e deixava o saco mergulhado na água corrente, que mantinha tudo bem fresco.

Mas aquele tempo passou, e hoje em dia só não tem energia elétrica quem mora mesmo muito afastado da cidade, no meio do mato ou no sertão. Assim, por mais simples que seja a casa, quase sempre há uma geladeira, mesmo que seja bem velhinha e enferrujada.

Há geladeiras e geladeiras, e cada casa é uma casa e tem o seu jeito de ser e de abastecer a sua geladeira. Tem gente que possui geladeira ultramoderna, que só falta falar, sempre repleta de tudo o que há de bom, e vai reabastecendo conforme as coisas vão acabando; e tem gente que, apesar de ter essa mesma super-hipergeladeira, nela só mantém água, manteiga, requeijão, geléia e olhe lá... Tem gente que, nos dias de feira e de supermercado, enche a geladeira até não caber mais nada, mas vai deixando tudo acabar, e a geladeira chega ao fim do mês quase vazia. Tem gente que ou cozinha pouco, ou não tem o costume de comprar coisas diferentes, ou está com o dinheiro contado e, por isso, mantém a geladeira com apenas o básico ou com quase nada mesmo. Tem gente que vai guardando mil restinhos de tudo (até meia empadinha vale!). Enfim, tem de tudo um pouco.

Eu nunca me conformei com essa coisa de que não dá para preparar nada para o almoço ou jantar porque não tem nada interessante na geladeira. Sinceramente, a não ser que ela esteja completamente vazia ou que só contenha uma garrafa de água, com um pouco de boa vontade e criatividade sempre dá para tirar alguma coisinha gostosa lá de dentro, ainda que seja muito simples.

Pensando nisso, resolvi fazer uma brincadeira, visitar duas geladeiras bem diferentes uma da outra — uma superchique, cheia de ingredientes variados e sofisticados, e outra bem simples e básica, normalíssima, com pouca coisa nas gavetas e prateleiras —, e tirar um almoço ou um jantarzinho de cada uma delas.

Na mais simples há uma bandejinha de carne moída, que pode ser patinho ou coxão mole (ainda que seja no pequeno congelador que fica na parte de cima); e na outra, um pernil de cordeiro superbonito. Na primeira, a mostarda e o ketchup são do tipo mais comuns, valem até uns sachezinhos que sobraram do dia em que alguém pediu um sanduíche pelo delivery; na outra, a mostarda é de Dijon, o ketchup é Heinz, Hellmans ou mesmo Etti ou Arisco. Nas duas têm manteiga (ainda bem que pelo menos a margarina a mais vazia deixou de lado), molho inglês, shoyu, maionese (na simples, só metade do pote), azeitona (a chique tem vários tipos, desde as miudinhas até as bem graúdas, pretas e verdes; e a simples só tem meio vidrinho de verde já em lascas), às vezes um vidrinho de alcaparra ou um potinho de tomate seco, uns tabletes de caldo concentrado, mas enquanto a chique tem uma dúzia de ovos, um litro de leite e creme de leite fresco, a outra só tem uns seis ovos e meio litro de leite. Na chique ainda há suco de laranja, água de coco, ovas de salmão, frutas secas, favas de baunilha, uma garrafa pela metade de um vinho adocicado, como um sauterne ou um Beaumes de Venise. Os queijos da chique são tentadores: Camembert, Brie, Roquefort, gorgonzola, Gouda, mussarela de búfala ultramacia, queijo de cabra e um pedaço de Parmigiano Grana Padano maravilhoso. Na simples, há meio queijo-de-minas, um copo de requeijão cremoso e um pacotinho de queijo ralado.

As gavetas de frutas e legumes são totalmente diferentes. A geladeira mais vazia contém umas duas cenouras, uma abobrinha e uma berinjela já meio murchas e feiosas, uns três ou quatro tomates, meio limão; não há erva nenhuma (para perfumar um prato, a saída é apelar para o potinho de orégano seco que fica na despensa) e meio papaia, um pedaço de abacaxi, duas ou três maçãs, uma banana, uma manga e três laranjas. A gaveta da chique é o máximo, nela há minicenouras e outros minilegumes lindos e fresquíssimos, uns três ou quatro maços de ervas variadas, folhas delicadíssimas e bem diferentes para salada, enfim, aquelas mil novidades que eu adoro comprar na barraca de verduras e legumes da Cecília, que, há muitos anos, vende o que há de melhor na feira do Pacaembu, bem pertinho da minha casa. Na geladeira chique há morango de encher os olhos, algumas maçãs perfumadíssimas, fruta-do-conde, atemóia, melão e manga. O freezer de cima da geladeira mais vazia só contém gelo e um pote de sorvete de creme quase pela metade.

Imaginei que mesmo nas despensas das casas mais desabastecidas não costuma faltar pelo menos uma cebola, alguns dentes de alho, um pouco de farinha de trigo, açúcar, fermento em pó, canela em pó, um vidrinho de essência de baunilha, um potinho de orégano, sal, óleo, azeite e vinagre (se não tem nem isso, aí fica difícil mesmo).

Da geladeira bem chique primeiro sai a saladinha de folhas com pacotinhos crocantes de queijo, com folhas delicadas e variadas, um molhinho de azeite e limão-siciliano, e os crocantezinhos de massa filo com recheios de queijo Brie e Roquefort (sugeri preparar os pacotinhos no forno, pois a massa fica mais sequinha e o sabor do queijo aparece mais; frita, apesar de ficar mais dourada, ela absorve um gostinho de óleo). O prato principal é um pernil de cordeiro em bouquet da horta, com minilegumes e purê de batata com parmesão: o pernil, que vai ao forno quase escondido no meio de um bouquet de ervas bem farto, é bem fácil de preparar e fica perfumadíssimo e muito bom; os minilegumes são deliciosos e enfeitam o prato; e o purê, que sempre agrada, fica bem fofo e macio, dissolve na boca, dá até vontade de comer a tigela inteira. Para conseguir um purê perfeito: cozinhe as batatas com casca numa panela com água em fogo baixo, assim as cascas não estouram e a polpa não absorve água em excesso; seque as batatas no forno ou no fogo, na panela vazia, para deixar o purê mais saboroso e cremoso; descasque e esprema as batatas com a ajuda de um passa-legumes ou de um espremedor tradicional, daqueles que têm um recipiente com muitos furinhos miúdos para colocar a batata, um disco para pressionar e fazer com que a polpa saia como fiozinhos bem macios (se preferir um purê mais rústico, ou amasse com um garfo ou esmague com um apetrecho que tem um cabo longo e uma base de metal com vários furinhos, por onde passam os pedacinhos de batata espremida, só não dá mesmo é para usar o processador, que faz o purê virar cola); depois, com uma colher de pau, incorpore a manteiga e o creme de leite aos pouquinhos e sirva o mais rápido possível (se precisar, mantenha o purê pronto em banho-maria por no máximo 1 hora, depois disso o sabor começa a mudar). A sobremesa é requintadíssima, superfrancesa, uma tarte grand-mère et la glace au sauterne, torta com massa bem crocante de nozes, recheada com um mix de frutas secas, com uma bola de um sorvete cremosíssimo de baunilha e vinho sauterne, aquele divino vinho branco adocicado.

SALADINHA DE FOLHAS COM PACOTINHOS DE QUEIJO

(6 PESSOAS; 30 MINUTOS)

PARA OS PACOTINHOS

75 g de queijo Brie
75 g de queijo Roquefort ou Gorgonzola
2 colheres (sopa) de creme de leite
6 folhas de massa filo
25 g de manteiga derretida
manteiga para untar

PARA A SALADA

6 xícaras de uma mistura de folhas tenras e delicadas de alfaces variadas, rúcula e agrião bem lavadas e secas
suco e raspas de 1 limão-siciliano
1/3 de xícara de azeite de oliva extravirgem
sal e pimenta-do-reino

↔ Pacotinhos Divida o Brie em 6 partes e reserve. Coloque o Roquefort numa tigelinha, esmague bem com um garfo, junte o creme de leite, misture até conseguir uma pasta e reserve. Aqueça o forno a 200°C (médio-alto) e unte uma assadeira pequena com manteiga. Abra um pano úmido sobre uma tábua, estenda sobre ele uma folha de massa filo, corte ao meio no sentido do comprimento para conseguir 2 tiras largas, depois dobre cada uma delas ao meio para conseguir 12 retângulos de uns 15 x 20 cm. Para os pacotinhos, coloque 1 pedaço de Brie ou 1 parte da pasta de Roquefort no centro do retângulo de massa, vá dobrando as partes livres de massa para dentro até fechar bem e coloque na assadeira (para facilitar a identificação dos recheios na hora de servir, coloque os 6 pacotinhos de Brie de um lado da assadeira e os 6 de Roquefort do outro; se quiser, prepare até aqui na véspera, cubra com filme plástico e guarde na geladeira). Pincele os pacotinhos com a manteiga derretida e asse por uns 10 minutos, até que estejam dourados e crocantes.

↔ Salada Coloque as folhas numa saladeira. Faça o molho, misturando numa tigelinha o suco, as raspas do limão, sal e pimenta. Depois junte o azeite e mexa até conseguir um molhinho homogêneo.

↔ Na hora de servir, despeje o molho na saladeira e, usando 2 colheres grandes, faça movimentos delicados de fora para dentro para envolver todas as folhas. Em cada prato, coloque uma parte da salada e 1 pacotinho de Brie e 1 de Roquefort.

PERNIL DE CORDEIRO EM BOUQUET DA HORTA, COM MINILEGUMES E PURÊ DE BATATA COM PARMESÃO

(6 PESSOAS; 6 HORAS)

PARA O CORDEIRO
1 pernil de cordeiro médio já bem limpo (cerca de 1 kg)
1 maço grande de manjericão
1 maço pequeno de sálvia
1 maço pequeno de tomilho
1 maço pequeno de alecrim
1 litro de vinho branco
2 colheres (sopa) de uma mistura de pimenta-do-reino preta e branca e pimenta-rosa
1 colher (sopa) de sal
2 cabeças de alho inteiras, com casca e todos os dentes juntos
azeite de oliva

PARA O PURÊ
1 kg de batata lavada com casca
1 xícara de creme de leite fresco
100 g de manteiga gelada em cubinhos
200 g de queijo Grana Padano ralado grosso (umas 2 xícaras)
sal

PARA OS MINILEGUMES
12 minicenouras
6 miniabobrinhas
6 miniberinjelas
1 colher (sopa) de açúcar
azeite de oliva
sal

↔ Aqueça o forno a 200ºC (médio-alto) por 15 minutos. Regue com um pouco de azeite uma assadeira de fundo grosso grande o bastante para acomodar bem o pernil. Soque as pimentas no pilão, processe ou envolva os grãos num pano limpo como uma trouxinha e esmague com uma panela pesada, misture o sal e espalhe sobre o pernil. Abra os maços de ervas, separe os ramos e, segurando o pernil pelo osso e formando um buquê, forre o pernil em toda a volta com uma camada bem farta de ervas, depois amarre com barbante para firmar (só deve ficar descoberta uma das pontas do pernil). Coloque o pernil na assadeira, regue com um pouco de azeite e metade do vinho, cubra com papel-alumínio e leve ao forno. Passadas 2 horas, coloque as cabeças de alho na assadeira, junte o restante do vinho e deixe no forno por mais umas 2 horas e 30 minutos, até que a carne esteja muito macia, desmanchando-se e se soltando dos ossos. Transfira o pernil para a travessa de servir e prepare o molho. Com uma concha, descarte o excesso de gordura da assadeira, mexa com uma colher de pau para soltar o que estiver colado ao fundo, então passe o molho por uma peneira, pressionando bem, coloque numa panelinha, leve ao fogo, deixe ferver, acerte o sal e a pimenta e, se for preciso, ajuste a acidez com um pouco de açúcar.

↔ Coloque a batata numa panela, cubra com água fria e aqueça. Quando ferver, abaixe o fogo e cozinhe por uns 20 minutos, até amaciar (espete com um garfo para testar). Escorra e esprema a batata ainda bem quente, passe a polpa para uma tigela e vá incorporando a manteiga aos pouquinhos, misturando com uma colher de pau, mas sem mexer demais para não virar uma cola. Acerte a consistência com o creme de leite, acrescente o queijo, ajuste o sal e sirva, ou mantenha aquecido em banho-maria por até 1 hora (depois disso, o sabor e a textura começam a mudar).

↔ Coloque os minilegumes inteiros e juntos numa frigideira grande com o açúcar, uma boa pitada de sal, umas 4 colheres (sopa) de azeite e água apenas o bastante para cobrir. Deixe no fogo até que os legumes estejam macios e brilhantes (se quiser, prepare na véspera e depois aqueça).

↔ Na hora de servir, solte o barbante e os ramos das ervas, separe a carne em lascas e coloque em cada prato uma parte da carne, do molho, do purê, dos legumes e, se quiser, uns dentes de alho assados, que ficam com a polpa muito cremosa e suave.

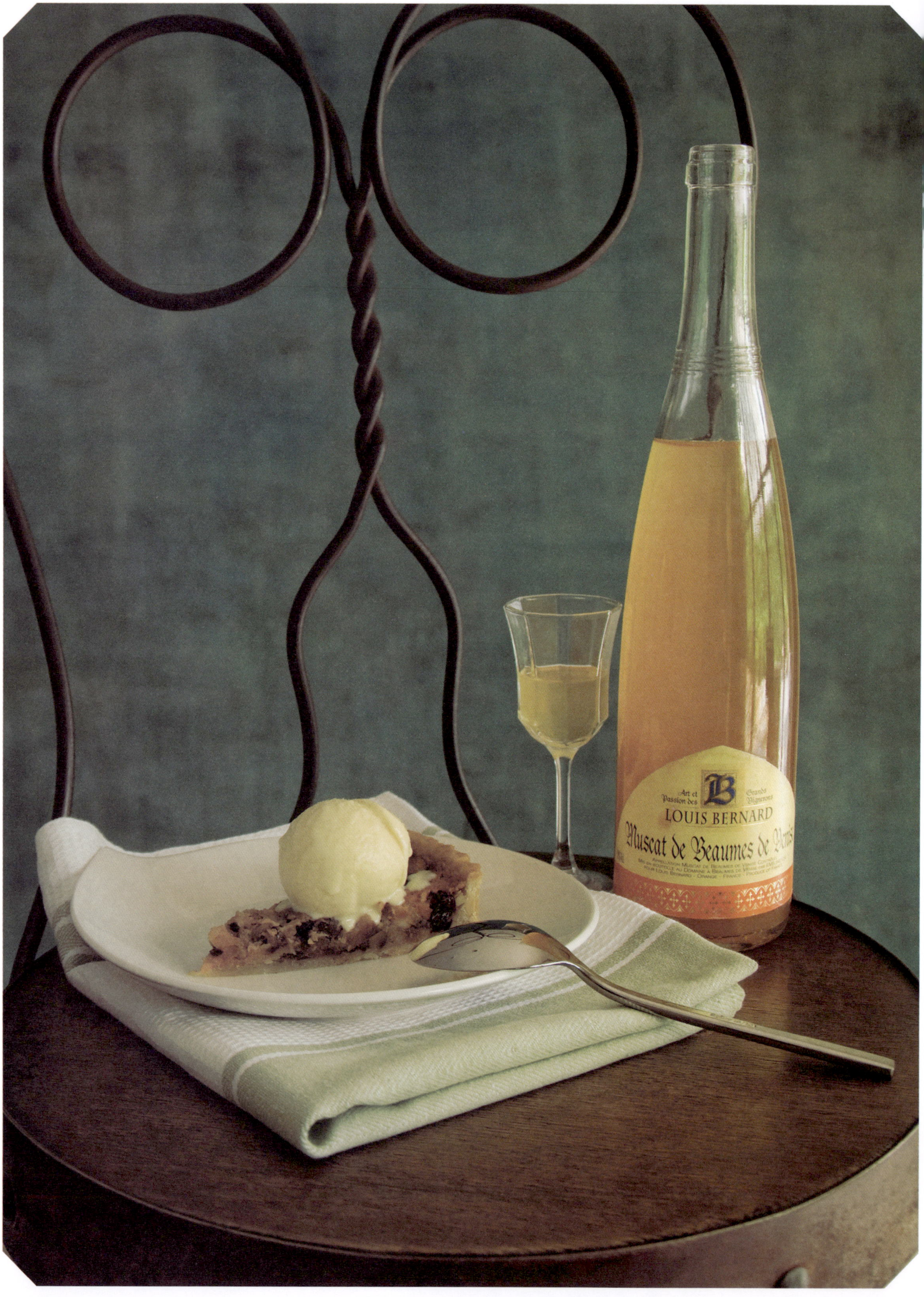
Art et Passion des
Grands Vignerons
LOUIS BERNARD

TARTE GRAND-MÈRE ET GLACE AU SAUTERNE

(6 PESSOAS; 2 HORAS E 30 MINUTOS, MAIS UMAS 3 HORAS PARA O SORVETE GELAR E FIRMAR)

PARA A MASSA
1 3/4 de xícara de farinha de trigo
1/3 de xícara de açúcar
1/4 de xícara de nozes moídas
100 g de manteiga gelada em cubinhos
1 gema
1 colher (chá) de essência de baunilha
1 a 3 colheres (sopa) de água fria
sal
farinha de trigo para polvilhar

PARA O RECHEIO
2 colheres (sopa) de kirsh
1/4 de xícara de uva passa
6 ameixas secas grosseiramente picadas
6 damascos grosseiramente picados
50 g de manteiga
1/2 xícara de açúcar
1/2 xícara de nozes grosseiramente picadas
1/2 de xícara de pistache torrado grosseiramente picado
1/4 de xícara de amêndoa em lâminas finas
1 colher (chá) de essência de baunilha
1 colher (chá) de canela em pó
1/2 xícara de creme de leite fresco
1 ovo
1 colher (sopa) de farinha de trigo
açúcar de confeiteiro para polvilhar

PARA O SORVETE
8 gemas
1/2 xícara de açúcar
1 fava de baunilha
2 xícaras de creme de leite fresco
1 xícara de vinho sauterne (ou outro vinho branco adocicado)

↔ Recheio Coloque a uva passa, a ameixa, o damasco e o kirsh numa tigelinha e deixe repousar por uns 30 minutos.

↔ Massa Enquanto isso, numa tigela grande, misture a farinha, o açúcar, uma pitada de sal e as nozes. Junte a manteiga e esfarele com a ponta dos dedos até obter uma farofa. Acrescente a gema, a baunilha e um pouquinho de água e trabalhe até conseguir uma massa bem macia, que descole das mãos (acrescente aos poucos mais água se ela ficar seca, ou farinha se ficar pegajosa). Embrulhe em filme plástico e leve à geladeira por pelo menos 30 minutos ou até por 48 horas.

↔ Sorvete Numa tigela, misture as gemas e o açúcar e reserve. Corte a fava ao meio no sentido do comprimento, raspe as sementes, coloque a fava e as sementinhas numa panela com o creme de leite e aqueça. Quando ferver, despeje na tigela das gemas, misture bem, volte com tudo para a panela, leve novamente ao fogo e, sempre mexendo, cozinhe até engrossar, mas sem deixar ferver, apenas até surgirem bolhinhas miúdas nas laterais. Retire do fogo imediatamente, passe para uma tigela limpa e junte o vinho. Coloque a tigela do creme dentro de outra tigela cheia de água e gelo para esfriar. Então, bata o creme numa sorveteira ou leve ao freezer por 30 minutos, retire do freezer e bata com a batedeira por 5 minutos, volte ao freezer e repita a operação mais 3 vezes (guarde o sorvete no freezer por até 1 mês).

↔ Numa frigideira grande, aqueça a manteiga, junte o açúcar, a mistura de uva passa com todo o caldo, as nozes, o pistache, a amêndoa, a baunilha, a canela e o creme de leite e retire do fogo. Quando esfriar, misture o ovo e a farinha.

↔ Sobre uma superfície enfarinhada, abra a massa com um rolo até formar um disco de 32 cm, forre o fundo e as laterais de uma fôrma para quiche de fundo removível de uns 25 cm de diâmetro (faça uns biscoitinhos com a massa que sobrar). Leve a fôrma à geladeira por 15 minutos, enquanto o forno aquece a 180°C (médio). Despeje o recheio na cavidade da torta e asse por uns 40 minutos, até que a massa e o creme estejam bem dourados. Deixe a torta amornar sobre uma grelha por uns 30 minutos, desenforme sobre um prato, polvilhe com açúcar de confeiteiro e sirva com o sorvete (a torta se conserva muito bem por até 3 dias fora da geladeira).

...E UMA MAIS VAZIA E SIMPLÓRIA

De uma geladeira mais vazia, simplória, e aparentemente sem graça, saiu, quase que num passe de mágica, um lanche bem gostoso e interessante. O supersanduíche: pãozinho macio, hambúrguer com azeitona, tomate perfumado e pasta de cenoura vem com um pãozinho meio misterioso, preparado apenas com farinha de trigo, fermento em pó, um pouquinho de leite e maionese (que entra no lugar dos ovos e da manteiga); um hambúrguer com azeitona, que ficou bem saboroso e pode ser feito tanto na frigideira como no forno (se quiser, troque a azeitona por alcaparra ou tomate seco); tomates perfumados e bem saborosos, que só pedem um pouco de azeite, alho e orégano; a pasta de cenoura ficou linda, delicada, dá cremosidade ao sanduíche e mostra como a gente consegue fazer coisas legais com quase nada (se quiser, troque a cenoura por tomate, pimentão ou beterraba, ou use manteiga no lugar do requeijão). Enfim, para terminar com um supersanduíche, só falta acrescentar uma fatia de queijo e 2 ou 3 folhas de alface, rúcula ou agrião (como o pão não é um pão de hambúrguer ultramacio, fica meio complicado comer de mordida, é melhor usar um pratinho, garfo e faca). Eu queria uma sobremesa cuja receita fosse bem flexível, daí nasceu o puff de frutas, que pede 3 xícaras de pedaços médios de frutas variadas, ou seja, o que cada um gostar e tiver na geladeira, como 1/2 papaia, 1 maçãzinha, 1 fatia de abacaxi, 1 manga e 1 banana, que vão para um refratário, recebem uma cobertura de ovos, leite, açúcar, fermento, baunilha e canela em pó e seguem para o forno (e, se você tiver no freezer um pouco de sorvete de creme, ainda que não seja muito, só para dar 1 bola para cada pessoa, a sobremesa fica ainda melhor).

Duas geladeiras

SUPERSANDUÍCHE: PÃOZINHO MACIO, HAMBÚRGUER COM AZEITONA, TOMATE PERFUMADO E PASTA DE CENOURA

(6 PESSOAS; 1 HORA E 15 MINUTOS)

PARA O PÃO
2 1/2 xícaras de farinha de trigo (aproximadamente)
1 colher (sopa) de fermento em pó
1 colher (sopa) rasa de açúcar
1 colher (chá) de sal
1/2 xícara de maionese
1/2 xícara de leite
1 colher (sopa) de queijo parmesão ralado
pimenta-do-reino

PARA A PASTA DE CENOURA
2 cenouras médias
200 g de requeijão cremoso
sal

PARA O HAMBÚRGUER
500 g de carne moída (patinho ou coxão mole)
1 colher (sopa) de molho inglês
1/4 de xícara de ketchup
1/3 de xícara de queijo parmesão ralado
1 colher (chá) de sal
1 colher (sopa) de mostarda
1 dente de alho bem picadinho
1 cebola grande em cubinhos
1/2 xícara de azeitona verde em lascas
1 xícara de pão esfarelado
1 ovo
óleo vegetal

PARA O TOMATE
3 tomates
1 dente de alho bem picadinho
1/2 colher (chá) de orégano
azeite de oliva
sal e pimenta-do-reino

↔ **Pão** Aqueça o forno a 220°C (alto) e separe uma assadeira média (não é preciso untar). Numa tigela média, misture a farinha, o fermento, o açúcar, o sal e uma pitada de pimenta-do-reino. Junte a maionese e o leite e misture até obter uma massa macia, que descole das mãos. Sobre uma superfície ligeiramente enfarinhada, abra a massa apertando com as mãos até conseguir um retângulo de uns 2 cm de espessura. Com uma faca afiada, divida a massa em 6 quadrados de uns 10 cm, passe para a assadeira, polvilhe com o parmesão e asse por uns 10 minutos, até que os pãezinhos estejam dourados e crescidos. Retire do forno e deixe amornar por pelo menos 5 minutos antes de servir.

↔ **Pasta de cenoura** Corte a cenoura em rodelinhas, coloque numa panelinha com um pouco de sal, cubra com água e aqueça. Deixe no fogo por uns 15 minutos, até que a cenoura esteja cozida, mas ainda bem firme, então escorra e deixe esfriar. No processador, bata a cenoura e o requeijão até obter uma pasta homogênea, ajuste o sal e passe para uma tigelinha (se quiser, guarde na geladeira por até 3 dias).

↬ Hambúrguer Numa tigela grande, misture a carne, o molho inglês, o ketchup, o queijo, o sal, a mostarda, o alho, a cebola, a azeitona e o pão. Junte o ovo, misture apenas o suficiente para ligar os ingredientes, divida em 6 partes e molde um hambúrguer com cada uma. Regue o fundo de uma frigideira grande com um fio de óleo, aqueça e coloque 3 hambúrgueres na frigideira. Quando as bordas estiverem douradas e surgir um pouco de sangue na superfície, vire para dourar do outro lado, aguarde mais 2 ou 3 minutos, passe para um prato e frite os demais.

↬ Tomate Enquanto isso, divida cada tomate em 6 rodelas. Aqueça um fio de azeite numa frigideira grande, junte o alho, espere perfumar e acrescente as rodelas de tomate, o orégano, sal e pimenta. Mantenha no fogo por mais ou menos 1 minuto, apenas até que as rodelas estejam quentinhas.

↬ Na hora de montar os sanduíches, corte cada pãozinho ao meio, espalhe um pouco da pasta de cenoura nas duas metades, coloque a metade de baixo do pão num prato e sobre ela coloque um hambúrguer, 3 rodelas de tomate e, se quiser, 2 folhas de alface e sirva.

PUFF DE FRUTAS
(6 PESSOAS; 1 HORA)

100 g de manteiga gelada em cubos médios
3 xícaras de pedaços de frutas frescas variadas
(banana, maçã, pêra, papaia, manga, abacaxi)
6 ovos
1/2 xícara de leite
1/3 de xícara de açúcar
1 colher (chá) de sal
1 colher (chá) de fermento em pó
1 colher (chá) de essência de baunilha
1/2 colher (chá) de canela em pó

↬ Aqueça o forno a 200ºC (médio-alto). Coloque a manteiga num refratário, leve ao forno por uns 5 minutos para derreter, retire do forno e misture os pedaços de fruta. Numa tigela média, misture os ovos, o leite, o açúcar, o sal, o fermento, a baunilha e a canela. Despeje a mistura dos ovos sobre as frutas e leve ao forno por uns 40 minutos, até que o puff esteja bem crescido, dourado e perfumado. Sirva o puff quentinho com sorvete.

Lista de receitas

LISTA DE RECEITAS

EU ADORO MAÇÃ
Refresco de maçã verde 24
Minicrocante de queijo de cabra com geléia de maçã e tomilho 25
Salada de maçã, Camembert e trevo 25
Saladinha fresca de camarão, maçã e outras coisinhas mais 26
Salada de haddock, maçã, mel, curry, iogurte e folhas roxinhas 26
Crostata de gorgonzola e maçã 27
Creme normando de alho-poró e maçã 29
Escalopes de vitelo à la normande 29
Purê de castanha e maçã 30
Gâteau pommes noix (bolo de maçã e nozes) 30
Bolo integral de maçã 32
Panqueca de aveia e maçã 32
Beignet aux pommes (bolinho frito de maçã) 33
Tarte Tatin (torta francesa de maçã) 34
American apple pie (torta americana de maçã) 35
Maçã ao forno com frutas secas, especiarias e vinho do Porto 36
Granité de maçã verde 36
Maçã do amor 37
Balinha de maçã 38
Fatias cristalizadas de maçã com canela 38

ARRAIAL CHIQUE
Quentão 49
Amendoim torrado 49
Bolinho de milho 50
Bolinho junino de carne e mandioca 50
Creme aveludado de cará 52
Tutuzinho no potinho 52
Arroz com pinhão, bacon e cheiro-verde 53
Cuscuz paulista 55
Doce de batata-doce roxa 55
Laranjinha em calda 56
Curau 57
Arroz-doce 57
Bolinho de pinhão 58
Queijadinha 59
Pé-de-moleque 60
Bolo de fubá e goiabada 60

UM, DOIS, FEIJÃO COM ARROZ; TRÊS, QUATRO, FEIJÃO NO PRATO
Salada de feijão-fradinho, tomate e leite de coco 76
Caldinho de feijão 76
Bolinho de arroz verde e amarelo 77
Arroz de carreteiro 79
Arroz de coco verde 79
Feijão-preto no coco 80
Feijão de leite 80
Baião-de-dois 82
Arroz com feijão verde, abóbora e queijo de coalho 82
PF do sertão: arroz com carne-de-sol, feijão taboca, mandioca e queijo de coalho 84
Farofa de feijão-andu e banana para Maria Bonita e Lampião 85
Mané com jaleco 86
Feijoada da minha casa 86
Saladinha jap de feijão-azuki e feijão-bolinha verde com molhinho de gengibre, shoyu e brotos de alfafa 89
Riso e fagioli (arroz com feijão italiano) 89
Azuki com arroz e gergelim 90
Feijão-fradinho com arroz lá da Índia 91
New Orleans rice and beans (arroz e feijão de New Orleans) 93
Arroz com frango e lingüiça 93
Boston baked beans (feijões assados) 94
Escondidinho de feijão-branco, bacalhau e erva-doce no azeite 94

COMIDA DE PRAIA - CAIU NA REDE, É PEIXE, MAS TAMBÉM PODE SER LULA, POLVO, CAMARÃO, MARISCO, LAGOSTA, CAVAQUINHA, SIRI, CARANGUEJO...
Ceviche de robalo 109
Atum fresco em conserva de azeite de oliva e ervas 109
Terrine de camarão, iogurte e endro com saladinha de tomate 110
Aquela casquinha de siri 110
Salada asiática de frango, legumes, lamen e molho de amendoim 112
Thai beef salad 113
Salada de cevadinha, tomate, mussarela de búfala e manjericão 114
Salada de frango, arroz selvagem, damasco e ervas 114
Salada grega de polvo 114
Tigela mexicana 117
Robalo assado com missô 117
Arroz oriental 118
Papillote thai de peixe e legumes 118
Filés de pescada à siciliana 119
Caçarola da praia com couscous marroquino 120
Crumble de vieira 120
Curry thai de camarão e abacaxi 121
Pacotinho jamaicano de camarão, coco e banana 122
Moqueca de camarão com pirão e arroz de coco 122
Cumbuca cremosa de caranguejo e milho 124
Kebab de cordeiro com especiarias e molhinho de iogurte e hortelã; berinjela, queijo e tomatinho; batatinha e alecrim 124
Gelado de frutas vermelhas 127
Goiaba com farofa crocante de castanha-do-pará 127

BOUQUET GARNI – OS RAMINHOS DAS ERVAS E CHEIROS QUE FAZEM A DIFERENÇA

Suco de maracujá com alecrim 136
Manteiga provençal com azeitona, tomilho e alecrim 136
Dip de queijo de cabra e hortelã 136
Salada de laranja, abacate, agrião, mel e hortelã 138
Salada de morango, espinafre e molhinho de manjericão 138
Salada de grão-de-bico, nozes e hortelã 139
Saladinha de frango thai 140
Salada de batata, vagem, tomatinho, azeite e ervas 140
Wrap refrescante de tofu e ervas 143
Crocante de alcachofra, tomate e molhinho de manjericão 143
Cake de salsinha e cebolinha 144
Tortinha rápida de tomate 144
Pão rústico de ervas 145
Espetinho satay de filé-mignon com molho de amendoim e capim-limão 146
Frango assado com louro e batata 146
Sobrecoxa com salsa verde 146
Sauce béarnaise 148
Purê de batata ao azeite de ervas 148
Couve-flor ao azeite em crosta de ervas 149
Saltimbocca alla romana 150
Koulibiac (folheado de salmão e endro) 150

PARABÉNS A VOCÊ – UMA FESTA DE ANIVERSÁRIO FEITA EM CASA

Trio de pastas: tomate da Maria; peito de frango e pimentão verde; presunto 160
Barquete de maionese 160
Croquete de carne 161
Carolina de camarão 162
Coxinha de frango 163
Rissole de carne 163
Empadinha de palmito 165
Bolinho de bacalhau 165
Enroladinho de salsicha 166
Rocambole de presunto e queijo 167
Brigadeiro 167
Docinho de nozes e cereja 168
Beijinho 168
Cajuzinho de amendoim 169
Bicho-de-pé 170
Nozes fingidas 170
Quindim 170
Olho-de-sogra 171
Canudinho de cocada 172
Docinho de abacaxi 173
Bala de coco 173
Quadradinho de cachaça e uva 173
Bolo de chocolate recheado de chocolate e coberto de chocolate 174
Bolo de coco com baba-de-moça 175

GULOSEIMAS EM PARIS

Macaron à la vanile 188
Éclair au chocolat 188
Cannelé (bolinhos caramelizados) 190
Financier (bolinho de amêndoa) 190
Bolinho macio de pistache 192
Millefeuille à la vanille (mil-folhas de baunilha) 193
Gauffre (waffles) 194
Crêpe 194
Nougat aux fruits secs 194
Caramel à la vanille et au beurre salé 197
Florentine (biscoito de frutas secas) 197
Pain au chocolat 198
Croque monsieur (sanduíche gratinado de presunto e queijo) 199
Sorvete de chocolate 200
Sanduíche de falafel 200
Cake jambon, fromage et olives (bolo salgado de presunto, queijo e azeitonas) 201

PASSEANDO PELA INGLATERRA

Cheese scones (pãezinhos rápidos de queijo) 207
Easy soda bread (pão fácil de bicarbonato) 207
Crackers and Stilton paste (biscoitinhos salgados crocantes e pasta de queijo Stilton) 208
Mix de condimentos: tomato ketchup, mushroom ketchup e honney mustard (ketchup de tomate, ketchup de cogumelo e mostarda ao mel) 208
Onion marmelade (compotinha de cebola) 209
Onion, beer, barley and Cheddar soup (sopa de cebola, cerveja, cevada e queijo Cheddar) 211
Sopa de carne e legumes 211
Scotish salmon cakes (bolinhos escoceses de salmão) 212
Fish and chips (peixe frito com batata frita) 212
Haddock cream pie (torta cremosa de haddock) 213
Shefferd's pie (torta de cordeiro com purê de batata) 214
Toffee ginger pudding (Bolo caramelizado de gengibre) 215
Raspberries oat betty (framboesas com cobertura crocante de aveia) 216
Porto wine jelly (gelatina de vinho do Porto) 216
Old tea cream flan (flan de chá à moda antiga) 217
Cherries and raisins english cake (bolo inglês com cereja e uva passa) 218
Lemon curd (creme azedinho de limão) 218

CHING LING - MADE IN CHINA

Massa para rolinho primavera 236
Massa para bolinhos cozidos no vapor 236
Massa para wonton 237
Pãezinhos no vapor 238
Pearl balls 239
Recheio de frango e castanha-d'água 239
Recheio de porco e repolho bok choy 239
Recheio de camarão e broto de bambu 239
Recheio de cogumelo chinês e tofu 240
Recheio de carne bovina, pimenta e mexerica 240
Recheio de lombo agridoce 240
Recheio de camarão e legumes 240
Surpresa de lótus 241
Molhinho de ameixa 242
Molhinho agridoce 242
Molhinho chinês de pimenta-vermelha 242
Panquequinha crocante de cebolinha e gergelim 243
Caldo de pato com wonton 245
Espinafre com molho de ostra 245
Vieiras com molhinho de feijão 247
Salada de repolho-roxo, cebolinha e nozes caramelizadas 247
Laranjas refrescantes 248
Tofu cremoso gelado com calda de gengibre e canela 248

MANDIOCA É BOM DEMAIS

Bolinho de boteco 258
Crisp de mandioca 258
Sopa cremosa de mandioca 260
Paçoca de carne-seca 260
Farofíssima 261
Farofa de cebola tostadinha e lingüiça 261
Farofa d'água 263
Pastel caipira 263
Moqueca paulista 264

Travesseirinhos de mandioca, milho verde, couve e queijo-de-minas 265
Bobó de camarão 266
Afogado no capricho 266
Magret com molhinho de goiabada na cachaça e purê de mandioca 267
Pão de mandioca à la lyonnaise 268
Pão de queijo 269
Tarecos de polvilho 269
Cuscuz de tapioca e coco para o café-da-manhã 270
Cuscuz de milho das minhas tias 271
Bolinho de estudante 271
Bolo moreninho de rapadura e mandioca 272
Bombocado de mandioca 272
João-deitado 274
Sagu com vinho tinto, cravo e canela 275
Sagu lá da praia 275

TUDO MUITO NATURAL

Shake de tofu e framboesa 287
Refresco de maça, pepino e hortelã 288
Supersuco de vitamina C 291
Pão de arroz 291
Pão rápido de iogurte e mel 292
Pão rústico de aveia 292
Pão sueco 293
Dip de tofu, salsinha e manjericão 293
Pasta de ervilha, ervas e gergelim 294
Salada de abobrinha, abóbora e quinua 294
Sopa de arroz selvagem e nozes-pecãs 294
Panquequinhas de milho verde 295
Arroz selvagem com lentilhas, shiitake e shimeji 296
Curry de grão-de-bico 296
Rocambole de grãos com molhinho de espinafre 297
Pilaf de arroz, lentilha e amêndoa, uva passa e damasco 298
Refogadinho de tofu, vagem e cenoura 299
Batata-doce caramelizada com laranja, azeite e alecrim 299
Tigelinha de trigo e tomate 300
Spaghetti integral com pesto de semente de girassol, abóbora e ervas 300
Torta provençal de legumes 301
Torta de integral de beterraba 302
Mingau de quinua e chocolate 302
Granola caseira com coalhada fresca 303
Bolo de chá e uva passa 304
Bolo de papoula e pistache com perfume de laranjeira 304
Crocante de banana 304
Geléia de mocotó 305

OVOS, OVOS E MAIS OVOS... TEM COISA MAIS LINDA?

Avgolémono (sopa grega de ovo e limão) 320
Maionese 321
Potinhos cremosos de aspargo e Brie 321
Creme cantonês de ovos, shiitake e frango 322
Ovos mexidos com salmão e cebolinha 322
Ouefs en meurette (ovos pochés com molho de vinho) 323
Soufflé au fromage 325
Soufflé de azeitona e ervas frescas 325
Soufflé da roça 325
Clafoutis de cebola caramelizada e Roquefort 326
Quiche de alho-poró 326
Couronne oeuf jambon (coroa de ovo e presunto) 327
Frittata de tomate, mussarela e manjericão 328
Folar (pão de ovos portugueses) 328
Ovos queimados 330
Pudim abade de Priscos 330
Toucinho do céu 331
Crème caramel 332
Soufflé de nozes 332
Pots de crème au chocolat 333
Pêra em crosta de mel e amêndoa 334
Bolinho de chuva 334
Sorvete cremoso de banana 335

NA PATAGÔNIA ARGENTINA

Provoleta con salame, hongo y alfabaca 343
Maçã verde recheada com truta defumada 344
Trio de empanadas: carne, milho, Roquefort e alho-poró 345
Risotto de centolla de Ushuaia e maçã do rio Negro 346
Ravióli de cogumelo do bosque e manteiga de sálvia 346
Ravióli de cogumelo fresco e molhinho de salsinha e tomilho 348
Salmão ao forno com purês de fava, batata e cenoura 349
Cazuela de humita (caçarola de milho verde) 350
Molhinho chimichurri 351
Torta rústica de pêra 351
Dulce de leche argentino (doce de leite argentino) 352
Panqueque con dulce de leche (panqueca com doce de leite) 352
Alfajor de doce de leite e chocolate 354
Medias lunas (croissants açucarados) 355
Enroladinhos especiais de pão preto e queijos 356
Sanduichinho de salmão defumado com chips de beterraba 357

PICADINHOS E ENSOPADINHOS DE TUDO QUANTO É CANTO

Picadinho brasileiro 365
Picadinho mineiro com angu de queijo 365
Ensopadinho de carne-seca com banana-da-terra 366
Camarão ensopadinho com chuchu 366
Strogonoff 367
Ensopadinho de lombo com molho barbecue 368

Torta grega com picadinho de carne 369
Mussamam de carne e batata (ensopado Thai) 370
Colombo caribenho de cordeiro 370
Picadinho indiano de frango, tomate, canela e pão dourado 371
Ensopadinho de vitelo, tomate e alcachofra 373
Ragù de cogumelos e vinho tinto com polenta ao parmesão 373
Cocotte de boeuf aux olives (ensopado de carne e azeitona) 374
Ensopadinho francês de carne e cerveja 374
Picadinho chinês das formiguinhas 375
Picadinho thai de lula 376
Pão com picadinho 377

SOPAS PARA AS NOITES MAIS FRIAS (E PARA AS MAIS FRESQUINHAS TAMBÉM)

Sopa cremosa de brócolis 386
Sopa de batata 386
Sopa de cenoura com laranja e especiarias 388
Mix cremoso de cogumelos 388
Cumbuca de abóbora 388
Panelinha de banana-da-terra 389
Canja de galinha da vovó 390
Canja chique de pato e cevadinha 390
Sopa caseirinha de feijão 391
Caldo verde 392

Creme de ervilha 392
Sopa de aveia e alho-poró 393
Minestrone (sopa italiana de legumes) 393
Sopa italiana de feijão-branco e aspargo 394
Sopa francesa de cebola 395
Sopa provençal de legumes 396
Sopa de franco e curry 396
Sopa com almôndegas levemente picantes 397
Japanese noodle soup (sopa japonesa de macarrão) 399
Caldeirão do mar 399
Creme de camarão e coco 400
Biscoitinhos crocantes para sopa 400
Tigelinha de doce de leite, laranja e queijo-de-minas 401
Creme de três chocolates e frutas vermelhas 401

DUAS GELADEIRAS, UMA BEM CHIQUE E UMA MAIS VAZIA E SIMPLÓRIA

Saladinha de folhas com pacotinhos de queijo 406
Pernil de cordeiro em bouquet da horta, com minilegumes e purê de batata com parmesão 407
Tarte grand-mère et glace au sauterne 409
Supersanduíche: pãozinho macio, hambúrguer com azeitona, tomate perfumadinho e pasta de cenoura 412
Puff de frutas 413

*Este livro foi editado na primavera de 2008
e composto com caracteres Mrs Eaves, criados
por Zuzana Licko, em 1996.*